여러분의 합격을 응원하는

해커스공무원의 특별 혜택

KB084179

FREE 공무원 한국사 **특강**

해커스공무원(gosi.Hackers.com) 접속 후 로그인 ▶ 상단의 [무료강좌] 클릭 ▶ 좌측의 [교재 무료특강] 클릭

공무원 한국사 **기출 사료 모음집**(PDF)

해커스공무원(gosi.Hackers.com) 접속 후 로그인 ▶ 상단의 [교재 · 서점 → 무료 학습 자료] 클릭 ▶
본 교재의 [자료받기] 클릭

해커스공무원 온라인 단과강의 **20% 할인쿠폰**

B94F59738CA89382

해커스공무원(gosi.Hackers.com) 접속 후 로그인 ▶ 상단의 [나의 강의실] 클릭 ▶
좌측의 [쿠폰등록] 클릭 ▶ 위 쿠폰번호 입력 후 이용

* 등록 후 7일간 사용 가능(ID당 1회에 한해 등록 가능)

해커스 회독증강 콘텐츠 **5만원 할인쿠폰**

C3EB548869DA537P

해커스공무원(gosi.Hackers.com) 접속 후 로그인 ▶ 상단의 [나의 강의실] 클릭 ▶
좌측의 [쿠폰등록] 클릭 ▶ 위 쿠폰번호 입력 후 이용

* 등록 후 7일간 사용 가능(ID당 1회에 한해 등록 가능)
* 월간 학습지 회독증강 행정학/행정법총론 개별상품은 할인쿠폰 할인대상에서 제외

쿠폰 이용 관련 문의 **1588-4055**

단기 합격을 위한
해커스 커리큘럼

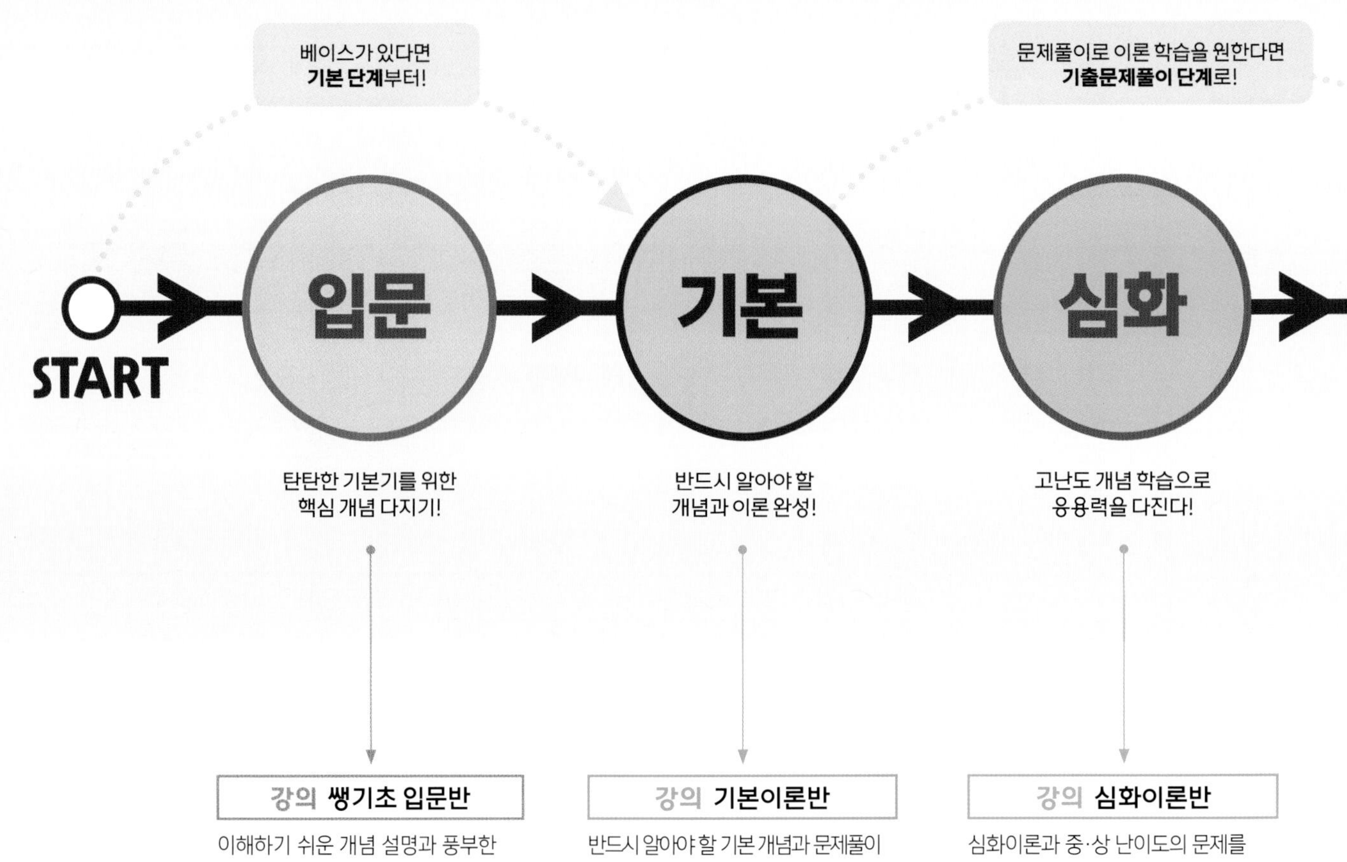

강의 쌩기초 입문반

이해하기 쉬운 개념 설명과 풍부한 연습문제 풀이로 부담 없이 기초를 다질 수 있는 강의

강의 기본이론반

반드시 알아야 할 기본 개념과 문제풀이 전략을 학습하여 핵심 개념 정리를 완성하는 강의

강의 심화이론반

심화이론과 중·상 난이도의 문제를 함께 학습하여 고득점을 위한 발판을 마련하는 강의

단계별 교재 확인 및
수강신청은 여기서!

gosi.Hackers.com

* 커리큘럼은 과목별·선생님별로 상이할 수 있으며, 자세한 내용은 해커스공무원 사이트에서 확인하세요.

기출문제 → **예상문제** → **마무리** → **PASS**

기출문제
기출문제풀이 훈련으로
취약영역을 보완한다!

강의 기출문제 풀이반

기출문제의 유형과 출제 의도를 이해하고, 본인의 취약영역을 파악 및 보완하는 강의

예상문제
예상문제풀이로
실전력을 강화한다!

강의 예상문제 풀이반

최신 출제경향을 반영한 예상 문제들을 풀어보며 실전력을 강화하는 강의

마무리
시험 직전 반드시
확인할 내용만 엄선한다!

강의 실전동형모의고사반

최신 출제경향을 완벽하게 반영한 모의고사를 풀어보며 실전 감각을 극대화하는 강의

강의 봉투모의고사반

시험 직전에 실제 시험과 동일한 형태의 모의고사를 풀어보며 실전력을 완성하는 강의

해커스공무원

한국사

기본서

2권 | 근현대사

해커스공무원

합격에 **꼭 필요한 내용**을 **체계적인 구성**으로 **꼼꼼히 정리**한 **필수 기본서!**

역사는 현재를 살아가는 우리의 삶을 담은 이야기입니다. 그러나 많은 사람들이 '역사는 무조건 암기해야 하는 과목이고 어렵고 재미없다.'라는 고정관념을 가지고 있습니다. 이같은 생각을 반영하듯이 기존의 한국사 개념서는 방대한 양으로 공무원 시험을 준비하는 수험생 여러분들을 힘들게 하였습니다. 이러한 현실에서 꼭 필요한 개념을 흐름에 따라 체계적 · 효율적으로 정리할 수 있도록 **『해커스공무원 한국사 기본서』**를 출간하게 되었습니다.

『해커스공무원 한국사 기본서』는 방대한 한국사 내용을 체계적으로 학습할 수 있는 최적의 교재입니다. '한눈에 보는 시대 연표'에서는 본격적인 학습을 시작하기 전에 해당 시대의 흐름과 핵심 내용을 한눈에 파악할 수 있도록 하였고, 본문에서는 한국사의 흐름과 내용을 일목요연하게 정리하였으며, 관련 사료와 도식화된 개념을 제시하였습니다. 또한 본문과 연계된 'OX 빈칸 핵심 개념 점검'을 구성하여 수험생 여러분들이 본문에서 배운 내용을 핵심 개념별로 구성된 OX 빈칸 문제를 통해 점검할 수 있도록 하였습니다. 그리고 각 단원의 마지막에는 핵심 내용만 골라 표로 정리한 '핵심 키워드로 시대 마무리'를 제공하였습니다.

더불어, 공무원 시험 전문 사이트인 **해커스공무원(gosi.Hackers.com)**에서 궁금한 점을 나누고, 다양한 무료 학습 자료를 함께 이용한다면 학습 효과를 극대화할 수 있습니다.

『해커스공무원 한국사 기본서』를 통해 수험생 여러분들이 원하는 목표에 도달하시기를 진심으로 기원합니다.

해커스 공무원시험연구소

유네스코 세계 기록유산

「조선왕조실록」(1997)	• 태조~철종까지의 통치 내용을 기록한 편년체 역사서 • 왜란 이전 4대 사고에 보관 → 왜란 이후 5대 사고에 보관
「훈민정음(해례본)」(1997)	• 조선 시대 세종과 집현전 학자들이 창제한 문자 • 『훈민정음』에 대한 일종의 해설서
「불조직지심체요절」(하권) (2001)	• 청주 흥덕사에서 간행된 불교 서적(1377) • 현존하는 세계 최고(最古)의 금속 활자 인쇄본 • 프랑스 국립 도서관에서 소장하고 있음(구한 말 플랑시가 수집해 프랑스로 가져감)
「승정원일기」(2001)	조선 시대 왕명 출납을 관장하던 승정원에서 업무 내용을 일지 형식으로 작성한 것
고려대장경판 및 제경판(2007)	몽골의 침입을 불력으로 막기 위해 강화도에서 제작한 대장경판(팔만대장경이라고도 함)
조선 왕조 「의궤」(2007)	• 조선 왕실의 중요 행사를 글·그림으로 기록한 의례서 • 강화도 외규장각에서 보관하던 것을 병인양요 때 프랑스가 약탈(2011년 영구 임대 방식으로 반환)
「동의보감」(2009)	광해군 때 허준이 편찬한 백과사전식 의서
5 · 18 광주 민주화 운동 기록물(2011)	5·18 민주화 운동의 발발과 진압, 이후의 진상 규명·가해자의 처벌·보상 등과 관련된 문서, 사진, 영상
「일성록」(2011)	• 정조가 세손 시절부터 일기 형식으로 기록 → 정조 즉위 후 국정 기록이 됨 • 조선의 국왕(정조~순종)들이 국정 운영에 참고할 목적으로 씀
「난중일기」(2013)	이순신이 임진왜란 때 쓴 친필 일기(전쟁에서 겪은 이야기 서술)
새마을 운동 기록물(2013)	새마을 운동과 관련된 대통령 연설문, 정부 문서, 편지, 사진 등의 자료
한국의 유교 책판(2015)	조선 시대에 718종의 유교 서책을 간행하기 위해 판각한 책판
'이산 가족을 찾습니다.' 기록물(2015)	남한 내에서 흩어진 이산가족을 찾기 위해 방영된 KBS 특별 생방송과 관련된 기록물(녹화 원본 테이프, 업무 수첩, 신청서 등)
조선 왕실 어보와 어책(2017)	조선 왕실에서 책봉하거나 존호를 수여할 때 제작된 의례용 도장인 어보와 그 교서인 어책
국채 보상 운동 기록물(2017)	1907년부터 일어난 국채 보상 운동의 전 과정을 보여주는 기록물
조선 통신사에 관한 기록(2017)	1607년~1811년까지 일본 에도 막부의 초청으로 총 12회에 걸쳐 파견되었던 조선 통신사에 관한 자료
4 · 19 혁명 기록물(2023)	4·19 혁명 운동 당시의 부상자의 개별 기록서, 신문 기사 등 문서, 사진 자료
동학 농민 운동 기록물(2023)	동학 농민 운동 당시 동학 농민군의 편지, 전봉준 공초 등의 자료

차례

2권 근현대사

VI 근대 사회의 전개

VII 민족 독립운동의 전개

Ⅷ 현대 사회의 발전

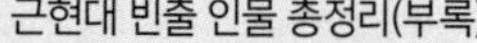
근현대 빈출 인물 총정리(부록)

공무원 한국사 기출 사료 모음집(PDF)
– 해커스공무원(gosi.Hackers.com) 사이트에서 다운로드

공무원시험전문 **해커스공무원**

gosi.Hackers.com

근대 출제 경향

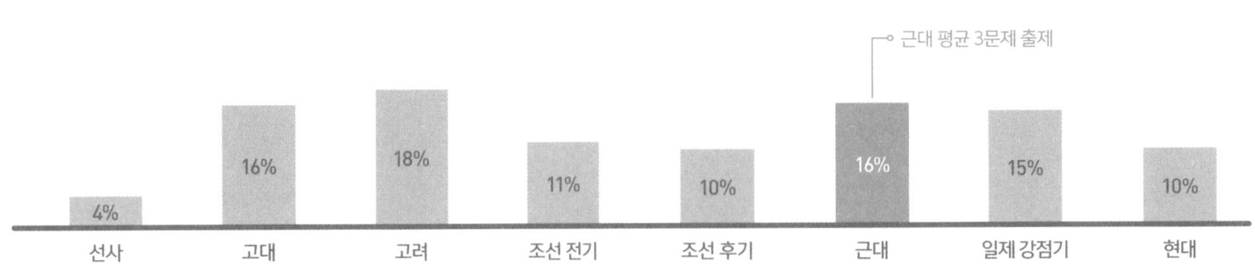

근대에서는 **매 시험 평균 3문제**씩 출제됩니다. 근대에서는 사건의 인과 관계를 파악하는 문제나 주요 인물과 단체의 활동을 묻는 문제가 일반적으로 출제되고 있습니다. 따라서 사건의 배경, 전개 과정, 결과를 정리하여 개념을 이해하고, 주요 인물과 단체의 활동을 정리해두어야 합니다.

해커스공무원 한국사 기본서 **2권 근현대사**

Ⅵ 근대 사회의 전개

01 외세의 침략적 접근과 개항

02 개화 운동의 추진과 반발

03 구국 민족 운동과 근대적 개혁의 추진

04 개항 이후의 변화 모습

출제 비중		빈출 키워드
01 외세의 침략적 접근과 개항	24%	흥선 대원군, 신미양요, 외국과의 통상 조약
02 개화 운동의 추진과 반발	18%	임오군란, 갑신정변
03 구국 민족 운동과 근대적 개혁의 추진	37%	동학 농민 운동, 갑오·을미개혁, 독립 협회, 대한 제국, 신민회
04 개항 이후의 변화 모습	21%	화폐 정리 사업, 국채 보상 운동, 이권 침탈

근대사에서는 '구국 민족 운동과 근대적 개혁의 추진'의 출제 비중이 높은 편입니다. 해당 단원에서는 특히 동학 농민 운동의 전개 과정, 갑오·을미개혁, 독립 협회와 신민회의 활동, 대한 제국 시기에 추진된 정책 등을 꼼꼼하게 학습해야 합니다. 이외 단원에서는 흥선 대원군의 개혁 정책, 국채 보상 운동 등에 대한 내용이 출제되기도 하니 빠짐없이 정리해두어야 합니다.

한눈에 보는 근대 연표

1863	1866	1871	1876	1882	1884	1894	1895
고종 즉위, 흥선 대원군 집권	병인양요	신미양요	강화도 조약 체결	· 조·미 수호 통상 조약 체결 · 임오군란	갑신정변	· 동학 농민 운동 · 청·일 전쟁 · 갑오개혁	· 삼국 간섭 · 을미사변 · 을미개혁 · 을미의병

1863~1873 / 흥선 대원군 집권기

- 고종 즉위, 흥선 대원군 집권(1863)
- 병인박해(1866)
- 제너럴셔먼호 사건(1866)
- 병인양요(1866)
- 오페르트 도굴 사건(1868)
- 신미양요, 척화비 건립(1871)
- 흥선 대원군 하야, 고종의 친정(1873)

1876~ / 개항과 개화 정책

- 강화도 조약 체결(1876)
- 조·일 수호 조규 부록 체결(1876)
- 조·일 통상 장정 체결(1876)
- 통리기무아문 설치(1880)
- 별기군 창설(1881)
- 조·미 수호 통상 조약 체결(1882)
- 임오군란 발발(1882)
- 제물포 조약 체결(1882)
- 조·일 수호 조규 속약 체결(1882)
- 조·청 상민 수륙 무역 장정 체결(1882)
- 조·일 통상 장정 개정 체결(1883)
- 갑신정변(1884)
- 한성 조약 체결(1884)
- 톈진 조약 체결(1885)
- 거문도 사건(1885~1887)

1894~1895 / 동학 농민 운동과 갑오·을미 개혁

- 고부 민란(1894)
- 황토현·황룡촌 전투 승리(1894)
- 전주성 점령(1894)
- 청군, 아산만 상륙(1894)
- 일본군, 인천 상륙(1894)
- 전주 화약 체결, 집강소 설치(1894)
- 정부, 교정청 설치(1894)
- 일본의 경복궁 침입(1894)
- 청·일 전쟁 발발(1894)
- 군국기무처 설치, 제1차 갑오개혁 추진(1894)
- 동학 농민군의 재봉기(1894)
- 공주 우금치 전투(1894)
- 제2차 갑오개혁 추진(1894)
- 고종, 홍범 14조 반포(1894)
- 교육 입국 조서 발표(1895)
- 청·일 전쟁 종결, 시모노세키 조약 체결(1895)
- 삼국 간섭(1895)
- 을미사변(1895)
- 을미개혁(1895)
- 을미의병(1895)

1896	1897	1904	1905	1907	1910
· 아관 파천 · 독립 협회 창설	대한 제국 수립, 광무개혁	· 한·일 의정서 · 제1차 한·일 협약	· 을사늑약 · 을사의병	· 국채 보상 운동 · 헤이그 특사 파견 · 고종 강제 퇴위 · 한·일 신협약 · 정미의병	한·일 병합 조약 (경술국치)

1896 ~

독립 협회와 대한 제국 수립

- 아관 파천(1896)
- 독립신문 창간(1896)
- 독립 협회 창설(1896)
- 고종의 경운궁(덕수궁) 환궁(1897)
- 대한 제국 선포(1897)
- 관민 공동회 개최, 헌의 6조 채택(1898)
- 독립 협회 해산(1898)
- 양지아문 설치(1898)
- 대한국 국제 반포(1899)
- 원수부 설치(1899)
- 한·청 통상 조약 체결(1899)
- 대한 제국 칙령 제41호 공포(1900)
- 지계아문 설치(1901)
- 이범윤, 간도 시찰원 파견(1902)

1904 ~1910

국권 피탈 과정

- 고종, 국외 중립 선언(1904)
- 러·일 전쟁 발발(1904)
- 한·일 의정서 체결(1904)
- 보안회 결성(1904)
- 제1차 한·일 협약 체결(1904)
- 포츠머스 조약 체결(1905)
- 을사늑약 체결(1905)
- 을사의병(1905)
- 국채 보상 운동(1907)
- 신민회 결성(1907)
- 헤이그 특사 파견(1907)
- 고종 강제 퇴위(1907)
- 한·일 신협약 체결(1907)
- 대한 제국 군대 해산(1907)
- 정미의병(1907)
- 서울 진공 작전(1908)
- 동양 척식 주식회사 설립(1908)
- 기유각서 체결(1909)
- 안중근, 이토 히로부미 사살(1909)
- 남한 대토벌 작전(1909)
- 경찰권 박탈(1910)
- 한·일 병합 조약 체결, 조선 총독부 설치(1910)

01 외세의 침략적 접근과 개항

1 흥선 대원군의 개혁 정치와 외세의 침입

학습 포인트

흥선 대원군의 개혁 정책을 왕권 강화를 목표로 한 대내 정책과 통상 수교 거부 정책을 실시한 대외 정책으로 구분하여 살펴본다. 특히 대외 정책은 통상 수교 거부 정책에 따라 발발한 서양의 침략을 시기 순서대로 정리하여 학습한다.

빈출 핵심 포인트

경복궁 중건, 서원 철폐, 통상 수교 거부 정책, 병인박해, 병인양요, 오페르트 도굴 사건, 신미양요, 척화비 건립

1 흥선 대원군의 개혁 정책

1. 왕권 강화책

(1) 인사 개혁: 흥선 대원군은 세도 정치의 중심인 안동 김씨 일족을 몰아내고, 파벌과 가문을 떠나 능력에 따라 인재를 등용하였다(종친 등용·노론 억압·남인 천거).

(2) 비변사 축소·폐지: 흥선 대원군은 국정 전반을 담당하였던 비변사를 축소·폐지하였고, 의정부와 삼군부의 기능을 부활시켜 각각 정치와 군사의 최고 기관으로 삼았다.

(3) 법전 정비: 흥선 대원군은 통치 기강을 바로 세우고자 조선의 법전을 정리한 『대전회통』과 6조의 역할에 관한 규칙을 정리한 『육전조례』를 편찬하였다.

기출 사료 읽기

흥선 대원군의 인재 등용

"나는 천리(千里)를 끌어다 지척(咫尺)을 삼겠으며, 태산을 깎아내려 평지를 만들고, 또한 남대문을 3층으로 높이려 하는데, 여러분들은 어떻게 생각하오?"라고 하였다. …… 대개 천리지척이라는 말은 종친을 높인다는 뜻이요, 남대문 3층이란 말은 남인을 천거하겠다는 뜻이요, 태산을 평지로 만들겠다는 말은 노론을 억압하겠다는 의사이다.
- 황현, 『매천야록』

사료 해설 | 흥선 대원군은 노론 중심의 정치 구조를 타파하고, 기존에 소외되어 있던 남인 세력 중 능력 있는 인재를 등용하고자 하였다.

흥선 대원군의 등장

1863년 12월 철종이 후사 없이 죽자, 흥선 대원군(이하응)의 둘째 아들 이명복이 조대비의 양자로 입적되어 12세의 나이로 왕위에 올랐다. 고종이 어린 나이에 즉위하였으므로, 국왕의 생부인 흥선 대원군이 섭정의 대권을 위임 받아 정치적 실권을 장악하였다.

2. 경복궁 중건

(1) 목적: 흥선 대원군은 경복궁을 중건하여 왕실의 권위를 회복하고자 하였다.

(2) 중건 과정

① **원납전 징수**: 원납전은 일종의 기부금으로 '스스로 원하여 바치는 돈'이라는 의미였으나, 실제로는 흥선 대원군이 경복궁 중건 비용을 충당하기 위해 강제로 징수하였다.

② **당백전 남발**: 공사비 마련을 위해 발행한 당백전은 상평통보에 비해 액면 가치는 100배였으나 실질 가치는 5~6배밖에 되지 않았다. 이 때문에 당백전의 남발은 화폐 가치가 하락하고 물가가 폭등하는 인플레이션 현상을 초래했다.

③ **묘지림 벌목**: 경복궁 중건에 필요한 목재를 조달하기 위해 양반들의 묘지에 있는 나무들을 벌목하여 양반들의 원성을 샀다.

④ **백성의 부역 동원**: 백성들을 각종 토목 공사에 동원하여 백성들의 원성을 샀다.

⑤ **잡세 징수**: 도성의 4대문을 통과하는 물품들에 대한 통행세(성문세) 등의 잡세를 징수하였다.

(3) 결과: 근정전·경회루 등이 중건되었으나, 양반과 백성의 원성이 증가하였다.

3. 서원 철폐

(1) 목적: 흥선 대원군은 붕당의 근거지로서 면세·면역의 특권을 향유하며 국가 재정을 악화시키고 백성을 수탈해 온 서원을 철폐하여 지방에 대한 국가 통제력을 강화시키고 민생을 안정시키고자 하였다.

(2) 내용

① **만동묘 철폐**: 임진왜란 당시 조선을 도와준 명나라 신종과 명나라 마지막 황제 의종의 제사를 지내던 만동묘를 철폐하였다(1865).

② **세금 부과**: 사액되지 않은 서원들에 대해 납세를 명령하였다.

③ **서원 축소**: 전국 600여 개의 서원을 47개만 남기고 모두 철폐하였다(1871).

④ **반발**: 흥선 대원군의 서원 철폐에 대해 이항로, 최익현 등의 유생들은 크게 반발하였다. 유생들의 반발은 훗날 대원군이 실각하는 배경이 되었다.

교과서 사료 읽기

흥선 대원군의 서원 철폐

대원군이 영을 내려 나라 안의 서원을 죄다 허물고 서원 유생들을 쫓아내도록 하였다. …… 대원군이 크게 노하여 말하기를, "진실로 백성에게 해가 되는 것이 있으면 비록 공자가 다시 살아난다 하더라도 나는 용서치 않겠다. 하물며 서원은 우리나라 선유를 제사하는 곳인데 지금은 도둑의 소굴이 되어 버렸으니 말할 것도 없다."라고 하였다. - 박제형(박제경), 『근세조선정감』

사료 해설 | 흥선 대원군은 유생들의 반발에도 불구하고 붕당의 온상으로 인식되어 온 서원을 철폐·정리하였다.

4. 삼정의 문란 시정

(1) 목적: 민생을 안정시키고 국가 재정을 확충하기 위해 삼정을 개혁하였다.

(2) 내용

① **전정**: 지방관과 양반 토호의 불법적인 토지 겸병을 금지하고, 양전 사업을 실시하여 은결을 색출함으로써 국가 재정을 확충하였다.

② **군정**: 향촌 사회에서 반상에게 공동으로 부과되고 있던 동포제를 발전시켜, 상민에게만 거두었던 군포를 양반에게도 징수하는 호포법을 실시하였다.

③ **환곡**: 가장 폐단이 심했던 환곡 제도를 향촌민들이 자치적으로 운영하는 사창제로 개혁하였다.

당백전

▶ 당백전은 1866년에 주조되어 6개월여 동안 유통되었다. **국가의 재정난을 타개하기 위해 주조**되었으나 이로 인해 화폐 유통 질서가 큰 혼란에 빠지면서 주조가 중단되었다.

만동묘(萬東廟)

만동묘라는 이름은 명에 대한 조선의 신하된 도리를 결코 그만둘 수 없다는 의미를 담고 있다. 그러나 만동묘로 인한 폐단이 서원보다 더욱 심하였기 때문에 대원군에 의해 철폐되었다.

은결

탈세를 목적으로 토지 대장에서 불법적으로 누락시킨 토지이다.

사창제(社倉制) 교과서 사료

고을에 명하여 여러 동리와 면에 창고를 설치하게 하고 명칭을 사창이라 하였다. …… 흉년에는 사창에서 진휼을 하니 모두 편리하게 여겼다.
-『근세조선정감』

▶ 봄에 곡식을 빌려 주고 가을에 거두어들이는 빈민 구휼 제도이다. 환곡은 국가가 직접 운영하였고, 사창은 리(里) 단위로 설치되어, 그 마을 안에서 덕망과 경제적 여유를 갖춘 사람을 뽑아 운영을 맡겼다. 경기, 삼남, 해서 등지에서 사창제가 실시되었다.

교과서 사료 읽기

흥선 대원군의 호포법 실시

양반 가문, 충신 가문, 효자 및 열녀 가문, 과거 급제자, 현직 관리는 전부 군포가 면제되었다. …… 대원군이 의연히 단행하여 군포를 혁파하고 호포를 징수하여, 귀천 없이 국세를 고르게 부담하니 쌓인 폐단이 한꺼번에 정리되었다.

- 박은식, 『한국통사』

사료 해설 | 호포제는 기존에 면제되었던 양반에게도 군포를 부과하였다는 점에서 큰 의의를 지닌다.

5. 의의와 한계

(1) 의의: 왕권을 강화하여 통치 체제를 재확립하고, 국가 재정 확충과 민생 안정 부분에 기여하였다.

(2) 한계: 전제 왕권 강화를 목적으로 한 전통 체제 내의 개혁(복고적 개혁)이었으며, 양반층과 농민층의 저항을 받았다.

2 통상 수교 거부 정책과 외세의 침입

1. 통상 수교 거부 정책

(1) 배경

① **잦은 이양선의 출몰**: 19세기 무렵부터 이양선이 출몰하여 통상을 요구하였다.

② **천주교의 확산**: 프랑스 선교사가 국내에 들어와 선교 활동을 전개하여 천주교 신자가 점차 늘어나면서 천주교와 서양에 대한 경계심이 고조되었다.

③ **열강의 베이징 점령**: 영·프 연합군이 중국의 베이징을 점령하는 사태가 일어나자 조선 내에서는 서양에 대한 위기감이 고조되었다.

④ **러시아의 연해주 획득**: 베이징 조약(1860)을 중재한 대가로 러시아가 연해주를 획득하면서 서양 열강과 국경을 마주하게 되자, 서양 열강에 대한 위기 의식이 확산되었다.

(2) 전개: 흥선 대원군은 외세의 침투를 막기 위해 열강의 통상 수교 요구를 거부하는 정책을 시행하였다.

2. 병인박해(1866. 1.)

(1) 배경: 흥선 대원군은 러시아인들이 두만강을 건너와 통상을 요구하자 국내에 있던 프랑스 선교사를 통해 프랑스 세력을 끌어들여 러시아의 남하를 저지하기 위해 프랑스와의 교섭을 시도하였다.

(2) 전개: 흥선 대원군과 프랑스의 교섭이 실패한 가운데 청에서 천주교를 탄압하였다는 소식이 전해졌다. 이런 상황에서 흥선 대원군은 유생들의 천주교 탄압 요구를 받아들여 천주교에 대한 탄압을 가하였다.

(3) 결과: 흥선 대원군의 천주교 탄압으로 9명의 프랑스 선교사(베르뇌 등)와 남종삼 등 수천 명의 신도들이 처형당하였다(병인박해).

호포법 실시 전후 납부층의 변화

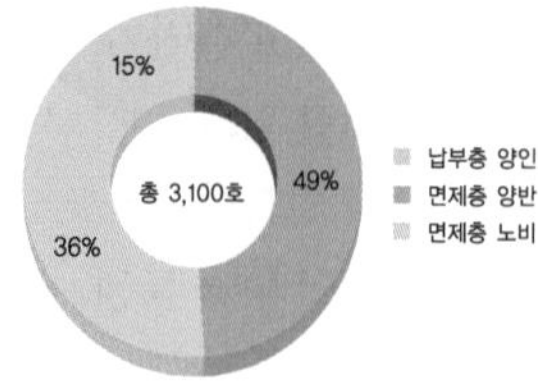

| 호포법 실시 전(1792)

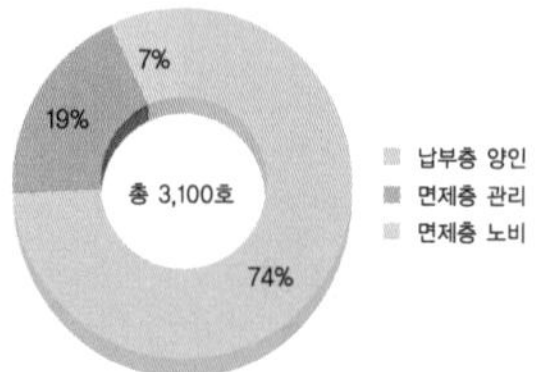

| 호포법 실시 후(1872)

호포법의 시행으로 군포 부담층이 증가하여 상민의 부담이 줄어들었다. 이에 양반층은 신분 질서가 무너진다며 강력하게 반발하였다.

외세의 침입

3. 병인양요(1866. 9.)

(1) **배경**: 천주교 박해와 선교사들의 순교 사실이 알려지자 프랑스는 이를 구실로 삼아 조선에 통상 수교를 요구하였다.

(2) **전개**: 프랑스는 극동 함대 사령관 로즈 제독이 이끄는 7척의 군함을 파견하여 조선을 침략하였다. 프랑스군은 강화도를 점령하고 한성으로 진격하려 하였으나, 문수산성의 한성근, 정족산성의 양헌수 부대가 프랑스군을 격퇴하였다(병인양요).

(3) **결과**: 프랑스 함대는 퇴각하면서 강화도의 행궁과 외규장각을 불태우고, 외규장각에 보관 중이던 서적 및 각종 문화재를 약탈해 갔다. 약탈당한 외규장각 도서는 이후 프랑스 국립 도서관에서 발견되었고, 2011년에 갱신 가능한 대여 형태로 반환되었다.

(4) **영향**: 흥선 대원군의 천주교 탄압과 통상 수교 거부 정책이 더욱 강화되었다.

4. 오페르트 도굴 사건(1868)

(1) **배경**: 독일 상인 오페르트가 조선에 통상을 두 차례 요구하였으나 조선 정부는 이를 거부하였다.

(2) **전개**: 오페르트는 미국인 자본가(젠킨스)와 프랑스 선교사(페론)의 지원을 받아 충남 덕산(현재의 예산)에 있는 흥선 대원군의 아버지인 남연군 묘의 도굴을 시도하였다. 그러나 지역 주민들의 저항으로 실패하였다.

(3) **결과**: 오페르트 도굴 사건으로 서양인에 대한 조선인들의 반감은 더욱 확대되었으며, 흥선 대원군의 통상 수교 거부 의지가 강화되었다.

기출 사료 읽기

오페르트의 서신과 그에 대한 영종 첨사의 회신

- **오페르트의 서신**: 남의 무덤을 파헤치는 것은 예의 없는 행동이지만 무력을 사용하여 백성을 괴롭히는 것보다 나을 것 같아 그렇게 하였다. 본래 관을 파 오려고 했으나 너무 지나친 짓이라 생각되어 그만 두었다. 우리에게 석회를 팔 도구가 없었겠는가? 당신네 나라의 안전과 존엄은 전적으로 당신에게 달려 있다. -『고종실록』
- **영종 첨사의 회신**: 너희 나라와 우리나라 사이에는 원래 서로 왕래도 없었고, 은혜를 입거나 원수진 일도 없다. 이번 덕산 묘지에서 저지른 사건은 사람으로서 차마 할 수 있는 일이겠는가! 또한 방비가 없는 것을 엿보다 몰래 들이닥쳐 소동을 일으키며, 무기를 빼앗고 백성들의 재물을 강탈하는 것도 사리로 볼 때 어찌 할 수 있는 일이겠는가? 이런 사태에서 우리나라 신하와 백성들은 있는 힘을 다하여 한 마음으로 네놈들과 같은 하늘을 이고 살 수 없다는 것을 다짐할 뿐이다. -『고종실록』

사료 해설 | 오페르트는 두 차례에 걸친 조선과의 통상 교섭에 실패하자 흥선 대원군의 아버지인 남연군의 묘를 발굴해 시체와 부장품을 미끼로 조선에 통상을 요구하고자 하였으나, 실패하였다.

5. 신미양요(1871. 4.)

(1) **원인**: 미국 상선 제너럴셔먼호가 대동강을 거슬러와 통상을 요구하였으나, 거부당하자 관리를 살해하고 민가를 약탈하였다. 이에 평안도 관찰사 박규수와 평양 주민들이 화공 작전을 펼쳐 제너럴셔먼호를 침몰시켰다(제너럴셔먼호 사건, 1866. 7.).

병인양요 때 양헌수의 활약 교과서 사료

양헌수가 순무중군으로 있었다. …… 광성보에서 몰래 전등사로 가서 주둔하였다. …… 전등사는 높은 산 위라 매복하고 있다가 한꺼번에 북과 나발을 불며 좌우에서 총을 쏘았다. 혼쭐이 난 서양인들을 쫓아가니 제 동료의 시체를 옆에 끼고 급히 본진으로 도망갔다.

▶ 병인양요 때 **양헌수 부대는 정족산성에서** 프랑스군을 물리쳤다.

외규장각 도서 반환

1975년 서지학자 박병선 박사가 병인양요 때 반출되어 프랑스 국립 도서관 창고에 보관 중인 외규장각 도서를 발견하였다. 이후 1990년대 초 한국 정부는 이 문서가 약탈 문화재라는 것을 근거로 프랑스 정부에 꾸준하게 반환을 요구해 왔고, 지난 2010년 11월 주요 20개국(G20) 정상 회의에서 외규장각 도서 297권에 대해 **'5년 단위의 갱신 가능한 영구 임대' 형태로 반환에 합의**하였다. 이에 따라 2011년 5월 27일 외규장각 도서가 들어왔고, 현재 국립 중앙 박물관에서 보관하고 있다.

신미양요 교과서 사료

그들(조선군)은 성벽에 올라 미군에게 돌을 던졌다. 창칼로 상대하는데 창칼이 없는 병사들은 맨손으로 흙을 쥐어 적군의 눈에 뿌렸다. 모든 것을 각오하고 다가오는 적군에게 죽기로 싸우다 마침내 총에 맞아 죽거나 물에 빠져 죽었다.

▶ 신미양요 때 미군은 광성보 등을 점령하였지만, 예상보다 완강한 조선군의 저항에 통상 수교의 목적을 달성하지 못하고 철수하였다.

기출 사료 읽기

제너럴셔먼호 사건

평안 감사(박규수)가 보고하기를, "대동강에 정박한 이양선이 더욱 방자히 날뛰며 대포와 총을 쏘면서 우리나라 사람을 살해하였습니다. 이에 승리할 방책은 화공(火攻)보다 나은 것이 없었습니다. 일제히 불을 질러 그 배를 불태워버렸습니다."라고 하였다. -『승정원일기』

사료 해설 | 미국 상선 제너럴셔먼호는 대동강을 거슬러 평양까지 들어와 조선에 통상을 요구하였지만 거절당하자, 조선의 관리를 감금하고 횡포를 부렸다. 이에 평안 감사 박규수와 평양 관민들은 제너럴셔먼호를 불태워 침몰시켰다.

(2) 전개: 미국 로저스 제독의 콜로라도호가 제너럴셔먼호 사건에 대한 책임 추궁과 통상 수교를 목적으로 강화도로 침입하여 초지진과 덕진진을 점령하고 광성보를 공격하였다(신미양요). 어재연 부대는 이들을 맞아 격렬한 전투를 벌였으나 모두 전사하였다.

(3) 결과: 조선군의 계속된 기습 공격과 저항에 결국 미국은 40여 일만에 수자기(帥字旗) 등 수많은 전리품을 싣고 퇴각하였다.

6. 척화비 건립(1871)

(1) 목적: 서양 세력의 침범에 대한 척화 의지를 표명하고 민심의 결속을 강화하기 위해 건립하였다.

(2) 내용: 흥선 대원군은 서울 종로 거리와 경기도 강화, 경상도 동래군·함양군·경주·부산진 등을 포함한 전국 각지에 척화비를 건립하였다.

7. 통상 수교 거부 정책의 의의와 한계

(1) 의의: 외세의 침략을 일시적으로 저지한 반외세적 자주 운동이었다.

(2) 한계: 급변하는 19세기 후반의 세계 흐름에 동참하지 못하고 조선의 근대화를 지연시키는 결과를 초래하였다.

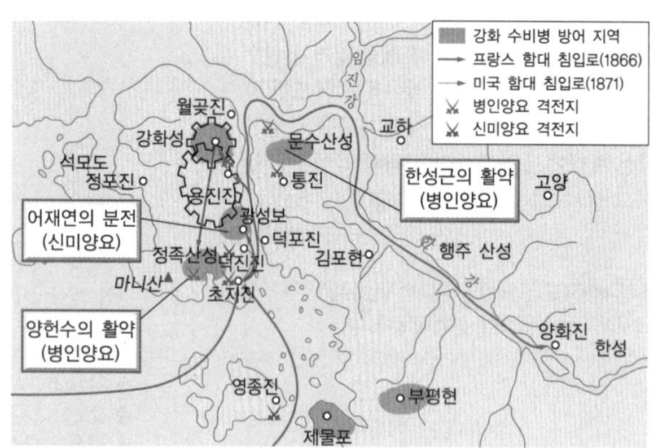

| 병인양요와 신미양요의 격전지

수자기(어재연 장군기)

수(帥)자기는 신미양요 때 미군에 빼앗겼다가 2007년 장기 대여 방식으로 국내에 반환되었다.

척화비의 내용 교과서 사료

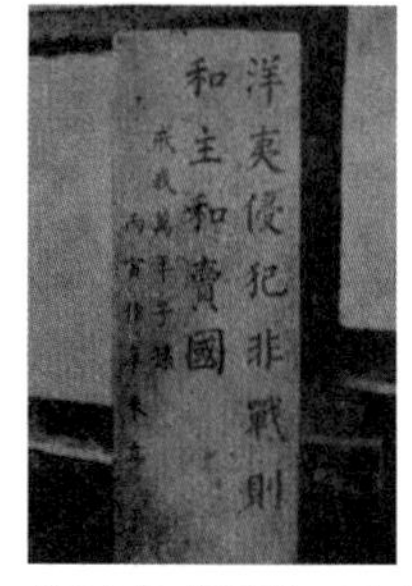

- **洋夷侵犯 非戰則和 主和賣國(양이침범 비전즉화 주화매국)**: 서양 오랑캐가 침입하는데 싸우지 않으면 화친하는 것이요, 화친을 주장하는 것은 나라를 파는 것이다.
- **戒我萬年子孫 丙寅作 辛未立(계아만년자손 병인작 신미립)**: 우리들 만대 자손에게 경고하노라! 병인년에 짓고, 신미년에 세운다.

외세의 침략적 접근 관련 지역

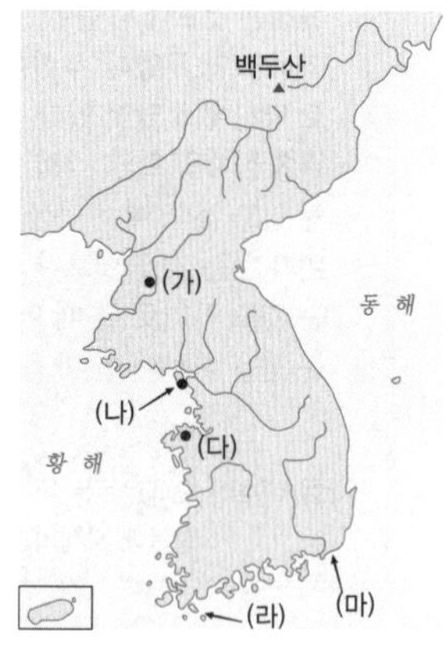

(가) 평양: 제너럴셔먼호 사건(미, 1866)
(나) 강화도: 병인양요(프, 1866), 신미양요(미, 1871)
(다) 충남 예산: 오페르트 도굴 사건(독, 1868)
(라) 거문도: 거문도 사건(영, 1885)
(마) 절영도: 절영도 조차 요구(러, 1898)

OX 빈칸 핵심 개념 점검

* 학습한 개념을 OX/빈칸 문제를 통해 점검해보세요.

핵심 개념 1 | 흥선 대원군의 왕권 강화책

01 흥선 대원군은 조선의 법전을 정리한 『대전통편』과 6조의 역할에 관한 규칙인 『육전조례』를 편찬하였다. □ O □ X

02 흥선 대원군은 비변사의 기능을 강화하였다. □ O □ X

03 흥선 대원군은 ______와 ______의 기능을 부활시켜 각각 정치와 군사의 최고 기관으로 삼았다.

04 흥선 대원군은 ______을 중건하였다.

핵심 개념 2 | 흥선 대원군의 민생 안정책

05 흥선 대원군은 만동묘 건립을 주도하였다. □ O □ X

06 흥선 대원군은 삼정의 문란을 바로잡기 위하여 삼정이정청을 설치하였다. □ O □ X

07 흥선 대원군은 대한국 국제를 만들어 공포하였다. □ O □ X

08 흥선 대원군은 농민 수탈의 수단으로 변질된 환곡제를 개혁하여 ______를 실시하였다.

09 흥선 대원군은 평민에게만 징수해 온 군포를 양반에게도 징수하는 ______를 실시하였다.

핵심 개념 3 | 병인양요

10 병인양요 때 프랑스는 자국인 신부의 처형에 항의하여 강화도를 침략하였다. □ O □ X

11 병인양요 당시 정족산성에서 양헌수 부대가 승리를 거두었다. □ O □ X

12 『직지심체요절』은 병인양요 때 프랑스군에게 약탈당하였다. □ O □ X

13 병인양요는 프랑스가 ______를 구실로 통상을 요구하며 조선에 침입한 사건이다.

14 프랑스 국립 도서관에 보관되어 있던 ______는 2011년 임대의 형식으로 우리나라에 반환되었다.

핵심 개념 4 | 신미양요

15 1866년에 박규수는 화공 작전을 펴서 프랑스 군대를 공격하였다. □ O □ X

16 신미양요 때 강화도의 외규장각 도서가 약탈당하였다. □ O □ X

17 신미양요 때 어재연이 이끄는 부대가 전력의 열세로 결국 함락 당하였다. □ O □ X

18 신미양요 때 미국이 초지진과 덕진진을 점령하였다. □ O □ X

19 신미양요는 미국이 ________ 사건을 구실로 일으켰다.

20 신미양요는 전국 여러 곳에 ______가 세워지는 계기가 되었다.

정답과 해설

01	✖ 『대전통편』은 정조가 편찬하였다. 흥선 대원군은 『대전회통』과 『육전조례』를 편찬하였다.	**11**	O 병인양요 당시 정족산성에서 양헌수 부대가 프랑스군을 격퇴하였다.
02	✖ 흥선 대원군은 정치 제도를 개혁하기 위하여 세도 정치 시기의 핵심 기구였던 비변사의 기능을 축소·폐지시켰다.	**12**	✖ 『직지심체요절』은 병인양요 때 약탈된 것이 아니라 프랑스와의 수교 후 초대 주한 프랑스 공사였던 플랑시가 구입하여 간 것이다.
03	의정부, 삼군부	**13**	병인박해
04	경복궁	**14**	외규장각 『의궤』
05	✖ 흥선 대원군은 만동묘 및 서원의 철폐를 주도하였다. 만동묘가 건립된 것은 조선 후기 숙종 때이다.	**15**	✖ 박규수가 화공 작전으로 공격한 것은 프랑스 군대가 아닌 미국 상선 제너럴셔먼호이다.
06	✖ 삼정의 문란을 바로잡기 위해 삼정이정청을 설치한 것은 흥선 대원군이 집권하기 이전인 철종 때의 사실이다.	**16**	✖ 강화도의 외규장각 도서가 약탈당한 것은 병인양요 때이다.
07	✖ 대한국 국제를 만들어 공포한 인물은 고종이다. 고종은 일종의 헌법인 대한국 국제를 공포하여 통수권·입법권·행정권·사법권·외교권 등을 황제권으로 규정하여 전제 군주 체제를 더욱 강화하였다.	**17**	O 신미양요 때 어재연이 이끄는 부대가 광성보에서 격렬하게 항전하였으나, 전력의 열세로 결국 함락당하고 어재연은 전사하였다.
08	사창제	**18**	O 신미양요 때 미국 로저스 제독이 이끄는 군대가 강화도로 침입하여 초지진과 덕진진을 점령하고 광성보를 공격하였다.
09	호포제	**19**	제너럴셔먼호
10	O 병인양요 때 프랑스는 조선 정부가 프랑스 선교사를 처형한 것(병인박해)을 구실로 강화도를 침략하였다.	**20**	척화비

2 개항과 불평등 조약 체제

학습 포인트
일본과 체결한 강화도 조약과 미국과 체결한 조·미 수호 통상 조약의 주요 내용을 조약 원문과 함께 살펴보도록 한다.

빈출 핵심 포인트
운요호 사건, 강화도 조약, 해안 측량권, 영사 재판권, 『조선책략』, 조·미 수호 통상 조약, 최혜국 대우

1 강화도 조약과 개항

1. 통상 개화론의 대두

(1) 흥선 대원군의 하야(1873): 고종의 친정을 요구하는 최익현의 상소 등을 계기로 대원군이 물러나고 고종의 친정이 시작되었으나, 권력은 외척인 민씨 세력이 장악하였다.

(2) 통상 개화파의 등장

① **주장**: 통상 개화파는 조선 사회가 문호 개방을 위한 체계적인 준비가 되어 있지는 않지만, 열강의 군사적 침략을 피하기 위해서는 문호 개방이 불가피하다고 주장하였다.

② **주요 인물**: 박규수, 오경석(역관), 유홍기(의관)

③ **의의**: 대원군의 하야로 통상 개화파가 성장하여 문호 개방의 여건이 마련되었다.

2. 운요호 사건(1875)

(1) 배경

① **일본의 메이지유신**(1868): 미국에 의해 개항(1854)된 일본은 메이지유신을 통해 자본주의화를 추진하였다.

② **서계 사건과 정한론**: 서계 사건(1868)을 계기로 일본 내에서 '조선을 정벌하자'는 정한론(征韓論)이 대두하였다.

(2) 전개: 일본은 조선의 문호를 개방하고자 운요호를 서해로 보냈다. 이러한 일본의 도발에 대응하여 조선 수비대가 경고 사격을 하자 운요호는 함포를 발사하고 영종도에 상륙하여 살인과 약탈·방화를 저지른 후 돌아갔다(1875). 이후 일본은 국기를 게양한 군함에 포격을 가한 것은 주권 침해라는 억지 주장을 펴며 군함을 이끌고 강화도에 와서 군대를 무단 상륙시킨 뒤 개항을 강요하였다.

(3) 결과: 운요호 사건을 빌미로 일본은 조선 정부에 개항을 요구하였고, 결국 조선은 일본과 강화도 조약을 맺어 문호를 개방하였다.

3. 강화도 조약(1876, 조·일 수호 조규)

(1) 체결: 1876년 2월 강화도 연무당에서 조선의 전권대신 신헌과 일본의 특명전권판리대신 구로다가 강화도 조약(조·일 수호 조규)을 체결하였다.

(2) 성격: 조선이 외국과 체결한 최초의 근대적 조약이자 불평등 조약이었다.

서계 사건과 정한론

지금 일본은 군사가 많은 것이 걱정입니다. 각지의 군사가 울분에 빠져서 서로 싸우기를 좋아하고 항상 난을 꿈꾸는지라 혹시라도 내란이 일어나지 않을까 염려됩니다. 다행히 지금 조선과 문제가 있는 바, 여기에 군대를 사용하면 군사의 울분을 풀어줄 수 있을 뿐 아니라 한번에 조선을 도륙하고 우리 군대의 훈련을 크게 할 수 있어 천황의 위세를 해외에 크게 떨칠 수 있을 것입니다. 어찌 신속하게 정벌하지 않을 것입니까.

- 사타 하쿠보(佐田白茅)

▶ 일본은 조선으로 왕정 복고의 사실을 알리는 사절단을 구성한 뒤 외교 문서의 등본(서계)을 조선 측에 전달하였다. 그러나 흥선 대원군 집권 하의 조선은 서계에 조선 정부의 인장을 사용하지 않은 것과 일본이 황제국임을 나타내는 문구가 있다는 것을 문제 삼아 이를 받아들이지 않았다. 이에 일본에서는 **무력을 동원해서라도 조선을 정벌하여 개항시켜야 한다**는 **정한론(征韓論)**이 대두하였다.

(3) 강화도 조약(조·일 수호 조규)의 주요 내용과 의미

조항	내용	의미
제1관	조선국은 자주국이며 일본국과 평등한 권리를 가진다.	조선에 대한 청의 종주권 부인(조선은 자주국) → 일본의 침략 의도가 내포
제2관	일본국 정부는 지금부터 15개월 후 수시로 사신을 조선국 서울에 파견(교환)한다.	김기수, 김홍집을 수신사로 일본에 파견
제4관	조선 정부는 부산 외에 2개 항구를 개항하고 일본인이 와서 통상하는 것을 허가한다.	부산(1876, 경제적 목적), 원산(1880, 군사적 목적), 인천(1883, 정치적 목적) 개항
제5관	경기·충청·전라·경상·함경 5도 연해 중에서 통상에 편리한 항구 두 곳을 택하여 지정한다.	
제7관	조선국 연해의 섬과 암초는 극히 위험하므로 일본국의 항해자가 해안을 자유롭게 측량하도록 허가한다.	주요 군사 기지 점령을 위한 해안 측량권 요구로, 주권 침해에 해당
제9관	양국 관리는 양국 인민의 자유로운 무역 활동에 일체 간섭하지 않는다.	자유 무역을 강제하여 국내 상업을 보호하지 못하도록 함(정부의 개입 배제)
제10관	일본국 인민이 조선국이 지정한 각 항구에 머무르는 동안 죄를 범한 것이 조선국 국민에게 관계되는 사건일 때는 모두 일본 관원이 심판한다.	영사 재판권(치외 법권)에 해당하는 것으로, 주권 침해에 해당
제12관	위에서 의정된 11관의 조약은 이 날부터 준수한다. 양국 정부는 이를 변혁할 수 없으며, 영원히 신의를 가지고 준수하여 화의를 돈독히 한다.	유효 기간 및 폐기 관련 내용이 없음

영사 재판권(치외 법권)

외국인은 체류하는 국가의 법 대신 본국의 법을 적용 받도록 하여, 본국에서 파견한 영사나 관리가 재판하는 제도이다. 이러한 국가 간의 협정이 없는 경우에 일반인은 방문 중인 나라의 법을 따라야 한다.

(4) 강화도 조약의 부속 조약

① **조·일 수호 조규 부록**(1876. 7.): 개항장에서 일본 거류민의 거주 지역 설정과 일본 화폐의 유통 등을 허용하였다.

조항	내용	의미
제1관	차후 각 항구에 주류하는 일본국 관리관은 위급할 때에 지방관에게 고하고 조선의 연로(沿路)를 통과할 수 있다.	일본 외교관의 내지 여행 허용
제3관	일본국 인민이 조선의 지기(地基)를 조차(租借)하여 거주할 수 있다.	개항장에 일본인 거류민의 거류지(조계) 설정
제4관	이후 부산 항구에서 일본국 인민이 통행할 수 있는 도로의 이정(里程)은 부두로부터 기산(起算)하여 동서남북 각 조선의 이법(里法)상 직경 10리로 정한다.	일본 상인의 활동 범위(개항장 사방 10리) 설정
제7관	일본국 인민은 일본국의 현행 여러 화폐로 조선국 인민이 소유한 물품과 교환할 수 있으며, 조선국 인민은 그 교환한 일본국의 여러 화폐로 일본국에서 생산한 여러 가지 상품을 살 수 있다.	일본 화폐의 유통 허용

일본 상인의 활동 범위 규정

- 조·일 수호 조규 부록(1876): 개항장 사방 10리(里)
- 조·일 수호 조규 속약(1882): 개항장 사방 50리 → 2년 후 100리로 확대

② **조·일 무역 규칙**(1876. 7., 조·일 통상 장정): 무역에 관한 세부적인 시행 규칙을 정한 것으로, 무항세, 무관세가 규정되었고, 쌀 및 잡곡의 무제한적인 유출이 허용되는 계기가 되었다.

조항	내용	의미
第6칙	이후 조선국 항구에 거주하는 일본 인민은 양미(糧米)와 잡곡을 수출·수입할 수 있다.	쌀·잡곡의 무제한 유출 허용(일본의 확대 해석)
第7칙	일본국 정부에 소속된 모든 선박은 항세(港稅)를 납부하지 않는다.	일본 수출입 상품에 대한 무항세, 무관세 규정

교과서 분석하기

조·일 통상 장정 개정(1883. 6.)

조항	내용	의미
第37관	만약 조선국에 가뭄, 수해, 병란 등의 일이 있어 국내 식량 결핍을 우려하여 조선 정부가 잠정적으로 쌀의 수출을 금지하고자 할 때에는 반드시 먼저 1개월 전에 지방관이 일본 영사관에 통고해야 한다.	미곡 유출 제한(방곡령 규정)
第40관	조선 화폐에 의한 관세 및 벌금 납입을 규정한다.	관세 규정
第42관	일본 관리와 백성에 대한 최혜국 대우를 인정한다.	최혜국 대우 적용

2 서구 열강과의 통상 수교

1. 조·미 수호 통상 조약(1882. 4.)

(1) 배경

① **『조선책략』의 유포**: 무관세 무역 등 일본과 체결한 조약의 문제점을 해결하기 위해 2차 수신사(1880)로 일본에 갔던 김홍집이 황쭌셴의 『조선책략』을 들여오면서 조선에서는 미국의 역할에 대한 기대감이 상승하였다. 이에 이만손, 홍재학 등의 유생들이 영남 만인소를 올려 반발하기도 하였다.

교과서 사료 읽기

『조선책략』

조선 땅은 실로 아시아의 요충을 차지하고 있어 열강들이 서로 차지하려고 할 것이다. 조선이 위태로우면 중국도 위급해진다. 러시아가 영토를 넓히려고 한다면 반드시 조선이 첫 번째 대상이 될 것이다. …… 그렇다면 오늘날 조선이 세워야 할 책략으로 러시아를 막는 것보다 더 급한 일이 없다. 이를 막는 책략은 무엇인가? 중국과 친하고, 일본과 맺고, 미국과 이어짐으로써 자강을 도모할 뿐이다.

- 황쭌셴, 『조선책략』

사료 해설 | 『조선책략』은 청나라의 황쭌셴이 쓴 책으로, 1880년 제2차 수신사로 파견되었던 김홍집이 국내에 유포하였다. 조선이 외국, 특히 미국과 수교해야 함을 주장한 『조선책략』이 국내에 유포되자마자 위정척사 사상가 및 유생 계층의 커다란 반발을 불러 일으켰다.

② **청의 알선**: 조선에 대한 청의 종주권을 확인하고 러시아와 일본을 견제하고자 청(이홍장)이 조선과 미국의 수교를 알선하였고, 그 결과 조선 대표 신헌과 미국 대표 슈펠트 간에 조·미 수호 통상 조약이 체결되었다. 이때 청은 조선이 청의 속국이라는 속방 조항을 조약 내용에 포함시킬 것을 주장하였으나 미국의 반대로 성사되지 못하였다.

조·일 통상 장정 개정

조·일 무역 규칙(1876)의 불합리하고 불평등한 내용을 개정하기 위해 1883년에 개정되었다. 이를 통해 **관세 규정, 미곡 유출 제한(방곡령 규정) 등이 규정되었으나, 일본에 대한 최혜국 대우를 인정하는 조항도 포함되어 있었다.**

조·미 수호 통상 조약

미국은 조선과 수교하기 위해 일본에 도움을 요청하였으나 일본이 이를 꺼리자 청에 요청해 조선과 조약을 체결하였다. 이 조약은 **영사 재판권(치외 법권) 인정, 최혜국 대우 규정, 수출입 상품에 대한 협정 관세 제도**, 양국 중 한 나라가 다른 나라의 핍박을 받을 경우 반드시 서로 돕고 분쟁을 원만히 해결하도록 주선한다는 **거중조정의 내용**을 담고 있었다.

속방 조항에 대한 미국의 반대

미국 상민(商民)의 활동에 지장을 주지 않는 한, 조선과 중국 사이의 관계에 관여하지 않을 것이다. 미국은 귀 군주가 내치, 외교와 통상을 자주(自主)하고 있음을 잘 알고 있다. 국회는 조선과 수호하는 데 동의하였으며, 본인도 이를 비준하였다. 조선이 자주국이 아니라면 미국은 조약을 체결하지 않았을 것이다.

- 미국 아서 대통령이 고종에게 보낸 회답 국서

▶ 미국은 조선이 자주국이 아니라면 조약을 체결하지 않는다는 점을 분명히 하였다. 그리하여 조·미 수호 통상 조약에 조선이 청의 속국이라는 조항을 명시하려던 청의 의도는 무산되었다.

(2) 내용

조항	내용	의미
제1관	이제부터 조선 국왕, 미국 대통령, 그리고 각 인민은 모두 평화와 우호를 영원히 한다. 만약, 타국이 불미스러운 사건을 일으키면 즉각 통지하여 반드시 서로 돕고, 적절한 조치를 취하여 우의의 간절함을 표시한다.	거중조정
제4관	미합중국 국민이 조선국에서 조선인을 때리거나 재산을 훼손하면 미합중국 영사나 그 권한을 가진 관리만이 미합중국 법률에 따라 처벌한다.	영사 재판권 (치외 법권)
제5관	무역을 목적으로 조선국에 오는 미합중국 상인 및 상선은 모두 수출입 상품에 대하여 관세를 지불해야 한다.	관세 설정
제14관	이후 조선 국왕이 타국이나 그 국가의 상인 또는 시민에게 항해, 통상 무역, 교통, 기타에 관련된 혜택을 부여한다면 이것들이 종래 균점되지 않았다든가 또는 이 조약에 없다하더라도 미국의 관민에게 허용하여 일체가 균점되도록 한다.	최혜국 대우

① **거중조정**: 양국 중 한 나라가 제3국의 위협을 받을 경우 서로 돕기로 규정하였다.

② **불평등 조항**: 영사 재판권(치외 법권)과 최혜국 대우를 규정하였다.

③ **관세 부과**: 미국 수출입 상품에 대해 낮은 비율의 관세를 부과하였다.

(3) 의의: 서양과 맺은 최초의 근대적 조약이며 불평등 조약이었다.

(4) 영향: 미국은 조약을 체결한 후 루시우스 푸트를 미국 공사로 조선에 파견하였고, 조선에서는 이에 대한 답례로 민영익을 전권대신으로 하여 홍영식·서광범·유길준 등을 보빙사로 미국에 파견하였다(1883).

최혜국 대우

통상 조약을 체결한 나라가 제3국에 부여하고 있는 가장 유리한 대우를 조약을 체결한 상대국에게도 부여하도록 규정한 것이다.

필수 개념 정리하기

강화도 조약과 조·미 수호 통상 조약 비교

구분	강화도 조약(1876)	조·미 수호 통상 조약(1882)
성립 배경	운요호 사건	청의 알선 (러·일 견제, 종주권 확인)
영사 재판권	○	○
관세 부과	×	○
해안 측량권	○	×
최혜국 대우	×	○
거중조정	×	○
의의	최초의 근대적 조약	서구 열강과 맺은 최초의 조약
결과	한반도 침략의 발판 마련	· 공사 파견(미국: 푸트, 조선: 박정양) · 보빙사 파견(1883, 민영익, 홍영식)

박정양

1887년 조선 정부는 청국의 압력을 견제하기 위해 박정양을 최초로 주미 전권공사로 임명하였다.

2. 기타 열강과의 수교

(1) 기타 열강: 조선은 미국과 수교 후 서양 각국과 통상 조약을 체결하였다.

① **조·영 수호 통상 조약**(1883): 조·미 수호 통상 조약이 체결되자, 베이징 주재 영국 공사는 청에 조선과의 교섭 알선을 요청하였다. 이에 조선과 영국의 조약이 체결(1882)되었으나, 영국 정부에서 비준을 거부하였다. 이후 1883년에 조선과 영국이 단독으로 다시 체결하였다.

② **조·독 수호 통상 조약**(1883): 조선은 베이징 주재 독일 공사와도 통상 조약을 체결(1882)하였으나, 독일 정부의 비준 거부로 지연되었고, 결국 1883년에 재협상을 거쳐 체결하였다.

③ **조·러 수호 통상 조약**(1884): 러시아는 청과 일본의 견제로 청의 알선 없이 조선과 독자적으로 조약을 체결하였다.

④ **조·불(프) 수호 통상 조약**(1886): 조선 정부의 천주교 박해 및 프랑스의 침입(병인양요)으로 인한 양국 간의 불화로 프랑스와의 수교는 다른 국가에 비해 비교적 늦게 이루어졌다. 프랑스와의 수교를 계기로 조선 내에서 사실상 천주교 신앙의 자유가 허용되었다.

(2) 의의: 조선이 근대 사상과 문물, 제도 등을 수용하였고, 국제 사회의 일원으로 참여하는 기반이 마련되었다.

(3) 한계: 별다른 준비도 없이 불평등 조약을 체결하여 서양 열강의 침략에 시달리는 계기가 되었다.

필수 개념 정리하기

기타 서양 열강과의 수교

구분	연도	내용
영국	1883	· 조·미 수호 통상 조약 체결 이후 청의 알선으로 교섭이 이루어짐 → 영사 재판권(치외 법권) 및 관세율 문제 등으로 지연되다 1883년에 체결 · 관세 부과, 최혜국 대우, 내지 통상권 등 허용
독일	1883	내지 통상권, 최혜국 대우 등 허용
러시아	1884	· 청·일의 견제로 지연 → 독자적 수교 · 최혜국 대우, 영사 재판권 등 허용
프랑스	1886	· 천주교 선교 인정 문제로 지연 · 최혜국 대우, 천주교 신앙 및 선교의 자유 허용

천주교 선교 허용의 배경

조·불 통상 장정에는 '언어 및 문자를 가르치거나, 법률·기술을 연구하는 사람들을 서로 돕는다'는 조항이 포함되었는데, 이 조항은 조선에서 활동하는 천주교 선교사들의 활동을 보호하는 기능을 하였다. 더불어 다른 서양 국가와 맺은 조약의 최혜국 조약 규정에 의해 다른 서양 국가들의 선교 활동도 보호를 받게 되었고, 이로 인해 실질적으로 조선 내에서 천주교 신앙 및 선교의 자유가 허용되었다.

내지 통상권

우리나라 내륙 지방 시장까지 들어가 통상할 수 있는 권리이다. 내지 통상권(내륙 통상권)을 얻은 외국 상인은 무역만이 아니라 국내 상권까지 잠식하였다.

OX 빈칸 핵심 개념 점검

* 학습한 개념을 OX/빈칸 문제를 통해 점검해보세요.

핵심 개념 1 | 통상 개화론의 대두

01 최익현은 서원 철폐 조치 등에 반대하면서 흥선 대원군을 탄핵하였다. □ O □ X

02 고종의 친정 체제가 수립되면서 통상 개화론이 힘을 얻었다. □ O □ X

03 통상 개화파의 주요 인물로는 역관인 ______과 의관인 ______가 있다.

핵심 개념 2 | 강화도 조약과 부속 조약

04 일본 내에서는 서계 사건을 계기로 조선을 정벌하자는 '정한론'이 대두하였다. □ O □ X

05 조·일 수호 조규에는 일본 선박의 조선 연해 측량을 인정한다는 조항이 있다. □ O □ X

06 조·일 수호 조규에는 일본인 거주 지역 내에서의 치외 법권을 인정한다는 조항이 있다. □ O □ X

07 강화도 조약에 따라 수출입 물품에 관세를 부과하였다. □ O □ X

08 1876년 체결된 조·일 무역 규칙에는 양곡의 무제한 유출, 무관세, 무항세 조항이 들어 있다. □ O □ X

09 조·일 수호 조규 부록에는 최혜국 대우 조항이 있다. □ O □ X

10 조·일 수호 조규 부록에 따라 일본 상인들이 개항장 중심의 거류지 무역을 시작하였다. □ O □ X

11 강화도 조약에서 '조선국은 ______으로 일본국과 평등한 권리를 보유한다.'는 조항이 있다.

12 강화도 조약의 결과 ____, ____, ____의 3개 항구를 개항하였다.

13 ______________에 따라 개항장에서 일본 화폐의 유통을 허용하였다.

14 1883년에 개정된 ______________에는 곡물 유출을 막는 방곡령 규정이 합의되었다.

핵심 개념 3 | 조·미 수호 통상 조약

15 조·미 수호 통상 조약에는 최혜국 대우 조항이 포함되었다. □ O □ X

16 조·미 수호 통상 조약은 강화도 조약과는 달리 관세 조항이 들어있었다. □ O □ X

17 조·미 수호 통상 조약에는 다른 나라의 압박을 받으면 거중조정한다는 내용의 조항이 들어 있었다. □ O □ X

18 조·미 수호 통상 조약은 『______』의 영향을 받았다.

19 조·미 수호 통상 조약 체결 이후 미국 공사의 파견에 대한 답례로 ______가 파견되었다.

핵심 개념 4 | 기타 서양 열강과의 조약 체결

20 조·영 수호 통상 조약에는 영사 재판권, 최혜국 대우, 내지 통상권 등이 규정되었다. □ O □ X

21 러시아는 청의 알선을 받아 조선과 조약을 체결하였다. □ O □ X

22 ____________에 따라 천주교 선교의 자유가 사실상 인정되었다.

정답과 해설

01	O 최익현은 만동묘 철폐, 서원 철폐 등 흥선 대원군의 정책을 비판하는 상소를 올려 흥선 대원군을 탄핵하였다.	12	부산, 원산, 인천
02	O 고종의 친정이 시작되고 민씨 세력이 정권을 주도하면서 통상 개화론이 힘을 얻었다.	13	조·일 수호 조규 부록
03	오경석, 유홍기	14	조·일 통상 장정
04	O 일본 내에서는 서계 사건을 계기로 무력을 동원하여 조선을 정벌하자는 '정한론'이 대두하였다.	15	O 조선이 미국과 체결한 조·미 수호 통상 조약은 조선이 서양 국가와 맺은 최초의 조약으로, 최혜국 대우 조항과 영사 재판권 등이 포함된 불평등 조약이었다.
05	O 조·일 수호 조규에는 조선 정부에서 일본국의 항해자가 조선의 연안을 자유롭게 측량하도록 인정하는 해안 측량권 허가 조항이 있다.	16	O 조·미 수호 통상 조약에는 강화도 조약과는 달리 미국 수출입 상품에 대한 관세를 부과하는 조항이 들어있었다.
06	O 조·일 수호 조규에는 일본인이 조선이 지정한 각 항구에 머무르는 동안 범죄를 저질렀을 경우 일본 관원이 심판한다는 치외 법권(영사 재판권) 조항이 있다.	17	O 조·미 수호 통상 조약에는 조약을 체결한 양국 중 한 나라가 제3국의 압박을 받을 경우 서로 도와줄 것을 규정하는 거중조정 조항이 들어 있었다.
07	✖ 강화도 조약에는 관세 부과 내용이 없다. 일본 상품에 관세가 부과된 것은 1883년에 개정된 조·일 통상 장정을 통해서이다.	18	조선책략
08	O 1876년 체결된 조·일 무역 규칙(조·일 통상 장정)에는 양곡의 무제한 유출, 무관세, 무항세 조항이 포함되었다.	19	보빙사
09	✖ 조·일 수호 조규 부록에는 최혜국 대우 조항이 없다. 1883년에 개정된 조·일 통상 장정을 통해 최혜국 대우를 규정하였다.	20	O 조·영 수호 통상 조약(1883)에는 영사 재판권, 조차지 설정, 최혜국 대우, 내지 통상권 등이 규정되었다.
10	O 조·일 수호 조규 부록의 체결로 개항장에 일본인의 거주 지역이 설정되어, 개항장을 중심으로 한 거류지 무역이 시작되었다.	21	✖ 러시아는 청과 일본의 견제를 받았기 때문에 조선과 독자적으로 조약을 체결하였다.
11	자주국	22	조·불(프) 수호 통상 조약

02 개화 운동의 추진과 반발

1 개화를 둘러싼 갈등

학습 포인트
개화파와 위정척사파로 구분하여 학습하는데, 개화파의 경우 개화파의 형성 과정을 주요 인물 중심으로 살펴본다. 위정척사파의 경우 각 시기에 따른 대표적인 위정척사 운동의 방향과 중심 인물에 대해 학습한다.

빈출 핵심 포인트
온건 개화파, 급진 개화파, 통리기무아문, 별기군, 위정척사, 개항 반대 운동, 개화 반대 운동, 의병 운동

1 개화 세력의 대두

1. 개화파의 형성

(1) 배경

① **대내적**: 조선 후기 대두된 북학파의 실학 사상이 문호 개방을 전후로 통상 개화론으로 발전하였고, 이에 영향을 받아 사회 전반에 걸친 개혁론, 즉 개화 사상이 형성되었다.

② **대외적**: 청의 양무운동과 일본의 메이지유신에 영향을 받았다.

(2) 초기 개화 사상가(1860년대 형성)

① **주장**: 청에 사신으로 왕래하며 청을 압도하는 서양 세력과 청의 무력한 대응을 지켜본 신진 관리와 역관 등을 중심으로 개항·개화를 준비해야 한다는 의견이 대두되었다.

② **주요 인물**: 박규수, 오경석, 유홍기 등은 물론 중인과 상인 계층에서도 개화 사상을 가진 이들이 등장하였다.

교과서 분석하기

초기 개화사상가

박규수 (1807~1876)	· 청에 사신으로 다녀온 후 서양 문물을 수용해야 한다고 주장 · 흥선 대원군에게 문호 개방의 필요성을 건의 · 운요호 사건이 일어나자 일본과의 수교를 적극 주장
오경석 (1831~1879)	청을 드나들면서 『해국도지』, 『영환지략』 등의 서적을 국내에 소개
유홍기 (1831~?)	오경석과 교류하며 통상이 필요하다고 주장

(3) 개화파의 형성: 박규수, 오경석, 유홍기 등의 가르침을 받은 김옥균, 박영효, 김홍집, 서광범, 홍영식 등의 젊은 양반 자제들이 개화파로 성장하였다.

박규수의 서양에 대한 인식 교과서 사료

미국 측에서 비록 수호의 말이 없더라도 우리가 마땅히 먼저 해야 할 일은 미국과 교분을 맺고 견고한 맹약을 체결함으로써 고립되는 환난을 면하도록 하는 것이다. - 박규수, 『환재집』

▶ 박규수는 서양인의 침략에 맞서려면 자주적으로 문호를 개방하고 문물을 받아들여 부국강병을 이루어야 한다고 주장하였다.

『해국도지』

청의 위원이 각국의 지리, 역사, 인구, 정치 등을 수록한 세계 지리서

2. 개화파의 두 흐름

(1) 개화파의 분화: 개화파는 임오군란(1882) 이후 청의 내정 간섭이 심해지자 이에 대한 대처 방법과 개화의 방법 및 속도 등을 둘러싸고 온건 개화파와 급진 개화파로 분화하였다. 급진 개화파는 스스로를 개화당·독립당으로 일컬으면서 온건 개화파들을 사대당·수구당이라고 비판하였다.

(2) 온건 개화파 VS 급진 개화파

구분	온건 개화파(사대당, 수구당)	급진 개화파(개화당, 독립당)
주요 인물	김홍집, 어윤중, 김윤식	김옥균, 박영효, 홍영식, 서광범
정치적 입장	전통적인 청과의 관계 중시	청의 간섭과 사대 정책에 불만
개혁 모델	청의 양무운동(중체서용) 모방	일본의 메이지유신 모방
개혁 방법	· 동도 서기론에 기반을 둔 점진적 개혁 → 유교 이념 유지 + 서양의 기술 도입 주장 · 전제 군주제 유지, 갑오개혁 주도	· 문명 개화론에 기반을 둔 급진적 개혁 → 서양의 기술뿐 아니라 사상·제도 도입 주장 · 입헌 군주제 추구, 갑신정변 주도
외교 정책	친청 사대 정책	반청·친일 정책

교과서 사료 읽기

개화파의 두 흐름

1. 온건 개화파 – 동도 서기론

서양의 종교는 사교이므로 마땅히 음탕한 음악이나 미색(美色)처럼 멀리해야겠지만, 서양의 기계는 이로워 이용후생 할 수 있으니 농업과 양잠·의약·병기·배·수레 같은 것을 제조하는 데 무엇을 꺼려하며 하지 않겠는가? - 『고종실록』

사료 해설 | 온건 개화파는 전통적인 유교 사상을 지키면서 서양의 과학 기술은 받아들이자고 주장하였다.

2. 급진 개화파 – 문명 개화론

오늘날의 급선무는 반드시 인재를 등용하며 문호를 개방하고 이웃국들과 친선을 도모하는데 있다고 한다. 그러나 나의 생각에는 실사구시하는 것이 제일이라고 여겨진다. …… 일본은 법을 변경(변법)한 이후로 모든 것을 경장했다고 들었다. - 김옥균, 『치도약론』

사료 해설 | 급진 개화파는 국가 발전을 위해 서양의 과학 기술과 제도는 물론 정치 제도, 사상, 종교까지 받아들여야 한다고 주장하였다.

필수 개념 정리하기

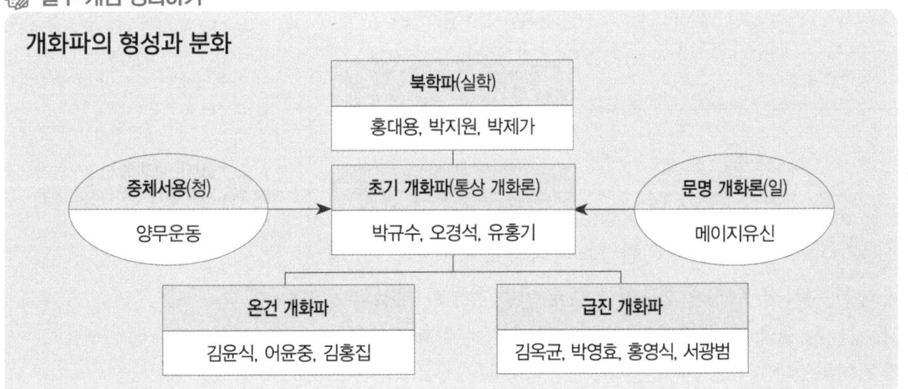

박영효

· 1872년 – 철종의 딸 영혜옹주와 결혼
· 1884년 – 갑신정변에 참여, 실패 후 일본으로 망명
· 1894년 – 내무대신에 임명, 다음해 일본으로 망명
· 1910년 이후 – 일본의 작위를 받고 동아일보사 초대 사장, 중추원 의장·부의장, 일본 귀족원 의원 등 역임

중체서용

중국의 전통적인 **유교 사상은 지키고**(中體), 부국 강병을 위해 **서양의 과학 기술을 부분적으로 수용**한다(西用).

3. 정부의 개화 정책 추진

(1) 수신사 파견: 강화도 조약 체결 이후 근대 문물 수용의 필요성을 느낀 조선 정부는 문물 시찰을 위한 수신사를 일본에 파견하였다.

① **1차**(1876): 김기수가 파견되어 일본의 각종 신식 제도와 문물을 시찰하였고, 귀국 후 시찰 내용을 담은 『일동기유』, 『수신사일기』를 저술하였다.

② **2차**(1880): 김홍집이 파견되었는데, 그는 귀국하며 황쭌셴의 『조선책략』을 들여와 조선의 개화 정책 및 외교 정책(미국과의 수교)에 영향을 끼쳤다.

③ **3차**(1882): 임오군란을 수습하기 위해 박영효와 김옥균을 파견하였고, 이때 최초로 태극기를 게양하였다. 박영효는 일본에 다녀와서 『사화기략』을 저술하였다.

(2) 통리기무아문 설치(1880): 정부는 개화 정책을 추진하는 핵심 기구로 통리기무아문을 설치하고, 군국 기밀과 일반 정치를 총괄하게 하였다.

(3) 군제 개혁

① **2영 설치**: 기존의 5군영을 무위영과 장어영의 2영으로 개편하였다.

㉠ **무위영**: 궁궐 숙위를 위한 기관으로, 훈련도감·용호영·호위청이 통합된 것이다.

㉡ **장어영**: 수도 방위를 담당한 기관으로, 총융청·어영청·금위영이 통합된 것이다.

② **별기군 창설**(1881): 신식 군대를 창설하고 일본인 교관을 채용하여 근대적 군사 훈련을 실시하였으며 사관 생도를 양성하였으나, 임오군란(1882)으로 폐지되었다.

(4) 시찰단 파견

① **조사 시찰단**(신사 유람단, 1881. 4.)

㉠ **파견**: 일본의 정세를 파악하고, 각종 산업 시설을 시찰하기 위해 박정양, 어윤중, 홍영식 등의 조사 시찰단을 비밀리에 파견하였다.

㉡ **영향**: 조선 정부는 조사 시찰단에게 귀국 후 담당 분야의 보고서를 제출하게 하였고, 이는 개화 정책이 추진될 수 있는 토대가 되었다.

교과서 사료 읽기

> **조사 시찰단(어윤중)의 보고서**
>
> 조선의 과제는 하루속히 부강지도(富强之道)를 얻어 행하여 자강(自强)을 실현하는 것입니다. 부강지도가 근대적 개혁이며, 만일 이 방법에 의하여 부강을 이루지 못하면 이웃 나라의 수모를 받을 위험이 매우 큽니다. - 어윤중
>
> **사료 해설** | 정부는 일본의 정세를 파악하기 위해 1881년 4월부터 7월까지 박정양, 홍영식, 어윤중 등으로 구성된 조사 시찰단을 파견하였다. 이들은 일본의 각 분야를 시찰하고 귀국하여 시찰 보고서를 작성하여 고종에게 보고하였다.

② **영선사**(1881. 9.)

㉠ **파견**: 청의 근대 무기 제조술을 습득하기 위해 김윤식을 중심으로 영선사를 파견하였다. 이들은 톈진 기기국에서 무기 제조 기술과 군사 훈련법을 습득하였다.

㉡ **영향**: 학생들의 근대 기술에 대한 지식 부족과, 임오군란 등으로 인한 정부의 재정 부족으로 1년 만에 귀국하였다. 이들은 귀국 후 우리나라 최초의 근대식 무기 제조창인 기기창(1883)을 설립하는 데 기여하였다.

수신사 [기출사료]

저번에 사절선이 온 것은 오로지 수호(修好)때문이니 우리가 선린(善隣)하는 뜻에서도 이번에는 사신을 전위(專委)하여 수신(修身)해야겠습니다. 사신의 호칭은 수신사라 하고 김기수를 특별히 차출하고 따라가는 인원은 일을 아는 자로 적당히 가려서 보내십시오. 이는 조·일 수호 조규(강화도 조약)를 체결한 뒤에 처음 있는 일이니, 이번에는 특별히 당상관을 시켜 서계(書契)를 가지고 들어가게 하고, 이 뒤로는 서계를 옛날처럼 동래부에 내려 보내어 에도로 옮겨 보내는 것이 어떠하겠습니까. - 『승정원일기』

▶ 강화도 조약 체결 이후 일본에 파견하는 사신의 명칭을 통신사에서 수신사로 바꾸었는데, 이는 양국이 **근대적인 입장에서 사신을 교환한다는 의미**이다.

통리기무아문

통리기무아문 아래에는 사대사, 교린사, 군무사, 통상사 등 **12사를 두어 실무를 분담**하게 하였다.

시찰단의 파견 순서

1876	1차 수신사(일본)
1880	2차 수신사(일본)
1881. 4.	조사 시찰단(일본)
1881. 9.	영선사(청)
1882	3차 수신사(일본)
1883	보빙사(미국)

조사 시찰단 파견 [교과서 사료]

동래부 암행어사 이헌영은 뜯어보라. 일본 사람의 조정 논의와 시세 형편, 풍속, 인물과 다른 나라들과의 수교·통상 등의 대략을 한번 염탐하는 것이 아주 좋겠다. …… 이 밖에 뒷일은 별도 문서로 조용히 보고하라. - 이헌영, 『일사집략』

▶ 조선 정부는 개화에 반대하는 유생들의 눈을 피해 조사 시찰단을 암행어사로 임명하여 일본에 파견하였다.

③ 보빙사(1883)

㉠ **파견**: 보빙사는 우리나라 최초의 구미 사절단으로 조·미 수호 통상 조약이 체결되고 미국의 공사가 조선에 파견되자, 그에 대한 답례로 전권 대사 민영익을 필두로 하여 홍영식, 유길준, 서광범 등을 미국에 파견하였다.

㉡ **활동**: 미국 순방 후 일부는 유럽과 러시아를 시찰한 뒤 귀국하였고, 미국에 남아 유학한 유길준은 이후 이 경험을 바탕으로 『서유견문』을 저술하였다.

2 위정척사 운동

1. 배경

서양 열강의 통상 요구와 개항, 정부의 개화 정책에 대한 반발이 심화되자 정학(正學)인 성리학과 정도를 지키고, 사학(邪學)인 천주교 등의 서양 문화를 배척하는 운동인 위정척사 운동이 나타났다.

2. 중심 인물

위정척사 운동은 이항로, 기정진 등 보수적 유학자들이 시작하였고, 유인석, 최익현 등에 의해 계승·발전되었다.

3. 전개 과정

(1) 1860년대

① **원인**: 프랑스가 병인박해를 구실로 강화도에 침입하는 병인양요(1866)를 일으키며 통상을 요구하였다.

② **전개**

㉠ **통상 반대 운동 전개**: 이항로, 기정진 등은 서양의 통상 요구에 대응하여 서양과의 교역을 반대하는 통상 반대 운동을 전개하였다.

㉡ **흥선 대원군 지지**: 서양의 무력 침략에 대해 척화 주전론을 전개하며 흥선 대원군의 통상 수교 거부 정책을 지지하였다.

(2) 1870년대

① **원인**: 일본이 운요호 사건을 일으키며 개항을 요구하였다(강화도 조약, 1876).

② **전개**: 최익현을 비롯한 유생들이 왜양 일체론, 개항 불가론을 들어 개항 반대 운동을 전개하였다.

(3) 1880년대

① **원인**: 정부의 개화 정책 추진과 『조선책략』의 유포가 계기가 되었다.

② **전개**: 이만손의 영남 만인소(1881. 2.)를 시작으로 홍재학의 만언 척사소 등 전국의 유생들이 잇달아 상소를 올리며 개화 반대 운동을 전개하였다.

(4) 1890년대

① **원인**: 명성 황후 시해 사건(을미사변, 1895), 단발령 시행(을미개혁) 등이 원인이 되었다.

보빙사

미국에 사절단으로 파견된 보빙사 일행의 사진이다.

유길준의 『서유견문』

유럽 및 미국 순방 경험을 토대로 서양 각국의 지리·역사·정치·교육·법률 등에 대한 사실을 정리한 책으로, 국한문 혼용체로 저술되었다(1889년 완성, 1895년 출간).

위정척사의 의미

위정척사란 '정(正)을 지키고, 사(邪)를 배척한다'는 의미이다.

정(正)	사(邪)
정학 = 성리학	사학 = 서학
조선의 전통 질서	서양·일본 침략 세력

이항로

이항로는 『화서아언』에서 프랑스와의 통상을 반대하고 서양 세력과 끝까지 항전해야 한다고 주장하였다.

최익현의 개항 반대 교과서 사료

백성의 목숨이 달려 있는 물건을 가지고 저들의 사치하고 기이한 물건과 교역을 한다면, …… 몇 년 지나지 않아 땅과 집이 모두 황폐해지고 나라도 망하고 말 것입니다.

\- 최익현, 『면암집』

▶ 최익현은 서양과 통상을 하면 나라가 망한다고 주장하며 개항을 반대하였다.

VI 근대 사회의 전개 | 해커스공무원 한국사 기본서

② **전개**: 유인석과 이소응 등은 이전의 개화 반대 운동 차원을 넘어서 일본의 침략에 저항하는 항일 의병 운동을 전개하였다.

교과서 사료 읽기

위정척사 운동

1. 1860년대의 통상 반대 운동 – 척화 주전론

오늘날 서양인의 침입을 당하여 국론이 화친과 전쟁으로 양분되어 있습니다. 그런데 서양인을 공격해야 한다는 주장은 내 나라 쪽 사람의 주장이고, 서양인과 화친해야 한다는 주장은 적국 쪽 사람의 주장입니다. 전자를 따르면 나라의 문화와 전통을 보전할 수 있지만, 후자를 따른다면 조선인이 금수의 나라가 되고 말 것입니다.

2. 1870년대의 개항 반대 운동 – 왜양일체론

일단 강화를 맺고 나면, 저들의 욕심은 물화를 교역하는 데 있습니다. 저들의 물화는 대부분 수공 생산품이라 그 양이 무궁한 데 반하여, 우리의 물화는 대부분 백성들의 생명이 달린 것이고, 땅에서 나는 것으로 한정이 있는 것입니다. …… 저들이 비록 왜인이라고 하나 실은 양적(洋賊)입니다.

– 최익현, 『면암집』

3. 1880년대의 개화 반대 운동 – 영남 만인소

수신사 김홍집이 들여와 유포한 황준헌의 사사로운 책자를 보노라면 어느새 머리카락이 곤두서고 가슴이 떨리며 이어 통곡하면서 눈물을 흘렸습니다. …… 미국은 우리가 본래 모르던 나라입니다. 잘 알지 못하는데 공연히 타인의 권유로 불러들였다가 그들이 재물을 요구하고 우리의 약점을 알아차려 어려운 청을 하거나 과도한 경우를 떠맡긴다면 장차 이에 어떻게 응할 것입니까.

4. 1890년대의 항일 의병 운동

원통함을 어찌하리. 국모의 원수를 생각하며 이를 갈았는데, 참혹함이 더욱 심해져 임금께서 또 머리를 깎으시는 지경에 이르렀다. …… 우리 부모에게 받은 몸을 금수로 만드니 이 무슨 일이며, 우리 부모에게 받은 머리털을 풀 베듯이 베어버리니 이 무슨 변고란 말인가. – 유인석, 『의암집』

사료 해설 | 위정척사 운동은 크게 통상 반대, 개항 반대, 개화 반대, 항일 의병 운동의 4단계로 진행되었는데, 각 단계마다 정치 상황에 따라 다양한 논리를 바탕으로 전개되었다. 이들은 전통적인 사회 질서를 유지하고자 하였기 때문에 근대화를 위한 방안을 제시하지 않았다는 한계가 있다.

4. 의의와 한계

(1) **의의**: 정치적·경제적인 외세의 침략에 저항하는 반침략·반외세 자주 운동이었다.

(2) **한계**: 전통적인 사회 질서를 유지하고자 하였기 때문에 개화 정책 추진의 걸림돌로 작용하였다.

교과서 분석하기

위정척사 운동의 전개

구분	전개	내용	중심 인물
1860년대	통상 반대 운동	· 척화 주전론, 서양과의 통상 반대 · 흥선 대원군의 통상 수교 거부 정책 지지	이항로, 기정진
1870년대	개항 반대 운동	왜양 일체론, 개항 불가론	최익현
1880년대	개화 반대 운동	· 정부의 개화 정책 반대 · 『조선책략』 유포 반대	이만손의 영남 만인소, 홍재학의 만언 척사소
1890년대	항일 의병 운동	을미의병(1895)	유인석, 이소응, 기우만

홍재학의 만언 척사소 교과서 사료

전하께서 즉위하신 이래로 어느 하루라도 척사위정의 명령을 내린 적이 있습니까? 사학(邪學)의 무리들을 언제 잡아서 처단하신 적이 있었습니까? …… 역사책에 기록된다면 후세에 전하를 어떤 임금이라고 하겠습니까? –『고종실록』

▶ 홍재학은 개화 정책에 앞장 선 김홍집 등을 처벌할 것과 서양 물품 및 서적을 소각할 것을 주장하였다.

OX 빈칸 핵심 개념 점검

* 학습한 개념을 OX/빈칸 문제를 통해 점검해보세요.

핵심 개념 1 | 온건 개화파

01 온건 개화파는 중체서용을 바탕으로 한 양무운동과 같은 개혁을 추진하려 하였다. □ O □ X

02 온건 개화파의 동도 서기론은 근대 문물 수용의 사상적 기반이 되었다. □ O □ X

03 온건 개화파는 전근대적인 토지 제도를 개혁하고 신분제를 폐지하려 하였다. □ O □ X

04 1880년대 초에 김윤식은 전통적인 유교 사상을 지키면서 서양의 과학 기술을 받아들이자는 ______을 주장하였다.

05 온건 개화파의 구성원으로는 ______, 어윤중, 김윤식 등이 있었다.

핵심 개념 2 | 급진 개화파

06 급진 개화파는 전제 군주제 유지를 주장하였다. □ O □ X

07 급진 개화파는 문벌 폐지와 청에 대한 사대 관계 청산을 촉구하였다. □ O □ X

08 급진 개화파는 일본의 ______을 본받고자 하였다.

핵심 개념 3 | 개화 정책 추진

09 1880년에 조선 정부는 개화 정책을 추진할 기구로 통리기무아문을 설치하였다. □ O □ X

10 강화도 조약 체결 이후 조선 정부는 일본에 조사 시찰단을 파견하였다. □ O □ X

11 조선 정부는 군사 제도의 개혁을 통해 기존의 5군영을 ______, ______의 2영으로 개편하였다.

12 신식 군대인 ______을 창설하고 일본인 교관을 채용하여 근대적 군사 훈련을 실시하였다.

13 청에 파견된 ______ 김윤식 일행은 무기 제조법을 배웠다.

14 미국에 파견된 ______는 근대 시설을 시찰하였다.

핵심 개념 4 | 위정척사 운동

15 위정척사 운동은 대원군의 쇄국 정책(통상 수교 거부 정책)을 뒷받침하였다. □ O □ X

16 최익현은 일본이 개항을 요구하자 유생들과 함께 개항 반대 운동을 전개하였다. □ O □ X

17 이만손은 1880년대에 『조선책략』의 유포에 반대하고 영남 만인소를 올렸다. □ O □ X

18 홍재학은 주화매국의 신료를 처벌하고 서양 물품과 서양 서적을 불태울 것을 주장하였다. □ O □ X

19 이항로는 ________ 을 주장하며 통상 반대 운동을 전개하였다.

20 ______ 은 왜양 일체론을 내세우며 개항에 반대하였다.

정답과 해설

01	O 온건 개화파는 중체서용을 바탕으로 한 중국의 양무운동을 본받아 개혁을 추진하고자 하였다.	11	무위영, 장어영
02	O 온건 개화파가 주장한 동도 서기론은 1880년대 초반에 근대 문물을 수용하는 사상적 기반이 되었다.	12	별기군
03	X 온건 개화파는 토지 제도의 개혁 및 신분제 폐지를 주장하지 않았다. 토지 제도 개혁 및 신분제 폐지를 주장한 대표적인 세력은 전봉준 등의 동학 농민군이다.	13	영선사
04	동도 서기론	14	보빙사
05	김홍집	15	O 위정척사 운동은 조선의 전통적 질서를 지키면서 서양·일본의 침략 세력을 물리치려는 것으로 흥선 대원군의 쇄국 정책(통상 수교 거부 정책)을 뒷받침하였다.
06	X 급진 개화파는 입헌 군주제 실시를 주장하였다.	16	O 최익현은 일본이 운요호 사건을 일으키며 개항을 요구하자, 유생들과 함께 왜양일체론을 내세워 개항 반대 운동을 전개하였다.
07	O 급진 개화파가 문벌 폐지와 청에 대한 사대 관계 청산을 촉구하며 갑신정변을 일으켰다.	17	O 1880년대에 이만손 등은 정부의 개화 정책 추진과 『조선책략』의 유포에 반발하며 영남 만인소를 올려 개화 반대 운동을 전개하였다.
08	메이지유신	18	O 홍재학은 1880년대에 고종에게 상소를 올려 당시 개화 정책을 주도하고 미국과의 통상을 추진한 김홍집 등을 처벌할 것과 서양 물품 및 서적을 소각할 것을 강력하게 주장하였다.
09	O 1880년 조선 정부는 개화 정책을 추진하기 위해 통리기무아문을 설치하고 군국 기밀과 일반 정치를 총괄하게 하였다.	19	척화 주전론
10	O 강화도 조약 체결 이후 근대 문물 수용의 필요성을 느낀 조선 정부는 일본에 수신사와 조사 시찰단을 파견하였다.	20	최익현

2 임오군란과 갑신정변

학습 포인트
임오군란과 갑신정변의 원인, 전개, 결과에 대해 꼼꼼하게 정리하도록 한다. 특히 두 사건의 결과로 체결된 조약에 대해 상세하게 학습하고, 갑신정변의 경우 14개조 혁신 정강을 원문과 함께 공부하도록 한다.

빈출 핵심 포인트
임오군란, 제물포 조약, 조·청 상민 수륙 무역 장정, 갑신정변, 우정국, 14개조 혁신 정강, 한성 조약, 톈진 조약, 거문도 사건, 한반도 중립화론

1 임오군란(1882. 6.)

1. 배경

(1) **개화파와 위정척사파의 대립**: 민씨 정권의 개화 정책에 반발한 위정척사파가 고종의 이복형이자 서자인 이재선을 왕위에 올리고 흥선 대원군을 복귀시키려 하였으나 실패하였다(이재선 모역 사건, 1881). 이를 계기로 민씨 정권과 대원군의 대립, 그리고 개화파와 위정척사파의 대립이 심화되었다.

(2) **구식 군대에 대한 차별 심화**: 구식 군인들은 신식 군대인 별기군과의 차별적 대우, 군제 개혁(5군영 → 2영)으로 인한 실직, 급료의 체불 등으로 불만이 높은 상황이었다.

(3) **군인들의 경제력 악화**: 구식 군인 중 상당수는 적은 임금으로 인해 난전에서 상행위를 하였는데, 당시 정부가 국가 재정 확충을 위해 특권 상인을 보호하는 정책을 펼치고 난전을 단속하면서 군인들의 생활은 더욱 악화되었다.

(4) **하층민의 생활 곤란**: 개화 정책이 추진되면서 정부의 재정 지출이 늘어나 세금 부담이 증가하였다. 또한 개항 이후 대량의 쌀이 일본으로 유출되면서 쌀값이 폭등하자 농민을 비롯한 하층민들의 반일 감정이 고조되었다.

2. 전개 과정

(1) 구식 군인들의 봉기

① **선혜청 습격**: 구식 군인(무위영 장병)들은 대원군에게 도움을 청하고, 선혜청의 창고인 도봉소를 습격하였다.

② **일본 공사관 습격**: 구식 군인들은 별기군의 일본인 교관을 살해하고 일본 공사관을 습격하였다.

(2) **민씨 세력의 축출**: 도시 하층민도 봉기에 합세하여 민씨 정권의 고관들을 살해하고 창덕궁까지 습격하자, 민비는 충주 장호원으로 피신하였다(임오군란).

(3) **흥선 대원군의 일시적 재집권**: 군란을 진정시키기 위해 재집권하게 된 대원군은 정부의 개화 정책을 중단하여 무위영과 장어영의 2영을 없애고 5군영과 삼군부를 부활시켰으며, 통리기무아문과 별기군을 폐지시켰다.

별기군

구식 군인의 급료 체불

국가 재정의 부족과 군의 급료를 관리하는 선혜청 관원의 농간으로 구식 군인들의 급료가 체불되었다. 또한 13개월 만에 지급된 한 달치 급료에는 겨와 모래가 섞여 있었다. 이에 격분한 구식 군인은 임오군란을 일으켰다.

임오군란 전개 과정(1882)

6. 5.	선혜청 창고 도봉소를 습격
6. 9.	선혜청 당상 민겸호 집과 일본 공사관 습격
6. 10.	창덕궁 점령, 대원군 복귀
6. 27.	청의 군대 상륙
7. 13.	대원군을 군란의 책임자로 청에 압송

(4) 일본과 청의 개입: 일본이 조선 내의 자국민 보호 등을 이유로 조선 출병을 준비하였다. 이에 민씨 정권의 요청을 받은 청나라는 신속히 조선에 군대를 파견하여 군란을 진압함으로써 일본의 무력 개입을 차단하였다. 또한 흥선 대원군을 군란의 책임자로 지목하여 청나라로 압송하였다.

(5) 민씨 정권의 재집권: 흥선 대원군이 청으로 압송당하자 민씨 세력이 재집권하면서 친청 정책이 심화되었다.

기출 사료 읽기

임오군란의 전개

임오년 서울의 영군들이 큰 소란을 피웠다. …… 호조와 선혜청의 창고도 고갈되어 서울의 관리들은 봉급을 못 받았으며, 5영의 병사들도 가끔 결식을 하여 급기야 5영을 2영으로 줄이고 노병과 약졸들을 쫓아냈는데, 내쫓긴 사람들은 발붙일 곳이 없으므로 그들은 난을 일으키려 했다. …… 고종이 그 소문을 듣고 급히 대원군을 부르니 대원군은 난병을 따라 입궐하였다. 대원군에게 군국 사무를 처리하라는 명을 내리니, 대원군은 통리기무아문과 무위영·장어영을 폐지하고 5영의 군제를 복구하라는 명을 내리고 군량도 지급하도록 하였다. 그러자 난병들은 물러나 사방으로 흩어졌다. – 황현, 『매천야록』

사료 해설 | 임오군란의 원인 중 하나는 구식 군인들이 밀린 급료로 받은 쌀에 모래 등이 섞여 있었던 것 때문이었다. 그리하여 임오군란 주동자들은 민씨 정권의 집권층을 살해하고, 일본 공사관을 습격하였다.

3. 결과

(1) 일본과의 조약 체결

① **제물포 조약**(1882. 7.): 임오군란 때 도망간 일본 공사가 제물포에서 무력 시위를 하며 군란 주동자의 엄벌과 배상금 지급을 요구하였고, 그 결과 제물포 조약이 체결되었다. 이 조약으로 인해 조선 정부는 일본 정부에게 배상금을 지불하였고, 일본 공사관의 경비병 주둔을 허용하여 일본 군대가 조선 내에 공식적으로 주둔할 수 있게 되었다.

교과서 사료 읽기

제물포 조약

제1조 이제부터 20일을 기한으로 하여 조선국은 흉도들을 잡아 그 수괴를 엄격히 심문하여 중하게 징벌한다. 일본국은 관리를 파견하여 함께 조사하고 처리한다.
제2조 해를 당한 일본 관리와 하급 직원은 조선국에서 후한 예로 매장하여 장례를 지낸다.
제3조 조선국은 5만원을 내어 해를 당한 일본 관리들의 유족 및 부상자에게 주도록 한다.
제4조 흉도들의 포악한 행동으로 인하여 일본국이 입은 손해와 공사를 호위한 해군과 육군의 군비 중에서 50만 원을 조선국에서 보충한다.
제5조 일본 공사관에 군사 몇 명을 두어 경비를 서게 한다. 병영을 설치하고 수리하는 것은 조선국이 맡아 한다. ……
제6조 조선국은 사신을 특파하여 국서를 가지고 일본국에 사과한다. – 『고종실록』

사료 해설 | 제물포 조약의 주요 내용은 배상금 지불, 일본 공사관 경비 주둔 등이다. 조약이 체결된 후 조선은 군란의 주동자들을 처벌하였고, 박영효, 김옥균 등을 일본에 특파하였다.

② **3차 수신사 파견**: 제물포 조약의 후속 조치로 3차 수신사 박영효, 김옥균 등이 사죄 사절단의 형태로 일본으로 갔고, 이때 태극기가 사용되었다.

③ **조·일 수호 조규 속약**(1882. 7.) **체결**: 일본 상인의 활동 범위를 확대하였다.

④ **척화비 철거**: 일본의 요구에 따라 전국에 세웠던 척화비를 철거하였다.

조·일 수호 조규 속약(1882)

제1관 부산·원산·인천 각 항구의 통행할 수 있는 거리를 이제부터 사방 각 50리(里)로 넓히고, 2년이 지난 뒤 다시 각각 100리로 한다. 지금부터 1년 뒤에는 양화진(楊花津)을 개시(開市)로 한다.
제2관 일본국 공사와 영사 및 그 수행원과 가족은 마음대로 조선의 내지 각 곳을 돌아다닐 수 있다. – 『고종실록』

▶ 조·일 수호 조규 속약의 체결로 일본인 관리와 상인들의 활동 영역이 **사방 10리에서 50리(1883년 100리)까지 확대**되면서 일본 상인의 내륙 진출과 일본 외교관의 내륙 여행이 가능하게 되었다.

(2) 청의 내정 간섭 심화

① **고문 파견**: 청은 내정 고문(마젠창)과 외교 고문(묄렌도르프)을 파견하여 조선의 내정과 외교 문제에 대한 간섭을 강화하였다.

② **군대 주둔**: 청은 위안스카이가 지휘하는 군대를 상주시켜 조선 군대를 훈련시키는 한편, 친군영을 설치(아래에 4영)하여 조선의 군사권을 장악하였다.

③ **조·청 상민 수륙 무역 장정 체결**(1882. 8.): 청나라 상인은 지방관의 허가를 받으면 내륙에서 활동이 가능하도록 하였으며, 조선을 '속방'으로 규정하여 청의 종주권을 확인하였다.

조항	내용	의미
전문	이번에 제정한 수륙 무역 장정은 중국이 속방을 우대하는 뜻이며, 각국과 일체 같은 이득을 보도록 하는데 있지 않다. 이에 각 조항을 아래와 같이 정한다.	속방 규정
제1조	청의 상무위원을 서울에 파견하고 조선 대관을 톈진에 파견한다. 청의 북양 대신과 조선 국왕은 대등한 지위를 가진다.	조선 국왕과 북양대신이 대등한 지위를 가짐
제2조	조선의 개항장에서 청의 상무 위원이 청의 상인에 대한 재판권을 행사한다.	영사 재판권 (치외 법권)
제3조	조선의 평안도, 황해도와 청나라의 산동, 봉천 연안에서 양국의 어선들이 내왕하면서 고기를 잡을 수 있다.	청나라 사람들의 조선 연안 어업권 허용
제4조	북경과 한성, 양화진에서 청과 조선 양국 상인의 무역을 허용한다. 지방관이 발행한 여행 허가증이 있으면 내륙까지 들어갈 수 있다.	청 상인의 내륙 상업 허용
제5조	압록강 건너편의 책문과 의주 두 곳을, 그리고 두만강 건너편의 훈춘과 회령 두 곳을 정하여 변경 백성들이 수시로 왕래하며 교역하도록 한다.	개시 허용

(3) **조선의 자주적 개화 정책 후퇴**: 친청 정책으로 조선의 자주적인 개화 정책은 후퇴하였다.

2 개화당의 근대화 운동

1. 개화 정책 추진 계기

박영효가 일본에 3차 수신사로 파견되면서 급진 개화파(개화당)의 활동이 본격화되었고 김옥균 등 개화당 요인들이 고종의 신임을 받아 개화 정책을 추진하였다.

2. 내용

박문국 설치(1883)	박영효의 건의로 설치, 우리나라 최초의 근대 신문인 한성순보 간행
치도국 설치(1883)	박영효에 의해 도로 건설을 담당하는 치도국을 한성부에 설치
우정국 설치(1884)	근대적 우편 사무를 담당하는 우정(총)국을 설치하고 홍영식을 우정총판에 임명
농무 목축 시험장 설치(1884)	미국의 농장을 시찰한 후 귀국한 보빙사 일행의 건의로, 낙농 발달을 위한 시범 농장인 농무 목축 시험장 설치

묄렌도르프

임오군란 후 청나라 이홍장의 추천으로 조선에 온 독일인 고문으로, 1884년 러시아 공사 베베르가 내한하자 적극적인 협조로 조·러 수호 통상 조약을 체결하는 데 기여하였다.

청 상인의 내륙 상업 교과서 사료

상업지라고 할 수 있는 곳에서는 반드시 청국 상인이 거주하면서 상업을 운영하고 있었고, 아무리 궁벽한 곳에 있는 촌락일지라도 장날에는 청국 상인들이 찾아온다고 한다. …… 공주·강경 등의 경우에는 (청국 상인들) 모두 가옥을 소유하여 가게를 열었으며, 전라도 전주의 경우는 30명 정도의 청국 상인이 들어와 전라도 각 지방의 장날에는 청국 상인들이 오지 않는 곳이 없다고 한다.

- 일본 외무성통상국, 『통상휘찬』

▶ 조·청 상민 수륙 무역 장정 체결로 청 상인들의 내륙 진출이 허용된 결과, 조선의 대청 무역 비중이 점차 커졌고, 이는 강화도 조약 체결 이후 조선과의 무역을 주도하였던 일본 상인을 위협할 정도였다. 이로 인해 청과 일본 상인간에 무역 경쟁이 점차 심화되었으며, 이는 청·일 전쟁(1894)이 발발하는 한 원인이 되었다.

3. 한계

(1) **차관 도입 실패**: 김옥균이 근대적 개혁 추진에 필요한 자금을 일본으로부터 차관의 형태로 도입하려 하였으나 실패하였다.

(2) **친청 세력의 견제**: 민씨 일파로 구성된 친청 세력의 견제가 날로 심화되어 개화 정책 추진이 불가능하였다.

3 갑신정변(1884. 10.)

1. 배경

(1) **청의 내정 간섭 강화**: 청은 임오군란 이후 조선 내에 군대를 주둔시키고, 고문을 파견하여 내정 간섭을 강화하였다.

(2) **개화당에 대한 탄압**: 임오군란 이후 민씨 일파는 정권을 유지하기 위해 친청 정책을 취하여 급진 개화파(개화당)를 탄압했고, 개화 정책은 후퇴하였다.

(3) **일본과의 차관 교섭 실패**: 민씨 정권이 당오전을 발행하려 하자 김옥균을 비롯한 개화당은 일본의 차관을 끌어들여 개화 정책의 자금으로 사용하려고 하였으나, 계획이 실패하였고, 급진 개화파의 입지가 위축되었다.

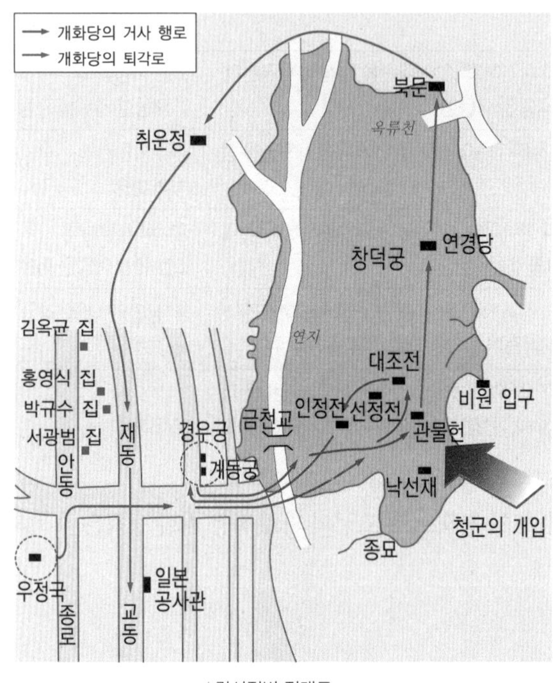

| 갑신정변 전개도

(4) **청군의 철수**: 청·프 전쟁 발발로 조선에 주둔하던 청군의 일부가 철수하여 군사적인 공백이 발생하였다.

(5) **일본 공사의 지원 약속**: 일본의 다케조에 공사가 개화당에 대한 군사적 지원을 약속하였다.

2. 전개

(1) **우정국 사건**: 김옥균, 박영효 등 개화당은 우정국의 개국을 축하하는 축하연에서 정변을 단행하여 민씨 정권의 고관을 살해하였고, 호위를 핑계로 고종과 민비를 창덕궁에서 경우궁으로 옮겨 정권을 장악하였다.

차관 교섭 실패와 갑신정변

교과서 사료

나(김옥균을 의미)는 자금이 없이는 아무것도 할 수 없고 지금 빈손으로 귀국하면 집권 사대당은 나를 비판하며 궁지에 몰아넣을 것임을 알고 있다. 어쨌든 우리 개화당은 심한 타격을 받을 것이며, 우리의 개혁안도 없어질 것이며 조선은 청국의 영구적 속국이 될 수밖에 별 도리가 없다. 우리 당과 사대당은 공존할 수 없기 때문에 최후의 선택을 할지도 모르겠다. -『후쿠자와 유키치전』

▶ 재정난을 해결하기 위해 민씨 정권은 묄렌도르프의 주장대로 당오전을 발행하려 하였다. 이때 김옥균을 비롯한 급진 개화파는 당오전 발행에 반대하고, 재정난 타개책으로 일본으로부터 차관 300만 엔을 들여오려 하였으나 실패하였다.

청·프 전쟁

베트남에 대한 청나라의 종주권을 둘러싸고 청나라와 프랑스 사이에서 벌어진 전쟁(1884~1885). 청나라는 이 전쟁을 위해 조선에 있던 청군을 대거 베트남으로 파병하였다.

다케조에의 약속과 갑신정변

김옥균이 일본군(공사관 호위 병사 150명)을 국왕 호위에 투입하고자 하는데 결정 후 마음이 변하는 일이 없어야 하겠다고 했다. 이에 대해 다케조에는 호위 요청의 국왕 친서가 있으면 투입하겠다고 합의했다. 친서 전달자는 박영효가 하기로 내약(內約)했다. - 김옥균, 『갑신일록』

▶ 일본은 다케조에 공사를 통해 급진 개화파에 대한 지원을 약속하였다. 그러나 청의 개입으로 전세가 불리해지자 군대를 철수시키고 퇴각하였다.

기출 사료 읽기

갑신정변

이날 밤 우정국에서 낙성식 연회를 가졌는데 총판 홍영식이 주관하였다. 연회가 끝나갈 무렵에 담장 밖에서 불길이 일어나는 것이 보였다. 이때 민영익도 우영사로서 연회에 참가하였다가 불을 끄려고 먼저 일어나 문밖으로 나갔는데, 밖에 어떤 여러 명의 흉도들이 칼을 휘두르자 나아가 맞받아치다가 칼을 맞고 대청 위에 돌아와서 쓰러졌다. 자리에 있던 사람들이 모두 놀라서 흩어지자 김옥균, 홍영식 등이 자리에서 일어나 궐내로 들어가 곧바로 침전에 이르러 변고에 대하여 급히 아뢰었다. 왕이 경우궁으로 거처를 옮기자 각 비빈과 동궁도 황급히 따라갔다. …… 깊은 밤, 일본 공사가 군대를 이끌고 와 호위하였다.

-『고종실록』

사료 해설 | 우정국 개국 축하연을 기하여 시작된 갑신정변은 청과의 종속 관계를 끊고, 위로부터의 봉건 사회 체제 철폐를 주장하였으며, 근대적 국민 국가를 지향한 최초의 정치 개혁 운동이었다.

(2) **개화당 정부와 14개조 혁신 정강**: 김옥균, 박영효, 홍영식, 서광범 등 급진 개화파를 중심으로 개화당 정부를 수립하고, 14개조 혁신 정강을 발표하였다.

구분	내용	의미
정치	1. 대원군을 돌아오게 하며 청에 대한 조공 허례를 폐지한다.	· 자주 독립 · 청에 대한 사대 관계 폐지
	2. 문벌은 폐지하고, 인민 평등의 권리를 세워 능력에 따라 관리를 임명한다.	양반 문벌 제도 폐지
	4. 내시부를 없애고, 그 중에 우수한 인재를 등용한다.	· 전근대적 내시 제도 폐지 · 국왕 보좌 기관 폐지
	7. 규장각을 폐지한다.	세도 정치의 기반으로 변질되어 폐지
	13. 대신과 참찬은 합문 안의 의정소에서 회의를 하여 결정하고 정령을 공포하여 시행한다.	입헌 군주제 실시
	14. 의정부, 6조 외의 모든 불필요한 기관을 없앤다.	내각 제도 수립
경제	3. 지조법을 개혁하여 관리의 부정을 막고 백성을 보호하며 재정을 넉넉히 한다.	지세 등 조세 개혁
	6. 각 도의 환상미를 영구히 받지 않는다.	환곡제 폐지
	9. 혜상공국을 혁파한다.	특권적 상업 체제 폐지
	12. 모든 재정은 호조에서 관할한다.	국가 재정 일원화
사회	5. 부정한 관리 중 그 죄가 심한 자는 치죄한다.	탐관오리 처벌
	8. 급히 순사를 두어 도둑을 방지한다.	경찰 제도 실시
	10. 귀양살이를 하는 자와 옥에 갇혀 있는 자는 그 정상을 참작하여 적당히 형을 감한다.	형사 정책 개혁
군사	11. 4영을 합하여 1영으로 하되, 영중에서 장정을 선발하여 근위대를 급히 설치한다.	군사 제도 개혁

(3) **3일 천하**: 민비의 요청으로 청군이 개입하면서 정변은 3일 만에 진압되었고, 이 과정에서 일본 공사관이 불타고 일본군이 청군에 패퇴하였다.

의정소

대신과 참찬이 국사를 협의하고 결정하는 장소로, 이곳에서 의결된 사안은 국왕의 재가를 얻어 정령으로 공포되었다. 의정소는 경복궁 밖에 있던 의정부와는 별도의 기구로, 국왕의 권위를 이용하기 위해 경복궁 안에 세웠다.

지조법

토지에 부과된 각종 세금에 대한 규정

혜상공국

1883년 김병국의 건의에 따라 군국아문(軍國衙門) 관할하에 **보부상을 총괄하는 기관**으로 '혜상공국'을 설치하였다. 외국 상인의 불법적 상행위 단속, 외읍 무뢰배의 불량 행상 단속 등을 벌였으며, 이를 통해 보부상의 권익을 보호함과 아울러 보부상의 민폐도 근절하려 하였다. 혜상공국은 1898년 황국 협회(皇國協會)가 창립되면서 이에 이속되었으며, 1899년 **상무사(商務社)로 개칭**되었다가 **1904년에 혁파**되었다.

3. 결과

(1) 급진 개화파의 도태: 정변의 실패로 홍영식은 피살되고 박영효, 김옥균 등은 일본으로 망명하는 등 급진 개화파가 몰락함으로써 상당 기간 개화 운동이 단절되었다.

(2) 청의 내정 간섭 강화: 청은 고종과 민씨 세력을 견제하고자 흥선 대원군을 귀국시키고, 위안스카이에게 막강한 권한을 부여해 조선의 내정과 외교에 대한 간섭을 강화하였다.

(3) 한성 조약(조·일, 1884): 조선은 일본에게 배상금을 지불하고, 일본 공사관의 신축 비용을 부담한다는 내용의 한성 조약을 체결하였다.

(4) 톈진 조약(청·일, 1885): 청과 일본은 조선에서 양국군이 공동 철수하고, 이후 조선에 군대를 파병할 시에 상대방 국가에 미리 알린다는 내용의 톈진 조약을 체결하였다. 이로써 일본은 청과 동등하게 조선 파병권을 획득하였다.

교과서 사료 읽기

톈진 조약

제1조 청국은 조선에 주둔한 군대를 철수하고, 일본국은 공사관 호위를 위해 조선에 주재한 병력을 철수한다.

제2조 청국과 일본국은 조선국 군대를 훈련시키기 위하여 외국 무관 1인 내지 수인을 채용하고 두 나라(청 · 일)의 무관은 파견하지 않는다.

제3조 앞으로 조선에 변란이나 중대 사건이 일어나 청 · 일 두 나라나 어떤 한 국가가 파병을 하려고 할 때에는 마땅히 그에 앞서 쌍방이 문서로써 알려야 한다. 그 사건이 진정된 뒤에는 즉시 병력을 철수시키며 잔류시키지 못한다.

-『고종실록』

사료 해설 | 청은 갑신정변 이후 일본과 톈진 조약을 체결하여 조선에서 두 나라 군대가 모두 철수하며, 만약 조선에 군대를 파견할 경우 상대국에 미리 알리고 그 사건이 진정되면 곧 군대를 철수한다는 내용에 합의하였다(1885). 이 조약은 조선 대표의 참여 없이 청·일 양국이 일방적으로 체결하였다.

4. 의의

(1) 정치적 측면: 정변을 일으킨 급진 개화파(개화당)는 청에 대한 사대 관계 청산, 자주 독립 국가 건설, 입헌 군주제를 지향하였다.

(2) 사회적 측면: 문벌을 폐지하고 인민 평등권을 확립하고자 하였으며, 봉건적 신분제를 타파하고 근대적인 평등 사회를 실현하고자 하였다.

(3) 근대화 운동의 선구: 근대 국가 수립을 목표로 하는 최초의 정치 개혁으로, 독립 협회와 애국 계몽 운동으로 이어지는 근대화 운동의 방향을 제시하였다.

5. 한계

갑신정변을 일으킨 급진 개화파(개화당)는 정치적, 군사적 기반이 약했을 뿐만 아니라, 자주권을 수호할 수 있는 국방 문제에 소홀했으며, 일본의 지원에 지나치게 의존했다. 또한, 토지 제도 개혁과 같은 민중들의 요구는 반영되지 않은 위로부터의 개혁이었다.

위안스카이(원세개)

위안스카이는 1882년 임오군란이 일어난 직후 조선에 들어와 임오군란의 주동자로 지목된 흥선 대원군을 납치하여 청나라로 압송하였다. 1884년에 갑신정변을 진압한 후 중국으로 돌아갔다가 1885년에 흥선 대원군과 함께 조선으로 돌아와 조선의 내정을 간섭하였다.

갑신정변에 대한 부정적인 평가

기출사료

개화당의 실패는 우리에게 무척 애석한 일이다. 내 친구 중에 이 사건을 잘 아는 이가 있는데, 그는 어쩌다 조선의 최고 수재들이 일본인에게 이용당해서 그처럼 큰 잘못을 저질렀는지 참으로 애석하다고 했다. 진실로 일본인이 조선의 운명과 그들의 성공을 위해 노력을 다했겠는가?

▶ 갑신정변의 직접적인 실패 원인은 청나라 군대의 개입 때문이었으나 그 밖에 정변이 민중에게 뿌리 내리지 못하였고, 일본에 지나치게 의존하였다는 것 등을 이유로 들 수 있다.

4 갑신정변 이후의 국내외 정세

1. 갑신정변 이후 국내외 상황

(1) **청과 일본의 침략적 대립**: 개항 이래 조선을 둘러싸고 전개된 청과 일본의 정치·경제적 침략 경쟁은 갑신정변 후에 더욱 가열되었다.

(2) **조선 내의 러시아 세력 확대**: 갑신정변 이후에 조선 정부는 청의 내정 간섭에 벗어나기 위해 러시아와 조·러 비밀 협약을 추진하였으나, 청의 방해로 실패하였다.

2. 거문도 사건(1885~1887)

(1) **배경**: 조·러 수호 통상 조약(1884) 체결 이후 러시아가 적극적으로 조선에 진출하려던 상황에서 조·러 비밀 협약설까지 대두되자, 영국은 러시아의 남하 정책을 저지하고자 하였다.

(2) **전개**: 러시아의 남하 견제를 구실로 영국은 거문도를 불법 점령하였다(1885).

3. 한반도 중립화론

(1) **배경**: 임오군란 및 갑신정변 이후 한반도를 둘러싼 열강들의 경쟁이 심화되자 한반도 중립화론이 대두하였다.

(2) **독일의 부들러**: 조선 주재 독일 영사 부들러가 청과 일본의 충돌에 대비하고자 한반도 영세 중립화안을 조선 정부에 제안하였다.

(3) **유길준**: 열강의 침략으로부터 조선의 안전을 보장받기 위해 유길준은 강대국 모두가 보장하는 조선 중립화론을 주장하였으나, 당시 중립화론은 받아들여지지 않았다.

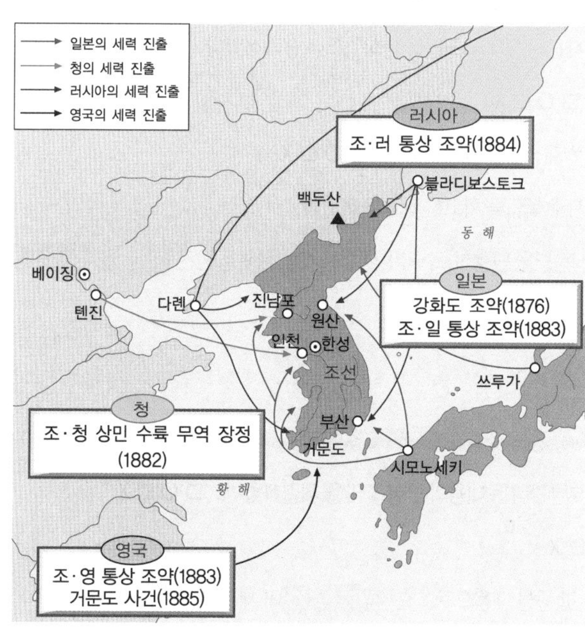

| 한반도를 둘러싼 열강의 각축

부들러의 영세 중립화안(1885. 2.)

부들러는 조선이 지정학적으로 청과 일본이 충돌하는 위치에 있기 때문에, 스위스와 같은 **영세 중립국이 되어야 한다는 한반도 영세 중립화안을 건의**하였다.

유길준의 조선 중립화론(1885. 11.)

교과서 사료

우리나라가 아시아의 인후(咽喉, 목구멍)에 처해 있는 지리적 위치는 유럽의 벨기에와 같고, 중국에 조공하던 처지는 터키에 조공하는 불가리아와 같다. 대저 우리나라가 아시아의 중립국이 된다면 러시아를 방어하는 큰 기틀이 될 것이고, 또한 아시아의 여러 대국들이 서로 보전하는 정략도 될 것이다. 중국이 맹주가 되어 여러 나라들과 화합하고 우리나라를 참석시켜 같이 조약을 체결토록 해야 될 것이다. - 유길준, 『중립화론』

▶ 유길준은 열강이 보장하는 조선 중립화론을 제기하였으나 받아들여지지 않았다.

OX 빈칸 핵심 개념 점검

* 학습한 개념을 OX/빈칸 문제를 통해 점검해보세요.

핵심 개념 1 | 임오군란의 전개 과정

01 별기군에 비해 차별 받던 구식 군인들이 임오군란을 일으켜 민겸호의 집과 일본 공사관을 습격하였다. □ O □ X

02 임오군란에는 정부의 개화 정책에 반대하는 서울의 하층민들도 참여하였다. □ O □ X

03 임오군란으로 재집권한 흥선 대원군은 ______을 폐지하고 ______을 부활하였다.

핵심 개념 2 | 임오군란의 결과

04 임오군란을 수습하기 위하여 일시적으로 흥선 대원군이 재집권하였다. □ O □ X

05 임오군란 이후 일본은 배상금 지급 등을 내용으로 하는 제물포 조약의 체결을 강요하였다. □ O □ X

06 임오군란 이후 마젠창과 묄렌도르프가 고문으로 조선에 파견되었다. □ O □ X

07 임오군란 이후 조·청 상민 수륙 무역 장정이 체결되었다. □ O □ X

08 임오군란이 일어나고 ______이 체결되어 조선은 일본에 배상금을 지불하였다.

09 임오군란 이후 체결된 ______에 따라 양화진에서 청국 상인의 통상을 인정하였다.

핵심 개념 3 | 갑신정변의 전개 과정

10 급진 개화파는 개혁 추진에 필요한 자금을 일본에서 차관의 형태로 도입하려 하였으나 실패하였다. □ O □ X

11 갑신정변은 최익현 등의 유생들에 의해 주도되었다. □ O □ X

12 갑신정변 때 급진 개화파는 지조법을 실시하고, 호조로 재정을 일원화하였다. □ O □ X

13 갑신정변의 주모자들은 ______과 종속 관계를 청산하여 자주 독립을 확고히 하고자 하였다.

14 급진 개화파는 우정총국 개국 축하연을 이용하여 갑신정변을 단행하고, 국가 전반의 개혁 정책을 담은 ______을 공포하였다.

핵심 개념 4 | 갑신정변의 결과

15 갑신정변의 결과 조선은 일본 공사관의 신축 비용을 부담한다는 내용의 한성 조약을 체결하였다. □ O □ X

16 갑신정변 이후 청의 내정 간섭이 심화되었다. □ O □ X

17 갑신정변 이후 청·일 양국 군대가 조선에서 철수하는 것 등을 내용으로 하는 ______이 체결되었다.

핵심 개념 5 | 갑신정변 이후의 국내외 정세

18 갑신정변 이후 독일 부영사 부들러는 조선의 영세 중립국화를 건의하였다. □ O □ X

19 김옥균은 열강의 침입으로부터 조선의 안전을 보장받기 위해 조선 중립화론을 제기하였다. □ O □ X

20 갑신정변 이후 영국은 ______를 불법 점령하여 러시아의 남하를 견제하였다.

정답과 해설

01	O 구식 군인들은 임오군란을 일으켜 도봉소와 민겸호의 집, 일본 공사관 등을 습격하였다.	11	✖ 갑신정변은 김옥균, 박영효, 홍영식, 서광범 등의 급진 개화파들이 주도한 사건이다. 최익현은 위정척사파의 인물로 왜양 일체론을 주장하며 개항 반대 운동을 전개하였다.
02	O 임오군란에는 정부의 개화 정책에 반대하는 서울의 하층민들도 참여하였다.	12	O 갑신정변을 일으킨 급진 개화파는 14개조 혁신 정강을 발표하여 지조법을 실시하고, 호조로 재정을 일원화하도록 하였다.
03	통리기무아문, 5군영	13	청
04	O 임오군란을 수습하기 위해 일시적으로 흥선 대원군이 재집권하여 통리기무아문과 별기군을 폐지하는 등 개화 정책을 중단하였다.	14	14개조 혁신 정강
05	O 임오군란 이후 일본은 조선에 일본 공사관 경비를 위한 일본군 주둔과 배상금 지급 등을 내용으로 하는 제물포 조약의 체결을 강요하였다.	15	O 갑신정변의 결과 조선은 일본 공사관의 신축 비용을 부담한다는 내용의 한성 조약을 체결하였다.
06	O 임오군란 이후 청의 추천으로 내정 고문 마젠창과 외교 고문 묄렌도르프가 조선에 파견되었다.	16	O 갑신정변 이후 청은 조선의 내정과 외교에 대한 간섭을 강화하였다.
07	O 임오군란 이후 조선과 청나라 간에 조·청 상민 수륙 무역 장정이 체결되었다.	17	톈진 조약
08	제물포 조약	18	O 조선 주재 독일 영사인 부들러는 일본과 청나라 사이의 충돌을 방지하기 위해 스위스와 같은 형태인 한반도 영세 중립화를 조선 정부에 건의하였다.
09	조·청 상민 수륙 무역 장정	19	✖ 열강의 침입으로부터 조선의 안전을 보장 받기 위해 강대국 모두가 보장하는 조선 중립화론을 제기한 인물은 유길준이다.
10	O 갑신정변이 일어나기 이전에 급진 개화파인 김옥균은 개화 정책을 추진하기 위해 일본으로부터 차관을 도입하려고 시도하였으나 실패하였다.	20	거문도

03 구국 민족 운동과 근대적 개혁의 추진

1 동학 농민 운동

학습 포인트
동학 농민 운동이 교조 신원 운동을 통해 점차 정치적 성격을 띠게 되는 과정을 살펴보고, 제1차 동학 농민 운동, 제2차 동학 농민 운동의 주요 전투와 전개 과정을 염두에 두고 학습한다.

빈출 핵심 포인트
삼례 집회, 보은 집회, 고부 민란, 황토현 전투, 전주 화약, 폐정 개혁안 12개조, 집강소, 청·일 전쟁, 우금치 전투

1 동학 농민 운동의 배경

1. 농민층의 동요

(1) **국가 재정 악화**: 민씨 정권의 부정부패, 갑신정변의 배상금과 근대 문물 수용을 위한 비용 지불 등으로 국가 재정이 악화되었다.

(2) **지배층의 농민 수탈 심화**: 정부는 재정 확충을 위해 농민에 대한 조세 수취를 강화하였고, 더불어 관리의 횡령과 수탈도 계속 심화되었다.

(3) **청·일본의 경제 침탈 강화**: 임오군란 이후 청·일본 상인들을 통해 영국산 면직물이 조선에 대량으로 유입되면서 면포 제조를 부업으로 삼았던 서민들이 큰 타격을 입었다. 또한 일본 상인들에 의한 미곡의 대량 유출로 곡물 값이 폭등하면서 일본에 대한 농민들의 적개심은 더욱 높아졌다.

(4) **농민층의 사회 변혁 요구**: 농촌 지식인과 농민들 사이에서 반봉건·반외세 의식이 강화되고 사회 변혁의 욕구가 증가하면서 농민 봉기가 빈번하게 발생하였다.

동학 농민 운동의 배경 교과서 사료
- 국가 재정의 파탄
  개화를 한 다음 여러 나라를 맞아들여 환영하고 전권 대사를 파견하였다. 거기에 드는 비용이 해마다 억만을 헤아렸다. …… 나라 창고가 이미 비어 어찌할 수 없다.
  - 황현, 『오하기문』
- 수령들의 가혹한 수탈
  요즘 수령들이 관직을 여관과 같이 생각하여 장부는 모두 아전들에 위임하고 오직 뇌물을 받는 것만 일삼는다. 집과 토지에 거두는 세금을 늘리고 장시와 포구에 세를 신설하여 마침내 백성이 살 수 없게 한다. …… 민란이 곳곳에서 일어나는 까닭은 모두 이 때문이며 삼남이 가장 심하다.
  - 『비변사등록』

▶ 동학 농민 운동은 오랜 시간 쌓여 왔던 **조선 사회의 여러 모순들이 복합적으로 작용**하여 전개된 것이었다.

2. 동학의 교세 확장

(1) 동학의 발전

① **교세의 확대**: 1860년 경주에서 최제우에 의해 창시된 동학은 경상도를 중심으로 발전하였고, 점차 삼남 지방(충청, 전라, 경상)으로 교세를 넓혀 갔다.

② **교리와 이념**: 2대 교주 최시형이 최제우가 지은 『동경대전』과 『용담유사』라는 동학의 경전을 간행하여 동학을 종교로 체계화하였다. 한편, 인내천, 후천개벽 등 동학의 평등 사상, 사회 변혁 사상은 당시 가혹한 수탈에 시달리던 농민들의 욕구에 부합하였다.

③ **교단 조직 체계의 확대**: 각 지방에 포·접을 설치하여 접주로 하여금 통솔하게 하는 포접제로 교단을 정비하였다. 포접제의 운영은 동학의 교세를 확장하는 데 기여하였다.

동학의 경전
『**동경대전**』은 「**포덕문**」, 「**논학문**」, 「**수덕문**」, 「**불연기연**」의 4편으로 구성되어 있고, 한자로 적혀 있었다. 이에 비해 『**용담유사**』는 **한글로 쓰인 가사집**이었다. 전자는 주로 지식층, 후자는 주로 농민층에게 널리 퍼졌다.

(2) 교조 신원 운동

① **삼례 집회**(1892. 11.): 전라도 삼례에서 교조 신원과 동학 탄압 중지를 요구하였으나 실패하였다.

② **복합 상소**(1893. 2.): 서울 광화문에서 국왕에게 교조 신원에 대해 복합 상소를 올렸으나 실패하였다.

③ **보은 집회**(1893. 3.): 교조 신원의 요구에서 벗어나 탐관 오리 숙청, 일본과 서양 세력의 축출(척왜양창의) 등을 요구하였다. 이로써 점차 종교 운동이 정치 운동으로 바뀌어 갔다.

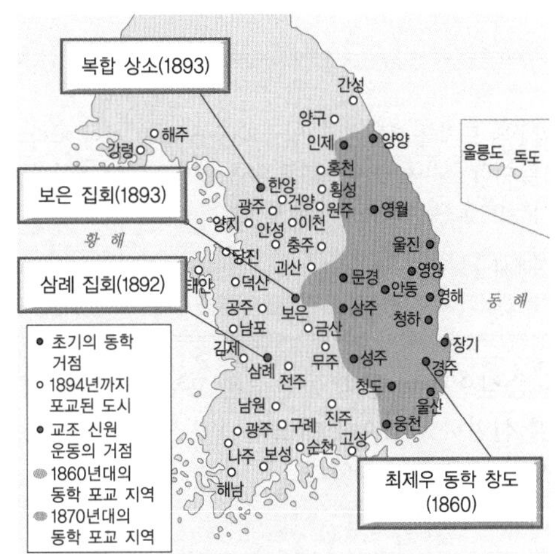

| 동학의 발생과 교세 확장

교조 신원 운동

동학의 교조였던 최제우가 혹세무민(세상을 어지럽히고 백성을 속임)의 죄로 처형당하자, 동학교도들이 **최제우의 억울한 죽음을 풀어주고 동학 포교의 자유를 인정해 줄 것을 요구**한 운동이다.

보은 집회 격문 교과서 사료

의(義)를 내세워 왜와 서양을 배척하는 것이 무슨 큰 죄가 되기에 체포하고 소탕하려고 합니까? 왜와 서양이 우리 임금을 끊임없이 협박하는데도 조정에서는 아무도 부끄럽게 여기는 자가 없으니, 임금이 모욕을 당하면 신하가 목숨을 바쳐야 하는 의리는 대체 어디에 있습니까?

▶ 보은 집회 때 동학교도들은 '척왜양'과 동학교도를 탐학하는 관리를 처벌해 줄 것을 요구하였다.

2 동학 농민 운동의 전개

1. 고부 민란(1894. 1.)

(1) 배경: 고부 군수 조병갑이 조세로 거둔 쌀을 착복하고 부족분을 다시 농민들에게 거두었다. 또한 조병갑은 농민들을 강제 동원하여 기존에 있던 보 아래에 불필요한 만석보(관개용 저수지)를 다시 쌓게 하고, 수세(물세)를 강제로 징수하는 등의 횡포를 자행하였다.

(2) 경과: 전봉준의 주도로 농민들 사이에 사발통문을 돌리고 1천여 명의 농민군이 봉기하여 고부 관아를 습격하였다. 농민군은 조병갑을 내쫓고 아전을 징벌하였으며, 이어 만석보를 허물고 관아의 곡식을 풀어 농민들에게 나누어주었다.

(3) 결과: 정부는 민란 수습을 위해 조병갑을 파면한 뒤 박원명을 신임 군수로 임명하였다. 시정 개선을 약속한 박원명의 온건한 무마책으로 인해 고부 민란을 일으켰던 농민들은 자진하여 해산하였다. 한편 정부는 안핵사 이용태를 파견하여 민란의 진상을 조사하도록 하였다.

사발통문

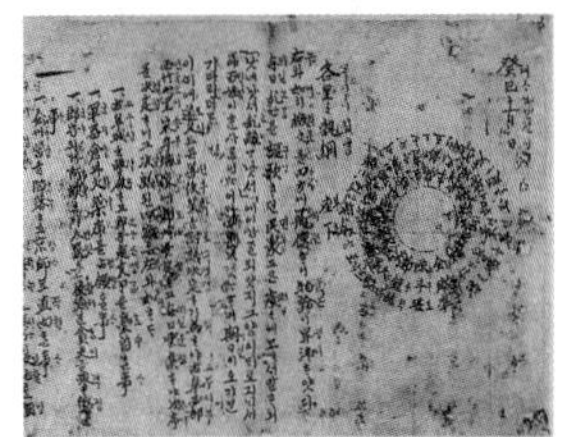

첫째, 고부성을 함락시키고, 군수 조병갑을 처단할 것

둘째, 군기창과 화약고를 점수할 것

셋째, 군수에게 아부하며 백성들을 괴롭힌 아전들을 처단할 것

넷째, 전주 감영을 함락시키고 곧장 서울로 올라갈 것

▶ 사발통문에는 **주동자를 모르게 하기 위해** 참여한 사람 모두가 통문에 **사발을 엎어놓고 빙 둘러서 서명**하였다. 이는 누가 주모자인지 모르게 하기 위한 것이기도 하고, **함께 책임진다는 의미**도 있다.

2. 제1차 농민 봉기(1894. 3.~5.)

(1) 특징: 제1차 농민 봉기는 반봉건 투쟁으로, 남접 세력만 참여하였다.

(2) 배경: 중앙에서 파견된 안핵사 이용태가 봉기의 책임을 농민과 동학교도에게 전가시키고, 고부 민란의 참가자와 주모자를 색출하여 가혹하게 처벌하자 농민들의 불만이 폭발하였다.

(3) 경과

① **창의문 발표**: 남접의 전봉준, 손화중, 김개남 등이 무장에서 창의문을 발표하고(1894. 3.) 각 지역에 통문을 돌려 보국안민(나라를 돕고 백성을 편하게 한다.)과 제폭구민(폭정을 제거하고 백성을 구한다.)을 위해 봉기에 참여해 줄 것을 호소하였다.

기출 사료 읽기

무장 창의문 발표

우리는 비록 초야의 유민이지만 임금의 토지를 부쳐 먹고 임금의 옷을 입고 사니 어찌 국가의 존망을 앉아서 보겠는가. 원컨대 각 읍의 여러 군자는 한 목소리로 의를 떨쳐 일어나 나라를 해치는 적을 제거하여 위로는 나라의 종사를 보전하고 아래로는 백성들을 편안케 하자. - 무장 창의문

사료 해설 | 전봉준 등은 전라도 무장현에서 손화중, 김개남과 함께 봉기하면서 보국안민의 기치 아래 탐관오리를 제거하겠다는 창의문을 선포하였고, 이를 통해 민중들에게 봉기에 참여할 것을 독려하였다.

② **백산 봉기**(1894. 3.): 전봉준을 중심으로 한 동학 농민군은 고부관아를 점령한 뒤 백산에 집결하여 **격문과 4대 강령을 선언**하였다. 이곳에 모인 농민들은 탐관오리 제거, 전운사의 폐단 제거, 조세 수탈의 시정 등을 주장하였다.

기출 사료 읽기

제1차 농민 봉기

1. 백산 봉기

우리가 의(義)를 들어 여기에 이르렀음은 그 본의가 결코 다른 데 있지 아니하고 창생을 도탄 중에서 건지고 국가를 반석 위에다 두고자 함이라. 안으로는 탐학한 관리의 머리를 베고 밖으로는 횡포한 강적의 무리를 쫓아 내몰고자 함이라. 양반과 부호의 앞에서 고통을 받는 민중들과 굴욕을 받는 소리(小吏)들은 우리와 같이 원한이 깊은 자이라. 조금도 주저하지 말고 이 시각으로 일어서라. 만일 기회를 잃으면 후회하여도 돌이키지 못하리라. - 전봉준의 격문

사료 해설 | 동학 농민군은 백산에 집결하여 보국안민을 위해 궐기하라는 통문을 각 지역에 돌렸다.

2. 동학 농민군 4대 강령

1. 사람을 죽이지 말고 가축을 잡아먹지 말 것
2. 충효를 다하여 세상을 구하고 백성을 평안하게 할 것
3. 일본 오랑캐를 몰아내고 나라의 정치를 깨끗하게 할 것
4. 군대를 이끌고 서울로 들어가 권세가와 귀족을 모두 없앨 것

사료 해설 | 백산에서 전봉준은 농민군을 편제하고 4대 강령을 선언하여 관군에 맞서기 위해 진영을 갖추었다.

(4) 주요 전투

① **황토현 전투**: 동학 농민군은 태인을 점령하고 **황토현 전투**에서 **전라도 감영의 군대**를 **격파**하였다(1894. 4. 7.).

② **황룡촌 전투**: 정읍, 고창, 무장, 함평 등을 점령한 동학 농민군은 장성의 **황룡촌 전투**에서 중앙에서 파견된 **홍계훈의 경군(京軍)**을 **격파**하였다(1894. 4. 23.).

③ **전주성 점령**: 동학 농민군은 황룡촌 전투 승리 이후 북상하여 **전주성**을 **점령**하였다(1894. 4. 27.).

(5) 결과: 농민군을 제압하지 못한 정부는 청에 군사 지원을 요청하였다(1894. 4. 29.).

3. 동학 농민군의 개혁책

(1) 전주 화약 체결

① **배경**: 동학 농민군이 전라도 일대를 점령하자 정부는 **청**에 **농민군 진압**을 위한 **군사 지원**을 요청하였다.

전운사

지방의 세곡을 서울로 운송하는 일을 담당한 관리이다. 이들은 농민에게 전세와 대동미, 각종 잡세를 징수하여 중앙으로 운송하였는데, 이때 운송료인 선가(船價)를 농민에게 징수하는 폐단을 저질렀다.

동학 농민군의 전주성 점령 기출사료

동학의 무리가 금구현을 거쳐 전주 삼천에 주둔하였다가 이날 전주부에 돌입한 것이다. 전주감사 김문현 등은 동학의 무리가 갑자기 뛰어듦을 보고 군졸을 급히 동원하여 전주부민과 더불어 사문(四門)을 파수하였으나 동학의 무리가 별안간 사방을 포위하고 기세가 심히 맹렬하매 성을 지키는 군졸 등이 놀라 흩어져 버렸다.

▶ 동학 농민군은 황토현과 황룡촌 전투에서 승리한 뒤, 전주성까지 점령하였다.

㉠ **청·일의 군사 파견**: 청군은 톈진 조약에 의거하여 일본에 조선 파병 사실을 통고하고 5월 5일에 아산만에 상륙하였다. 이에 일본군도 조선 내 자국민을 보호한다는 구실로 5월 6일 인천에 상륙함으로써 위기감이 고조되었다.

㉡ **정부와 동학 농민군의 협상**: 위기감을 느낀 정부와 동학 농민군은 청·일 양국 군대의 철병과 폐정 개혁을 조건으로 정부와 전주 화약을 체결하였다(1894. 5. 7.).

② **전주 화약의 내용**: 농민군의 자진 해산, **폐정 개혁안 제시**(토지 평균 분작, 노비 문서 소각 등), 집강소 설치 등을 주요 내용으로 하였다.

(2) 폐정 개혁안 12개조

내용	의미
1. 동학교도와 정부는 원한을 씻고 서정에 협력한다.	왕조 자체를 타파하려 하지는 않음
2. 탐관오리는 죄상을 조사하여 엄징한다.	탐관오리 처벌
3. 횡포한 부호를 엄징한다.	봉건적 지배층 타파
4. 불량한 유림과 양반들을 징벌한다.	
5. 노비 문서는 불태워 버린다.	봉건적 신분제 철폐
6. 7종 천인의 대우를 개선하고 백정이 쓰는 평량갓은 벗겨 버린다.	
7. 청상과부의 재가를 허용한다.	봉건적 폐습 폐지
8. 무명의 잡세는 일체 폐지한다.	봉건적 수탈 반대
9. 관리의 채용에는 지벌을 타파하고 인재를 등용한다.	관리 등용 개선
10. 왜와 내통하는 자는 엄징한다.	반외세
11. 공사채를 막론하고 기왕의 것을 무효로 한다.	부채 탕감으로 농민 생활 안정
12. 토지는 균등히 나누어 경작케 한다.	지주제 혁파(토지 개혁 요구)

(3) 집강소 설치

① **설치**: 동학 농민군은 정치·행정상의 폐단을 개혁하기 위한 농민 자치 조직으로, 전라도 53개 군현(운봉, 남원, 나주 제외)의 관아에 집강소를 설치하였고, 전주에 집강소의 총본부인 대도소(大都所)를 설치하였다.

② **구성**: 책임자인 집강 아래에 서기, 성찰, 집사, 동몽 등의 임원을 두어 행정 사무를 분담하였다.

③ **주요 사업**: 수령을 대신해 지방 행정권을 실질적으로 장악하였다. 또한 횡포한 부호와 불량한 유림 및 양반에 대한 징벌·조세 제도의 개혁·신분 차별 철폐 등 자신들의 요구를 내세운 **폐정 개혁안**을 실천해 나갔다. 또한, 제2차 농민 봉기 때에는 농민군을 조직하는 임무를 수행하기도 하였다.

④ **폐지**: 집강소는 전주 화약 이후 전라 감사 김학진의 허용으로 공식 기구화되었으나, 동학 농민군의 제2차 봉기 이후 폐지되었다.

⑤ **의의**: 우리나라 역사상 최초의 농민 자치 기구였다.

⑥ **영향**: 집강소의 개혁 사업으로 농민층의 정치 의식이 향상되었다.

집강소 설치 제외 지역

운봉, 남원, 나주 지역은 **지주의 강력한 반발로 집강소가 설치되지 않았다.** 집강소의 총본부인 대도소에서는 이와 같은 고을에 대해 **처음에는 격문을 보내 설득**하다가, 뒤에는 최경선·김개남·김봉득 등에게 동학 농민군을 이끌고 각기 나주·남원·운봉으로 가서 **수령을 무력으로 위협하여 계획을 강행**하도록 하였다.

기출 사료 읽기

집강소 설치

동학도들은 각 읍에 할거하여 공해(公廨)에 집강소를 세우고 서기와 성찰(省察), 집사(執事), 동몽(童蒙) 등을 두니 완연한 하나의 관청으로 되었다. …… 이른바 고을 군수는 다만 이름이 있을 뿐 행정을 맡아 할 수 없었다. 심지어는 고을 원들을 추방하니 이서배(吏胥輩)들은 모두 동학당에 들어 성명(成命)을 보존하였다. 전봉준은 수천 명의 군중을 끼고 금구 원평에 틀고 앉아 (전라)우도에 호령하였으며 김개남은 수만 명의 군중을 거느리고 남원성을 타고 앉아 (전라) 좌도를 통솔하였고 그 밖의 김덕명, 손화중, 최경선 등은 각기 한 지방씩 할거하여 탐학불법을 일삼으니 개남이 가장 심하였다. 전봉준과 같은 사람은 동학도들에 의거하여 혁명을 꾀하고 있었다. - 정석모, 『갑오약력』

사료 해설 | 전주 화약 이후 동학 농민군은 전라도 일대에 일종의 농민 자치 조직으로 집강소를 설치하고, 농민군의 지도자였던 전봉준, 손화중, 김개남 등의 주도 하에 폐정 개혁을 추진하였다.

(4) 청·일 전쟁

① **배경**: 조선 정부의 요청으로 청군이 아산만에 상륙하자, 일본군도 다음 날 제물포에 상륙하여 긴장감이 조성되었다.

② **전개**: 전주 화약 이후 조선 정부는 자주적 개혁 추진 기관으로 교정청을 설치하고 청·일 양국 군대 철수를 요구하였다. 그러나 일본군이 기습적으로 경복궁을 점령(1894. 6. 21.)하고, 풍도 앞바다에서 청국 군함을 공격하면서 청·일 전쟁을 일으켰다(6. 23.).

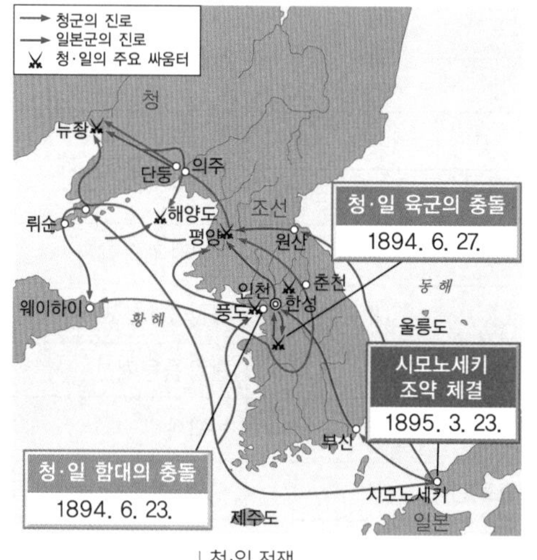

| 청·일 전쟁

③ **결과**

㉠ **조선에 대한 내정 간섭 강화**: 일본은 내정을 간섭하기 위해 기존에 설치되었던 교정청을 폐지하였으며, 흥선 대원군을 섭정으로 하는 제1차 김홍집 내각을 조직하고 군국기무처를 설치(1894. 6. 25)하여 개혁을 강요하였다.

㉡ **시모노세키 조약 체결**: 전쟁에서 패배한 청은 일본과 체결한 시모노세키 조약(음 1895. 3. 23., 양 1895. 4. 17.)으로 조선에 대한 종주권을 부정당하고, 랴오둥(요동) 반도와 타이완을 일본에 할양하였으며, 배상금 2억 냥을 지불하였다.

시모노세키 조약

제1조	조선은 자주국임을 확인한다(청의 종주권 부인).
제2조	청은 일본에게 타이완, 랴오둥 반도, 펑호도를 할양한다.
제3조	청은 배상금 2억 냥을 지불한다.
제4조	청은 일본 정부와 그 국민에게 최혜국 대우를 부여한다.

4. 제2차 농민 봉기(1894. 9.)

(1) 특징: 항일 구국 투쟁이자 반외세 투쟁으로, 남·북접이 모두 참가하였다.

(2) 배경: 정부의 개혁 부진과 일본의 내정 간섭 강화로 인해 일어났다.

(3) 전개

① **농민 재봉기**(삼례): 일본군이 경복궁을 습격하자 전봉준은 삼례에 대도소를 설치하고, 거병을 촉구하는 통문을 돌렸다. 이에 동학 농민군은 삼례를 거점으로 군량과 무기를 정비하고 재봉기하였다(1894. 9.).

제2차 농민 봉기 통문

제2차 농민 봉기를 촉구하며 전봉준이 돌린 통문에는 "이번 거사에 호응하지 아니하는 자는 불충무도(不忠無道)한 자이다."라는 내용이 담겨 있었다.

② **남·북접 연합**(논산): 반외세의 기치 아래 전봉준을 중심으로 한 전라도의 남접과, 손병희를 중심으로 한 충청도의 북접이 논산에서 연합하였다.

③ **우금치 전투**(공주): 동학 농민군은 우금치 전투에서 신식 무기로 무장한 일본군과 관군에게 패배하였다(1894. 11.).

④ **지도자들의 체포·처형**: 전봉준·김개남·손화중 등이 체포·처형되면서 동학 농민 운동은 실패로 끝났다.

| 제2차 동학 농민 운동의 전개

5. 동학 농민 운동의 의의

(1) 성격

① **반봉건**: 동학 농민 운동은 신분 차별 철폐, 토지의 평균 분작 등 전통적인 지배 체제의 모순에 대한 개혁을 요구하였다.

② **반외세**: 동학 농민 운동은 외세의 침략을 자주적으로 물리치고자 한 농민 운동이었다.

(2) 영향

① **청·일 전쟁의 발발**: 동학군을 진압하는 과정에서 조선에 파병된 청·일 양국이 충돌하면서 청·일 전쟁이 발발하였다.

② **갑오개혁에 반영**: 반봉건적 성격인 동학 농민 운동의 주장은 갑오개혁에 일부 반영되어 성리학 중심의 전통 질서 붕괴를 촉진하였다.

③ **항일 무장 투쟁의 활성화**: 동학 농민군의 잔여 세력들 중 일부는 영학당, 활빈당을 조직하였으며, 일부 세력은 의병 운동에 가담하여 항일 무장 투쟁을 활성화하였다.

(3) 한계: 동학 농민 운동은 구체적인 근대화 방안 및 정치 제도에 대한 개혁안을 제시하지 못하였다.

필수 개념 정리하기

동학 농민 운동의 전개 과정

1894. 1.	고부 민란
1894. 3.	백산 봉기(제1차 농민 봉기)
1894. 4.	황토현 전투, 황룡촌 전투, 전주성 점령
1894. 5.	청군과 일본군 상륙, 전주 화약 체결
1894. 6. 11.	교정청 설치(정부의 자주적 개혁 시도)
1894. 6. 21.	일본이 경복궁에 침입하여 민씨 정권을 몰아내고 내정 개혁 강요
1894. 6. 23.	청·일 전쟁 발발
1894. 9.	제2차 농민 봉기
1894. 10.	남접, 북접 논산 집결
1894. 11.	우금치 전투

전봉준 공초 기출사료

문 작년(1894) 3월 고부 등지에서 무슨 사연으로 민중을 크게 모았는가?

답 그때 고부 군수(조병갑)가 정해진 액수 외의 가렴주구가 몇 만 냥에 이르렀으므로 수탈에 원망이 심하여 의거하였다. ……

문 흩어져 돌아간 후에는 무슨 일로 군대를 봉기하였느냐?

답 이용태가 안핵사로 내려와 의거 참가자 대다수가 일반 농민이었음에도 모두를 동학도로 통칭하고, 그 집을 불태우며 체포하고 살육을 행했기 때문에 다시 일어났다.

문 작년 전주 화약 이후 다시 군대를 일으킨 이유가 무엇이냐?

답 그 후에 들은즉 일본이 개화를 구실로 군대를 동원하여 왕궁을 공격하고 임금을 놀라게 했으니, 의병을 일으켜 일본과 싸워 그 책임을 묻고자 함이다. ……

▶ 동학 농민 운동의 지도자였던 전봉준의 공초(법정의 심문에 대한 재판 기록)의 일부 내용으로, 이 심문을 통해 전봉준이 봉기한 이유를 알 수 있다. 1895년 2월 전봉준은 서울로 압송되어 재판을 받았으며, 당시 재판장은 갑신정변에 참여하였던 서광범이었다.

갑오개혁에 반영된 농민군의 주장

- **농민군의 주장**: ① 관리 채용에 지벌 타파, ② 노비 문서 소각, 청상 과부의 재가 허용
- **1차 갑오개혁**: ① 문벌 폐지 및 능력에 따른 인재 등용, ② 공·사 노비제 폐지, 과부의 재가 허용

영학당

'**영국 국교회를 배운다**(영학당)'는 이름으로 가장해 전라도 일대에서 **무장 농민 봉기를 전개**(1898, 1899)하였는데, **동학 농민 운동의 이념 및 전개 과정과 매우 유사**하였다. 한편 이들이 진압된 이후로는 활빈당으로 활동이 연계되었다.

OX 빈칸 핵심 개념 점검

* 학습한 개념을 OX/빈칸 문제를 통해 점검해보세요.

핵심 개념 1 | 동학의 교세 확장

01 동학은 1860년 경주에서 최제우에 의해 창시되었다. □ O □ X

02 동학의 주요 사상으로는 인내천, 후천개벽 등이 있다. □ O □ X

03 1893년에 동학교도가 궁궐 앞에서 교조 신원을 주장하는 집회를 열었다. □ O □ X

04 동학은 포·접을 설치하여 접주로 하여금 통솔하게 하는 ______로 교단 조직을 정비하였다.

05 동학교도들은 전라도 삼례 등지에서 ______을 벌여 최제우의 명예 회복과 동학 탄압 중지를 요구하였다.

핵심 개념 2 | 고부 민란

06 고부 군수 조병갑이 만석보를 쌓아 수세를 강제로 거두었다. □ O □ X

07 고부 농민 봉기는 고부 군수 조병갑에 대한 불만과 단발령 실시에 항거하여 1894년 전라도 고부에서 시작되었다. □ O □ X

08 고부 군수 조병갑의 학정에 맞서 ______을 중심으로 고부 민란을 일으켜 고부 관아를 습격·점령하였다.

09 안핵사 ______가 농민을 동학도로 몰아 처벌하였다.

핵심 개념 3 | 제1차 동학 농민 운동

10 백산에서 전봉준이 보국안민을 위해 궐기하라는 통문을 보냈다. □ O □ X

11 조선 정부는 동학 농민군의 요구에 대응하여 삼정이정청을 설치하였다. □ O □ X

12 제1차 동학 농민 운동 때 농민군이 황토현에서 감영군을 격파하였다. □ O □ X

핵심 개념 4 | 전주 화약

13 일본군이 경복궁을 점령하자 정부와 농민군은 전주 화약을 체결하였다. □ O □ X

14 전주 화약 이후 조선 정부는 청·일 군대의 철수를 요청하였다. □ O □ X

15 전주 화약 이후 동학 농민군은 ______를 설치하고 폐정 개혁을 추진하였다.

핵심 개념 5 | 폐정 개혁안 12개조

16 동학 농민 운동 당시 농민군은 과거제를 폐지할 것을 요구하였다. □ O □ X

17 동학 농민군은 폐정 개혁안 12개조에서 토지의 평균 분작을 실현할 것을 주장하였다. □ O □ X

18 동학 농민군은 폐정 개혁안 12개조에서 무명 잡세를 근절할 것을 주장하였다. □ O □ X

19 동학 농민군은 노비 문서의 소각, 천민의 차별 개선 등 ______의 폐지를 주장하였다.

핵심 개념 6 | 제2차 동학 농민 운동

20 제2차 동학 농민 운동 때 남접군과 북접군이 논산에서 합류하여 연합군을 형성하였다. □ O □ X

21 우금치 전투 이후 동학 농민 운동을 주도한 전봉준이 체포되었다. □ O □ X

22 남접과 북접의 농민군은 공주 ______ 전투에서 패배하였다.

정답과 해설

01	O 동학은 1860년 경주에서 최제우에 의해 창시된 종교로, 경상도를 중심으로 발전하기 시작하여 삼남 지방(충청, 전라, 경상)으로 교세를 넓혀 갔다.	**12**	O 제1차 동학 농민 운동 때 전봉준이 이끄는 동학 농민군은 황토현에서 감영군을 격파하였다.
02	O 동학의 주요 사상으로는 인내천, 후천개벽이 있다.	**13**	✖ 정부와 농민군이 전주 화약을 체결한 것은 일본군이 경복궁을 점령하기 이전의 사실이다.
03	O 1893년에 동학교도들은 서울 궁궐 앞에서 최제우의 명예를 회복하기 위한 교조 신원 운동을 전개하였다(복합 상소).	**14**	O 동학 농민군과 전주 화약을 체결한 이후 조선 정부는 청·일 양군의 철수를 요청하였다.
04	포접제	**15**	집강소
05	교조 신원 운동	**16**	✖ 과거제 폐지는 제1차 갑오개혁의 내용이다. 동학 농민군은 관리의 채용에 지벌을 타파하고 인재를 등용할 것을 주장하였다.
06	O 고부 군수 조병갑은 불필요한 만석보를 축조하여 수세(물세)를 강제로 거두는 등의 횡포를 자행하였는데, 이는 고부 민란이 일어나는 계기가 되었다.	**17**	O 동학 농민군의 주장을 담은 폐정 개혁안 12개조에는 '토지는 균등히 나누어 경작케 할 것(평균 분작)'이라는 내용이 있었다.
07	✖ 고부 농민 봉기가 고부 군수 조병갑의 탐학에 항거하여 전라도 고부에서 시작된 것은 맞지만 단발령은 을미개혁 때인 1895년에 선포된 것으로, 동학 농민 운동이 종결된 후에 시행되었다.	**18**	O 동학 농민군의 주장을 담은 폐정 개혁안 12개조에는 '각종 무명 잡세를 근절할 것'이라는 내용이 있었다.
08	전봉준	**19**	신분제
09	이용태	**20**	O 제2차 동학 농민 운동 때 전봉준이 이끄는 전라도의 남접군과 손병희가 이끄는 충청도의 북접군이 논산에서 합류하여 연합군을 형성하였다.
10	O 전봉준은 백산에서 보국안민을 위해 궐기하라는 통문을 보냈다.	**21**	O 우금치 전투(1894. 11.) 이후인 1894년 12월에 동학 농민 운동을 주도한 전봉준이 체포되었다.
11	✖ 삼정이정청은 조선 후기 임술 농민 봉기 때 삼정의 문란을 시정하기 위해 정부가 설치한 것으로, 동학 농민 운동과는 관련 없다.	**22**	우금치

2 갑오개혁과 을미개혁

학습 포인트
갑오개혁과 을미개혁의 주요 내용을 정치, 경제, 사회로 구분하여 정리한다.

빈출 핵심 포인트
교정청, 군국기무처, 제1차 갑오개혁, 신분제 철폐, 제2차 갑오개혁, 홍범 14조, 교육 입국 조서, 을미개혁, 단발령, 태양력

1 갑오개혁

1. 배경

(1) 일본의 개혁 강요

① **일본의 개혁 추진 주장**: 동학 농민 운동을 계기로 청·일 양국군이 조선에 들어왔으나, 조선 정부와 동학 농민군 사이에는 전주 화약이 성립되었다. 이에 조선 주둔에 대한 명분이 없어진 일본은 조선에서의 내란 예방을 위한 외국군의 주둔과, 조선의 내정 개혁이 필요하다고 주장하였으나, 조선은 일본군이 먼저 철수할 것을 요구하였다.

② **일본의 의도**: 조선에 대한 내정 간섭을 통해 경제적 이권 탈취와 조선 침략의 기반을 마련하고자 하였다.

(2) 자주적인 개혁 추진 노력

① **교정청 설치**(1894. 6. 11.): 개항 이후 발생했던 여러 가지 모순을 해결하기 위한 내정 개혁의 필요성이 대두하였고, 당시 동학 농민군의 개혁 요구가 거세지고 있었다. 이런 상황에서 고종은 온건 개화파를 중심으로 교정청을 설치하였다.

② **개혁 추진**: 부세 제도와 신분제 개혁을 포함한 자주적 개혁을 추진하였다.

③ **실패**: 일본군의 경복궁 점령(1894. 6. 21.)으로 개혁이 무산되었다.

2. 제1차 갑오개혁(1894. 6. ~ 1894. 11.)

(1) 추진: 일본이 경복궁을 점령하면서 민씨 정권이 붕괴되고, 흥선 대원군을 섭정으로 하는 김홍집 내각이 설립되어 제1차 갑오개혁을 추진하였다.

(2) 특징

① **이전 세력의 요구 수용**: 갑신정변 주도 세력의 개혁안과 동학 농민군의 개혁 요구 일부를 수용하여 개혁에 반영하였다.

② **군국기무처 설치**(1894. 6. 25.)

㉠ **구성**: 김홍집을 총재관으로 임명하고, 유길준, 김가진, 박정양 등 17인의 중립 인사로 구성되었다.

㉡ **성격**: 초정부적 입법·정책 결정 기구로, 회의 결정 의안을 국왕의 형식적인 결재를 받았으며, 군국기무처의 의결이 곧 정책 시행으로 이어졌다.

㉢ **역할**: 농민의 불만과 개혁 요구를 반영하기 위해 정치·경제·사회 등 국가의 주요 정책에 대한 개혁을 추진하였다.

교정청 교과서 사료

고종 31년(1894) 6월, 우리 정부는 왕명을 받들어 교정청을 설치하였다. 당상관 15명을 두고 먼저 폐정 몇 가지를 개혁하니, 모두 동학당이 주장한 것이다. …… 6월 16일 혁폐 조건을 의정(議定)하여 방방곡곡에 부쳐 각 도에 시행하도록 하였다.

- 이포(吏逋, 향리가 떼어먹은 세금)가 많은 자는 용서하지 말고 일률(一律)로 시행할 것
- 공사채는 가리지 말고 족징(族徵)을 절대 금할 것
- 채무에 관한 소송 가운데 30년이 지난 것은 받아주지 말 것
- 각 읍 이속(吏屬)은 신중하게 뽑아 안(案)에 올리고, 이를 임명하는 데 만일 뇌물을 내어 법을 위반하는 자는 공금 횡령으로 다스릴 것 …… - 『속음청사』

▶ **일본의 내정 개혁 촉구에 조선 정부는 독자적인 개혁을 추진하고자 교정청을 설치**하였고, 개혁 방안을 논의하였다. 교정청은 일본의 개혁 요구를 거부하고 독자적으로 개혁을 추진하고자 하였다는 점에서 의의가 있으나 **대부분이 폐정 개혁안으로 제시되었던 내용**이었고, 근본적인 개혁 추진에는 한계가 있었다. 한편, 교정청은 **군국기무처가 설치되면서 폐지**되었다.

기출 사료 읽기

군국기무처의 설치와 활동

- (고종이) 전교하기를, "군국기무처 회의 총재는 영의정 김홍집이 맡고, 내무 독판 박정양, 협판 민영달, 강화 유수 김윤식, 내무 협판 김종한, …… 모두 회의원으로 차하(差下)하여 날마다 와서 모여 크고 작은 사무를 협의하고 품지하여 거행하도록 하라."라고 하였다.
- 군국기무처에서 올린 의안이 다음과 같았는데, "1. 이제부터는 국내외의 공문서 및 사문서에 개국 기년을 쓴다. …… 1. 문벌, 양반과 상민들의 등급을 없애고 귀천에 관계없이 인재를 선발하여 등용한다. …… 1. 과부가 재가하는 것은 귀천을 막론하고 자신의 의사대로 하게 한다. 1. 공노비와 사노비에 관한 법을 일체 폐지하고 사람을 사고파는 일을 금지한다."

– 『고종실록』

사료 해설 | 군국기무처는 갑오개혁을 추진한 최고 정책 결정 기관이었으나 대원군파와 반대파 사이의 갈등으로 점차 세력이 약화되었다. 이후 일본이 조선 문제에 적극적으로 개입하게 되면서 군국기무처는 폐지되었다.

③ **자주적 개혁 추진**: 당시 일본은 청·일 전쟁 중이라 적극적으로 개입하지 못하였고, 이로 인해 비교적 자주적으로 개혁을 추진할 수 있었다.

④ **과감한 개혁 추진**: 약 3개월 동안 총 208건의 안건을 의결하였다. 이때 처리된 안건 중에는 농민군의 요구도 상당수 포함되어 있었는데, 개화파 정부는 지방에 선유사를 파견하여 이러한 취지를 밝힘으로 농민군을 설득하기도 하였다.

(3) 개혁 내용

① **정치**: 제1차 갑오개혁의 목표는 정치 제도 개편이었다.

㉠ **개국 기년 사용**: 청의 연호를 버리고 개국 기년을 사용하였다.

㉡ **왕실과 정부의 분리**: 정부 사무는 의정부에서 담당하게 하고, 왕실 사무를 담당하는 궁내부를 신설하여 왕실 사무와 정부 사무를 분리하였다.

㉢ **의정부와 8아문의 권한 강화**: 의정부 산하의 6조를 8아문으로 개편하여 행정권을 배분하고, 의정부와 8아문에 권력을 집중시켜 국왕의 전제권을 제한하였다.

㉣ **과거제 폐지**: 과거제를 폐지하고 신분의 구별 없이 인재를 등용하는 새로운 관리 임용 제도를 실시하였다.

㉤ **삼사와 언론 기관 폐지**: 대간 제도와 상소 제도 및 삼사와 언론 기관을 폐지하였다.

㉥ **감찰 기관 설치**: 감찰 기구인 도찰원을 설치하였다.

㉦ **경찰 제도 시행**: 경찰 업무 수행 기구로 경무청을 설치하였다.

② **경제**

㉠ **국가 재정 정비**: 왕실과 정부의 재정을 분리하였다.

㉡ **재정의 일원화**: 탁지아문이 회계·출납·조세·국채·왕실 재정 등 재정에 관한 모든 사무를 관할하도록 하였다.

㉢ **경제 제도 정비**: 신식 화폐 발행 장정을 반포하여 일본 화폐의 유통을 허용하고, 은본위 제도 채택 및 조세 금납제를 시행하였으며, 도량형을 통일하였다.

③ **사회**

㉠ **신분 제도 철폐**: 공·사노비 제도를 폐지하여 신분 제도를 철폐하였다.

㉡ **봉건적 악습 타파**: 조혼 금지, 과부의 재가 허용, 고문·연좌법의 폐지를 실시하였다.

선유사

전란이 있을 때 임금의 명을 받아 백성을 진정시키는 임무를 수행하였던 임시 벼슬이다.

갑오개혁에 대한 개화파의 인식

교과서 사료

지금 조선의 개혁은 행하지 않을 수가 없지만, 조선인 된 자에게는 세 가지 치욕(三恥)이 있다. 삼치(三恥)란 스스로 개혁을 행하지 못해 귀국(貴國, 일본을 의미)의 권박(勸迫, 강제로 권하는 것)을 받았으므로 본국 인민에 대해 부끄러운 것이 그 하나요, 세계 만국에 대하여 부끄러운 것이 그 둘이요, 천하 후세에 대해 부끄러운 것이 그 셋이다. 지금 이 삼치를 무릅쓰고 세상에 나설 면목이 없으나 오직 개혁을 잘 이룸으로써 독립을 보존하고 남에게 굴욕을 당하지 않으면서 개화의 실효를 거두어 보국안민하게 되면, 오히려 허물을 벗어날 수 있다.

– 유길준이 일본 방문 중 일본 외상을 만난 자리에서 한 말(1894. 10.)

▶ **유길준은 조선이 스스로 개혁하지 못하고 일본의 권박(권유와 다그침)으로 인해 개혁을 실시하는 것을 수치로 여겼다.** 그럼에도 유길준은 국가의 자주 독립과 보국안민을 달성하기 위해 **수치를 감수하고 개혁을 성사시키면 자신의 행위를 용서받을 수 있을 것이라 생각하였다.**

갑오개혁의 경제 정책

갑오개혁 때의 경제 정책은 일본이 조선 경제에 침투할 수 있는 기반을 마련해 주었다.

은 본위 제도

은의 가치를 기준으로 삼아 화폐의 가치를 확정하고 유지하는 제도이다.

기출 사료 읽기

제1차 갑오개혁 법령(일부)

- 국내외의 공사 문서에 개국 기년을 사용한다.
- 죄인 자신 이외의 일체의 연좌율을 폐지한다.
- 과부의 재혼은 귀천을 막론하고 자유에 맡긴다.
- 문벌과 양반 · 상민 등의 계급을 타파한다.
- 남자 20세, 여자 16세 이하의 조혼을 금지한다.
- 공사 노비법을 혁파하고 인신매매를 금지한다.
- 각 도의 각종 세금은 화폐로 내게 한다.

사료 해설 | 제1차 갑오개혁은 우리나라의 개화파 관료들과 군국기무처 의원들이 주도하여 실시되었는데, 군국기무처 핵심 인물들은 반봉건적인 성격의 개혁을 단행하였다. 또한 제1차 갑오개혁의 개혁안에는 공·사노비 제도의 폐지, 과부의 재가 허용 등 동학 농민군의 요구가 일부 반영되어 있다.

| 내각 구조

3. 제2차 갑오개혁(1894. 11.~1895. 5.)

(1) 배경: 청·일 전쟁에서 승세를 잡은 일본은 대원군을 축출하고 군국기무처를 폐지하였으며, 갑신정변의 주도자로 일본에 망명해 있던 박영효와 서광범을 귀국시켰다. 이후 김홍집·박영효 연립 내각을 구성하여 제2차 갑오개혁을 추진하였다.

(2) 실시 과정

① **자주 독립 선포**: 고종은 조선 주재 일본 공사 이노우에와 박영효의 권고에 따라 문무백관을 거느리고 종묘에 나가 독립 서고문을 바치고, 홍범 14조를 반포하였다(1894. 12.).

독립 서고문

이제부터는 다른 나라에 의지하지 말고 국운을 융성하게 하여 백성의 복리를 증진함으로써 자주 독립의 터전을 튼튼히 할 것입니다. 그 방도는 낡은 습관에 얽매이지 말고 안일한 버릇에 파묻히지 말며 세상 형편을 살펴 내정을 개혁하여 오래 쌓인 폐단을 바로잡는 것입니다.

▶ **고종**은 자주 독립의 뜻을 담은 **독립 서고문을 낭독하고, 갑오개혁의 기본 방침을 담은 홍범 14조를 반포**하였다.

② 홍범 14조

조항	내용	분석
제1조	청에 의존하는 생각을 버리고 자주 독립의 기초를 세운다.	청의 종주권 부인
제2조	왕실 전범을 제정하여 왕위 계승의 법칙 및 종친과 외척과의 구별을 명확히 한다.	국왕 친정 체제
제3조	임금은 각 대신과 의논하여 정사를 행하고 종실, 외척의 내정 간섭을 용납하지 않는다.	왕실 사무와 국정 사무의 분리(근대적 내각 제도 확립)
제4조	왕실 사무와 국정 사무를 나누어 혼동하지 않는다.	
제5조	의정부 및 각 아문의 직무, 권한을 명백히 규정한다.	
제6조	납세는 법으로 정하고 함부로 명목을 더 만들어 과도하게 세금을 징수하지 아니한다.	조세법 개정
제7조	조세의 징수와 경비 지출은 모두 탁지아문의 관할에 속한다.	재정 일원화
제8조	왕실의 경비는 솔선하여 절약하고, 이로써 각 아문과 지방관의 모범이 되게 한다.	왕실 경비 절약
제9조	왕실 비용 및 각 관부 비용은 1년 예산을 세워 재정의 기초를 세운다.	예산 제도 수립
제10조	지방 제도를 개정하여 지방 관리의 직권을 제한한다.	지방 제도 개편
제11조	나라 안의 총명한 젊은이들을 파견하여 외국의 학술, 기예를 견습시킨다.	선진 문물 도입
제12조	장교를 교육하고 징병을 실시하여 군제의 근본을 확립한다.	군제 개편 확립
제13조	민법과 형법을 엄격하게 제정하여 함부로 감금하거나 징벌하지 못하게 하여 인민의 생명과 재산을 보호한다.	법치주의에 의한 국민 보호
제14조	문벌에 구애 받지 않고 사람을 쓰고, 세상에 퍼져 있는 선비를 두루 구해 인재의 등용을 넓힌다.	문벌 폐지 및 능력에 따른 인재 등용

(3) 개혁 내용

① 정치

㉠ **중앙 조직 개편**: 의정부를 폐지하고 내각제를 도입하였고, 8아문을 7부로 개편하였다.

㉡ **지방 행정 개편**: 8도를 23부로 개편하고 부·목·군·현 등의 명칭을 군으로 통일(337군)하였으며, 지방관의 권한을 행정권에 한하도록 축소(사법·군사권 배제)하였다.

② **경제**: 탁지부 산하에 관세사와 징세서(조세 징수 업무 관장)를 설치하였다.

③ 사회

㉠ **교육 입국 조서 반포**: 교육 입국 조서를 반포(1895. 2.)하여 교육의 중요성을 강조하였으며, 이에 따라 근대적 교육 제도를 위한 한성 사범 학교 관제, 외국어 학교 관제 등이 발표되어 한성 사범 학교, 외국어 학교 등이 설립되었다.

㉡ **군제 개혁**: 훈련대·시위대를 설치하고, 사관 양성제를 추진하는 등 군제의 개혁을 시도하였으나, 일본의 견제로 미미하게 진행되었다.

㉢ **사법권의 독립**: 지방 재판소 및, 한성 재판소, 순회 재판소, 고등 재판소 등의 신식 재판소를 설치하였다. 또한 지방관의 사법권을 배제시키고, 체포·구금·재판은 경찰관과 사법관만이 담당하게 하여 사법권을 행정권에서 분리시켰다.

탁지아문으로의 재정 일원화

홍범 14조 이후에 제2차 갑오개혁의 본격적인 실시가 이루어졌다. 이 때문에 '탁지아문으로의 국가 재정 일원화'는 제1차 갑오개혁의 내용이지만, 홍범 14조의 제7조 내용으로 포함되어 있다. 이후 이루어진 제2차 갑오개혁을 통해 8아문이 7부로 개편되면서 탁지아문은 탁지부로 개편되었다.

내각제 도입에 대한 고종의 반응

교과서 사료

제2차 갑오개혁 시기에는 내각제를 도입하면서 고종의 권력이 극도로 제한되었다. 이로 인해 고종은 크게 분노하여 "대신들이 원하는 대로 국체를 바꾸어 새로 공화 정치를 만들든지, 또는 대통령을 선출하든지, 너희들 마음 내키는 대로 하는 것이 좋을 것이다."라고 토로하였다.

– 국사 편찬 위원회, 주한 일본 공사관 기록 제7권

▶ **제2차 갑오개혁 때 내각제가 도입**되면서 **고종의 권력이 제한**되어 고종이 크게 분노하였다.

시위대

왕의 호위를 위하여 조직된 군대이다.

(4) 중단

① **삼국 간섭**(1895): 청·일 전쟁의 결과 체결된 시모노세키 조약으로 일본이 청으로부터 요동 반도를 할양받게 되었다. 그러나 이에 위협을 느낀 러시아가 프랑스, 독일과 함께 일본에 랴오둥(요동) 반도를 청에 반환하도록 압박하였고, 결국 일본은 삼국 간섭에 굴복하여 랴오둥 반도의 영유를 포기하였다.

② **개혁의 중단과 친러 세력의 대두**: 삼국 간섭 이후 민씨 일파는 일본을 견제할 대안으로 친러 정책을 추진하였고, 이를 눈치챈 박영효가 친러 정책을 주도하던 명성 황후(민비)를 폐위시키려 하다가 발각되어 실각됨으로써 개혁이 중단되었다. 이후 친러적인 성격의 제3차 김홍집 내각이 구성되었다.

2 을미개혁(음 1895. 8. ~ 양 1896. 2.)

1. 배경

일본은 약화된 세력을 만회하기 위해 경복궁을 습격하여 친러 정책을 주도한 명성 황후를 시해(을미사변, 음 1895. 8.)하였다. 이후 친일적인 제4차 김홍집 내각이 수립되어 일본의 간섭 아래 을미개혁을 추진하였다.

교과서 사료 읽기

을미사변

그동안 일본이 성심성의를 다해 성취한 개혁을 조선 왕실은 자기네 마음대로 파괴하였는데도, 일본은 외교적 절충으로만 그것을 저지하려다 실패하고 말았다. 그렇다면 일본이 마땅히 취해야 할 방도는 무엇이겠는가? 오직 비상수단으로 조선과 러시아의 관계를 단절시키는 수밖에 다른 방법이 없었다. 바꾸어 말하면 왕실의 중심 인물인 민비를 제거함으로써 러시아와 조선의 결탁을 근본적으로 파괴하는 수밖에 다른 좋은 방법이 없었다. - 고바야카와 히데오, 『민비 시해 사건의 진상』

사료 해설 | 삼국 간섭으로 세력이 약화된 일본은 세력 만회를 위해 친러파의 배후로 민비(명성 황후)를 지목한 후 시해하는 을미사변을 일으켰다.

2. 개혁 내용

(1) 정치

① **'건양' 연호 사용**: 갑오개혁 때 사용하던 '개국 기년'을 폐지하고, '건양' 연호를 사용하였다.

② **친위대·진위대 설치**: 중앙군은 친위대, 지방군은 진위대로 편성하였다.

(2) 사회

① **단발령 반포**: 단발령을 반포하고, 고종과 태자가 먼저 단발을 시행하였다.

② **종두법 실시**: 지석영의 종두법을 토대로 종두 규칙을 제정하였다.

③ **태양력 사용**: 음력 1895년 11월 17일을 양력 1896년 1월 1일로 선포하였다.

④ **소학교 설치**: 초등 교육 기관인 소학교를 설치하였다.

⑤ **우체사 설치**: 우체사를 설치하여 갑신정변으로 중단되었던 근대적 우편 사무를 재개하였다.

삼국 간섭

랴오둥 반도를 일본이 소유하면 청국 수도를 위태롭게 한다. 뿐만 아니라 조선국 독립까지도 유명무실하게 만들고, 동아시아의 영구적인 평화를 가로막을 것이다. 이에 일본 정부에게 랴오둥 반도를 차지하는 것을 포기하기를 권고하였다.

- 일본 외무성, 「일본 외교 문서」

▶ 일본의 랴오둥 반도 영유는 아시아 방면으로의 남하 정책을 추진하던 러시아의 구상에 큰 걸림돌이 되었다. 이에 러시아의 주도로 연합한 **러시아·프랑스·독일 3국**은 **일본을 압박**하였다. 청·일 전쟁에서 막대한 군사비를 지출한 일본의 입장에서 유럽의 세 강대국과의 갈등은 부담스러운 상황이었기 때문에, 일본은 결국 **랴오둥(요동) 반도의 영유를 포기**하였다.

명성 황후 국장

종두법

천연두에 대한 예방 접종법으로, 정약용이 저술한 『마과회통』에도 언급되어 있다. **개항 이후에는 지석영이 종두를 실시**하였다고 전하며, 갑오·을미개혁 중에 전염병 예방과 종두 사무 등을 맡는 관청이 설치되어 **국가 차원에서 종두법이 본격적으로 시행**되었다.

3. 중단

을미사변 및 단발령에 반발한 유생들을 중심으로 의병 항쟁(을미의병)이 벌어진 상황에서, 을미사변 이후 생명의 위협을 느낀 고종이 러시아 공사관으로 거처를 옮기면서(아관 파천) 을미 개혁이 중단되었다.

기출 사료 읽기

> 을미개혁
>
> 1. 친위대와 진위대
>
> 제1조 국내의 육군을 친위(親衛)와 진위(鎭衛) 2종으로 나눈다.
> 제2조 친위는 경성(京城)에 주둔하여 왕성 수비를 전적으로 맡는다.
> 제3조 진위는 부(府) 혹은 군(郡)의 중요한 지방에 주둔하여 지방 진무(地方鎭撫)와 변경 수비를 전적으로 맡는다.
>
> 사료 해설 | 친위대는 육군 편제 강령에 따라 왕성 수비를 위해 설치한 중앙군이고, 진위대는 지방군이다.
>
> 2. 단발령
>
> 머리를 깎으라는 명령이 내려지니 곡성이 하늘을 진동하고 사람들은 분노하여 목숨을 끊으려 하였다. 형세가 바야흐로 격변하여 일본인들은 군대를 엄히 하여 대기시켰다. 경무사 허진은 순검들을 인솔하고 칼을 들고 길을 막으며 만나는 사람마다 머리를 깎았다. - 황현, 『매천야록』
>
> 사료 해설 | 조선 시대에는 효를 중시하는 유교 윤리가 뿌리 깊게 자리잡고 있었기 때문에 많은 사람들이 단발령을 완강하게 반대하였다.
>
> 3. 소학교의 설립 목적
>
> 제1조 소학교는 아동의 신체 발달에 맞추어 인민 교육의 기초와 생활상 필요한 보통 지식과 기능을 가르치는 것을 목적으로 한다.
> 제2조 소학교는 관립 소학교·공립 소학교·사립 소학교 등의 3종이며, 관립 소학교는 정부 설립, 공립 소학교는 부 혹은 군 설립, 사립 소학교는 사립 학교 설립과 관계된 것을 말한다.
>
> 사료 해설 | 을미개혁 때 근대적인 초등 보통 교육의 실현을 목표로 서울에 4개의 소학교가 설치되었다.

을미개혁 전개 과정

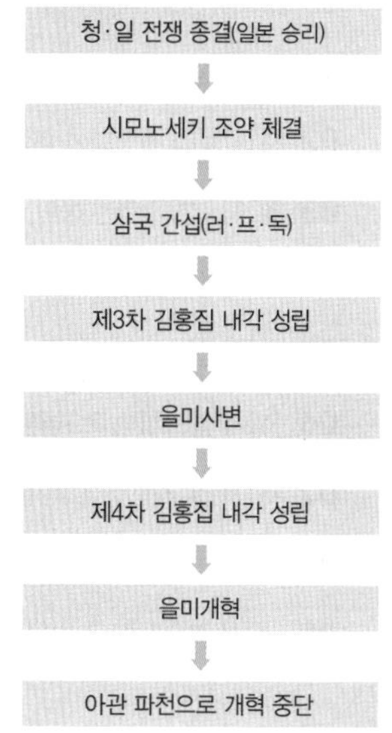

3 갑오개혁과 을미개혁에 대한 평가

1. 긍정적 평가

(1) 근대적 개혁: 갑오·을미개혁은 조선의 개화 관료들에 의해 추진된 개혁으로 봉건적 전통 질서를 타파하려는 근대적 개혁이었다.

(2) 이전 개혁 운동의 주장 반영: 갑신정변의 개화파 인사들과 동학 농민 운동의 농민층들의 개혁 의지가 일부 반영되기도 하였다.

2. 부정적 평가

(1) 일본의 간섭·강요: 일본에 의해 강요된 타율적 개혁이라는 점에서 한계가 있다. 특히 일본의 간섭으로 군사적 개혁과 토지·조세 개혁 등에는 소홀하였다.

(2) 민중의 지지 결여: 위로부터의 개혁이었기 때문에 민중의 지지가 결여된 개혁이었다.

근대적 개혁 운동 비교

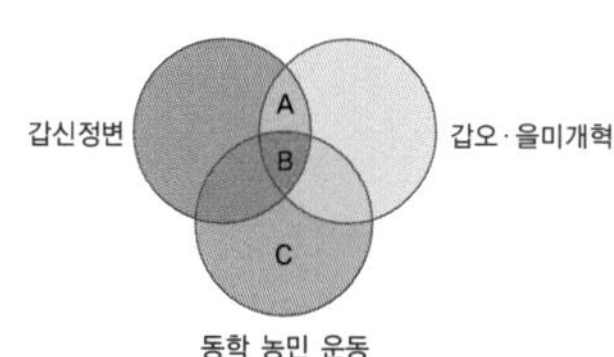

A: 재정 일원화, 경찰제 실시, 청의 종주권 부인, 내각 권한 강화, 국왕권 약화
B: 문벌 폐지, 인재 등용, 재정 개혁, 세제 개혁, 신분제 철폐
C: 토지 분배, 반외세(반일)

OX 빈칸 핵심 개념 점검

* 학습한 개념을 OX/빈칸 문제를 통해 점검해보세요.

핵심 개념 1 | 제1차 갑오개혁

01 제1차 갑오개혁은 군국기무처의 주도 하에 추진되었다. □ O □ X

02 제1차 갑오개혁으로 의정부와 삼군부의 기능이 회복되었다. □ O □ X

03 제1차 갑오개혁은 동학 농민 운동의 요구를 일부 수용하였다. □ O □ X

04 제1차 갑오개혁으로 공노비가 해방되었다. □ O □ X

05 제1차 갑오개혁 때 과거제를 폐지하였다. □ O □ X

06 제1차 갑오개혁 때 화폐 제도를 은 본위제로 개혁하고자 ______을 공포하였다.

07 제1차 갑오개혁 때 국가 재정을 ______으로 일원화시켰다.

08 제1차 갑오개혁 때 ______ 화폐 제도와 조세의 ______를 실시하였다.

09 제1차 갑오개혁 때 ______을 설치하여 경찰 제도를 시행하였다.

핵심 개념 2 | 홍범 14조

10 고종은 문무백관을 거느리고 종묘에 나가 독립 서고문을 바치고 홍범 14조를 반포하였다. □ O □ X

11 홍범 14조에는 '대한천일은행 등 금융 기관을 설립할 것'이라는 내용이 있다. □ O □ X

12 홍범 14조에는 '탁지아문에서 조세를 부과할 것'이라는 내용의 조항이 있다. □ O □ X

13 홍범 14조에는 ______에 의존하는 생각을 버리고, 자주 독립의 기초를 세운다는 내용이 있다.

핵심 개념 3 | 제2차 갑오개혁

14 제2차 갑오개혁 때 사법권을 행정권에서 분리시켰다. □ O □ X

15 제2차 갑오개혁 때 8도를 23부로 개편하였다. □ O □ X

16 제2차 갑오개혁 때 왕실과 일반 행정이 제도적으로 분리되게 되었다. □ O □ X

17 제2차 갑오개혁 때 의정부와 8아문 체제를 ______과 ______로 개편되었다.

핵심 개념 4 | 을미개혁

18 을미개혁 때 교육 입국 조서를 발표하고 근대 학교를 세웠다. □ O □ X

19 을미개혁 때 단발령을 시행하고, 태양력을 사용하였다. □ O □ X

20 고종이 러시아 공사관으로 거처를 옮기는 아관 파천으로 을미개혁이 중단되었다. □ O □ X

21 을미개혁 때 ______이란 연호를 사용하였다.

22 을미개혁 때 중앙에 ______, 지방에 ______를 설치하였다.

정답과 해설

01	O 제1차 갑오개혁은 군국기무처의 주도 하에 추진되었다.	12	O 홍범 14조의 제7조에 조세의 부과는 탁지아문에서 관할한다는 내용이 포함되어 있다.
02	✖ 의정부와 삼군부의 기능을 회복한 것은 고종 집권 초기 흥선 대원군의 개혁 정책 내용이다.	13	청
03	O 제1차 갑오개혁은 동학 농민군의 요구를 일부 수용하여 공·사 노비 제도를 폐지하고, 과부의 재가를 허용하는 개혁안을 제정하였다.	14	O 제2차 갑오개혁 때 지방·순회·고등 재판소 등을 설립하여 사법권을 행정권에서 분리시켰다.
04	✖ 공노비가 해방된 것은 제1차 갑오개혁이 실시되기 이전인 순조 때의 사실이다.	15	O 제2차 갑오개혁 때 지방 체제를 8도에서 23부 337군으로 개편하였다.
05	O 제1차 갑오개혁 때 과거제를 폐지하여 신분에 구별 없이 인재를 등용하였다.	16	✖ 왕실 사무와 일반 행정이 제도적으로 분리되어 왕실 사무는 궁내부, 국정은 의정부에서 관장한 것은 제1차 갑오개혁 때이다.
06	신식 화폐 발행 장정	17	내각, 7부
07	탁지아문	18	✖ 교육 입국 조서를 발표하고 한성 사범 학교 등의 근대 학교가 설립된 것은 을미개혁이 아닌 제2차 갑오개혁 때이다.
08	은 본위, 금납화	19	O 을미개혁 때 단발령을 시행하고, 태양력을 사용하였다.
09	경무청	20	O 을미개혁은 고종이 러시아 공사관으로 거처를 옮기는 아관 파천으로 중단되었다.
10	O 고종은 문무백관을 거느리고 종묘에 나가 독립 서고문을 바치고 갑오개혁의 방향을 제시한 홍범 14조를 반포하였다.	21	건양
11	✖ 대한천일은행은 개항 이후 일본의 금융 기관이 침투에 대응하기 위하여 1899년에 설립된 은행으로, 홍범 14조와는 관련이 없다.	22	친위대, 진위대

3 독립 협회와 대한 제국

학습 포인트
독립 협회의 활동은 만민 공동회·관민 공동회, 의회 설립 운동을 중심으로 살펴보고, 대한 제국은 광무개혁의 내용을 중심으로 학습한다.

빈출 핵심 포인트
아관 파천, 독립신문, 독립 협회, 만민 공동회, 관민 공동회, 헌의 6조, 대한 제국, 대한국 국제, 광무개혁

1 아관 파천과 독립 협회

1. 아관 파천(1896)

(1) 전개

① **춘생문 사건**(1895. 11.): 을미사변 이후 친일 정권 타도를 위해 이범진의 주도 하에 친러·친미파들이 고종을 미국 공사관으로 피신시키려 하였으나 실패하였다.

② **아관 파천**(1896. 2.): 춘생문 사건으로 고종에 대한 일본의 압력이 고조되자 이범진이 러시아 공사 베베르와 함께 고종을 러시아 공사관으로 파천(피란)시켰다.

아관 파천 시기의 개혁

구분	내용
13도제 실시	한성군을 한성부로 승격, 전국을 13도 1목 322군으로 나누는 새로운 지방 행정 체제 마련
단발령 폐지	단발령을 폐지
의정부 복설	의정부를 다시 설치
호구 조사 실시	호구 조사 규칙과 호구 조사 세칙을 반포하여 호구 조사를 실시하고 새로운 호적을 작성

(2) 결과

① **친러 내각 수립**: 김홍집 친일 내각이 붕괴되고 친러 내각이 수립되었으며, 을미개혁이 중단되었다.

② **을미의병 해산**: 고종이 단발령을 철회하고, 의병의 해산을 권고하는 조칙을 발표하자 의병들이 자진 해산하였다.

③ **열강의 이권 침탈 심화**: 아관 파천으로 인해 조선의 독립국으로서의 위신이 추락하였고, 러시아는 고종의 보호를 빌미로 여러 이권을 조선에 요구하였다. 또한 최혜국 대우에 따라 러시아에 인정해준 각종 이권들은 서구 열강 및 일본 등에게도 넘어갔다. 이로 인해 아관 파천 이후 열강의 이권 침탈이 극심해졌다.

2. 독립 협회(1896~1898)

(1) **창립 배경:** 아관 파천 이후 열강(특히 러시아)의 이권 침탈이 심화되면서 열강에 대한 반감이 확산되었다.

(2) **독립신문 창간**(1896. 4.): 갑신정변 실패로 미국에 망명해 있던 서재필이 귀국한 후 서구 사상 소개와 국민 계몽을 위해 정부의 지원을 받아 독립신문을 창간하면서 개혁 운동의 구심점이 형성되기 시작하였다.

서재필

서재필은 개화당 인사들과 교류하며 1884년 **갑신정변에 가담**하였다가 정변이 실패하자 일본을 거쳐 1885년 **미국으로 망명**하였다. 이후 1895년 말 **귀국하여 1896년에 독립신문을 창간**하였고, **독립 협회의 결성과 독립문 건립을 주도**하였다.

(3) **독립 협회의 창립**(1896. 7.)

① **목적**: 자유민주주의적 개혁 사상의 대중화와 민중의 단합된 힘에 의한 근대적 자주 독립 국가의 건설을 목표로 하였다.

② **구성**: 서재필, 윤치호, 남궁억 등 신지식인과 개혁적 유학자들이 지도부를 이루고 시민, 학생, 노동자, 여성, 천민 등 광범위한 사회 계층이 참여하여 지지층을 이루었다.

(4) 독립 협회의 활동

① 민중 계몽 운동

㉠ **독립신문 배포**: 독립 협회는 독립신문을 순한글로 발간하여 민중에게 새로운 지식을 전달하고, 이를 통해 정치·사회 의식을 고양시켰다.

㉡ **강연회와 토론회 개최**: 독립 협회는 강연회와 토론회를 정기적으로 개최하여 민중이 의사 표현법, 민주적인 행동 등을 배양하도록 하였다.

㉢ **독립문, 독립관의 건립**: 독립 협회는 과거 영은문 자리에 독립 의식 고취를 위한 독립문을 건립하고, 모화관을 독립관으로 개수하였다.

② 자주 국권 운동

㉠ **구국 운동 상소문 발표**: 독립 협회 회원들은 고종에게 자주 독립을 굳건히 하고 내정 개혁의 단행을 요구하는 '구국 운동 상소문'을 올렸다.

㉡ **만민 공동회 개최**(1898. 3.): 시민과 학생들이 종로 광장에 모여 러시아의 침략 정책을 규탄하고, 조선의 자주 독립권을 지키자는 결의안을 채택하여 정부에 건의하였다.

㉢ **이권 수호 운동 전개**: 독립 협회는 러시아의 절영도 조차 저지, 한러은행 폐쇄, 러시아 재정 고문과 군사 교련단 철수, 프랑스와 독일의 광산 채굴권 요구를 저지하였다.

③ 자유 민권 운동

㉠ **국민 기본권 운동**: 신체의 자유, 재산권, 언론·출판·집회·결사의 자유를 보장하고자 하였다.

㉡ **국민 참정권 운동**: 민의(民意)를 국정에 반영하라는 국민 참정권 운동을 전개하였다.

④ 자강 개혁 운동(의회 설립 운동)

㉠ **배경**: 독립 협회는 민중의 대표 기관으로 성장하여 의회 설립을 통한 국민 참정 운동과 국정 개혁 운동을 본격적으로 전개하였다.

㉡ **보수파의 견제**: 정부의 보수파 관리들은 독립 협회의 활동을 제한하고자 갑오개혁 때 폐지된 연좌법의 부활까지 시도하였다.

㉢ **진보적 내각 수립**: 독립 협회의 활동으로 보수적인 내각이 퇴진하고 박정양이 이끄는 진보적 내각이 수립되었다(1898. 10).

㉣ **관민 공동회 개최**(1898. 10.): 독립 협회는 정부의 친러적 정책과 비자주적 외교에 반대하여, 박정양을 비롯한 정부의 개혁적 관료 및 학생·시민과 함께 관민 공동회를 개최하였다. 독립 협회는 관민 공동회를 통해 헌의 6조를 채택하여 고종의 재가를 받았고, 이에 따라 의회 설립 내용을 담은 중추원 관제가 반포되었다.

기출 사료 읽기

헌의 6조

1. 외국인에게 의지하지 말고, 관·민이 힘을 합하여 전제 황권을 견고하게 할 것
2. 외국과의 이권에 관한 조약은 각 대신과 중추원 의장이 합동 날인하여 시행할 것
3. 국가 재정은 탁지부에서 전관하고, 예산과 결산을 국민에게 공포할 것
4. 중대 범죄를 공판하되, 피고의 인권을 존중할 것
5. 칙임관을 임명할 때에는 정부의 자문을 받아 다수의 의견에 따를 것
6. 정해진 규정을 실천할 것

- 『고종실록』

사료 해설 | 독립 협회가 채택한 헌의 6조에는 '자주 국권 확립, 이권 침탈 방지, 재정 일원화(탁지부), 피고 인권 존중, 입헌 군주제 강조, 법치 행정'의 내용이 담겨 있다.

독립문

기존에 중국 사신을 맞이하던 모화관 앞의 영은문을 헐고 세운 건축물로, 프랑스의 개선문의 형태를 모방하였다. 1896년 11월부터 공사를 시작하여 1년 여 만에 완성되었다.

만민 공동회

만민 공동회는 우리나라 최초의 근대적 민중 집회였다.

이권 수호 운동

독립 협회는 **일본이 가진 석탄고 기지 반환, 러시아의 목포와 증남포 해역 토지 매도 저지, 이권 양도와 관련된 이완용 제명 처분 등을 요구**하였다.

의회식 중추원 관제(1898. 11.)

중추원은 다음의 직원으로 구성된다. 의장 1인, 부의장 1인, 의관 50명으로 선임하고, 그 반수는 독립 협회의 회원 투표로 선거하며, 나머지 반수는 국왕이 임명한다.

- 독립신문

▶ 의원의 2분의 1을 독립 협회가 선출하도록 하는 **의회식 중추원 관제가 반포**(관선 25명, 민선 25명)되어 **우리나라 역사상 최초로 의회가 설립될 단계**에까지 이르렀으나 **실행되지는 못하였다.**

(5) 독립 협회의 해산(1898. 12.)

① **보수 세력의 모함**: 독립 협회가 공화정을 실시하려 한다고 모함을 받은 익명서 사건으로 독립 협회 해산령이 내려지고, 독립 협회에 우호적인 박정양 내각이 와해되었다.

② **만민 공동회의 항거**: 만민 공동회는 경복궁 앞에서 독립 협회의 복설, 개혁파 내각의 수립, 의회식 중추원 설치 등을 요구하며 항거하였다.

③ **탄압**: 보수 세력은 황국 협회를 동원해 독립 협회 및 해체 반대 시위를 해산시켰다.

(6) 의의와 한계

① **의의**: 독립 협회는 민중을 개화 운동과 결합시킨 자주적 근대화 운동을 추진하였으며, 이후 애국 계몽 운동으로 계승되었다.

② **한계**: 배척의 대상이 주로 러시아에 국한되어 친미적·친일적 성향을 보였고, 농민군·의병에 대해 적대적이었다.

익명서 사건

수구파(보수 세력)들이 관민 공동회와 관련된 인사들을 모략하기 위해 조작한 사건이다. 정부가 헌의 6조를 받아들이고 중추원 관제 개편을 공모하자, 수구파는 독립 협회가 황제를 폐위하고 공화국을 건설하려 한다고 고종에게 보고하였다. 이에 고종은 독립 협회에 해산 명령을 내리고 주요 인사들을 구속하였다.

황국 협회(1898)

정부가 독립 협회에 대항하기 위해 홍종우·이기동 등으로 하여금 보부상과 연합하여 만든 단체이다. 이 단체는 황실과 정부의 정책을 지지하였으며, 독립 협회와 만민 공동회를 탄압하는 데 이용되었다.

2 대한 제국과 광무개혁

1. 대한 제국의 성립(1897)

(1) 배경

① **고종의 환궁**(1897. 2.): 아관 파천 이후 고종의 환궁을 요구하는 국민의 여론에 따라 고종은 1년 만에 경운궁(지금의 덕수궁)으로 환궁하였다. 고종의 환궁 이후 자주 독립 국가임을 대내외에 과시해야 한다는 국민적 자각이 있었다.

② **한반도를 둘러싼 국제 정세**: 러시아와 일본이 무력 충돌을 자제하는 가운데, 러시아의 우위 속에 열강들이 러시아를 견제하며 세력 균형을 이루고 있었다.

경운궁(덕수궁)

고종은 러시아 공사관에 있는 동안 러시아 공사관과 가까운 곳에 위치한 경운궁을 증축하고 정궁으로 삼았다.

(2) **대한 제국 선포**(1897. 10.): 환궁 이후 고종은 연호를 '광무'라는 독자적인 연호로 바꾸었으며, 환구단을 세운 후 황제 즉위식을 거행하고 국호를 '대한 제국'이라 선포하였다. 대한 제국은 '만국공법(국제법)'에 기초하여 건국된 국가로, 고종은 국내외에 대한 제국이 자주 독립 국가임을 분명히 하였다.

교과서 사료 읽기

> **고종의 황제 즉위식**
>
> 천지에 고하는 제사를 지냈다. 왕태자가 배참하였다. 예를 끝내자 의정부 의정 심순택이 백관을 거느리고 아뢰기를, "고유제를 지냈으니 황제의 자리에 오르소서."라고 하였다. 신하들의 부축을 받으며 환구단에 올라 금으로 장식한 의자에 앉았다. …… 왕후 민씨를 황후로 책봉하고 왕태자를 황태자로 책봉하였다.
>
> -『고종실록』
>
> **사료 해설 |** 고종은 칭제의 건의를 받아들여 환구단에서 황제 즉위식을 거행하고 국호를 대한 제국이라 선포하였다(1897).

환구단(원구단)

고종은 1897년 하늘에 제사를 지내는 환구단(원구단)을 건축하여 **황제 즉위식을 거행**하였다. 환구단은 일제에 의해 철거되었고, 현재는 신위를 모신 부속 건물인 황궁우만 남아 있다.

2. 광무개혁

(1) **원칙**: '옛 것을 근본으로 삼고 새 것을 참고한다.'는 구본신참(舊本新參)을 원칙으로 복고성과 개혁성을 절충하여 점진적인 위로부터의 개혁을 실시하였다.

(2) 특징: 대한 제국의 집권 세력은 갑오·을미개혁이 급진적이었다고 판단하여, 갑오·을미 개혁의 제도 개혁을 재조정하는 작업에 착수하였다.

(3) 정치 개혁

① **교정소**(법규 교정소) **설치**: 정부는 황제국에 맞는 법률과 칙령의 개정안을 만들기 위해 교정소를 설치하여(1899. 7.) 황제 직속의 입법 기구로 삼았다.

② **대한국 국제 반포**(1899. 8.): 일종의 헌법과 같은 대한국 국제를 반포하여 대한 제국이 전제 정치 국가임과 황제가 무한한 권한을 행사함을 강조하였고, 육해군 통수권·입법권·행정권·사법권·외교권 등을 황제의 대권으로 규정하였다.

기출 사료 읽기

대한국 국제

제1조 대한국은 세계 만국이 공인한 자주 독립 제국이다.
제2조 대한국의 정치는 만세불변의 전제 정치이다.
제3조 대한국 대황제는 무한한 군권을 누린다.
제5조 대한국 대황제는 육해군을 통솔한다.
제6조 대한국 대황제는 법률을 제정하여 그 반포와 집행을 명하고 대사, 특사, 감형, 복권 등을 명한다.
-『관보』

사료 해설 | 고종은 대한국 국제를 통해 대한 제국이 자주 독립 국가임을 국내외에 천명하였고, 정치 체제가 전제 정치이면서 황제가 막강한 권한을 가진다는 것을 선포하였다. 한편 대한국 국제는 황제명으로 제정·반포되었기 때문에 헌법(국회에서 제정)이 아니라 국제라는 명칭을 사용한다.

③ **지방 행정 구역 개편**: 제2차 갑오개혁 때 23부로 나누어진 행정 구역을 13도로 개편하였다.

(4) 경제 개혁

① **양전 사업 실시**(1898~1904)

㉠ **목적**: 전정을 개혁하여 민생을 안정시키고, 국가 재정을 확보하고자 하였다.

㉡ **과정**: 양지아문(1898)·지계아문(1901)을 설치하고 토지 조사를 실시하였다.

㉢ **지계 발급**: 토지 조사를 실시하여 토지 소유자를 확인한 뒤 지계아문을 통해 토지 소유권 증명서인 지계(地契)를 발급했으나 1904년에 발발한 러·일 전쟁으로 중단되었다.

② **식산 흥업 정책**(상공업 진흥책): 섬유·철도·운수·광업·금융 분야에서 근대적 공장과 회사를 설립하는 등 생산을 늘리고 산업을 일으키는 식산 흥업(殖産興業) 정책을 실시하였다. 이를 통해 근대 자본주의 국가로의 전환을 도모하였다.

③ **금 본위제 시도**: 화폐 조례를 제정(1901)하여 금 본위제를 시도하였으나, 재정 부족과 차관 도입 실패 등으로 성공하지 못하였다.

④ **도량형 개정**: 도량형을 통일하기 위해 평식원(平式院)을 설치하였다.

⑤ **황실 재정 확대**: 기존에 국가(행정) 재정이었던 화폐 주조·광산·홍삼 전매 등의 수입을 황제 직속의 궁내부 내장원으로 이관하였다.

⑥ **양잠·연초 사업**: 양잠 기술을 발전시키기 위해 잠업 시험장을 설치하고, 연초(담배) 회사도 설립하였다.

⑦ **서북 철도국 개설**: 서울과 신의주 사이에 경의선을 부설하기 위하여 궁내부에 서북 철도국을 설치하였다(1900). 그러나 경의선 부설권은 러·일 전쟁 발발 이후 일본에 넘어갔다.

⑧ **상무사 조직**(1899): 지방의 영세 상인인 보부상을 지원하기 위해 상무사를 조직하였다.

대한국 국제 반포

윤용선이 아뢰기를, "나라를 세운 초기에는 반드시 정치가 어떠하고, 군권이 어떠한가 하는 것으로 일정한 제도를 만들어 천하에 소상히 보인 뒤에야 신하와 백성에게 그대로 따르고 어김이 없게 하는 것입니다. …… 여러 사람들의 의견을 수집하고 공법(公法)을 참조하여 국제 1편을 정함으로써 본국의 정치는 어떤 정치이고 본국의 군권은 어떤 군권인가를 밝히려 합니다. 이것은 실로 법규의 대두뇌이며 대관건입니다." 라고 하였다. -『고종실록』

▶ 대한 제국은 정체와 군권 등을 제정하여 국내외에 밝히겠다는 현실적 필요성에서 대한국 국제를 반포하였는데, 대한국 국제는 **황제의 무한한 권한을 강조하였을 뿐, 국민의 기본권과 통치권에 대한 규정은 없었다.**

지계 발급 기출사료

지계 업무를 소관 지방으로 가서 실시하되 전답·산림·천택·가옥을 모두 조사, 측량하여 결부와 사표의 분명함과 칸 수 및 척량의 적확함과 시주 및 구권의 증거를 반드시 확인한 후 발급하되, 혹여 해당 전답·산림·천택·가옥으로 인하여 소송이 발생하거나 시주 및 구권이 근거가 없는 경우에는 현재의 소유지를 본 군 공적에 기재한 후에야 관계를 발급할 것
-「지계감리응행사목」

▶ 지계아문은 본래 **한성부와 전국 13도의 농지에 대한 계약서를 정리하는 업무**를 담당하였다. 그러나 **양지아문이 지계아문에 흡수**되면서 제도가 보완되어 농지뿐 아니라 **전답·산림·천택·가옥까지로 대상을 확대**하여 지계(地契) 또는 관계(官契)를 발급하였다.

(5) 군사 개혁(군사력 증강)

① **원수부 설치**(1899): 황제의 군권 장악을 위해 원수부를 설치하고, 황제가 육·해군을 통솔하도록 하였다.

② **군사력 증강**: 서울의 중앙군인 친위대를 증강하고, 황제를 호위하는 시위대를 재조직하였으며, 지방 진위대의 군사 수를 대폭 증강하였다.

③ **무관 학교 설립**: 고급 장교 양성을 위한 무관 학교를 설립하였다.

> **원수부**
> 1899년에 설치된 **황제 직속의 군 통수 기관**. 황제가 대원수, 황태자가 원수를 맡아 국방·용병·군사의 명령을 장악하고 **육해군을 통솔**하였다.

(6) 외교 정책

① **연해주 및 간도 관리 파견**: 간도 지방의 교민 보호를 위하여 연해주 블라디보스토크에 해삼위 통상 사무관을 파견하였다. 또한 이범윤을 북간도에 간도 시찰원(1902)으로 파견하고 이듬해에는 간도 관리사(1903)로 삼았다.

② **청과 조약 체결**: 청과 대등한 위치에서 한·청 통상 조약(1899)을 체결하였다.

③ **독도 관할**: 울릉도를 군으로 승격시키고, 독도를 울릉도 관할 구역에 포함시켰다(1900).

④ **국제 기구 가입**: 만국 우편 연합에 가입(1900)하고, 프랑스 파리에서 열린 만국 박람회에 참여(1900)하였다.

⑤ **국외 중립 선언**: 러·일 전쟁의 발발이 현실화되자 대한 제국은 국외 중립 선언(1904. 1.)을 하였으나 일본은 이를 묵살하였다.

(7) 의의와 한계

① **의의**: 광무 개혁은 국가의 자주 독립과 근대화를 지향하며 정치·경제·교육·군사 등 전 분야에서 추진된 개혁이었다.

② **한계**: 개혁 추진층의 보수적 성향과 열강의 간섭으로 성과가 미흡하였고, 황제권의 강화에만 주력한 나머지 민권을 보장하는 측면은 소홀하였다. 또한, 군사 개혁은 황실 보호와 치안 유지의 수준을 벗어나지 못하였고, 일본 등 열강의 간섭에서 벗어날 수 있는 힘을 갖추지 못하였다.

3. 간도와 독도

(1) 간도

① **문제 제기**: 숙종 때 조선과 청은 '서쪽은 압록강, 동쪽은 토문강을 경계로 한다'는 내용의 백두산 정계비를 세워 양국의 경계를 설정하였다(1712). 그러나 19세기에 토문강의 해석 문제를 둘러싸고 간도 귀속 문제가 발생하였다.

② **우리 정부의 대응**: 서북 경략사 어윤중(1883), 토문 감계사 이중하(1885)를 파견하여 이에 대처하였다. 이후 간도를 함경도 영토에 편입시켜 이범윤을 간도 시찰원(1902)으로 파견하였고, 이듬해 (북변) 간도 관리사로 임명하여 관리하였다.

| 백두산 정계비

> **백두산 정계비 해석 문제**
> · **청**: 토문강이 **두만강**을 뜻한다고 주장하였다.
> · **조선**: 토문강은 **쑹화강의 지류**인 토문강을 뜻한다고 주장하였다.

> **간도 귀속 문제 - 감계 담판**
> 19세기에 접어들어 청이 봉금 지역(출입 금지 지역)으로 설정했던 만주 일대에 다수의 조선인이 살게 되자 청은 봉금 선언을 지키기 위해 만주 일대에서 조선인을 추방하겠다고 발표하였다(1883). 그러자 이 땅을 떠나지 않으려던 조선인들이 **백두산 정계비의 내용을 들어 간도가 우리 영토임을 주장**하였고, 조·청 양국은 **1885년과 1887년 두 차례 국경 협상**을 벌였다. 이를 **'감계 담판'**이라 한다.

③ 일본의 대응

㉠ **청·일 문제로 변화**: 을사늑약을 통해 대한 제국의 외교권을 빼앗은 일본은 용정에 통감부 간도 파출소(출장소)를 설치하였다(1907). 이로써 간도 문제는 청과 일본 사이의 영유권 문제로 변하였다.

㉡ **간도 협약 체결**(1909): 일본은 한반도를 통해 만주로 진출하기 위해 청과 간도 협약을 체결하여 간도를 청의 영토로 인정하는 대신 중국 안동(지금의 단둥)과 봉천(지금의 선양)까지 연결되는 안봉선 철도 부설권과 푸순 광산 채굴권을 획득하였다.

간도 협약

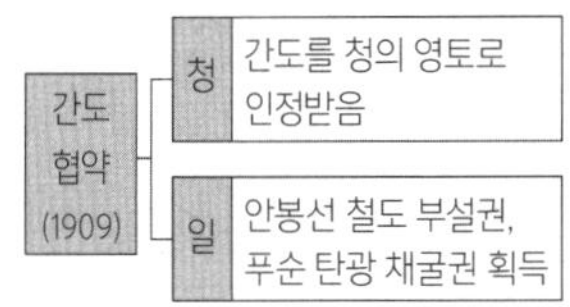

(2) 독도

① **삼국 시대**: 6세기 신라가 우산국을 정벌한 이래 독도는 한반도의 영토였다.

② **조선 시대**: 조선 시대 숙종 때에는 안용복이 일본에 건너가 울릉도·독도가 우리의 영토임을 확인하였다.

③ **대한 제국**: 대한 제국 정부는 칙령 제41호를 반포하여 울릉도를 군으로 승격시키고, 울릉 군수가 독도를 관할함을 명시하였다(1900).

기출 사료 읽기

> 대한 제국 칙령 제41호
>
> 제1조 울릉도를 울도라 개칭하여, 강원도에 부속하고 도감을 군수로 개정하여 관제 중에 편입하고 군등은 5등으로 할 일.
>
> 제2조 군청 위치는 대하동으로 정하고 구역은 울릉 전도와 죽도, 석도(독도)를 관할할 일.
>
> \- 칙령 제41호(광무 4년 10월 25일)
>
> **사료 해설** | 대한 제국 정부는 칙령 제41호를 내려 울릉도를 군으로 승격시키고, 울릉도가 독도를 관할하는 지역임을 명시하였다. 우리나라는 해당 칙령이 반포된 10월 25일을 독도의 날로 제정하였다.

④ **일본의 독도 강탈**: 국제법상 명백한 불법 영토 침탈 행위임에도 불구하고 일본이 러·일 전쟁 중 일방적으로 독도를 시마네 현에 편입하였다(시마네 현 고시 제40호, 1905).

⑤ **대한 제국의 대응**: 울릉도 군수 심흥택은 1906년에 일본의 독도 불법 편입 사실을 알게 되어 곧 대한 제국 정부에 보고하였다. 이에 정부는 사실 관계 조사를 지시하였으나, 당시 대한 제국은 을사늑약으로 외교권을 빼앗긴 상태였으므로 더 이상의 조치를 취할 수 없었다.

교과서 분석하기

독도가 우리나라 영토임을 입증하는 근거

『은주시청합기』(1667)	· 독도에 관한 일본 최초의 문헌 · 일본 은주 지방의 관리 사이토 호센은 울릉도와 독도가 고려(조선)의 영토이고 일본의 경계는 은기도까지임을 명기
삼국접양지도(1785)	울릉도와 독도가 조선 것이라고 표시된 지도
『조선국교제시말내탐서』(1870)	메이지 정부가 조선에 조사단을 파견하여 울릉도와 독도가 조선 영토가 된 이유를 조사하고, 이 두 섬을 조선령으로 결론 지음
태정관 지령문(1877)	메이지 정부 최고 행정기관인 태정관에서 '울릉도 외 1도(독도)는 일본과 관계 없음을 명심할 것'이라는 지시를 시마네 현에 내림

태정관 지령문 교과서 사료

죽도(울릉도) 관할 건에 대하여 시마네(島根) 현으로부터 별지의 질품이 와서 조사한 바, 이 섬의 건은 원록(元祿) 5년(1692, 조선 숙종 18) 조선인이 섬에 들어온 이래 별지 서류에 기록한 바와 같이, …… 원록 12년(1699)에 이르러 각각 왕복이 끝났으며, 우리나라와는 관계가 없다고 들었지만, 국가 판도의 취함과 버림은 중대한 일이므로 별지 서류를 첨부하여 유념해서 이에 품의합니다. …… 문의한 취지의 죽도 외 일도(독도)의 건은 우리나라와 관계없다는 것을 명심할 것 - 태정관, 『공문록』

▶ **태정관**은 메이지 초기에 내무성 등 8성을 총괄하던 **일본의 국가 최고 기관**으로 위의 내용을 보면 태정관에서 **독도가 우리나라(일본)와 관련이 없음을 명시**하였다.

OX 빈칸 핵심 개념 점검

* 학습한 개념을 OX/빈칸 문제를 통해 점검해보세요.

핵심 개념 1 | 아관 파천

01 을미사변 이후 신변의 위협을 느낀 고종이 러시아의 공사관으로 피신하였다. □ O □ X

02 아관 파천으로 을미개혁이 중단되고 친러 내각이 수립되었다. □ O □ X

03 아관 파천 이후 고종은 약 1년 만에 ______으로 환궁하였다.

핵심 개념 2 | 독립 협회의 활동

04 1896년에 국내외 정보를 제공한 독립신문이 서재필에 의해 발간되었다. □ O □ X

05 독립 협회는 영은문이 있던 자리 부근에 독립문을 세웠다. □ O □ X

06 독립 협회는 헌정 연구회의 활동을 계승하여 월보를 간행하고 지회를 설치하였다. □ O □ X

07 독립 협회는 만민 공동회를 개최하여 러시아의 내정 간섭과 이권 요구에 반대하였다. □ O □ X

08 독립 협회는 러시아의 ______ 조차 요구를 저지하였다.

핵심 개념 3 | 헌의 6조

09 헌의 6조에는 탁지부로 재정을 일원화하고, 예산과 결산을 인민에게 공포한다는 내용이 있다. □ O □ X

10 헌의 6조에는 조약을 체결할 때 중추원 의장이 합동 날인하여 시행한다는 내용이 있다. □ O □ X

11 독립 협회가 개최한 ______에서 헌의 6조가 결의되었다.

핵심 개념 4 | 대한 제국과 광무개혁

12 고종은 연호를 광무라 하고 경운궁에서 황제 즉위식을 거행하였다. □ O □ X

13 대한 제국은 입헌 군주제와 의회 설립을 통한 민주주의 체제를 지향하였다. □ O □ X

14 대한 제국은 지방 재판소와 고등 재판소를 개설하였다. □ O □ X

15 대한 제국에서는 원수부를 설치하여 황제가 군의 통수권을 장악하였다. □ O □ X

16 대한 제국 시기에 황실 재정을 담당하는 내장원의 기능을 확대하였다. □ O □ X

17 고종은 1899년 대한 제국의 헌법이라 할 수 있는 ______를 발표하였다.

18 고종은 ______를 발급하여 토지 소유권을 공고히 하였다.

핵심 개념 5 | 간도와 독도

19 대한 제국 시기에 이범윤이 간도 시찰원으로 파견되었다. □ O □ X

20 독도를 울릉군 관할로 한다는 내용의 대한 제국 칙령 제41호가 공포되었다. □ O □ X

21 일본은 안봉선 철도 부설권을 얻는 대가로 간도 지역을 청에 귀속시켰다. □ O □ X

22 일본은 ________ 중 독도를 일방적으로 시마네 현으로 편입시켰다.

정답과 해설

01	**O** 고종은 을미사변 이후 일본의 간섭과 위협으로부터 벗어나고자 러시아 공사관으로 거처를 옮기는 아관 파천을 단행하였다.	**12**	**×** 고종이 연호를 광무라고 선포한 이후 황제 즉위식을 거행한 곳은 경운궁(덕수궁)이 아닌 환구단이다.
02	**O** 아관 파천으로 을미개혁이 중단되고 이범진, 이완용 등의 친러 내각이 수립되었다.	**13**	**×** 고종 황제는 대한국 국제를 반포하여 대한 제국이 황제를 중심으로 한 전제 정치 국가임을 강조하였다.
03	경운궁	**14**	**×** 지방 재판소와 고등 재판소 등을 개설하여 사법권을 행정권에서 분리시킨 것은 제2차 갑오개혁 때이다.
04	**O** 독립신문은 독립 협회를 창립하기 이전인 1896년에 서재필에 의해 발간되었다. 독립신문은 한글판과 영문판이 함께 발행되어 국내외에 다양한 정보를 제공하였다.	**15**	**O** 대한 제국에서는 황제 직속의 최고 군 통수 기관인 원수부를 설치하여 황제가 육·해군의 통수권을 장악하였다.
05	**O** 독립 협회는 기존에 중국 사신을 맞이하던 모화관 앞의 영은문을 없애고 그 자리에 독립 의식 고취를 위한 독립문을 세웠다.	**16**	**O** 대한 제국 시기에는 황실 재정을 담당하는 내장원의 기능을 확대하여 홍삼 전매, 광산 개발 등의 수입을 관할하게 하였다.
06	**×** 헌정 연구회의 활동을 계승하여 설립된 단체는 대한 자강회이다. 헌정 연구회는 독립 협회를 계승한 애국 계몽 운동 단체이다.	**17**	대한국 국제
07	**O** 독립 협회는 만민 공동회를 개최하여 러시아 재정 고문 및 군사 교관의 철수 등을 주장하며 러시아의 내정 간섭과 이권 요구에 반대하였다.	**18**	지계
08	절영도	**19**	**O** 대한 제국 시기인 1902년에 이범윤이 간도 시찰원으로 파견되었고, 그는 이듬해에 간도 관리사가 되어 간도 지방의 한인을 보호하였다.
09	**O** 헌의 6조에는 '국가 재정을 탁지부에서 전관하고 예산과 결산을 국민에게 공포할 것'이라는 내용이 있다.	**20**	**O** 대한 제국 정부는 대한 제국 칙령 제41호를 공포하여 울릉도를 군으로 승격시키고, 독도를 울릉군의 관할로 포함시켰다.
10	**O** 헌의 6조에는 '외국과 조약을 체결할 때 각 대신과 중추원 의장이 합동 날인하여 시행할 것'이라는 내용이 있다.	**21**	**O** 만주로 진출하려던 일본은 청과 간도 협약을 체결하여 안봉선 철도 부설권을 얻는 대신 간도 지역을 청의 영토로 인정하였다.
11	관민 공동회	**22**	러·일 전쟁

4 항일 의병 운동과 애국 계몽 운동

학습 포인트
의병 운동은 을미의병, 을사의병, 정미의병의 원인과 전개 과정을 중점적으로 살펴보아야 한다. 애국 계몽 운동은 보안회, 신민회 등 대표적인 단체의 활동 내용을 정리하도록 한다.

빈출 핵심 포인트
을미의병, 을사의병, 정미의병, 서울 진공 작전, 보안회, 대한 자강회, 신민회

1 항일 의병 운동

1. 항일 의병 운동의 시작

(1) 을미의병(1895)

① **원인**: 을미사변(명성 황후 시해 사건)과 단발령에 대한 반발로 일어났다.

② **주도 세력**: 위정척사 사상을 가진 유생들이 주도하고, 일반 농민과 동학 농민군의 잔여 세력이 동참하였다.

③ **대표적인 의병장**: 유인석(제천·충주), 이소응(춘천), 허위(선산) 등

④ **주요 활동**: 을미의병은 존왕양이(尊王洋夷)를 내세우며 단발을 강요하는 친일 수령들을 처단하였다.

⑤ **해산**: 아관 파천으로 친일 정권이 무너지면서 단발령이 철회되고, 고종이 해산 권고 조칙을 내리자 대부분 해산하였다.

⑥ **계승**: 의병에 참여했던 농민층은 활빈당·남학당·영학당·동학당 등으로 계승·발전하였다.

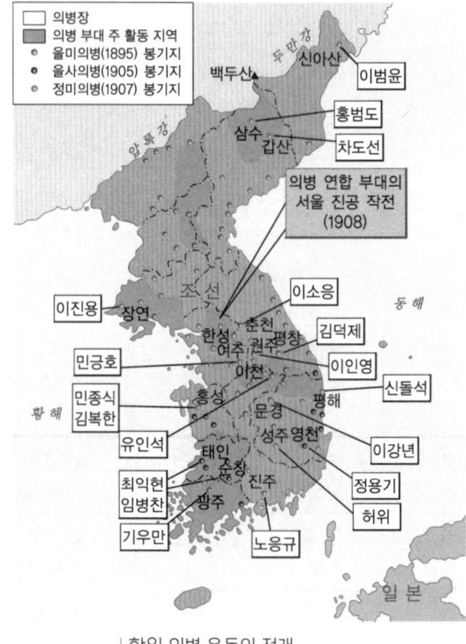

| 항일 의병 운동의 전개

기출 사료 읽기

을미의병

오늘 병사를 일으키려는 것은 자위하려는 것이 아니고 국모(國母)의 원수를 갚으려는 것이다. 대개 어머니의 원수를 갚기 위해 아버지의 군사를 부리는 것은 떳떳한 이치이며, 대의(大義)이다.
- 민용호, 『관동창의록』

사료 해설 | 을미의병은 을미사변과 단발령에 대한 반발로 일어났다.

(2) 활빈당(1900년경)

① **조직**: 활빈당에는 동학 농민군의 잔여 세력 중 을미의병에 가담한 농민군이나 행상, 노동자, 걸인 등 민중들이 참여하였고, 충청도와 경기도를 중심으로 활동하였다.

② **성격**: 관리, 부호(富豪), 일본 상인을 공격하여 빼앗은 재물을 빈민에게 나누어 주는 등 반봉건·반침략 운동을 전개하였다. 또한, 자신들의 요구 사항을 밝혀 대한사민논설을 발표하였다.

항일 의병 운동 기출연표

- **1895** 을미사변 → 을미개혁 → 을미의병
- **1905** 을사늑약 체결 → 을사의병
- **1907** 고종의 헤이그 특사 파견 → 고종 강제 퇴위·군대 해산 → 정미의병
- **1908** 서울 진공 작전
- **1909** 일제의 남한 대토벌 작전

유인석 창의문 교과서 사료

우리 국모의 원수를 생각하며 이미 이를 갈았는데, 참혹한 일이 더하여 우리 부모에게서 받은 머리털을 풀 베듯이 베어 버리니 이 무슨 변고란 말인가 …… 이에 감히 의병을 일으켜 마침내 이 뜻을 세상에 포고하노니, 위로는 공경에서 아래로는 서민까지 어느 누가 애통하고 절박하지 않으리.
- 유인석, 『의암집』

▶ **을미사변**과 **단발령 시행**에 대한 반발로 일어난 **을미의병**은 **유인석, 이소응 등 위정척사 사상을 가진 유생들이 주도**하였으며, 농민들의 참여로 전국으로 확대되었다.

활빈당

활빈당은 **동학 농민군, 노동자, 걸인 등이 조직한 무장 조직**으로, 「홍길동전」에 등장하는 '활빈당'에서 그 명칭을 가져왔다. 활빈당은 삼고 부호의 재물을 빼앗아 빈민에게 나누어주는 활빈 활동을 전개하였다. 또한 이들은 외국의 철도 부설권 허용 금지, 외국 상인 활동 금지 등을 포함하고 있는 **13조목 대한사민논설을 강령으로 삼아 활동**하였다.

기출 사료 읽기

대한사민논설(활빈당 강령)

- 시장에 외국 상인의 출입을 엄금할 것
- 다른 나라에 철도 부설권을 허용하지 말 것
- 금광의 채굴을 금지하고 인민의 방책을 꾀할 것

사료 해설 | 대한사민논설은 활빈당의 강령으로, 반봉건적 개혁책을 제시하고 외국의 경제 침탈을 비판하였다.

2. 항일 의병 운동의 확대

(1) 을사늑약과 민족의 저항

① **을사늑약**(1905): 러·일 전쟁에서 승리한 일본은 일방적으로 을사늑약을 체결하여 대한 제국의 외교권을 박탈하고 통감부를 설치하였다.

② **민족의 저항**

㉠ **상소 운동**: 조병세, 이상설, 안병찬 등은 을사늑약에 서명한 대신들의 처벌과 조약의 폐기를 요구하는 상소 운동을 전개하였다.

㉡ **항일 순국**: 민영환, 조병세, 송병선 등은 자결로써 을사늑약에 항거하였다.

㉢ **5적 암살단**: 나철과 오기호 등은 5적 암살단을 조직하여 을사늑약에 찬성한 을사 5적의 집을 불사르고, 일진회를 습격하는 등 매국노를 처단하고자 하였다.

㉣ **항일 언론**: 황성신문의 주필 장지연은 '시일야방성대곡'이라는 논설을 게재하여 일제를 규탄하였고, 고종도 을사늑약이 무효임을 선언하는 친서를 대한매일신보에 발표하여 황제가 을사늑약에 서명하지 않았음을 천명하였다.

㉤ **외교적 노력**: 고종은 헐버트를 미국에 특사로 파견하여 을사늑약의 무효함을 미국에 전달하였으나 미국은 이를 외면하였다. 이후 고종은 서울의 각국 공사들에게 을사늑약의 부당성을 호소했으나 성과가 없었다. 결국 고종은 네덜란드 헤이그에서 열린 만국 평화 회의에 특사(이상설, 이준, 이위종)를 파견하여 외교권을 회복하고자 하였다.

기출 사료 읽기

을사늑약에 대한 저항

1. 장지연의 '시일야방성대곡' 논설 게재

이 날을 목 놓아 우노라(是日也放聲大哭)

지난번에 이토가 한국에 옴에 우리 인민들이 서로 말하기를 이토는 동양 삼국의 평화를 널리 주선하던 인물이라. …… 천하만사가 예측하기 어려운 것도 많지만, 천만 뜻밖에도 5조약을 어떤 까닭으로 제출하였는가. 이 조약은 비단 우리나라 뿐 아니라 동양 삼국이 분열하는 조짐을 보인 것이니 이토의 본래의 뜻은 과연 무엇이었는가? - 황성신문

사료 해설 | 시일야방성대곡은 장지연이 황성신문에 기고한 논설로, 을사늑약의 체결 경위와 부당함을 알리고, 조약을 체결한 대신을 비난하는 내용을 담았다.

2. 민영환의 유서

나 영환은 죽음으로써 황제의 은혜를 갚고 2천만 동포에게 사과하노라. 영환은 죽어도 황천에서 동포들을 돕고자 하니, …… 우리의 자주 독립을 회복한다면, 나는 지하에서 기꺼이 웃으련다. 아! 슬프다. 조금도 실망하지 말지어다. 우리 대한 동포에게 마지막으로 고별하노라. - 대한매일신보

사료 해설 | 민영환은 을사늑약이 강제로 체결되자 자결로써 을사늑약에 항거하였다.

의사들의 의거 활동

장인환, 전명운 (1908)	일제의 침략 행위를 옹호하던 외교 고문 스티븐스를 미국 샌프란시스코에서 사살
안중근 (1909)	러시아령(노령) 블라디보스토크에서 항일 활동, 만주 **하얼빈 역에서 초대 통감 이토 히로부미를 사살**
이재명 (1909)	을사5적 중 한명인 친일 매국노 이완용을 칼로 찔러 중상을 입힘

을사 5적

을사 5적은 **을사늑약을 체결한 다섯 매국노**로, 외부대신 박제순, 내부대신 이지용, 군부대신 이근택, 학부대신 이완용, 농상공부대신 권중현을 가리킨다.

을사늑약이 무효임을 알리는 고종의 친서

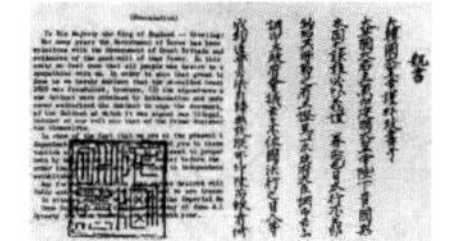

헤이그 특사

왼쪽부터 **이준, 이상설, 이위종**이다. 이들은 네덜란드 헤이그에 도착하였으나, 대한 제국의 자주 외교권을 인정할 수 없다는 이유로 만국 평화 회의장 입장은 거부당하였다. 이후 이준은 네덜란드 헤이그에서 순국하였으며, 이상설과 이위종은 미국·러시아·만주 등에서 항일 운동을 지속하였다.

(2) 을사의병(1905)

① **원인**: 일본에 의해 강제적으로 을사늑약이 체결되자 의병이 다시 봉기하여 조약의 폐기와 친일 내각의 타도를 요구하였다.

② **주도 세력**: 을사의병은 양반 유생(최익현, 민종식)을 중심으로 농민들도 참여하였다.

③ **대표적인 의병장**: 민종식(홍주성 점령), 최익현·임병찬(태인에서 봉기하여 순창 입성), 신돌석(일월산을 거점으로 평해·울진 등 태백산맥 일대에서 유격 전술을 사용하며 활약)

(3) 정미의병(1907, 의병 전쟁으로 발전)

① **원인**: 헤이그 특사 파견을 구실로 한 고종 황제의 강제 퇴위와, 정미 7조약에 따른 군대 해산이 원인이 되어 정미의병이 거병하였다.

② **특징**: 군대 해산에 반발한 시위대 대대장 박승환이 자결하였으며, 원주 진위대와 강화 분견대 등 해산된 군인이 의병에 합류하였다. 이로 인해 정미의병은 규모와 성격 면에서 의병 전쟁으로 발전하였고, 전국 각지뿐만 아니라 만주·연해주까지 확산되었다.

③ **13도 창의군의 서울 진공 작전**(1908)

㉠ **13도 창의군 결성**(1907): 1만여 명의 의병이 양주에 집결하여 이인영을 총대장, 허위를 군사장으로 하는 연합 부대인 13도 창의군을 결성하고 서울 진공 작전을 계획하였다.

㉡ **외교 활동**: 13도 창의군은 스스로 독립군임을 내세우며 서울 주재 각국 영사관에 의병을 국제법상의 교전 단체로 승인해 줄 것을 요구하는 서신을 발송하였다.

㉢ **서울 진공 시도**: 양주에서 시작된 서울 진공 작전(1908)으로 허위의 선발대가 동대문 근교까지 진출하였으나 일본군에 패하였다. 한편 총대장 이인영이 부친상을 당해 귀향한 이후, 임진강 유역에서 허위의 부대를 중심으로 김수민·이은찬 부대가 연합 의병을 결성하고 재차 서울 진공 작전을 펼쳤으나 실패하였다.

④ **지역별 독자적 의병 전쟁 전개**: 서울 진공 작전 실패 후 13도 창의군은 해산되었으나, 전국적으로 소규모 부대에 의한 유격전은 계속되었다.

⑤ **'남한 대토벌' 작전**(1909. 9.): 활발하게 활동하던 호남 지방의 의병들을 진압하기 위해 일본은 대대적인 의병 토벌 작전을 벌였고, 이로 인해 의병 활동이 크게 위축되었다.

⑥ **독립 전쟁으로 계승**

㉠ **국외**: 일본의 대규모 군사 작전(남한 대토벌 작전)에 의한 의병 토벌과 국권 피탈로 많은 의병들이 만주·연해주로 이동하여 독립군으로 변모하였다.

㉡ **국내**: 일부 세력이 국내에 남아 유격전을 전개하였다.

기출 사료 읽기

서울 진공 작전

양주에 모여서 각 군제를 정할 때 이인영은 십삼도 의병 총대장이 되고 허위는 군사장이 되어 전투 계획 수립을 맡았으며 …… 목적은 서울에 들어가서 통감부를 타격하고 종래의 소위 신협약 등을 파기하는 대대적인 활약을 기도하였다. …… 군사장(허위)은 미리 군비를 신속히 정돈하여 철통과 같이 함에 한 방울의 물도 샐 틈이 없는지라. …… (허위가) 300명을 인솔하고 선두에 서서 동대문 밖 삼십 리 부근에 나아가고, 전군이 오기를 기다려 일거에 서울을 공격하여 들어오기로 계획하였으나 전군이 집합하기로 정한 때가 어긋나고 일본군이 엄습하였다. 몇 시간을 지극히 맹렬하게 싸웠지만 후방의 부대가 오지 않았기에 퇴진하였다. - 대한매일신보

사료 해설 | 양주에서 시작된 서울 진공 작전은 허위의 선발대가 서울 근교에서 일본군에 패하고, 각 의병 부대들 간에 모이는 시기가 어긋나 결국 실패하고 말았다.

을사늑약 이후 민족 운동의 방향

을사늑약 이후 민족의 주권 수호 운동은 실력 양성을 통해 국권을 회복하려는 **애국 계몽 운동**과, 무력으로써 국권을 회복하려는 **항일 의병 운동의 두 흐름으로 전개**되었다.

최익현

전북 **태인에서 의병**을 일으킨 최익현은 의병을 이끌고 순창으로 진격하여 진위대(관군)와 대치하였으나, 동포끼리 싸울 수 없다하여 스스로 체포되었고, 결국 **쓰시마 섬(대마도)에서 순절**하였다(1906).

13도 창의군 기출사료

동포들이여! 우리는 함께 뭉쳐 우리의 조국을 위해 헌신하여 우리의 독립을 되찾아야 한다. 우리는 야만 일본 제국의 잘못과 광란에 대해서 전 세계에 호소해야 한다. 간교하고 잔인한 일본 제국주의자들은 인류의 적이요, 진보의 적이다.

▶ 1907년 이인영을 총대장, 허위를 군사장으로 하는 1만여 명의 연합 의병 부대가 양주에 집결하여 13도 창의군이 결성되었다.

'남한 대토벌' 작전

특히 황해 동남부 및 경기 서북부 일대, 소백산 부근, 그리고 전라북도 서남부 및 전라남도에서 그 출몰이 빈번하였다. …… 전년(1908) 7월 이후 본년(1909) 6월에 이르는 동안 매달 충돌한 폭도의 총수는 시종 3,000명 전후로써 이들의 세력은 거의 고정된 경향을 보일 뿐 아니라 그들의 행동은 연월을 경과함에 따라 더욱 교묘해졌다. -『조선폭도토벌지』

▶ '남한 대토벌' 작전은 **일본이 국내의 의병 세력을 진압하기 위해 실시한 군사 작전**이다. 이로 인해 **국내 의병 세력들이 만주, 연해주 등으로 이동**하였다.

2 애국 계몽 운동

1. 성격

(1) **주도 세력**: 진보적 지식인과 관료, 개혁적 유학자 등이 애국 계몽 운동을 주도하였다.

(2) **성향**: 당시 관료와 지식인들은 사회 진화론의 영향을 받아, 당시의 국제 관계를 약육 강식과 적자생존의 원리가 지배하는 힘의 각축장으로 인식하였다.

(3) **목표**: 문화 활동, 산업 진흥 등 실력 양성 운동을 통해 국권 회복을 도모하였다.

2. 애국 계몽 단체

(1) **보안회**(1904)

① **조직**: 보안회는 원세성, 송수만 등의 유생과 관료 출신들이 중심이 되어 결성되었다.

② **활동**: 보안회는 보국안민을 내세우며 일본의 황무지 개간권 요구를 저지하였다(이후 일본의 압력으로 해산됨).

(2) **헌정 연구회**(1905)

① **조직**: 헌정 연구회는 이준, 윤효정 등을 중심으로 조직되었다.

② **활동**: 헌정 연구회는 독립 협회를 계승한 단체로, 국민의 정치 의식 고취와 의회 제도를 중심으로 한 입헌 정치의 수립을 목적으로 설립되어 대중 계몽 운동을 전개하였다.

③ **해산**: 일진회의 친일 행위를 규탄하다가 통감부가 설치된 직후 일제의 탄압으로 해체되었다.

(3) **대한 자강회**(1906~1907)

① **조직**: 대한 자강회는 헌정 연구회의 후신으로 윤효정, 장지연을 중심으로 설립되었다.

② **활동**: 대한 자강회는 전국 각지에 25개 지회를 설치하였고, 교육 진흥·산업 개발·월보 간행·강연회 개최 등을 통하여 국권 회복 운동을 전개하였다.

③ **해산**: 고종 강제 퇴위 반대 운동을 주도하다 일제의 보안법에 의해 강제 해산되었고, 이후 대한 협회로 계승되었다.

(4) **대한 협회**(1907)

① **조직**: 대한 협회는 오세창 등이 중심이 되어 애국 사상을 고취시키기 위해 설립되었다.

② **활동**: 대한 자강회를 계승하여 교육의 보급과 산업의 개발, 민권의 신장, 행정의 개선 등을 강령으로 내걸고 실력 양성 운동을 전개하였다.

③ **한계**: 의병 투쟁을 적극 비난하였다. 또한 일본의 한국에 대한 지배권이 더욱 강화됨에 따라 일진회와 연합을 추진하는 등 친일적인 단체로 변모하였다.

(5) **신민회**(1907~1911)

① **조직**

㉠ **결성**: 안창호, 이승훈, 양기탁 등이 주도하여 비밀 결사 형태로 신민회를 결성하였다.

㉡ **주도 인물**: 회장 윤치호, 부회장 안창호, 유학자 출신의 신채호, 박은식, 이동휘 등을 지도부로, 각계각층을 망라하였다.

사회 진화론

적자 생존과 생존 경쟁에 대한 생물 진화론(다윈)을 사회학자 하버트 스펜서가 인간 사회에 접목하여 성립시킨 이론이다. 이 이론은 우등한 사회·국가가 열등한 사회·국가를 지배하는 것을 당연시 하는 논리로 사용되었다.

일본의 황무지 개간권 요구와 농광 회사 설립

러·일 전쟁이 일어난 직후 일본은 우리나라 전 국토의 4분의 1에 해당하는 **황무지의 개간권을 요구**하였다. 이에 일부 민간인과 관리들이 **농광 회사(1904)를 설립**하여 황무지를 우리 손으로 개간할 것을 주장하였다. 일본의 토지 침탈에 맞서 설립된 농광 회사는 개간 사업은 물론 산림 채벌·관개 사업·광산 및 석유 채굴 사업을 시도하였으나 실현하지는 못하였다.

헌정 연구회 강령 교과서 사료

1. 제왕의 권위는 헌법에 정해진 바에 따라 존중할 것
2. 정부의 명령은 법률 규칙에 정해진 바에 따라 복종할 것
3. 국민의 권리는 법률에 정해진 바에 따라 자유로이 행사할 것

대한 자강회 취지문 기출사료

무릇 우리나라의 독립은 자강(自强)에 있음이라. 오늘날 우리 한국은 3,000리 강토와 2,000만 동포가 있으니, 힘써 자강하여 단체가 합하면 앞으로 부강한 전도를 바랄 수 있고 국권을 능히 회복할 수 있을 것이다. 자강의 방법으로는 교육을 진작하고 산업을 일으켜 융하게 하면 되는 것이다. 무릇 교육이 일지 못하면 민지(民智)가 열리지 못하고, 산업이 늘지 못하면 국가가 부강할 수 없다. 그런즉, 민지를 개발하고 국력을 기르는 길은 무엇보다도 교육과 산업을 발달시키는 데 있지 않겠느냐?

- 대한 자강회 월보 제 1호

▶ **대한 자강회**는 여러 제약 속에서 **월보 간행, 지회 설립** 등 국민 계몽에 크게 이바지하였다.

② **목표**: 신민회는 실력 양성을 통한 국권 회복과 공화 정치 체제의 근대 국가 수립을 목표로 하였다(실력 양성론 + 독립 전쟁론).

교과서 사료 읽기

신민회 결성 취지문

신민회는 무엇을 위하여 일어났는가? 백성의 풍습이 무지하고 부패하니 새로운 사상이 급하고 백성이 우매하니 신교육이 시급하도다. …… 도덕의 타락으로 신윤리가 시급하고 문화의 쇠퇴로 신학술이 시급하며, 실업이 취약함으로 신모범이 시급하고 정치의 부패로 신개혁이 시급함이라. …… 이것이 신민회가 발원하는 바이고, 신민회가 품은 뜻이며, 간단히 말해 오직 새로운 정신을 환기시키고 새로운 단체를 조직하여 신국가를 건설하는 것뿐이다.

\- 주한 일본 공사관 기록, 1909

사료 해설 | 을사늑약 체결 이후 통감부의 탄압이 심해지자 안창호, 양기탁 등은 비밀 결사 단체인 신민회를 조직하였다(1907). 신민회는 교육 진흥, 국민 계몽, 산업 진흥을 강조하였으나, 이전의 다른 단체들과는 달리 공화정에 바탕을 둔 근대 국민 국가 건설을 지향하였다.

③ **실력 양성**

㉠ **민족 교육 추진**: 이승훈은 정주에 오산 학교(1907), 안창호는 평양에 대성 학교(1908) 등을 설립하였다.

㉡ **민족 산업 육성**: 평양에 자기 회사를 설립하여 생산 공정에 기계 동력을 도입하였고, 평양과 서울 및 대구에 태극 서관을 개설하여 서적을 출판·보급하였다.

㉢ **민족 문화 양성**: 민족 고전 간행 단체인 조선 광문회를 후원하였으며, 신민회 회원인 양기탁이 창간한 대한매일신보는 신민회의 기관지 역할을 하였다.

④ **국외 독립운동 기지 건설**: 서간도 지역으로 이주한 이회영 등의 신민회 회원들은 삼원보에 신한민촌을 건설하였고, 사관 양성 기관인 신흥 강습소(신흥 무관 학교)를 설립하였다(1911).

⑤ **해산**: 국권 피탈 이후 일제는 데라우치 총독 암살 음모를 조작하여 민족 지도자들을 잡아들였고, 이 중 105인을 기소하는 이른바 105인 사건(1911)을 일으켜 신민회를 와해시켰다.

교과서 사료 읽기

신민회의 국외 독립군 기지 창건 운동

1. 독립군 기지는 일제의 통치력이 미치지 않는 청국령 만주 일대를 자유 지대로 보고 이곳에 설치하되, 후일 독립군의 국내 진입에 가장 편리한 지대를 최적지로 한다.
2. 최적지가 선정되면 자금을 모아 일정 면적의 토지를 사되, 자금은 국내에서 신민회 조직을 통해 비밀리에 모금한다.
3. 토지가 매입되면 국내 애국적 인사들과 애국 청년들을 중심으로 '계획적으로', '단체 이주를 시켜' 신영토로서의 신한민촌을 건설하고, 농업 경영으로 경제적 자립을 실현한다.
4. 새로 건설된 신한민촌에서는 강력한 민간단체를 조직하고, 학교와 교회, 기타 교육 문화 시설, 무관 학교를 설립하여 문무 겸비의 교육을 시행하고 무관을 양성하도록 한다.
5. 무관 학교 졸업생과 이주 청년들을 중심으로 독립군을 창건한다. 병사는 현대적 군사 훈련과 현대적 무기로 무장시켜 일본과의 정규전에서 승리할 수 있는 강력한 군대를 만든다.

\- 주요한, 『안도산 전서』

사료 해설 | 신민회는 실력 양성만으로는 국권 회복이 어렵다고 판단하고 장기적인 무장 투쟁을 위한 독립운동 기지 건설을 준비하였다.

신민회 4대 강령 기출사료

1. 국민에게 민족 의식과 독립 사상 고취
2. 동지를 발견하고 단합하여 국민 운동 역량 축적
3. 상공업 기관 건설로 국민의 부력(富力) 증진
4. 교육 기관 설립으로 청소년 교육 진흥

이회영의 활동 기출사료

경술년(1910)에 여러 형제들이 모여서 같이 만주로 갈 준비를 하였다. …… 이회영은 1만여 석의 재산과 가옥을 모두 팔고 큰집, 작은 집이 함께 압록강을 건너 떠났다. 그는 만주에서 독립군 양성 기관인 신흥 강습소를 설립하였다.

▶ 이회영은 여러 형제들과 만주로 가서 독립 운동을 전개하였고, 독립군 양성 기관인 신흥 강습소를 설립하였다.

105인 사건

안중근의 사촌인 안명근이 서간도에 **무관 학교를 설립하기 위한 자금을 모금**하다 잡혔는데(**안악 사건**, 1910), 일제는 이를 **데라우치 총독 암살을 위한 모금 활동으로 날조**하고, 배후로 신민회를 지목하여 **신민회 회원을 비롯한 105명에 대한 유죄를 판결한 사건**이다.

OX 빈칸 핵심 개념 점검

* 학습한 개념을 OX/빈칸 문제를 통해 점검해보세요.

핵심 개념 1 | 을미의병

01 을미의병은 국모 시해와 단발령에 반발하여 일어났다. □ O □ X

02 을미의병의 잔여 세력이 활빈당 등의 무장 결사를 조직하였다. □ O □ X

03 을미의병은 ______이 철회되고 고종이 ______을 내리자 자진 해산하였다.

핵심 개념 2 | 을사의병

04 을사늑약이 체결되자 장지연이 '시일야방성대곡'이라는 논설을 게재하여 일제를 규탄하였다. □ O □ X

05 을사의병은 을사늑약의 체결을 계기로 봉기하였다. □ O □ X

06 을사의병 때 최익현, 민종식 등이 의병장으로 활약하였다. □ O □ X

07 을사조약이 체결되자 ______ 등 평민 출신 의병장이 활약하였다.

핵심 개념 3 | 정미의병

08 정미의병 때 한·일 신협약으로 해산된 군인들이 의병에 합류하기 시작했다. □ O □ X

09 정미의병 때 의병 세력은 각국 영사관에 교전 단체로 인정해 줄 것을 요구하였다. □ O □ X

10 정미의병 때 ______을 결성하여 서울 진공 작전을 시도하였다.

11 일본군의 '______' 이후 많은 의병들은 간도와 연해주 등으로 근거지를 옮겨 일제에 항전을 계속했다.

핵심 개념 4 | 보안회의 활동

12 보안회는 송수만, 심상진 등이 결성한 애국 계몽 운동 단체이다. □ O □ X

13 일제의 ______ 요구를 반대하기 위해 보안회가 창설되었다.

핵심 개념 5 | 대한 자강회의 활동

14 대한 자강회는 교육 개발, 식산 흥업 등을 주장하였다. □ O □ X

15 대한 자강회는 농광 회사를 설립하여 경제 침탈에 맞섰다. □ O □ X

16 대한 자강회는 ______를 간행하고 ______ 운동을 벌였다.

핵심 개념 6 | 신민회의 활동

17 신민회는 입헌 군주제 수립을 목표로 활동하였다. □ O □ X

18 신민회는 해외 독립운동 기지 건설에 앞장섰다. □ O □ X

19 신민회는 일제가 날조한 105인 사건으로 와해되었다. □ O □ X

20 신민회는 정주에 ____ 학교, 평양에 ____ 학교를 설립하여 민족 교육을 실시하였다.

정답과 해설

01	O 을미의병은 명성 황후 시해 사건과 단발령 시행에 반발하여 일어났다.	**11**	남한 대토벌 작전
02	O 을미의병에 가담했던 농민군 중 일부는 활빈당 등의 무장 결사를 조직하여 반봉건·반침략 운동을 계속 전개하였다.	**12**	O 보안회는 송수만, 심상진, 원세성 등이 결성한 애국 계몽 운동 단체이다.
03	단발령, 해산 권고 조칙	**13**	황무지 개척권(개간권)
04	O 을사늑약이 체결되자 황성신문의 주필인 장지연이 '시일야방성대곡'이라는 논설을 게재하여 일제를 규탄하였다.	**14**	O 대한 자강회는 교육 개발, 식산 흥업, 월보 간행, 강연회 개최 등의 국권 회복 운동을 전개하였다.
05	O 을사의병은 일본에 의해 을사늑약이 강제로 체결되자 이에 반발하여 일어났다.	**15**	✖ 농광 회사는 일제의 황무지 개간권 요구에 대응하여 개간 사업을 진행할 목적으로 설립된 회사로, 대한 자강회와는 관련이 없다.
06	O 을사의병 때에는 최익현, 민종식 등의 양반 유생들이 의병장으로 활동하였다.	**16**	월보, 고종 (강제) 퇴위 반대
07	신돌석	**17**	✖ 신민회는 입헌 군주제 수립이 아닌, 공화 정치 체제의 근대 국가 수립을 목표로 활동하였다.
08	O 정미의병 때 한·일 신협약으로 해산된 군인들이 의병 부대에 합류하여 전투력이 크게 향상되었으며, 의병 운동이 의병 전쟁으로 확산되었다.	**18**	O 신민회는 서간도 삼원보에 신한민촌을 건설하고, 사관 양성 기관으로 신흥 강습소(신흥 무관 학교)를 설립하는 등 해외 독립운동 기지 건설에 앞장섰다.
09	O 정미의병 때 13도 창의군은 서울 주재 각국 영사관에 의병을 국제법상의 교전 단체로 인정해 줄 것을 요구하였다.	**19**	O 신민회는 일제가 날조한 105인 사건으로 신민회 회원들을 비롯한 민족 운동가들이 체포되면서 조직이 와해되었다.
10	13도 창의군	**20**	오산, 대성

5 일제의 국권 피탈

학습 포인트
일제가 우리나라의 국권을 피탈하기 위해 체결한 조약과 그 주요 내용에 대해 파악하도록 한다.

빈출 핵심 포인트
한·일 의정서, 제1차 한·일 협약, 을사늑약, 한·일 신협약, 한·일 병합 조약

1 일본의 침략과 국권 피탈

1. 한반도를 둘러싼 러·일의 대립

(1) **제1차 영·일 동맹**(1902): 일본은 러시아를 견제하기 위한 목적으로 영국과 영·일 동맹을 체결하였다. 이때 일본은 청에 대한 영국의 이권을 승인하고, 영국은 대한 제국에 대한 일본의 이권을 인정하였다.

(2) **용암포 사건**(1903)

① **전개**: 압록강 벌채 사업을 추진하던 러시아는 벌채 사업의 보호를 명분으로 용암포 및 압록강 하구 일대를 불법 점령하고, 조차지로 인정해줄 것을 대한 제국 정부에 요구하였다.

② **결과**: 용암포 사건은 러시아와 일본의 대립을 격화시켜 러·일 전쟁 발발의 계기가 되었다.

(3) **고종 황제의 국외 중립 선언**(1904. 1.): 대한 제국은 러시아와 일본의 대립이 격화되자 두 나라 사이의 전쟁에 말려들지 않기 위해 국외 중립을 선언하고 각국에 통고하였다.

(4) **러·일 전쟁 발발**(1904. 2.): 일본은 뤼순(여순)을 공격하고 제물포에서 러시아 함대를 격침한 뒤 선전 포고를 하였다. 한편, 일본은 전쟁 도발과 동시에 대한 제국의 중립 선언을 무시하고 군대를 보내 서울을 비롯한 전국의 군사적 요충지를 점령하였다.

2. 일제의 국권 피탈 과정

(1) **한·일 의정서**(1904. 2.)

① **내용**: 일본이 전략상 필요한 지역을 마음대로 사용하고, 대한 제국은 일본의 동의 없이 제3국과 조약을 체결할 수 없다(외교권 제한)는 내용의 한·일 의정서가 체결 되었다.

② **결과**: 일제가 대한 제국을 식민지화하려는 시도가 본격화되었다.

교과서 사료 읽기

> 한·일 의정서(1904. 2.)
>
> 제4조 제3국의 침해 또는 내란으로 대한 제국 황실의 안녕과 영토의 보전에 위험이 있을 경우에 대일본 제국 정부는 곧 필요한 조치를 취하고, 대한 제국 정부는 대일본 제국이 용이하게 행동할 수 있도록 충분히 편의를 제공할 것. 대일본 제국 정부는 전 항의 목적을 달성하기 위하여 전략상 필요한 지점을 수시로 사용할 수 있을 것
>
> 제5조 대한 제국 정부와 대일본 제국 정부는 상호의 승인을 경유하지 않고 훗날 본 협정의 취지에 위반할 협약을 제3국 간에 정립(訂立)할 수 없을 것 -『고종실록』
>
> **사료 해설** | 러·일 전쟁을 유리하게 이끌기 위해 한반도 내에 군용지가 필요했던 일본은 대한 제국의 국외 중립 선언을 무시하고 강제로 한·일 의정서를 체결하였다.

제1차 영·일 동맹 교과서 사료

제3조 만약 어느 다른 한 나라, 혹은 여러 나라가 동맹국에 대한 적대 행위에 가담하는 경우, 다른 일방은 원조를 제공하며 전쟁을 공동 수행하고 강화(講和)도 해당 동맹국과 상호 합의하에 추진한다.
- 제1차 영·일 동맹(1902. 1.)

▶ 1902년 영국과 일본이 러시아를 공동의 적으로 하여 **러시아의 동진(東進)을 방어**하고 **동시에 동아시아의 이권을 함께 분할**하려고 체결한 조약이다.

국권 피탈 과정 기출연표

- **1902. 1.** 제1차 영·일 동맹
- **1904. 2.** 러·일 전쟁, 한·일 의정서
- **1904. 8.** 제1차 한·일 협약
- **1905. 7.** 가쓰라·태프트 밀약
- **1905. 8.** 제2차 영·일 동맹
- **1905. 9.** 포츠머스 조약
- **1905. 11.** 을사늑약
- **1907. 6.** 헤이그 특사 파견
- **1907. 7.** 정미 7조약, 군대 해산
- **1909. 7.** 기유각서(사법권 박탈)
- **1910. 6.** 경찰권 박탈
- **1910. 8.** 한·일 병합 조약

(2) 제1차 한·일 협약(1904. 8.)

① **내용**: 러·일 전쟁에서 주도권을 장악한 일본은 '대한 시설 강령'이라는 이름으로 대한 제국을 식민지화하기 위한 기본 방침을 결정하고, 대한 제국의 내정에 간섭하기 위해 제1차 한·일 협약을 강제로 체결하였다. 제1차 한·일 협약을 통해 일본인과 외국인 각 한 명을 대한 제국의 재정과 외교 고문으로 초빙하는 방침이 결정되었다.

② **결과**: 협약 결과에 따라 재정 고문으로 파견된 메가타는 대한 제국을 일본에 재정적·경제적으로 종속시키고자 화폐 개혁을 단행하였다. 또한 외교 고문으로 파견된 미국인 스티븐스는 대한 제국의 외교와 관련된 사항에 간섭하였다(고문 정치).

기출 사료 읽기

제1차 한·일 협약(1904. 8.)

제1조 대한 제국 정부는 대일본 제국 정부가 추천하는 일본인 1명을 재정 고문으로 초빙하여 재무에 관한 사항은 일체 그의 의견을 들어 시행할 것

제2조 대한 제국 정부는 대일본 제국 정부가 추천하는 외국인 1명을 외교 고문으로 외부에서 초빙하여, 외교에 관한 중요한 업무는 일체 그의 의견을 들어 시행할 것

사료 해설 | 러·일 전쟁에서의 전세가 유리해지자 일본은 제1차 한·일 협약을 체결하고 고문 정치를 실시하여 메가타와 스티븐스를 파견하였다.

대한 시설 강령(1904. 5.) 기출사료

1) 군사적으로 일본군의 영구 주둔과 군략상 필요한 지점을 신속히 수용할 것.
2) 외정을 감독하여 외교권을 장악할 것.
⋮
6) 척식을 실시하여 일본인 농민들을 이주시킬 것.

▶ 대한 시설 강령은 일본이 한·일 의정서 체결을 통해 얻게 된 이권을 더욱 강화하고 **대한 제국을 식민지로 만들기 위한 구체적인 방침**으로, **군대의 영구 주둔, 재정권과 외교권 탈취, 철도 등 교통 시설 장악** 등을 핵심 내용으로 하였다.

(3) 을사늑약(제2차 한·일 협약, 1905. 11.)

① **배경**: 러·일 전쟁이 일본에 유리하게 전개되면서 일본은 열강들로부터 대한 제국의 지배를 묵인 받는 조약을 체결하였다.

㉠ **가쓰라·태프트 밀약**(1905. 7.): 일본은 미국으로부터 대한 제국에 대한 지배권을 인정받고, 미국의 필리핀 지배를 인정하였다.

㉡ **제2차 영·일 동맹**(1905. 8.): 러·일 전쟁 중에 일본과 영국 간에 체결한 동맹으로, 일본은 영국의 인도에서의 특수한 권익을 인정하고 영국은 대한 제국에 대한 일본의 독점적 지배권을 인정하였다.

㉢ **포츠머스 조약**(1905. 9.): 러·일 전쟁의 결과 러시아와 일본 사이에서 체결된 조약으로, 러시아가 대한 제국에 대한 일본의 지배권을 사실상 인정하였다.

교과서 사료 읽기

포츠머스 조약(1905. 9.)

제2조 러시아 제국 정부는 일본 제국이 대한 제국에서 정치상, 군사상 및 경제상의 탁월한 이익을 갖는다는 것을 인정하고 일본 제국 정부가 대한 제국에서 필요하다고 인정되는 지도, 보호 및 감리의 조처를 하는 데 이를 저지하거나 간섭하지 않을 것을 약속한다.

사료 해설 | 러·일 전쟁의 전세가 일본 쪽으로 기울자, 러시아가 미국의 중재를 받아 일본과 체결한 조약으로, 이를 통해 일본은 대한 제국에 대한 독점적 지배권을 국제적으로 인정받았다.

② **전개**: 일본은 병력을 서울로 집결하고, 이토 히로부미를 파견하여 위협적인 분위기에서 을사늑약 체결을 강행하였다.

③ **결과**: 일본이 대한 제국의 대외 교섭을 담당(외교권 박탈)하면서 대한 제국이 일본의 보호국화되었다. 또한 일본은 서울에 통감부를 설치하고, 지방에는 이사청(이사관)을 설치하여 대한 제국 내정에 대한 지배권을 강화하였다.

가쓰라·태프트 밀약(1905. 7.) 교과서 사료

제1조 필리핀은 미합중국에 의해서 통치되어야 하며, 일본은 필리핀을 침공할 의도가 없음을 밝힌다.

제3조 미국은 러일 전쟁의 귀결로 일본이 한국의 외교권을 제한할 수 있는 권한을 갖는 것에 동의한다.

▶ 가쓰라·태프트 밀약은 일본이 제국주의 열강들의 승인하에 대한 제국에 대한 식민지화 정책을 노골적으로 추진하는 계기가 되었다.

제2차 영·일 동맹(1905. 8.) 교과서 사료

제3조 일본은 한국에 있어서 정치, 군사 및 경제적으로 탁월한 이익을 가지므로 영국은 일본이 그 이익을 옹호·증진하기 위하여 정당하고 필요하다고 인정하는 지도, 감리 및 보호 조치를 한국에 있어서 취할 권리를 승인한다.

▶ 러·일 전쟁 중에 체결된 것으로, 제1차 영·일 동맹을 재확인했으며, 영국은 일본이 대한 제국에서 가지는 정치상·경제상·군사상의 이익을 보장할 것을 내용으로 하고 있다.

기출 사료 읽기

을사늑약(제2차 한·일 협약, 1905)

1. 일본국 정부는 동경에 있는 외무성을 경유하여 금후에 대한 제국의 외국에 대한 관계 및 사무를 감리·지휘함을 기하고, 일본국의 외교 대표자 및 영사는 외국에 거주하는 대한 제국의 신민 및 이익을 보호함을 가함.
2. 한국 정부는 금후에 일본국 정부의 중개에 경유치 않고서 국제적 성질을 가진 하등의 조약이나 또는 약속을 하지 않기를 서로 약속함.
3. 일본국 정부는 그 대표자로 대한 제국 황제 폐하의 궐하에 1명의 통감을 두게 하며, 통감은 오로지 외교에 관한 사항을 관리하기 위하여 경성에 주재하고 친히 대한 제국 황제 폐하를 알현할 수 있는 권리를 가짐.

사료 해설 | 을사늑약은 일본이 고종 황제의 승인 없이 강제로 체결한 조약으로, 외교권 박탈과 통감부 설치 등을 규정하였다.

(4) 한·일 신협약(정미 7조약, 1907. 7.)

① **전개**: 고종이 을사늑약의 부당함을 알리기 위해 헤이그에 특사를 파견하였으나 실패하였고, 일본은 이 사건을 구실로 고종을 강제 퇴위시켰다. 일본은 고종의 뒤를 이어 즉위한 순종에게 한·일 신협약의 체결을 강요하였다.

② **결과**: 한·일 신협약의 체결로 통감부의 권한이 강화되었다. 또한 한·일 신협약의 부수 비밀 각서에 따라 각 부에 일본인 차관을 두어 내정을 간섭하였고, 대한 제국 군대가 해산됨으로써 일제가 군사권을 장악하게 되었다.

기출 사료 읽기

한·일 신협약(정미 7조약, 1907)

제1조 한국 정부는 시정 개선에 관하여 통감의 지도를 받을 것
제2조 한국 정부의 법령 제정 및 중요한 행정상의 처분은 미리 통감의 승인을 거칠 것
제4조 한국 고등 관리의 임면을 통감의 동의로 이를 이행할 것
제5조 한국 정부는 통감이 추천하는 일본인을 대한 제국 관리에 고용할 것
(부수 비밀 각서)
제3조 다음 방법에 의하여 군비를 정리함.
1. 육군 1대대를 존치하여 황궁 수위를 담당하게 하고 기타를 해산할 것

사료 해설 | 일본은 고종을 강제 퇴위시키고, 이후 순종 황제와 한·일 신협약을 체결하여 통감의 권한을 확대하였다. 또한 비밀 각서를 통해 각 부서에 일본인 차관을 임명하고 대한 제국의 군대를 해산시켰다.

(5) 기유각서(1909. 7.): 일제는 기유각서를 체결하여 대한 제국의 사법권과 감옥 사무 처리권을 박탈하고, 이후 경찰권까지 박탈하였다(1910. 6.).

(6) 한·일 병합 조약(1910. 8.)

① **배경**: 일제는 안중근이 이토 히로부미를 살해한 사건(1909)을 계기로 대한 제국 병합에 대한 여론을 유도하고, 일진회를 사주하여 한·일 합방 청원서를 제출하도록 하였다.

② **전개**: 총리 대신 이완용과 통감 데라우치가 한·일 병합 조약을 체결함으로써 일제는 대한 제국의 국권을 강탈하였다(1910. 8. 29).

③ **결과**: 일제는 대한 제국을 조선이라 고치고, 통치 기관으로 조선 총독부를 설치하여 식민 통치를 시작하였다.

대한 제국군 해산 조칙(1907. 7. 31.) 기출사료

짐이 생각건대 나라에 어려운 일이 많은 시기를 만나 극히 쓸데없는 비용을 절약하여 이용후생의 일에 응용함이 금일의 급무라. …… 짐이 이에 유사(有司)에 명하여 황실 시위에 필요한 자를 선택하고 기타는 일시 해대(解隊, 부대를 해산함)케 하노라.
-『순종실록』

▶ 일제는 **한·일 신협약의 비밀 각서**에 의거해 7월 31일 **순종으로 하여금 군대 해산 조칙**을 내리게 하였다.

안중근의 이토 히로부미 저격 기출사료

오늘날 사람은 모두 법에 의하여 생활하고 있는데 실제로 사람을 죽인 자가 벌을 받지 않고 생존할 도리는 없는 것이다. …… 나는 한국의 의병이며 지금 적군의 포로가 되어 와 있으므로 마땅히 만국공법에 의해 처단되어야 할 것으로 생각한다.
- 안중근 재판 기록

▶ 안중근은 연해주에서 의병 투쟁을 전개하였으며, 하얼빈 역에서 이토 히로부미를 사살하고 현장에서 체포되어 감옥 안에서 『동양평화론』을 집필하였다. 그는 재판 과정에서 자신은 한국이 의병으로 포로가 된 것이기 때문에 만국공법에 의해 처리해달라고 요구하였으며 1910년에 뤼순 감옥에서 순국하였다.

한·일 병합 조약(1910. 8.) 교과서 사료

제1조 한국 황제 폐하는 한국 전부에 관한 모든 통치권을 완전 또는 영구히 일본국 황제 폐하에게 양여한다.
제2조 일본국 황제 폐하는 앞조에 기재한 양여를 수락하고 완전히 대한 제국을 일본 제국에 병합함을 승낙한다.

▶ 한·일 병합 조약이 체결되면서 대한 제국은 국권을 상실하고 일본의 식민지가 되었다.

OX 빈칸 핵심 개념 점검

* 학습한 개념을 OX/빈칸 문제를 통해 점검해보세요.

핵심 개념 1 | 한·일 의정서

01 한·일 의정서는 일본의 대한 제국의 국외 중립 선언을 무시하고 강제로 체결한 것이다. □ O □ X

02 한·일 의정서의 체결로 일본은 한반도의 군사적 요충지와 시설을 마음대로 사용할 수 있게 되었다. □ O □ X

03 한·일 의정서는 ________을 수행하기 위해 일본에 의해 강제로 체결되었다.

핵심 개념 2 | 제1차 한·일 협약과 을사늑약(제2차 한·일 협약)

04 제1차 한·일 협약에 따라 대한 제국은 재정과 외교 부문에 일본이 추천하는 외국인 고문을 두게 되었다. □ O □ X

05 일본은 제2차 한·일 협약을 체결하기 전 한국에 대한 일본의 독점적 지배권을 인정받기 위해 제2차 영·일 동맹을 맺었다. □ O □ X

06 일본은 을사늑약을 체결하기 전 미국과 가쓰라·태프트 밀약을 체결하여, 미국은 한국에서 일본의 보호권 확립을, 일본은 미국의 필리핀 지배를 인정하였다. □ O □ X

07 제1차 한·일 협약은 고종이 헤이그에 특사를 파견하는 계기가 되었다. □ O □ X

08 을사늑약에는 조선 총독부를 설치한다는 조항이 포함되어 있다. □ O □ X

09 을사늑약 체결 결과 일본은 대한 제국의 ______을 박탈하고 통감부를 설치하였다.

10 제1차 한·일 협약의 결과 일본인 ______를 재정 고문으로, 미국인 ______를 외교 고문으로 임명하도록 하였다.

11 제1차 한·일 협약은 재정 고문 메가타가 ________을 실시하는 근거가 되었다.

핵심 개념 3 | 한·일 신협약

12 일제는 헤이그 특사 파견을 문제 삼아 고종 황제를 강제로 퇴위시키고 한·일 신협약의 체결을 강요하였다. □ O □ X

13 한·일 신협약 체결 결과 각 부의 차관에 일본인이 임명되어 이른바 차관 정치가 시작되었다. □ O □ X

14 한·일 신협약의 비밀 각서를 통해 ________가 해산되었다.

핵심 개념 4 | 한·일 병합 조약

15 일제는 한·일 병합 조약을 체결하여 대한 제국의 사법권을 빼앗고 감옥 사무를 장악하였다. □ O □ X

16 3대 통감 데라우치는 한·일 병합 조약을 통해 조선의 통치권을 빼앗았고, 이로써 조선은 일본의 식민지가 되었다. □ O □ X

17 일본은 강제로 한·일 병합 조약을 체결하고 통치 기관으로 ______를 설치하였다.

정답과 해설

01	O 한·일 의정서는 일본이 고종 황제의 국외 중립 선언을 무시하고 강제로 체결한 것이다.	10	메가타, 스티븐스
02	O 한·일 의정서의 체결로 일본은 한반도의 군사적 요충지와 시설을 마음대로 사용할 수 있게 되었다.	11	화폐 정리 사업
03	러·일 전쟁	12	O 일제는 헤이그 특사 파견을 구실로 고종 황제를 강제로 퇴위시키고 한·일 신협약(정미 7조약)의 체결을 강요하였다.
04	O 제1차 한·일 협약의 결과 대한 제국의 재정 고문에 메가타, 외교 고문에 스티븐스가 부임하였다.	13	O 한·일 신협약(정미 7조약)이 체결된 결과 각 부의 차관에 일본인이 임명되어 차관 정치가 시작되었다.
05	O 일본은 을사늑약(제2차 한·일 협약, 1905. 11.)을 체결하기 전에 영국과 제2차 영·일 동맹(1905. 8.)을 맺음으로써 대한 제국을 일본이 지배하는 것을 사실상 인정받았다.	14	대한 제국 군대
06	O 일본은 을사늑약(1905. 11.)을 체결하기 전 미국과 가쓰라·태프트 밀약을 체결(1905. 7.)함으로써 대한 제국에 대한 일본의 지배권을 인정받았다.	15	✖ 일본은 대한 제국과 기유각서를 체결하여 대한 제국의 사법권을 빼앗고 감옥 사무를 장악하였다(1909. 7.).
07	✖ 고종이 헤이그 만국 평화 회의에 특사를 파견하는 계기가 된 것은 제1차 한·일 협약이 아닌 을사늑약이다.	16	O 3대 통감 데라우치는 한·일 병합 조약을 통해 조선의 통치권을 빼앗았고, 이로써 조선은 일본의 식민지가 되었다.
08	✖ 을사늑약에는 조선 총독부를 설치한다는 조항이 없다. 한편, 을사늑약에서는 대한 제국에 통감을 두는 것을 규정하였고, 이에 따라 통감부가 설치되었다.	17	조선 총독부
09	외교권		

개항 이후의 변화 모습

1 개항 이후의 경제와 사회

학습 포인트
청·일의 상권 경쟁, 열강의 이권 침탈 내용을 중심으로 살펴본다. 또한 일본이 진행한 화폐 정리 사업, 토지 약탈 등 경제적 침탈과 이에 대한 민족의 저항인 국채 보상 운동, 황무지 개간권 요구 저지 등을 함께 학습하도록 한다.

빈출 핵심 포인트
거류지 무역, 방곡령, 철도 부설권, 화폐 정리 사업, 보안회, 국채 보상 운동

1 열강의 경제 침탈

1. 청·일 간의 상권 경쟁

(1) 개항 직후(1876~1882) **- 일본의 우위**

① **약탈적 무역**: 일본 상인들은 영사 재판권(강화도 조약, 1876), 일본 화폐 사용권(조·일 수호 조규 부록, 1876), 무관세 및 양곡의 무제한 유출 허용(조·일 무역 규칙, 1876) 등의 막대한 특권을 바탕으로 약탈적 무역을 전개하였다.

② **거류지 무역**: 조·일 수호 조규 부록에 따라 일본 상인의 활동 범위는 개항장으로부터 10리 이내로 제한(간행이정)되었고, 이로 인해 개항장과 내륙을 이어주는 객주·여각·보부상 등의 국내 중개 상인들이 활발하게 활동하였다.

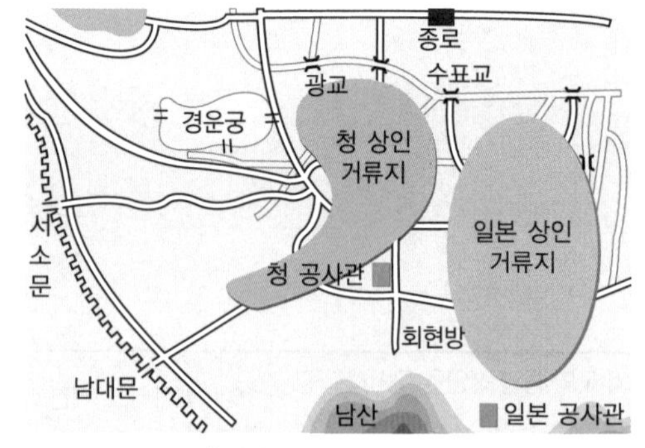

| 청 상인과 일본 상인의 거류지

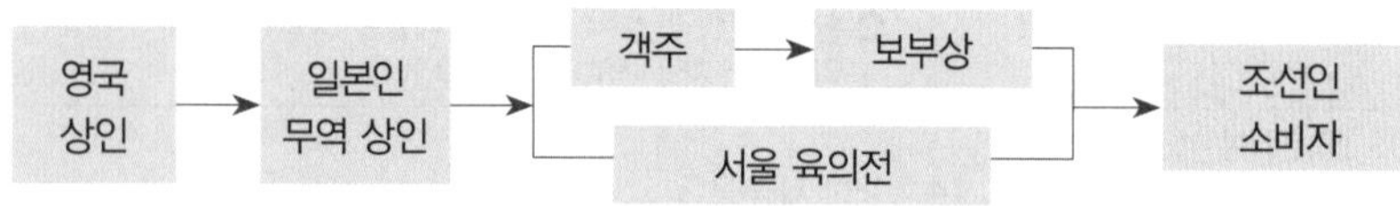

| 거류지 무역

③ **일본의 중계 무역**: 일본 상인들은 대개 영국산 면직물과 공산품 같은 소비재를 조선에 들여와 팔고, 싼값으로 곡물·귀금속 등을 반출해 가는 중계 무역으로 막대한 이익을 창출하였다(미면 교환 체제).

(2) 임오군란 이후(1882~1894) **- 청·일 간 경쟁 심화**

① **청 상인의 내륙 진출 허용**: 조·청 상민 수륙 무역 장정(1882)이 체결되면서 청 상인들에게 내지에서 통상할 수 있는 권리를 허용하였다. 청 상인들은 우세한 자본력을 토대로 성장하여 1890년대부터 일본 상인들을 위협하였다.

관세 자주권 회복 노력 - 두모진 수세 사건(1878)

조·일 무역 규칙 체결로 일본은 조선에서 무관세 무역을 보장받았다. 조선 정부는 무관세 무역의 부당성을 인식하고 1878년 부산 두모진에서 일본과 무역을 하는 조선 상인을 상대로 관세를 징수하였다. 그러나 일본이 이를 강화도 조약에 대한 위반 행위라며 항의서를 제출하고 무력 시위를 벌였고, 결국 조선 정부는 관세 징수를 중지하였다. 이후 조·일 통상 장정이 개정(1883)되며 일본 수출입 상품에 대한 관세가 부과되었으나, 이 조약을 통해 일본에 대한 최혜국 대우가 규정되었다.

거류지 무역

1876년 개항 시기부터 1882년 조·청 상민 수륙 무역 장정 체결 시기까지 **개항장의 외국인 거류지를 중심으로 이루어진 무역**이다.

청·일 양국의 무역 비교

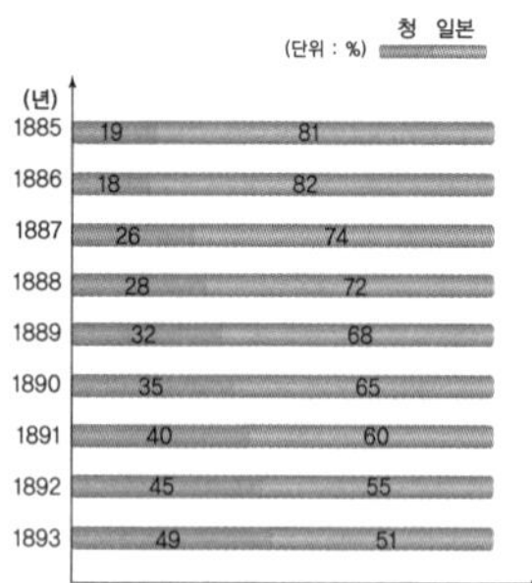

청과 일본으로부터 수입액 비율 비교

임오군란(1882) 이후 시간이 지날수록 청의 무역 규모가 증가하여 일본과 거의 비슷해진 것을 알 수 있다(일본을 추월하지는 못함). 이러한 청·일 간의 무역 경쟁은 청·일 전쟁이 촉발되는 원인 중 하나가 되었다.

② **청·일의 상권 경쟁 심화**: 임오군란 이후 체결된 조·일 수호 조규 속약(1882)으로 일본 상인의 활동 범위가 개항장에서 100리까지로 확대(1884)되었다. 한편 개정된 조·일 통상 장정(1883)을 통해 일본에 대한 최혜국 대우가 인정되었고, 그 영향으로 일본도 조선의 내륙 시장에 진출하게 되면서 청·일 상인들 간의 경쟁이 과열되었다.

③ **국내 상인의 몰락**: 청과 일본 등 외국 상인의 활동 범위가 확대됨에 따라 객주, 여각, 보부상 등 중개 상인이 몰락하였다. 이에 대해 국내 상인들은 근대적 상회사인 대동 상회, 장통 회사 등을 설립하여 대항하였다.

④ **국내 산업의 몰락**: 외국 상인의 약탈적 무역 경쟁이 심화되어 국내 산업이 몰락하였고, 이에 대해 서울 상인들은 철시(시장 등이 문을 닫고 영업을 하지 않음)로써 항거하였다.

교과서 사료 읽기

청 상인의 내륙 진출

어떠한 벽촌이라고 하더라도 장날에 청 상인이 오지 않는 곳이 없다고 한다. 공주, 강경, 예산 등 시장에는 어디나 20~30인이 와서 장사를 한다. …… 요즘 들어 청 상인이 늘어나 점차 상권을 빼앗겨 폐업하는 자가 많아졌다. -『통상휘찬』

사료 해설 | 임오군란 직후 청 상인이 내륙으로 진출하면서 국내의 중개 상인과 내륙의 상인들이 몰락하게 되었다.

⑤ **조선 정부의 대응**

㉠ **특권적 상업 활동 보호**: 개항장을 중심으로 펼쳐지던 외국 상인의 활동 반경이 점차 내륙으로 확대되며 보부상의 상권이 침해되자, 조선 정부는 이를 보호하기 위해 보부상 조직인 혜상공국을 설립하였다.

㉡ **당오전 주조**: 개화 비용 및 외국에 대한 배상금, 무기 구입비 등이 가중되면서 조선의 국가 재정이 악화되었다. 이에 묄렌도르프의 건의로 당오전을 발행(1883. 2.)하였다.

(3) 청·일 전쟁 이후(1894) – 일본의 독점

① **일본 상인의 무역 독점**: 청·일 전쟁에서 일본이 승리하면서 청은 조선 내의 주도권을 상실하였고, 일본 상인들이 조선 시장을 독점적으로 지배하였다.

② **미면 교환 체제의 변화**

㉠ **직접 교역**: 일본의 산업 발달로 일본 상인들이 기존의 영국산 면직물이 아닌 일본산 면제품을 취급하였다.

㉡ **곡물 유출**: 일본의 산업 정책으로 농업이 타격을 받아 일본 내의 곡식이 부족해지자, 이를 충당하기 위해 조선의 곡물을 대량으로 반출하였다(쌀의 상품화).

㉢ **기타**: 금(일본은 금 본위제 경제), 가죽(군수 용품) 등을 반출하였다.

(4) 결과 – 농촌의 피폐화

① **농민 몰락**: 쌀의 상품화로 지주들의 토지 증대 욕구가 고조되어 토지를 잃는 농민들이 많아졌다. 또한 일본으로 쌀의 유출이 크게 늘어나면서 조선에서 쌀 부족 및 쌀값·물가 인상 현상이 나타났고, 도시나 농촌의 빈민은 생계를 위협받았다.

② **지주 성장**: 쌀의 상품화로 지주 계층은 계속 소득을 올리며 성장하였고, 토지도 지주에게 집중되었다.

③ **국내 산업 위축**: 외국산 면제품이 싼값에 수입되면서 가내 수공업 위주로 이루어진 국내 면공업 발전에 타격을 주었고, 이에 따라 농민의 수입도 줄었다.

상회사(商會社)

문호 개방 이후 전통 상인들이 외국의 상업 세력에 대항하기 위해 만든 근대적 상업 조합으로, 처음에는 동업 조합의 성격을 띠다가 점차 근대적인 주식회사로 발전하였다.

곡물 유출로 인한 조선 내 쌀 부족 현상 교과서 사료

1888년 8월 21일 올해 흉작은 일찍이 없었던 바이다. 도내 모든 군현이 흉작이어서 한 톨도 수확하지 못하고 있다. …… 장시의 쌀값은 하늘 높은 줄 몰라 1석에 거의 1만 전이다. …… 가만히 알아보니 도내에 쌀, 콩과 묵은 곡물 약간을 팔려고 하는 사람이 조금 있다. 만일 이것을 일본 상인이 이전처럼 사서 가져가면 전 도가 굶을 형편이다. 가련한 우리 굶주린 백성은 더욱 의지할 데가 없다.
-『통리교섭통상사무아문일기』

▶ 조·일 무역 규칙(1876)의 체결로 일본으로의 **곡물 유출이 무제한으로 허용**된 이후 **국내의 식량 사정은 점차 악화**되고 곡물 가격이 크게 상승하였다. 이에 농촌의 빈민들과 도시 영세민들의 생활이 더욱 어려워졌다.

2. 열강의 이권 침탈

| 열강의 이권 침탈

(1) **배경**: 아관 파천 이후 러시아와 미국이 조선의 각종 이권을 차지하였고, 통상 조약의 '최혜국 대우' 조항을 근거로 프랑스·영국·독일·일본 등도 조선의 이권을 빼앗아 가면서 열강의 이권 침탈이 본격화되었다.

(2) **침탈 내용**: 외국인에 의한 광산 채굴권, 삼림 벌채권, 교통·통신 시설 부설권 등의 각종 이권에 대한 침탈이 전개되었으며, 특히 대륙 진출을 위해 운수 체계인 철도는 일본이 독점하였다.

러시아	· 압록강·두만강·울릉도 삼림 벌채권(1896) · 경원·종성 광산 채굴권(1896)
일본	· 직산 금광 채굴권(1900) · 경인선 부설권(1897, 미국으로부터 인수) · 경부선 부설권(1898), 경원선 부설권(1904), 경의선 부설권(1904)
미국	· 운산 금광 채굴권(1896), 전등·전화·전차 부설권 · 경인선 부설권(1896 → 1897: 일본에 양도)
영국	은산 금광 채굴권(1900)
독일	당현 금광 채굴권(1897)
프랑스	· 경의선 부설권(1896, 자금 부족으로 포기 → 대한 제국이 착공 시도 → 일본이 부설권 강탈) · 창성(평북) 금광 채굴권(1901)

3. 일본의 재정 장악과 금융 지배

(1) 화폐 정리 사업 실시(1905)

① **전개**

㉠ **메가타의 주도**: 메가타는 백동화의 남발 및 악화(惡貨)의 유통으로 인한 화폐 제도의 문란을 개선한다는 구실로 금 본위제에 입각한 화폐 제도 개혁을 추진하였다.

경의선 부설권

경의선 부설권은 **처음에 프랑스의 철도 회사가 획득(1896)**하였으나, 자본 부족으로 부설권을 상실하였다(1899). 이후 정부는 박기종 등이 설립한 대한 철도 회사에 부설권을 부여하였으나 자금 사정으로 인해 착공하지 못하였다. 이에 정부는 외세를 배격하기 위해 경의선을 궁내부 직영으로 하고, 1900년에 조병식을 총재로 내장원에 **서북 철도국**을 두어 자체적으로 착공을 준비하였다. 그러나 러·일 전쟁으로 물자를 북방으로 운송할 철로가 필요하였던 일본의 강요에 못 이겨 대한 제국 정부는 **일본에 경의선 부설권을 넘겨주었고, 일본이 경의선을 완공**하게 되었다(1906).

운산 금광 채굴권

"미국 사람이 경영하는 운산 금광 회사는 작년 일 년간 총수입이 삼백십이만 사천이백십팔 원이라더라."

- 권업신문, 1912. 12. 8.

▶ 1896년 대한 제국으로부터 운산 금광 채굴권을 넘겨받은 미국인 모스는, 채굴을 위해 동양 합동 광업 회사를 세웠다. 이후 1939년 일본의 광업 일원화 정책으로 일본인 소유가 될 때까지 운산 금광에서는 매년 200~500만 원 상당의 금이 채굴되어 외국으로 넘겨졌다.

백동화

전환국에서 1892년부터 발행한 화폐로, 제1차 갑오개혁(은 본위제) 및 광무개혁(금 본위제 시도) 때 백동화는 보조 화폐로 유통시키고자 하였으나, 은화 및 금화가 원활하게 주조되지 않으면서 오히려 백동화가 남발되는 결과를 초래하였다.

㉡ **일본 화폐 통용**: 전환국을 폐지(1904)하여 대한 제국의 화폐 발행권을 박탈한 뒤, 일본 제일은행권을 본위 화폐로 삼도록 하였다.

㉢ **차등적 교환**: 1905년부터 백동화를 일본 제일은행에서 발행하는 새 화폐로 교환하기 시작하였다. 일본은 백동화를 품질에 따라 갑, 을, 병의 3등급으로 구분하고 갑종은 액면가인 2전 5리, 을종은 1전으로 교환해주고, 병종은 교환해 주지 않았다.

② 결과

㉠ **국내 상공업자의 몰락**: 화폐 교환에 대한 정보가 부족했던 국내 중소 상공업자들은 보유 중이던 백동화의 가치가 소멸되며 큰 타격을 입었다.

㉡ **전황 현상 발생**: 전체 통화량의 2/3에 달하는 병종 백동화가 증발하고, 새 화폐로의 교환도 늦어지게 되면서 통화량 부족으로 인한 전황 현상이 발생하였다.

㉢ **국내 은행의 파산**: 국내 자본에 의해 설립된 민족 은행(한성은행, 대한천일은행)이 파산하여 몰락하였다. 반면, 일본은 전국 주요 도시에 농공은행을 설립(1906)하여 일본인의 경제적 침투를 뒷받침해 주었다.

교과서 사료 읽기

화폐 정리 사업

상태가 매우 양호한 갑종 백동화는 개당 2전 5리의 가격으로 새 돈과 교환하여 주고, 상태가 좋지 않은 을종 백동화는 개당 1전의 가격으로 정부에서 매수하며, …… 단, 형질이 조악하여 화폐로서 인정하기 어려운 백동화는 매수하지 않는다. - 탁지부령 제1호(1905. 6.)

사료 해설 | 일본은 백동화의 품질을 갑·을·병으로 구분하여 갑종과 을종은 매수하고 병종은 매수하지 않았다.

(2) 일본의 차관 제공: 대한 제국의 재정을 일본에 예속시키기 위한 것이었다.

① **청·일 전쟁 이후**: 내정 간섭과 이권 획득을 목적으로 차관을 제공하였다.

② **러·일 전쟁 이후**: 화폐 정리, 시설 개선을 명목으로 차관을 제공하였다.

4. 일본의 토지 약탈

(1) 개항 초기: 고리 대금업 등으로 일본인의 농장을 확대하였다.

(2) 청·일 전쟁 이후: 일본의 대자본가들이 전라도 일대(전주, 나주, 군산)에 토지를 약탈하여 대농장을 경영하였다.

(3) 러·일 전쟁 이후(본격적인 토지 약탈)

① **철도 부지 약탈**: 일본은 철도 부지를 확보한다는 명목으로 경부선과 경의선을 부설하면서 국유지와 황실 소유의 땅, 사유지 등을 약탈하였다.

② **역둔토 약탈**: 일본은 군용지 확보를 구실로 국유지, 역둔토 등을 약탈하였다.

③ **황무지 개간**: 일본은 토지 약탈을 위하여 국가 소유의 황무지 개간권을 요구하였다.

④ **토지 약탈 합법화**

㉠ **토지 가옥 증명 규칙**(1906): 외국인의 부동산 소유에 관한 권한을 확대한 법령으로, 이로 인해 일본인이 우리나라에서 토지 소유권을 가질 수 있게 되었다.

㉡ **국유 미간지 이용법**(1907): 일본은 대한 제국의 국유지를 약탈하기 위하여 국유 미간지(황무지) 이용법(1907)을 만들었다. 이후 동양 척식 주식회사를 설립(1908)해 국가 소유의 미개간지와 역둔토 등의 토지 수탈을 강행하였다.

제일은행권

일본 제일은행이 한국의 재정을 장악할 목적으로 발행하여 유통시킨 지폐로, 1엔권, 5엔권, 10엔권 3종으로 되어 있었다.

농공은행

한·일 병합 이후 농공은행은 동양 척식 주식회사의 업무를 대행하면서 **일본인들의 식민지 정착을 위한 농토 구입 자금까지 공급**하였고, 이후 **조선식산은행에 흡수**되었다(1918).

철도 부설을 위한 토지 약탈

철도가 지나는 지역에는 온전한 땅이 없고 기력이 남아 있는 사람이 없으며 열 집에 아홉 집은 텅 비고, 천 리 길에 닭과 돼지가 멸종하였다. 원망스러운 시국이라 군용 철도 부설하니 땅 바치고 종노릇하느라 1년 농사 망치니 유리걸식 눈물일세.
- 대한매일신보

▶ 일본은 철도 부지 중 국유지는 무상으로 약탈하였고, 사유지는 대한 제국 정부가 소유자로부터 사서 무상으로 일본에 제공하도록 하였다.

역둔토

역의 경비를 충당하는 역토(驛土)와 경비를 위하여 역에 주둔하는 군대가 자급자족을 위하여 경작하는 둔전(屯田)을 아울러 이르는 말이다.

일본의 황무지 개간권 요구

일본은 1904년에 처음으로 대한 제국 정부에 황무지 개간권을 요구하였으나, 이는 보안회 등의 반대 투쟁으로 철회되었다. 그러나 일본의 국권 침탈이 심화된 이후, 국유 미간지 이용법 제정(1907)과 동양 척식 주식회사의 설립(1908)으로 결국 황무지 개간권은 일본에 의해 강탈되었다.

2 경제적 자주권 수호 운동의 전개

1. 방곡령 선포(1889~1890)

(1) **배경**: 개항 이후 일본으로 곡물이 대량 유출되고 흉년 등으로 조선 내의 식량이 부족해지면서 곡물 가격이 폭등하였다.

(2) **전개**: 함경도(1889, 조병식), 황해도(1889, 조병철/1890, 오준영)에서 지방 단위로 방곡령을 선포하였다.

(3) **결과**: 방곡령을 시행하기 1개월 전에 통고해야 한다는 조·일 통상 장정 개정의 규정을 어겼다는 구실로 일본은 방곡령 철회(1894년 1월 방곡령 전면 해제)와 거액의 배상금을 요구하였다.

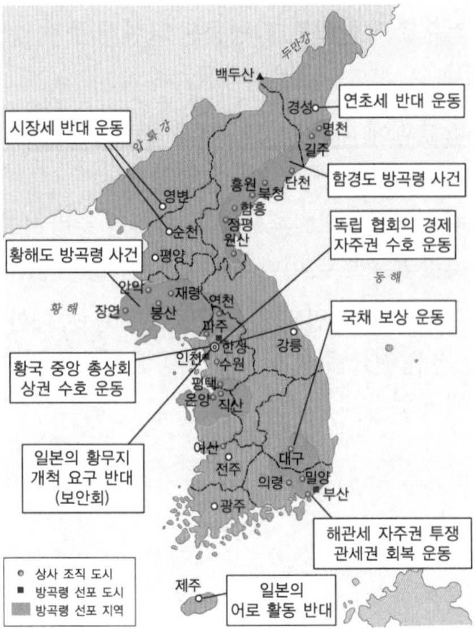

| 경제적 자주권 수호 운동

2. 서울 상인의 상권 수호 운동(1880~1890년대)

(1) **배경**: 청과 일본 상인의 상권 경쟁 심화로 국내 상인들이 몰락하여 상권 수호 운동을 전개하였다.

(2) 전개

① **1880년대**: 단체로 상점의 문을 닫고 물건을 팔지 않는 철시를 통해 외국 상인 퇴거 시위를 전개하였다. 또한 상인들은 상회사(대동 상회, 장통 회사)를 조직하였다.

② **1890년대**: 서울 시전 상인들은 외국 상인의 침투에 대항하여 황국 중앙 총상회를 설립(1898)하였고, 외국인의 불법적인 내륙 상업 활동을 엄단할 것을 정부에 요구하였다.

③ **1900년대**: 서울 시전 상인들과 관료들이 합작한 종로 직조사(1900)와, 외국에서 처음으로 방직 기계를 들여와 옷감을 짰던 한성 제직 회사(1901) 등 방직 공장들이 생겨났다.

3. 독립 협회의 이권 수호 운동(1896~1898)

(1) **배경**: 아관 파천(1896) 이후 열강의 이권 침탈이 본격화되었다.

(2) 전개

① **러시아의 절영도 조차 요구 저지**(1898): 러시아가 저탄소 설치를 위하여 절영도의 조차를 요구하자, 독립 협회는 만민 공동회를 연일 개최하여 이를 규탄하였다. 결국 러시아는 절영도 조차 요구를 철회하였다.

② **한·러은행 폐쇄**: 독립 협회는 러시아가 한국의 화폐 발행권과 국고 출납권을 비롯한 조선의 각종 이권을 획득하려는 목적으로 서울에 설치한 한·러은행을 폐쇄시켰다.

③ **기타 이권 수호 운동**: 독립 협회는 프랑스의 광산 채굴권 요구를 저지하였고, 독일이 차지한 이권에 대한 반대 운동도 전개하였다.

방곡령 관련 규정 교과서 사료

제37관 조선국에서 가뭄과 홍수, 전쟁 등의 일로 인하여 국내에 양식이 결핍할 것을 우려하여 일시 쌀 수출을 금지하려고 할 때에는 1개월 전에 지방관이 일본 영사관에게 통지하여 미리 그 기간을 항구에 있는 일본 상인들에게 전달하여 일률적으로 준수하는 데 편리하게 한다.

- 조·일 통상 장정 개정(1883)

▶ 조·일 통상 장정 개정의 방곡령 관련 규정(제37관)에 따라 함경도·황해도 지방의 관찰사가 방곡령을 내렸으나, 일본은 **통보를 늦게 받았다는 구실로 방곡령을 철회시키고, 오히려 배상금을 받아내었다.**

황국 중앙 총상회(1898)의 내륙 상행위 반대 교과서 사료

근일 외국인이 내지의 각 부 각 군 요지에 점포 가옥을 사서 장사를 하고 또 전답을 구입한다고 하니 이는 외국과 통상에도 없는 것이요, 외국인들이 내지에 와서 점포를 열어 장사를 하고 전답을 사들이면 대한 인민의 상권이 외국인에게 모두 돌아가고 …… 우리나라 각 부 각 군 지방에 잡거하는 외국 상인을 모두 철거하게 하고, 가옥과 전답 구매를 모두 엄금하여 대한 인민의 상업을 흥왕케 하여 달라. - 독립신문

▶ 황국 중앙 총상회는 **외국 상인의 상권 침탈에 대항하여 민족의 권익을 수호**하고, 더불어 시전 상인의 독점적인 이익을 지키고 유지하기 위해 설립되었다.

절영도 조차 요구 저지 교과서 사료

현재 러시아가 우리 대한을 향하여 절영도를 요구하고 있습니다. …… 그 신하된 자가 만약 조그마한 땅이라도 타국인에게 주면 황제 폐하의 역신이며 역대 임금의 죄인이며, 우리 대한 2천만 동포 형제의 원수입니다.

- 정교, 『대한계년사』

▶ 절영도는 부산 남쪽에 위치한 섬(지금의 영도)으로, **러시아가 석탄고 기지를 건설할 목적**으로 대한 제국 정부에 조차를 요구하였다. 그러나 독립 협회의 반대로 결국 무산되었다.

4. 황무지 개간권 요구 반대 운동(1904)

(1) 배경: 러·일 전쟁 중 일본은 한·일 의정서를 체결하고 본격적으로 경제적 침탈을 강화하면서 국가와 황실 소유의 황무지에 대한 개간권을 요구하였다.

(2) 전개

① **보안회의 활동**: 원세성, 송수만 등은 보안회를 조직하여 가두 집회를 열고 일본의 침략적 요구를 규탄하면서 거족적인 반대 운동을 전개하였다.

② **농광회사 설립**: 일부 민간 실업인과 관리들은 농광회사를 설립하여 황무지를 우리 손으로 개간할 것을 주장하였다. 그 결과 농광회사가 설립되었으나 일본이 황무지 개간권 요구를 철회하고 회사의 해체를 요구하면서 본격적 활동은 하지 못했다.

(3) 결과: 일본은 친일 단체를 조직하여 방해 공작을 폈으나, 보안회는 계속 반대 운동을 벌여 마침내 일본의 황무지 개간권 요구를 철회시켰다. 이후 보안회는 일본의 감시가 심해지자 협동회로 이름을 바꾸고 활동하였으나, 결국 일제의 탄압으로 해산되었다.

농광회사

농광회사는 일본의 토지 침탈에 맞서 **개간 사업을 목적으로 1904년 서울에 설립되었던 회사**이다. 18조로 된 회사 규칙에 의하면 50원액의 주 20만주로 총 1천만 원을 자본금으로 삼으려 하였으며, 회사의 권익과 권한을 확보하여 내·외국인의 방해가 있을 경우 정부가 보호해 줄 것을 규정하였다. 또한 국내 진황지 개간, 관개 사무와 산림천택(山林川澤), 식양채벌(殖養採伐) 등의 사무 이외에 금·은·동·철·석유 등의 각종 채굴 사무에 종사할 것을 규정하기도 하였다.

5. 국채 보상 운동(1907)

(1) 배경

① **일본의 차관 강요**: 일본은 대한 제국을 경제적으로 예속시키기 위하여 시설 개선의 명목으로 일본에서 차관을 도입할 것을 강요하였다.

② **외채 증가**: 차관 도입 결과 대한 제국은 총 1,300만 원의 외채를 지게 되었는데 이는 사실상 상환이 어려운 금액이었다.

(2) 전개

① **국민 대회 개최**: 대구에서 서상돈, 김광제 등이 중심이 되어 국민의 힘으로 국채를 상환하자는 구호를 내걸고 모금 활동을 벌이기 위한 국민 대회를 개최하였다.

② **국채 보상 기성회 조직**: 서울에서는 국채 보상 기성회가 조직되어 국채 보상 운동이 전국적 운동으로 확대되었다.

③ **각종 단체의 후원**: 각종 애국 계몽 단체와 대한매일신보, 황성신문, 만세보, 제국신문 등 언론 기관들이 적극적으로 후원하였고, 여성 단체들도 참여하였다.

(3) 결과: 일진회의 방해로 국채 보상을 위한 모금 활동이 중단되었다. 또한 통감부가 국채 보상 기성회의 간사인 양기탁에게 모금액을 횡령했다는 혐의를 씌워 구속하는 등의 탄압으로 인해 실패하였다.

국채 보상 운동의 시작

지식인·상공인들이 중심이 되어 금주·금연 등을 통해 **국민의 힘으로 국채를 상환**하여 **경제 자립과 국권 수호**를 이룩하자는 구호를 내걸고 모금 활동을 위한 국민 대회를 대구에서 개최하였다.

국채 보상금 모집 금액표

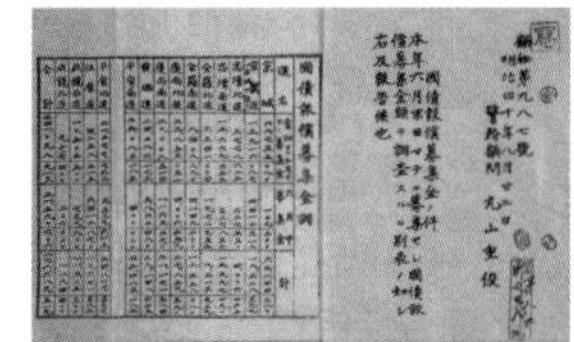

국채 보상 운동은 각종 언론 기관들과 국민들의 호응으로 전국적으로 확산되었다. 이러한 국채 보상 운동은 이후 중국(1909), 멕시코(1938), 베트남(1945) 등의 국채 보상 운동에도 영향을 끼쳤다. 한편, 이러한 국채 보상 운동과 관련된 기록물은 2017년에 유네스코 세계 기록유산으로 등재되었다.

기출 사료 읽기

국채 보상 운동

국채 1,300만 원은 바로 우리 대한 제국의 존망과 직결되는 것이다. 이것을 갚으면 나라가 존재하고, 갚지 못하면 나라가 망할 것은 필연적 사실이나, 지금 국고는 도저히 상환할 능력이 없으며, 3천 리 강토는 내 나라, 내 민족의 소유가 못될 것이다. 그러므로 이 국채를 갚는 방법으로 2천만 인민들이 3개월 동안 흡연을 금하고, 그 다음으로는 한 사람이 매달 20전씩 거둔다면 1,300만 원을 모을 수 있을 것이다.

\- 대한매일신보(1907)

사료 해설 | 일본은 한국의 재정을 일본 재정에 예속시키고 차관을 통해 식민지 건설 작업을 실시하고자 하였다. 그리하여 일본의 경제 예속에서 벗어나기 위한 국채 보상 운동이 전개되었다.

6. 민족 자본의 육성

(1) 상업 자본

① 시전 상인

㉠ **성격**: 특권 상인으로서 전통적인 상업 체제를 유지하고자 하였으나, 외국 상인들의 시장 침투에 대응하는 과정에서 근대적 상인으로 변모하였다.

㉡ **황국 중앙 총상회 조직**: 황국 중앙 총상회는 외국인 이권 침탈 및 경제 침략을 저지하기 위한 활동을 전개하였으며, 근대적 생산 공장의 설립 및 운영에 투자하였다.

② **객주·여각·보부상**: 개항 초기에는 거류지 무역으로 큰 이익을 얻었으나, 1880년대 이후부터는 외국 상인들의 내륙 진출이 허용되면서 큰 타격을 받았다. 이후 일부 상인들은 상회사를 설립하여 외국 상인들에 대항하였다.

(2) 근대적 회사·상회사 설립: 개항 이후 외국 상인의 침투, 무역 확대 과정에서의 일정한 상업 자본의 성장과 외국 회사 제도의 소개 등을 바탕으로 많은 회사가 설립되었다.

① **1880년대**: 대동 상회, 장통 회사(서울), 종삼 회사(개성), 호상 상회 등 갑오개혁 이전까지 전국에 약 40개에 달하는 회사가 있었다.

② **1890년대**: 대한 제국의 식산 흥업 정책으로 내국인들이 활발히 기업 활동을 전개하였다.

(3) 금융 자본: 개항 직후부터 일본의 금융 기관이 침투하고, 일본 상인의 고리대금업이 성행하자 이에 대응하기 위하여 우리 자본으로 은행을 설립하였다.

① 민간 은행의 설립

㉠ **최초 설립**: 1896년 최초로 설립된 조선은행은 관료 자본이 중심이 된 민간 은행이다.

㉡ **기타**: 한성은행(1897), 대한천일은행(1899) 등이 설립되었다.

② **한계**: 자본 부족과 금융 기술 및 운영 방식의 미숙으로 어려움을 겪었으며, 1905년에 일제가 실시한 화폐 정리 사업을 계기로 대부분 몰락하여 일본 자본에 예속되었다.

3 사회 구조와 의식주 생활의 변화

1. 사회 구조의 변화

(1) 민권 운동의 전개

갑오개혁	봉건적 신분제 타파로 근대적 평등 사회의 법제적 기틀 마련
독립 협회	근대적 국권·민권 사상을 보급하기 위해 자유 민권 운동과 참정권 운동 전개
애국 계몽 운동	국민의 근대 의식과 민족 의식 고취, 민주주의 사상의 진전

(2) 의식의 변화

① **국채 보상 운동**: 전국적으로 전개되었고, 각계각층의 사람이 동참함으로써 서로의 차이를 넘어 하나의 국민이라는 민중 의식을 가지게 되었다.

② **여성 단체·교육 기관 설립**: 개항 이후 남녀 평등 의식의 확산과 함께 여성 교육의 중요성이 강조되면서 찬양회, 순성 여학교 등과 같은 여성 단체 및 교육 기관들이 설립되었다. 이러한 단체, 기관이 전개한 여권 신장을 위한 노력은 여성에 대한 의식이 변화되고 여성의 사회적 지위가 상승되는 계기가 되었다.

근대적 상회사 설립 교과서 사료

요즈음 서양 제국에서는 모두 회사를 설립하여 상인들을 부르고 있는데, 실로 부강의 기초라 하겠다. …… 그러나 동방의 상인들은 지금까지 4,000여 년을 지내 오는 동안, 단지 한 사람 단독으로 무역하고 바꿀 줄만 알았지, 여러 사람이 모여 함께 경영할 줄은 몰랐기 때문에 상업이 성하지 못하고, 나라 형세가 떨치지 못한 지가 오래였다. …… 대체로 회사란 여러 사람이 자본을 합하여 농공과 상업의 사무를 잘 아는 사람들에게 맡겨 운영하는 것이다.

-「회사설」, 한성순보

▶ 근대적 상회사는 초기에는 동업적 조합의 성격인 것이 많았으나 점차 근대적 형태의 주식회사도 설립되기 시작하였다.

대동 상회(大同商會)

1883년(고종 20) 인천에 설립되었던 우리나라 최초의 근대적 회사로, 대동 상회사·평양 상회라고도 부른다. 평안도 상인 20명이 수십만 냥 이상의 자금을 출자해 설립한 유통 회사이다.

기출 사료 읽기

여권 통문

우리보다 먼저 문명 개화한 나라들을 보면 남녀 평등권이 있는지라. 어려서부터 각각 학교에 다니며, 각종 학문을 다 배워 이목을 넓히고, 장성한 후에 사나이와 부부의 의를 맺어 평생을 살더라도 그 사나이에게 조금도 압제를 받지 아니한다. 이처럼 대접을 받는 것은 다름 아니라 그 학문과 지식이 사나이 못지않은 까닭에 그 권리도 일반과 같으니 어찌 아름답지 않으리오.

사료 해설 | 1898년 서울 북촌의 양반 여성들이 중심이 되어 여성의 평등한 교육권 등을 주장하는 여권 통문을 발표하였다.

2. 의식주 생활의 변화

(1) 의생활의 변화

① **배경**: 개항 이후, 양복이 소개되면서 의생활의 본격적인 변화가 시작되었다.

② **예복**: 갑오개혁 이후 서양식 복제가 도입되어 관복이 간소화되었다.

③ **남성 복장의 변화**: 일부 상류층과 개화 인사들은 단발 및 양장(양복·구두 등)을 하였다. 일반 남성들은 대체로 한복을 입었으나, 저고리 위에 마고자와 조끼를 입기도 하였다.

④ **여성 복장의 변화**: 대부분 전통적인 치마와 저고리를 입었는데, 여학생과 신여성의 복장은 활동성을 추구하여 간소화·개량화되었다.

(2) 식생활의 변화

① **배경**: 외국과의 교류가 활발해지면서 외국의 여러 음식 문화가 유입되었다.

② **변화**: 독상 대신 두레상과 겸상이 나타나고, 궁중과 일부 상류층에는 서양식 식문화가 유입되었다.

③ **영향**: 식생활 변화는 있었으나 일반 서민 음식까지는 영향을 주지 못하였다.

(3) 주생활의 변화

① **근대식 건물의 등장**: 관청이나 공공 건물, 학교, 상업용 건물(손탁 호텔), 종교 건물(명동 성당, 정동 교회), 덕수궁 석조전과 같은 근대식 건물들이 건립되었다.

② **민간 주택**: 1890년대에 들어와 민간에서도 한옥과 양옥을 절충한 건물을 짓기 시작하였으나, 전통 가옥에 대한 애착과 경제적 여건 등으로 가장 늦게 변화하였다.

4 국외 이주 동포들의 생활

지역	내용
간도	· 19세기 후반부터 가난을 피해 함경도·평안도 주민들이 이주 → 간도에 한인 거주지 형성 · 국권 피탈 이후 독립운동의 전초 기지로 이용
연해주	· 러시아가 연해주 개발을 위해 한인들의 이주 장려 → 신한촌 건설 · 국권 피탈 이후 독립운동 기지화
미주	· 하와이(대한 제국 최초의 공식적 이민지)의 사탕수수 농장 노동자로 대부분 이주 · 농장뿐만 아니라 철도 공사, 개간 사업 등을 전개 · 일부는 미국 본토와 멕시코, 쿠바 등지로 이주

예복

을미개혁 이후에는 예복을 검정 두루마기로 통일하였고, **문관 복장 규칙(1900)이 반포**되어 **문관 예복이 양복**으로 바뀌면서 한복과 양복의 혼합 문화가 형성되었다.

한국인의 하와이 이주

최초로 미국 땅을 밟은 조선 사람은 민영익을 비롯한 보빙사절단 일행이었다. 그 뒤 1902년 하와이의 사탕수수 농장주들이 노동력 확보를 위해 대한 제국 정부에 한국 농민의 이민을 요청하였다. 이에 대한 제국에 이민 업무를 담당하는 수민원이 설치되었으며, 1903년 최초로 합법적 이민이 시작되었다. 이후 3년 동안 7천명이 넘는 동포들이 하와이로 이주하였고, 이주한 남성 노동자들의 사진만 보고 미국으로 가서 결혼하는 '사진 신부' 현상도 나타났다.

한국인의 멕시코 이주 교과서 사료

묵서가(멕시코)는 미국과 이웃한 문명 부강국이니 그 나라에는 부자가 많고 가난한 사람이 적어 노동자를 구하기 어려우므로 한국인도 그곳에 가면 반드시 큰 이득을 볼 것이다.

- 『황성신문』, 1904. 12. 17.

▶ 한국인은 미국 본토는 물론 멕시코로도 이주하였다. 이들은 가혹한 노동에 시달렸지만, 한인 사회를 형성하고 단체를 설립하며 생활하였다.

OX 빈칸 핵심 개념 점검

* 학습한 개념을 OX/빈칸 문제를 통해 점검해보세요.

핵심 개념 1 | 개항 이후 열강의 경제 침탈

01 개항 직후에는 개항장에서 조선인 객주가 중개 활동을 하였다. □ O □ X

02 미국은 운산 금광 채굴권을 차지하였다. □ O □ X

03 조·청 상민 수륙 무역 장정으로 청국에서의 수입액이 일본을 앞질렀다. □ O □ X

04 ________에 따라 서울 양화진에 청국인이 점포를 개설할 수 있었다.

핵심 개념 2 | 화폐 정리 사업

05 화폐 정리 사업은 한·일 신협약을 계기로 추진되었다. □ O □ X

06 메가타 재정 고문이 화폐 정리 사업을 시도하였다. □ O □ X

07 화폐 정리 사업은 액면가대로 바꾸어 주는 화폐 교환 방식을 따랐다. □ O □ X

08 화폐 정리 사업 이후 일본 ________이 공식 화폐로 사용되었다.

핵심 개념 3 | 경제적 구국 운동의 전개

09 조·일 통상 장정의 개정으로 곡물 수출이 금지되기도 하였다. □ O □ X

10 1889년에 함경도 관찰사 조병식이 곡물 수출을 막는 방곡령을 내렸다. □ O □ X

11 1880년대 평양에 대동 상회, 서울에 장통 회사 등의 상회사가 나타나기 시작하였다. □ O □ X

12 개항 이후 대한천일은행이 고종의 적극적인 지원 하에 설립되었다. □ O □ X

13 시전 상인들은 ________를 조직하여 상권 수호 운동을 벌였다.

14 ________는 황무지 개간권 요구에 대응하여 설립된 특허 회사였다.

핵심 개념 4 | 국채 보상 운동

15 독립 협회는 경제적 자주권을 지키기 위해 국채 보상 운동을 일으켰다. □ O □ X

16 국채 보상 운동은 평양에서 시작해 전국적으로 확대되었다. □ O □ X

17 국채 보상 운동은 '내 살림 내 것으로', '조선 사람 조선 것' 등의 표어를 내걸었다. □ O □ X

18 국채 보상 운동은 총독부의 탄압과 방해로 실패하였다. □ O □ X

19 국채 보상 운동 때 서울에서는 ________가 발족되었다.

20 국채 보상 운동은 ________, ________ 등 각종 언론들의 후원을 받았다.

핵심 개념 5 | 개항 이후 사회 구조와 의식주 생활의 변화

21 여권 통문의 발표를 계기로 찬양회가 조직되었다. □ O □ X

22 개항 이후 양복이 소개되어 일부 상류층과 개화 인사는 단발을 하고 양복을 입었다. □ O □ X

정답과 해설

01	O 개항 직후에는 조·일 수호 조규 부록에 따라 일본 상인의 활동 범위가 개항장으로부터 10리 이내로 제한되어 객주, 여각, 보부상 등의 국내 상인이 개항장과 내륙을 이어주는 중개 활동을 하였다.	12	O 1899년에 대한천일은행이 고종의 지원 하에 설립되었다.
02	O 아관 파천 이후 열강의 이권 침탈이 본격화되면서 미국은 평안도 운산의 금광 채굴권과 전화·전등·전차 부설권 등을 차지하였다.	13	황국 중앙 총상회
03	✖ 조·청 상민 수륙 무역 장정으로 청 상인들이 조선 내지에서 통상할 수 있는 권리를 가지게 되어 청·일 상인들 간의 경쟁이 심화되었지만, 청국에서의 수입액이 일본을 앞지르지는 못하였다.	14	농광회사
04	조·청 상민 수륙 무역 장정	15	✖ 경제적 자주권을 지키기 위해 국민의 힘으로 국채를 상환하자는 국채 보상 운동은 독립 협회가 아닌 국채 보상 기성회를 중심으로 전개되었다.
05	✖ 화폐 정리 사업은 제1차 한·일 협약(1904)에 따라 대한 제국의 재정 고문으로 파견된 메가타에 의해 추진되었다.	16	✖ 국채 보상 운동은 평양이 아닌 대구에서 시작되었다.
06	O 화폐 정리 사업은 제1차 한·일 협약을 통해 재정 고문으로 부임한 일본인 메가타에 의해 시도되었다.	17	✖ '내 살림 내 것으로', '조선 사람 조선 것' 등의 표어를 내건 경제적 구국 운동은 1920년대 전개된 물산 장려 운동이다.
07	✖ 화폐 정리 사업은 구화폐에 매긴 등급(갑·을·병)에 따라 차등을 두어 제일은행권으로 교환해 주는 화폐 교환 방식을 따랐다.	18	✖ 국채 보상 운동은 총독부가 아닌 통감부의 탄압과 방해로 실패하였다.
08	제일은행권	19	국채 보상 기성회
09	O 1883년에 조·일 통상 장정의 개정으로 곡물 수출을 금지하는 방곡령 규정이 합의되어, 함경도·황해도 등에서 방곡령이 선포되기도 하였다.	20	대한매일신보, 황성신문
10	O 1880년대 말 식량 부족이 심각해지자, 함경도 관찰사 조병식이 일본의 곡물 수출을 막는 방곡령(1889)을 내렸으나, 일본은 1개월 전에 통보하지 않았다는 구실로 방곡령 철회 및 피해 보상을 요구하였다.	21	O 1898년 여성의 참정권·직업권·교육권 등을 주장하는 여권 통문을 발표한 것을 계기로 우리나라 최초의 여성 운동 단체인 찬양회가 조직되었다.
11	O 1880년대 평양에 대동 상회, 서울에 장통 회사 등의 상회사가 나타나기 시작하였다.	22	O 개항 이후 양복이 소개되면서 일부 상류층과 개화 인사들은 단발을 하고 양복을 입었다.

2 근대 문물의 수용과 근대 문화의 형성

학습 포인트
근대 문물의 경우 설치된 시기를 파악하고 언론은 독립신문, 황성신문, 대한매일신보 등 주요 신문의 활동 내용을 살펴보아야 한다. 교육은 근대의 주요 학교 위주로 정리하고, 국학은 국사 연구 부분을 중점적으로 학습한다.

빈출 핵심 포인트
전차, 철도, 독립신문, 황성신문, 대한매일신보, 원산 학사, 동문학, 육영공원, 신채호, 「독사신론」

1 근대 시설의 수용

1. 배경

개항 직후 정부는 일본에 수신사를 파견한 것을 시작으로 청에 영선사, 일본에 조사 시찰단(신사 유람단), 미국에 보빙사 등을 파견하여 선진 문물을 수용하였고 이 과정에서 교통·통신·전기·의료·건축 등의 새로운 근대 시설이 만들어졌다.

2. 근대 문물과 시설

(1) 출판

박문국(1883)	· 박영효의 건의에 따라 인쇄와 출판에 관한 사무를 관장하기 위해 설치 · 근대적 인쇄술이 도입되는 계기를 마련 · 한성순보, 한성주보 발행
광인사(1884)	최초의 민간 출판사로 기술 서적 발행

(2) 전기·통신

전신	· 1885년 전보국 설치 → 1897년에 전보사로 개칭 · 서울 ~ 인천(청에 의해 최초로 가설), 서울 ~ 의주간 가설
전등	· 1887년 경복궁 건청궁에 처음 설치 · 한성 전기 회사가 서울에 가로등 설치(1900)
우편	· 1884년에 우정총국 설치 → 갑신정변으로 중단 → 1895년 우체사 설치 · 만국 우편 연합 가입(1900)
전화	경운궁(덕수궁)에 최초 가설(1890년대 후반) → 서울 시내까지 확산(1902)

광혜원

(3) 의료

광혜원(1885)	알렌과 조선 정부의 합작(최초의 근대식 병원) → 제중원으로 개칭(1885) → 세브란스 병원으로 개편(1904)
광제원(1900)	관립 신식 의료 기관 → 대한 의원으로 개편(1907)
세브란스 병원(1904)	미국인 의료 선교사 에비슨이 운영, 의료 요원 양성
자혜 의원(1909)	지방에 설립된 근대식 병원(전주, 청주, 함흥 등)

(4) 교통

전차	서대문 ~ 청량리(1899)	미국인 콜브란과 황실이 합작하여 만든 한성 전기 회사(1898)가 발전소를 설립하고 전차 개통(1899)
철도	경인선(1899)	미국인 모스에 의하여 최초 착공, 일본이 완성
	경부선(1905)	러·일 전쟁 중 일본이 부설(군사적 목적)
	경의선(1906)	프랑스가 부설권 획득(1896) → 대한 제국이 부설권을 회수(1900)하여 대한 철도 회사, 서북 철도국 등을 통해 부설을 시도하였으나 실패 → 러·일 전쟁 이후 일본이 부설
	경원선(1914)	일본이 부설

(5) 건축

러시아 공사관(1890)	르네상스식 건물(설계: 러시아인 사바틴), 아관 파천이 일어났던 장소
약현 성당(1892)	최초의 고딕식 벽돌 건축물
독립문(1897)	프랑스 개선문 모방, 독립 협회가 설립
명동 성당(1898)	고딕 양식
덕수궁 중명전(1901)	을사늑약의 체결 장소(설계: 러시아인 사바틴)
손탁 호텔(1902)	독일 여성 손탁이 세운 서양식 호텔
덕수궁 석조전(1910)	르네상스식 건물(설계: 영국인 하딩·로벨)

| 명동 성당

| 덕수궁 중명전(복원 후)

| 덕수궁 석조전

(6) 기타

전환국(1883)	화폐 발행 기관, 백동화 등을 주조·발행하는 업무를 담당
기기창(1883)	근대 무기 제조 공장으로, 영선사 파견을 계기로 설립됨

2 언론 기관의 발달

1. 신문의 간행

(1) 한성순보

① **발행 연대 및 발행처**: 1883~1884, 박문국

② **의의**: 박문국에서 10일에 한 번씩 간행한 우리나라 최초의 근대 신문이었다.

③ **성격**: 정부의 공문서를 취급하는 관보적 성격을 띤 순한문체의 신문이었다.

④ **폐간**: 갑신정변으로 박문국이 폐지되면서 폐간되었다.

일본의 철도 부설(개통일 기준)

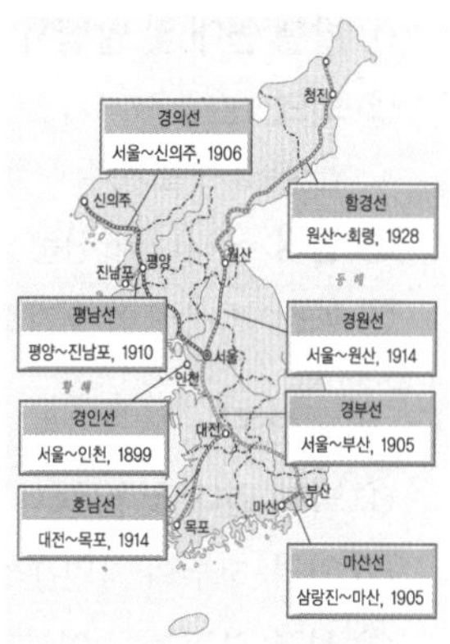

약현 성당

독립문

손탁 호텔

손탁 호텔은 **서양식 호텔**로, 서울 중구 정동에 위치하였다. 서울 정동에 있었던 정동구락부라는 구미인과 조선 개화파 중심의 사교 모임 단체는 손탁 호텔이 건립되자 이곳에서 모임을 가지기도 하였다.

한성순보 창간사 기출사료

우리 조정에서도 박문국을 설치하고 관리를 두어 외국의 신문을 폭넓게 번역하고 아울러 국내의 일까지 기재하여 나라 안에 알리는 동시에 다른 나라에까지 공포하기로 하고, 이름을 순보(旬報)라 하여 견문을 넓히고, 여러 가지 의문점을 풀어 주고, 상업에도 도움을 주고자 하였다.

\- 한성순보

▶ 한성순보는 순간(旬刊, 10일 간격으로 발행) 신문으로, 우리나라 최초의 근대 신문이었다.

(2) 한성주보

① **발행 연대 및 발행처**: 1886~1888, 박문국

② **의의**: 1885년 다시 설치된 박문국에서 이듬해 한성주보가 창간되었고, 처음으로 국한문 혼용체를 사용하였다.

③ **성격**: 우리나라 신문 역사상 최초로 사설과 상업 광고를 게재하였다.

④ **폐간**: 박문국이 적자로 폐지되면서 함께 폐간되었다.

(3) 독립신문

① **발행 연대 및 발행처**: 1896~1899, 독립 협회

② **의의**: 정부의 지원을 받아 서재필 등이 발행한 우리나라 최초의 민간 신문이었다.

③ **성격**: 한글판과 영문판을 함께 발행하여 개화 자강의 필요성을 알려 대중을 계몽하고, 외국인에게 국내 사정을 알리는 역할을 담당하였다.

④ **영향**: 띄어쓰기 실시 및 국문 보급뿐만 아니라, 근대 사상과 학문 전파에 기여하였다.

⑤ **폐간**: 독립 협회가 해산된 이후에 폐간되었다(1899).

2. 대한 제국 시기의 신문

(1) 제국신문

① **발행 연대 및 발행인**: 1898~1910, 이종일

② **성격**: 순한글판으로 발간되어 부녀자 및 일반 서민들에게 인기가 있었다. 국채 보상 운동을 지지하였으나, 의병 활동에는 부정적이었다.

(2) 황성신문

① **발행 연대 및 발행인**: 1898~1910, 남궁억

② **의의**: 유생층을 대상으로 한 민족주의적 성격의 국한문 혼용 신문이었다.

③ **활동**: 장지연의 '시일야방성대곡'이라는 논설을 실어 무기한 정간 명령이 내려졌으나 이듬해 초 복간되었다.

④ **성격**: 일제의 황무지 개간권 요구 저지 운동을 벌인 보안회를 지지하였으나, 의병 운동에 대해서는 비판적이었다.

(3) 대한매일신보

① **발행 연대 및 발행인**: 1904~1910, 양기탁·베델(영국인)

② **의의**: 한글판, 영문판, 국한문판으로 발행되어 가장 많은 독자층을 형성하였다.

③ **활동**: 의병 운동에 대해 높이 평가하고, 국채 보상 운동을 주도하였으며, 일제의 국권 침탈을 비판하는 논설을 자주 게재하였다.

(4) 만세보

① **발행 연대 및 발행인**: 1906~1907, 오세창

② **활동**: 천도교의 기관지로 국한문 혼용체로 발간되었다. 친일 단체인 일진회를 공격하고, 여성 운동과 여권 신장을 강조하였다.

(5) 해외 신문: 공립신보·신한민보(미국), 해조신문·대동공보(연해주) 등이 발행되었다.

독립신문

독립신문 창간사 교과서 사료

우리가 이 신문을 출판하는 것은 이익을 보려 하는 것이 아니므로 가격을 저렴하게 했고 모두 한글로 써서 남녀 상하 귀천이 모두 보게 했으며, 또 구절을 띄어 써서 알아보기 쉽도록 하였다. …… 우리 신문은 빈부귀천을 다름없이 이 신문을 보고 외국 물정과 내지 사정을 알게 하려는 뜻이니 …… - 독립신문

▶ 독립신문은 국민을 계몽하고 국내 사정을 외국인에게도 전달하였다.

제국신문

제국신문은 순한글판으로 매일 4면이 발행되었는데, 주로 1면에 논설, 2면에 관보대게(官報代揭) 및 잡보, 3면에 해외 통신, 4면에 광고가 실렸다.

대한매일신보 기출사료

신문으로는 여러 가지 신문이 있었으나, 제일 환영을 받기는 영군인 베델이 경영하는 대한매일신보이었다. 관 쓴 노인도 사랑방에 앉아서 이 신문을 보면서 혀를 툭툭 치고 각 학교 학생들은 주먹을 치고 통론하였다.
- 유광열, 『별건곤』

▶ 대한매일신보는 **영국인 베델이 발행인으로 참여**하였기 때문에 일본이 함부로 검열할 수 없었다.

3. 일본의 탄압

(1) 신문의 사전 검열: 반일 보도를 차단하고자 신문에 대한 사전 검열을 시도하였다.

(2) 악법 제정: 1907년에 신문지법과 보안법을 반포하여 언론·출판의 자유를 제한하고 민족 언론을 탄압하였다.

(3) 결과: 국권 피탈 이후 대부분의 민족 신문이 폐간되고, 대한매일신보는 총독부의 기관지인 매일신보로 전락하였다.

3 근대 교육과 국학 연구

1. 근대 교육과 학문의 보급

(1) 근대 교육의 시작(1880년대)

① **목적**: 개항 이후 개화파와 정부가 개혁을 추진할 인재를 양성할 필요성을 느끼고 근대 교육을 보급하였다.

② **원산 학사**(1883): 원산 학사는 덕원 부사 정현석과 덕원 읍민들이 공동으로 설립(관민 협력)한 최초의 근대식 사립 학교로, 외국어·자연 과학 등 근대 학문과 무술 등을 교육하였다. 설립 초기에 문예반은 50명, 무예반은 200명을 정원으로 하였다.

기출 사료 읽기

원산 학사 설립

방금 덕원부사 정현석(鄭顯奭)의 장계를 보니, '덕원부는 해안의 요충지에 위치하고 아울러 개항지입니다. …… 그래서 원산사(元山社)에 글방을 설치하여, 문사(文士)는 먼저 경의(經義)를 가르치고, 무사(武士)는 먼저 병서(兵書)를 가르친 다음, 아울러 산수(算數)·격치(格致)와 각종 기기(機器)·농잠(農蠶)·광산 채굴 등을 가르치고, ……

-『고종실록』

사료 해설 | 원산 학사는 우리나라 사람들에 의해 설립된 최초의 근대식 사립 학교이다.

③ **동문학**(1883): 동문학은 외국어 통역관을 양성하기 위해 정부의 지원을 받아 묄렌도르프가 설립한 외국어 교육 기관으로, 영어와 일어를 가르쳤다.

④ **육영 공원**(1886): 육영 공원은 정부가 설립한 최초의 근대식 관립 학교로, 길모어·헐버트·벙커와 같은 미국인 교사를 초빙하여 상류층 자제들을 대상으로 영어·수학·지리학·정치학 등의 근대 학문을 가르쳤다.

기출 사료 읽기

육영 공원

문·무관, 유생 중에 어리고 총명한 자 40명을 뽑아 입학시키고 벙커와 길모어 등을 교사로 초빙하여 서양 문자를 가르쳤다. 문관으로는 김승규와 신대균 등 여러 명이 있고, 유사로는 이만재와 서상훈 등 여러 명이 있었다. 사색 당파를 골고루 배정하여 당대 명문 집안에서 선발하였다.

-『매천야록』

사료 해설 | 정부는 1886년 근대적 관립 학교인 육영 공원을 설립하였다. 육영 공원에서는 양반 자제(우원)나 젊은 현직 관리(좌원)를 대상으로 영어, 수학 등을 가르쳤다.

⑤ **연무 공원**(1888): 근대식 사관 양성 학교로, 신식 군대와 장교를 양성하고자 하였다.

신문지법의 제정

· 신문지법(1907. 7. 24.)

제1조 신문지를 발행하려는 자는 내부대신의 허가를 받아야 한다.

제21조 내부대신은 신문지로서 질서를 방해하거나 풍속을 어지럽힌다고 인정하는 때는 그 발매·반포를 금지하고 이를 압수하여 그 발행을 정지 혹은 금지할 수 있다.

· 신문지법 개정(1908. 4. 29.)

제34조 외국인이 국내에서 발행하는 신문지로서 치안을 방해하거나 풍속을 괴한시킨다고 인정될 때는 내부대신은 반포하는 것을 금지하고 압수할 수 있다.

▶ 초기 신문지법에는 한국 내 외국인 발행 신문과 해외 교포 신문에 대한 규제 조항이 없었다. 이완용 내각은 영국인 베델이 발행하던 대한매일신보에 대한 탄압과 반일 논조를 띤 해외 교포 신문의 국내 유입 차단을 위해 신문지법을 개정하여, 한국에서 발행되는 외국인의 신문까지도 발매·반포 금지 또는 압수할 수 있도록 하였다.

육영 공원의 편성

육영 공원은 문무 현직 관리 중에서 선발된 학생을 수용하는 **좌원(左院)**과 양반 자제에서 선발된 학생을 수용하는 **우원(右院)**으로 구분하여 교육하였다.

헐버트 (H. B. Hulbert)

미국인 선교사이자 학자이며, 우리나라의 국권 회복을 위해 힘쓴 인물로, 1886년에 **육영 공원의 교사로 초빙**되어 외국어를 가르쳤다. 이후 을사늑약이 체결(1905)되자 **고종의 밀서를 미국 대통령에게 전달**하려 하였으나 실패하였다. 다시 한국으로 돌아온 헐버트는 일본의 침략 행위를 폭로하는 저술 활동을 전개하였다. 대표적인 저술로는 세계 지리서인 **『사민필지』**, 일본을 규탄한 『한국평론』 등이 있다.

(2) 근대 교육 제도의 발전

① **교육 입국 조서 반포**(1895): 갑오개혁으로 근대적 교육 제도를 마련하면서 학무아문(교육 행정 기구)을 설치(1894)하고 과거 제도를 폐지하였으며, 이듬해 고종이 근대식 교육의 중요성을 강조하는 교육 입국 조서를 반포하였다.

② **각종 관립 학교의 설립**: 교육 입국 조서에 따라 한성 사범 학교 관제와 한성 사범 학교 규칙을 반포하였으며, 소학교·중학교·사범 학교·외국어 학교 관제 등이 마련되었다.

(3) 사립 학교의 발전

① **개신교 계통**: 개신교 선교사들이 선교를 목적으로 사립 학교를 설립하여 근대 학문을 가르쳤으며, 한편으로는 민족 의식을 고취시키는 데 기여하였다.

학교	설립	소재지	설립자	특징
배재 학당	1885	서울	아펜젤러	최초의 근대식 중등 교육 기관
이화 학당	1886	서울	스크랜턴	최초의 여성 전문 교육 기관
경신 학당	1886	서울	언더우드	· 최초의 전문 실업 교육 기관

② **민족 운동가들의 사립 학교 설립**: 민영환이 흥화 학교(1898)를 설립한 이래, 애국 계몽 운동가들이 국권 회복을 목표로 다수의 학교를 설립하였다.

학교	설립	소재지	설립자	특징
서전서숙	1906	북간도	이상설	국외 항일 교육 기관, 1907년에 폐교
오산 학교	1907	정주	이승훈	신민회와 관련 있음
대성 학교	1908	평양	안창호	
신흥 강습소	1911	서간도	이시영	

(4) 일본의 탄압

① **사립 학교령**(1908): 일본이 사립 학교령을 통해 사립 학교의 설립과 운영에 통제를 가하면서, 1910년에는 전국 5,000여 개의 사립 학교 중 절반 이상 감소하였다.

② **교과용 도서 검정 규정**(1908): 일본은 민족주의적 내용이 담긴 교과서의 사용·발행을 금지하였다.

2. 국어 연구

(1) 배경

① **활발한 국문 연구**: 민족과 언어의 상관 관계를 강조하는 어문 민족주의가 일어나 국어와 국문에 대한 연구가 활발하게 진행되었다.

② **애국 계몽 의식 확산**: 한글을 국문으로 정함으로써 언문일치가 이루어져 민중의 실력을 배양하고자 하는 애국 계몽 의식이 확산되었다.

(2) 국문의 연구

① **국문 연구소 설립**(1907): 한글 사용의 확대로 표기법 정리의 필요성이 높아지자, 국어 문법의 연구와 정리를 위해 주시경·지석영을 중심으로 국문 연구소가 설립되었다.

② **문법서 편찬**: 주시경의 『국어문법』, 유길준의 『조선문전』 등이 편찬되었다.

교육 입국 조서

세계 형세를 보면 부강하고 독립하여 발전하는 나라는 인민의 지식이 개명하였다. 지식의 개명은 교육의 선미로써 되었으니, 교육은 실로 국가를 보존하는 근본이라 할 수 있다. …… 짐이 정부에 지시하여 학교를 널리 세우고 인재를 양성하는 것은 너희 신하와 백성이 학식으로 나라를 일어나게하는 큰 공로를 이룩하기 위함이라.

▶ 교육 입국 조서는 교육을 통해 국력을 길러 나라를 부강하게 하려는 입국(立國)의 의지를 천명한 것으로 근대적인 학제가 성립될 수 있는 기반을 마련하였다.

국문 연구소

1907년 학부 내에 설치된 한글 연구 기관이다. 20여 차례의 회의를 통해 한글 연구에 대한 문제를 논의하였고, 그 결과 「국문 연구 의정안」이라는 보고서를 작성하였다.

주시경(1876~1914)

- 1894년 배재 학당 입학
- 1896년 독립신문 창간에 참여, 철자법 표기 통일을 위해 국문 동식회 조직
- 1897년 독립신문에 논설 「국문론」 발표
- 1906년 『대한국어문법』 편찬
- 1907년 국문 연구소 주임 위원 역임
- 1910년 『국어문법』 편찬

3. 국사 연구(근대 계몽 사학)

(1) 배경: 을사늑약 이후 국가적 위기 상황에서 한국사와 외국사에 대한 관심이 고조되었다.

(2) 근대 계몽 사학의 성립

① **영웅들의 전기 보급**: 신채호, 박은식 등의 계몽 사학자들이 『이순신전』, 『을지문덕전』, 『천개소문전』, 『강감찬전』, 『최도통(최영)전』, 『명림답부전』, 『몽배금태조』 등 외국의 침략에 대항하여 승리한 영웅들의 전기를 저술·보급하여 민족 의식을 고취시켰다.

② **신채호의 「독사신론」 편찬**: 신채호는 대한매일신보에 「독사신론」(1908)을 연재하여 근대 민족주의 사학의 방향을 제시하였다.

㉠ **사관**: 신채호는 역사 서술의 주체를 민족으로 설정하고 고대사를 연구하였다.

㉡ **의의**: 신채호는 당시의 근대 계몽 사학이 일본의 연구에 영향을 받은 것을 지적하며 민족주의 역사학이 나아가야 할 연구 방향을 제시하였다.

교과서 사료 읽기

> 「독사신론」
>
> 국가의 역사는 민족의 흥망성쇠를 서술하는 것이다. 민족을 빼면 역사가 없을 것이며, 역사를 알지 못한다면 그 민족의 애국심이 사라질 것이니, 역사가의 책임이 얼마나 큰가? …… 역사를 쓰는 사람은 먼저 민족의 형성 과정을 적고, 정치는 어떻게 번영하고 어떻게 쇠퇴하였는지, 산업은 어떻게 융성하고 쇠퇴하였는지, 무공(武功)은 어떻게 나아가고 물러갔으며, 그 문화는 어떻게 변화하였으며, 다른 민족과의 관계는 어떠하였는지를 서술해야 한다.
>
> **사료 해설** | 신채호는 역사 서술의 주체를 민족으로 설정하여 왕조 중심의 전통 사관을 극복하고, 일제의 식민주의 사학에 대응하는 민족주의 사학의 연구 방법을 제시하였다.

4 문예의 새 경향

1. 문학의 새 경향

신소설	· 언문일치(순한글)의 문장을 사용 · 자주 독립 의식을 고취, 봉건적인 윤리 도덕의 배격, 신식 교육 실시를 주장 · 「혈의 누」(이인직), 「자유종」(이해조), 「금수회의록」(안국선) 등
신체시	· 고전시가와 근대시의 과도기적 단계, 종래의 고정된 운율을 탈피하고 구어체를 사용 · 해에게서 소년에게(최남선, 최초의 신체시)

2. 예술의 변화

음악	**서양 음악**	찬송가를 통해 서양 근대 음악이 유입
	창가	외국 곡에 우리말 가사를 붙여 부른 노래, 독립 의식·민족의식을 높이는 데 이바지
연극	**신극**	· 이인직에 의해 최초의 서양식 극장인 원각사(1908)가 설립 · 은세계·치악산(친일적 성향의 작품) 공연
	판소리	· 신재효에 의해 판소리 여섯 마당이 정리됨 · 기존의 판소리를 여러 사람이 배역을 나누어 맡아 노래하고 연기하면서 이야기를 엮어나가는 창극이 등장

「혈의 누」

「혈의 누」는 문명사회에 대한 동경과 자유 결혼을 주제로 하여 새 시대의 이상을 제시하려 한 작가의 의도가 엿보이나, 작품 전반적으로 친일적 사상과 의식이 흐르고 있다는 점에서 비판을 받기도 한다.

「금수회의록」

1908년 안국선이 발표한 신소설로, '나'가 꿈속에서 8마리 동물의 회의를 참관하고 그 내용을 기록한 액자 소설이다.

원각사

OX 빈칸 핵심 개념 점검

* 학습한 개념을 OX/빈칸 문제를 통해 점검해보세요.

핵심 개념 1 | 근대 문물의 수용

01 1899년에 우리나라 최초의 철도인 경인선이 개통되었다. □ O □ X

02 대한 제국 시기에 한성 전기 회사를 통하여 서울에 전차 노선을 개통하였다. □ O □ X

03 개항 이후 서울에는 ____ 성당과 덕수궁 ____과 같은 서양식 건축물이 세워졌다.

04 1885년에 최초의 근대식 병원인 ____이 설립되었다.

핵심 개념 2 | 근대의 신문

05 한성순보는 우리나라 최초의 신문으로 1883년에 창간되었으며, 관보의 성격을 띠었다. □ O □ X

06 한성순보는 박문국에서 인쇄하였다. □ O □ X

07 독립신문은 한글과 영문을 사용하였으며, 외국인에게 국내 사정을 알리는 역할을 담당하였다. □ O □ X

08 대한매일신보는 영국인 베델과 양기탁이 함께 창간하였다. □ O □ X

09 한성순보는 ____에 한 번씩 간행되었다.

10 황성신문은 장지연이 국한문 혼용체로 작성한 '____'이라는 논설을 게재하였다.

11 ____은 순한글로 간행되어 부녀자 및 일반 서민들에게 인기가 많았다.

핵심 개념 3 | 근대의 교육

12 동문학은 정부가 설립한 외국어 교육 기관으로, 통역관을 양성하였다. □ O □ X

13 육영 공원은 좌원과 우원의 두 반으로 편성되었다. □ O □ X

14 배재학당은 선교사 아펜젤러가 서울에 설립한 사립 학교이다. □ O □ X

15 함경도 덕원 주민들이 기금을 조성하여 근대식 학교인 ____를 설립하였다.

16 제2차 갑오개혁 때 ____가 발표되면서 각종 관립 학교가 세워졌다.

핵심 개념 4 | 근대의 국어·국사 연구

17 신채호는 을지문덕, 최영, 이순신 등 애국명장의 전기를 써서 애국심을 고취하였다. □ O □ X

18 주시경은 문법 서적인 『국어문법』을 저술하였다. □ O □ X

19 주시경·지석영을 중심으로 한 ______는 국문의 정리와 국어의 이해 체계 확립을 위해 노력하였다.

20 신채호는 「______」에서 민족을 역사 서술의 주체로 설정하고 사대주의를 비판하였다.

정답과 해설

01	O 1899년에 우리나라 최초의 철도인 경인선이 일본에 의해 완성되어 개통되었다.	**11**	제국신문
02	O 대한 제국 황실과 미국인 콜브란의 합작으로 1898년에 설립된 한성 전기 회사는 1899년에 서울 서대문과 청량리를 잇는 전차 노선을 개통하였다.	**12**	O 외국과의 통상 이후 조선 정부는 외국어 통역관을 양성하기 위해 외국어 교육 기관으로 동문학(1883)을 설립하였다.
03	명동, 석조전	**13**	O 최초의 근대식 관립 학교인 육영 공원은 문·무 현직 관료 중 선발된 학생을 좌원반, 명문 집안 자제 중 선발된 학생을 우원반으로 편성하였다.
04	광혜원	**14**	O 배재학당은 1885년 아펜젤러가 세운 근대식 사립 학교이다.
05	O 한성순보는 우리나라 최초의 신문으로 1883년에 창간되었으며, 정부의 개화 정책 등을 소개하는 관보의 성격을 띠었다.	**15**	원산 학사
06	O 한성순보는 1883년부터 박문국에서 인쇄·발간하였으며, 1884년 갑신정변으로 박문국이 불타면서 폐간되었다.	**16**	교육 입국 조서
07	O 독립신문은 한글판과 영문판을 간행하여 근대적 지식 보급과 외국인에게 국내 사정을 알리는 역할을 하였다.	**17**	O 신채호는 애국심을 고취하기 위해 『을지문덕전』, 『최도통(최영)전』, 『이순신전』 등 민족 영웅의 전기를 저술하였다.
08	O 대한매일신보는 1904년에 양기탁과 영국인 베델에 의해 창간되었다.	**18**	O 주시경은 국어 문법 서적인 『국어문법』, 『말의 소리』 등을 저술하였다.
09	10일	**19**	국문 연구소
10	시일야방성대곡	**20**	독사신론

핵심 키워드로 근대 마무리

연도	사건	내용
1863	흥선 대원군 집권	• 왕권 강화: 세도 정치 타파, 비변사 축소·폐지, 경복궁 중건 • 민생 안정: 호포제 실시, 사창제 실시, 서원·만동묘 철폐 • 통상 수교 거부: 척화비 건립(1871)
1866	병인양요	• 원인: 병인박해(1866) • 전개: 프랑스군의 강화도 침입 → 한성근(문수산성)과 양헌수(정족산성) 부대가 격퇴 • 결과: 프랑스군이 퇴각 과정에서 외규장각 도서 탈취
1871	신미양요	• 원인: 제너럴셔먼호 사건(1866) • 전개: 미국 군함이 강화도 공격 → 어재연 부대의 항전 • 결과: 조선의 통상 수교 거부 정책 강화, 척화비 건립
1873	고종의 친정	• 최익현의 상소로 대원군 하야
1876	강화도 조약	• 원인: 일본이 운요호 사건을 계기로 개항 요구, 통상 개화파의 개항 요구 • 내용: 영사 재판권, 해안 측량권 등의 불평등 조항 내포, 부산·인천·원산 개항 등 • 의의: 최초의 근대적 조약이자 불평등 조약
1882. 4.	조·미 수호 통상 조약	• 원인: 『조선책략』 유포 • 내용: 거중 조정, 영사 재판권과 최혜국 대우 규정, 관세 부과 • 의의: 서구 열강과 맺은 최초의 근대적 조약이자 불평등 조약
1882. 6.	임오군란	• 원인: 구식 군대에 대한 차별, 개화 정책에 대한 불만 • 전개: 구식 군인들의 봉기, 민씨 세력 축출, 청·일의 개입 • 결과 – 청의 군란 진압, 청의 내정 간섭 강화, 조·청 상민 수륙 무역 장정 체결 – 일본과 제물포 조약 체결
1884	갑신정변	• 원인: 개화당(급진 개화파)에 대한 탄압, 친청 정책으로 인한 개화 정책 후퇴 • 전개: 개화당이 우정국 축하연 때 정변 단행 → 14개조 혁신 정강 발표 → 청의 개입으로 3일만에 종결 • 결과: 일본과 한성 조약 체결, 일본과 청은 톈진 조약 체결, 청의 내정 간섭 강화
1894. 3.	제1차 동학 농민 운동	• 원인: 부정부패, 개항에 따른 농촌 생활 악화, 고부 민란에 대한 탄압 • 전개: 황토현·황룡촌 전투에서 관군에 승리, 전주성 점령 → 전주 화약 체결 • 결과: 폐정 개혁안 12개조 발표, 집강소 설치
1894. 7.	제1차 갑오개혁	• 원인: 일본의 내정 간섭과 개혁 강요 • 내용: 군국기무처 설치, 6조 → 8아문, 신분 제도 철폐, 과거제 폐지, 은 본위제 채택 등
1894. 9.	제2차 동학 농민 운동	• 원인: 일본의 경복궁 점령과 내정 간섭 • 결과: 공주 우금치 전투에서 일본군에 패배
1894. 11.	제2차 갑오개혁	• 원인: 청·일 전쟁에서 일본 승세 → 김홍집·박영효 연립 내각 구성 • 내용: 군국기무처 폐지, 의정부·8아문 → 내각·7부, 홍범 14조 반포, 교육 입국 조서 반포, 신식 재판소 설립 등

1895	삼국 간섭	• 원인: 청·일 전쟁 승리 이후 일본의 세력 확대 → 러시아, 프랑스, 독일이 간섭하여 일본 견제 • 결과: 조선 내 러시아 세력 강화
1895. 8.	을미개혁	• 원인: 을미사변, 친일적인 내각 수립 • 내용: 단발령 반포, 종두법 실시, 태양력 사용, 소학교 설치
1895	을미의병	• 원인: 을미사변과 단발령 • 대표 의병: 유인석, 이소응 • 결과: 고종의 해산 권유로 해산
1896. 2.	아관 파천	고종이 러시아 공사관으로 피신 → 국내에 러시아의 영향력 강화
1896. 7.	독립 협회 창립	• 목적: 서재필이 국권 회복을 위해 창립 • 활동: 독립신문 발행, 만민 공동회 개최, 러시아의 절영도 조차 요구 저지, 관민 공동회 개최, 헌의 6조 결의, 중추원 관제 반포
1897	대한 제국	• 배경: 고종이 환궁 이후 자주 독립 국가임을 대내외에 천명하기 위해 대한 제국 선포 • 광무개혁: 대한국 국제 반포, 양전 사업 실시, 원수부 설치, 식산 흥업 정책 실시
1904	러·일 전쟁	• 발발: 한반도 내의 주도권을 둘러싼 러시아와 일본의 갈등 • 결과: 일본의 승리 → 한국에 대한 일본의 지배권 인정(포츠머스 조약)
1905. 11.	을사늑약	• 배경: 러·일 전쟁 종전 이후 일본의 강요로 체결 • 내용: 외교권 박탈, 통감부 설치
1905	을사의병	• 원인: 을사늑약 • 대표 의병: 최익현, 신돌석(최초의 평민 의병장)
1905	화폐 정리 사업	• 내용: 제1차 한·일 협약 때 파견된 고문 메가타의 주도로 시행 • 결과: 국내 상공업자·금융 기관 위축, 대한 제국 경제의 일본 예속 가속화
1907. 2.	국채 보상 운동	• 배경: 일본의 강요로 차관 1,300만 원 도입 • 전개: 대구에서 시작되어 전국적으로 확대 → 통감부의 방해로 실패
1907. 4.	신민회	• 목표: 실력 양성을 통한 국권 회복과 공화정체 국가 수립 • 활동: 오산 학교·대성 학교 설립, 민족 산업 육성, 해외 독립운동 기지 건설(삼원보) • 해산: 105인 사건으로 와해(1911)
1907	정미의병	• 원인: 고종의 강제 퇴위, 한·일 신협약 체결 및 군대 해산 • 전개: 13도 창의군 조직, 서울 진공 작전 시도 → 실패 • 결과: 남한 대토벌 작전으로 의병 활동 위축, 독립 전쟁으로 계승
1910	한 · 일 합병 조약 체결	• 식민 통치 시작(무단 통치) • 통감부를 총독부로 개편

공무원시험전문 **해커스공무원**

gosi.Hackers.com

일제 강점기 출제 경향

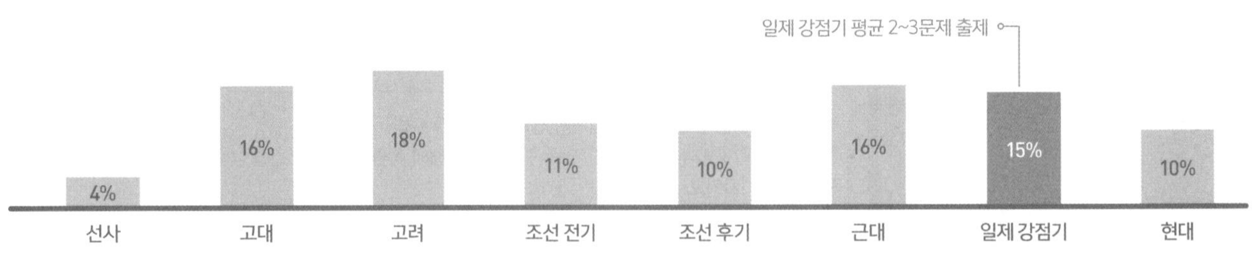

일제 강점기에서는 매해 **평균 2~3문제가 출제**되고 있습니다. 최근에는 특정 시기의 사실이나 이후의 사실을 묻는 문제의 비중이 높아지고 있기 때문에 주요 사건의 연도를 완벽하게 숙지해야 하며, 국내외의 민족 독립운동의 전개 과정과 내용을 꼼꼼하게 정리해두어야 합니다.

해커스공무원 한국사 기본서 **2권 근현대사**

Ⅶ 민족 독립운동의 전개

	출제 비중	빈출 키워드
01 일제의 식민 통치와 민족의 수난	32%	→ 무단 통치, 민족 말살 통치, 토지 조사 사업, 산미 증식 계획
02 3·1 운동과 대한민국 임시 정부	19%	→ 3·1 운동, 대한민국 임시 정부
03 무장 독립 전쟁의 전개	22%	→ 의열단, 윤봉길, 국외 독립운동, 한국광복군
04 사회·경제적 민족 운동	11%	→ 물산 장려 운동, 신간회
05 민족 문화 수호 운동	16%	→ 박은식, 신채호, 백남운

일제 강점기의 주요 출제 범위는 크게 일제의 식민 통치와 이에 대한 민족의 저항으로 구분할 수 있습니다. 일제의 식민 통치는 통치 방식과 각 시기별 특징을 묻는 문제가 주로 출제되며, 민족의 저항은 국내외의 **독립운동 단체와 무장 독립 전쟁**, 주요 **독립운동가의 활동**이 자주 출제됩니다. 특히 인물 관련 문제가 꾸준하게 출제되고 있기 때문에, 고득점을 위해서는 인물의 시기별 활동을 정리해 두어야 합니다.

한눈에 보는 일제 강점기 연표

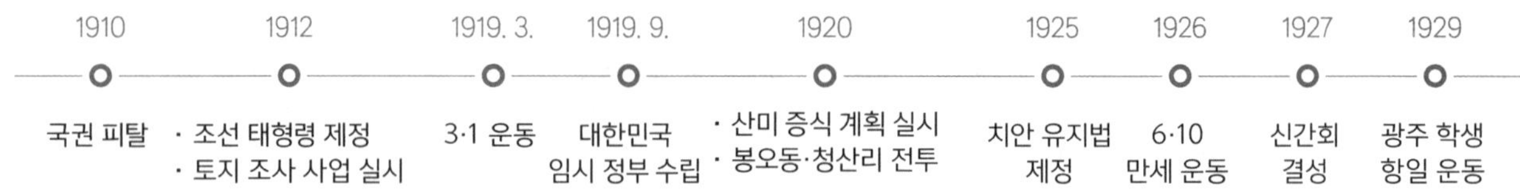

무단 통치 시기 | 문화 통치 시기

1910 ~1919 무단 통치 시기

- 국권 피탈, 조선 총독부 설치(1910)
- 임시 토지 조사국 설치(1910)
- 회사령 제정(1910)
- 삼림령 · 조선 어업령 제정(1911)
- 신흥 강습소 설립(1911)
- 제1차 조선 교육령 공포(1911)
- 105인 사건(1911)
- 토지 조사령 제정(1912)
- 조선 태형령 제정(1912)
- 독립 의군부 결성(1912)
- 대한 광복군 정부 수립(1914)
- 대조선 국민군단 결성(1914)
- 대한 광복회 결성(1915)
- 조선 광업령 제정(1915)
- 2·8 독립 선언(1919)
- 3·1 운동(1919)
- 신흥 무관 학교 설립(1919)
- 대한민국 임시 정부 수립(1919)
- 의열단 결성(1919)

1919 ~1931 문화 통치 시기

- 산미 증식 계획 시작(1920)
- 회사령 철폐(1920)
- 조선 물산 장려회 조직(평양, 1920)
- 봉오동 · 청산리 전투(1920)
- 자유시 참변(1921)
- 제2차 조선 교육령 공포(1922)
- 국민 대표 회의 개최(1923)
- 조선 민립 대학 기성회 설립(1923)
- 조선 형평사 창립(1923)
- 암태도 소작 쟁의(1923)
- 임시 정부, 이승만 탄핵(1925)
- 치안 유지법 제정(1925)
- 미쓰야 협정(1925)
- 6·10 만세 운동(1926)
- 나운규, 아리랑 상영(1926)
- 정우회 선언(1926)
- 신간회 · 근우회 결성(1927)
- 원산 노동자 총파업(1929)
- 광주 학생 항일 운동(1929)

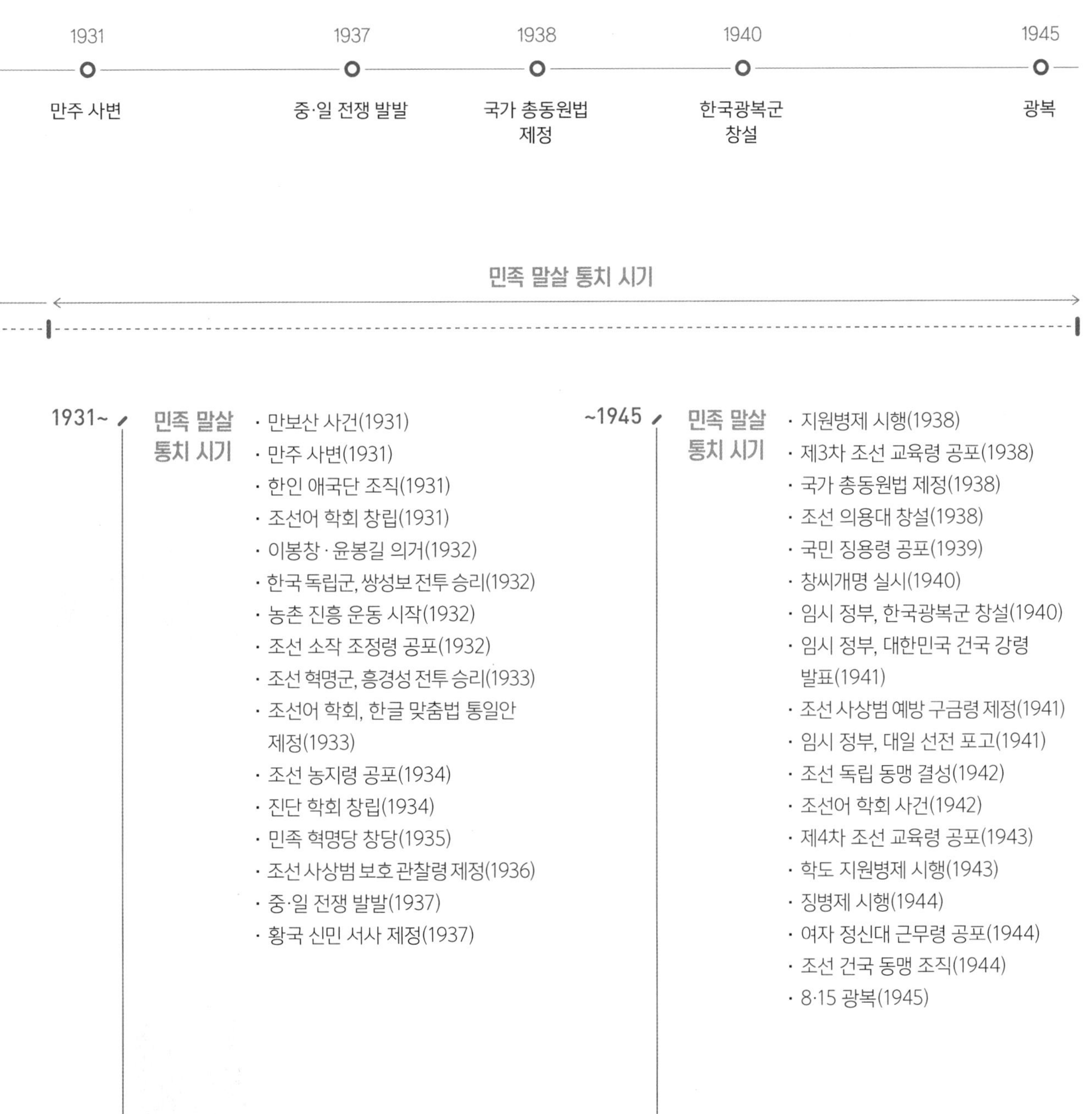

1931~ 민족 말살 통치 시기

- 만보산 사건(1931)
- 만주 사변(1931)
- 한인 애국단 조직(1931)
- 조선어 학회 창립(1931)
- 이봉창 · 윤봉길 의거(1932)
- 한국 독립군, 쌍성보 전투 승리(1932)
- 농촌 진흥 운동 시작(1932)
- 조선 소작 조정령 공포(1932)
- 조선 혁명군, 흥경성 전투 승리(1933)
- 조선어 학회, 한글 맞춤법 통일안 제정(1933)
- 조선 농지령 공포(1934)
- 진단 학회 창립(1934)
- 민족 혁명당 창당(1935)
- 조선 사상범 보호 관찰령 제정(1936)
- 중·일 전쟁 발발(1937)
- 황국 신민 서사 제정(1937)

~1945 민족 말살 통치 시기

- 지원병제 시행(1938)
- 제3차 조선 교육령 공포(1938)
- 국가 총동원법 제정(1938)
- 조선 의용대 창설(1938)
- 국민 징용령 공포(1939)
- 창씨개명 실시(1940)
- 임시 정부, 한국광복군 창설(1940)
- 임시 정부, 대한민국 건국 강령 발표(1941)
- 조선 사상범 예방 구금령 제정(1941)
- 임시 정부, 대일 선전 포고(1941)
- 조선 독립 동맹 결성(1942)
- 조선어 학회 사건(1942)
- 제4차 조선 교육령 공포(1943)
- 학도 지원병제 시행(1943)
- 징병제 시행(1944)
- 여자 정신대 근무령 공포(1944)
- 조선 건국 동맹 조직(1944)
- 8·15 광복(1945)

01 일제의 식민 통치와 민족의 수난

1 일제의 식민 통치와 민족 경제의 변화

학습 포인트
각 시기에 따른 일제의 통치 방식과 경제적 수탈 내용을 서로 구분하여 살펴보도록 한다.

빈출 핵심 포인트
무단 통치, 문화 통치, 민족 말살 통치, 토지 조사 사업, 회사령, 산미 증식 계획, 국가 총동원법

1 일제의 식민 통치 체제와 민족의 수난

	1기		2기		3기
총독	데라우치		사이토		미나미
통치 방식	무단 통치	1919 → 3·1 운동	문화 통치	1929 → 경제 대공황	민족 말살 통치
주요 내용	• 헌병 경찰 통치 • 조선 태형령 • 중추원(자문 기관)		• 치안 유지법 • 자치론		• 내선일체 • 일선 동조론
수탈 대상	땅		쌀		ALL

| 일제 식민 통치의 변화

1. 무단 통치(헌병 경찰 통치, 1910~1919)

(1) 조선 총독부 설치

① **설치**: 우리나라의 국권을 강탈한 일제는 식민 통치의 중추 기관으로 조선 총독부를 설치하였다. 그리고 조선 총독부를 중심으로 각종 통치 기구를 마련하여 식민 통치를 위한 체제를 갖추어 나갔다.

② **조선 총독**

㉠ **무관 임명**: 조선 총독은 일본군 현역 대장 또는 대장 출신자 중에서 임명되었다.

㉡ **권한**: 조선 총독은 일본 국왕에 직속된 관직으로, 행정·입법·사법·군대 통수권까지 부여받아 한민족의 독립운동을 철저하게 탄압하였다.

③ **총독부 조직**

㉠ **정무총감**: 총독 밑에서 행정 사무를 총지휘하였다.

㉡ **경무총감**: 경찰 업무와 치안을 담당하였으며, 한국 주둔 헌병 사령관을 겸임하였다.

㉢ **사법 기구**: 3급 3심제(고등 법원·복심 법원·지방 법원)를 기본으로 하였으나, 이는 한민족 탄압과 수탈을 위한 절차 및 시설에 불과하였다.

㉣ **경제 침탈 기구**: 철도국, 전매국, 통신국, 임시 토지 조사국, 세관 등을 설치하였다.

조선 총독부

일제는 남산의 통감부 청사를 총독부 청사로 사용하다가 경복궁 일부를 철거하고 건축한 조선 총독부 청사로 이전하였다.

조선 총독

일왕에 직속된 관직으로 **일본 의회와 내각의 통제를 거의 받지 않으며**, 한국에 대한 **무제한적 권력**을 가지고 있었다. 또한 한국인의 저항을 신속히 억누르기 위해 현역 **육군이나 해군 대장 출신**이 주로 임명되었다.

| 초대 총독 데라우치 마사타케

④ 중추원

㉠ **개편**: 일제는 한·일 병합(1910) 직후인 1910년 10월 중추원 관제를 공포하여 기존의 중추원을 조선 총독부의 자문 기구로 개편하였다.

㉡ **구성**: 중추원은 의장(정무총감 겸임)을 두고 그 아래에 약간의 고문과 참의 등이 있었는데, 이들은 모두 친일 인사로 구성되었으며, 의장의 허가 없이는 발언조차 할 수 없었다.

㉢ **성격**: 중추원은 조선 총독부의 형식적인 직속 자문 기구였을 뿐이었고 실상은 친일파에게 명예직을 주고 회유하기 위한 기구였다. 중추원은 3·1 운동이 일어날 때까지 단 한번도 정식으로 소집되지 않았다.

(2) 헌병 경찰 통치

① **실시**: 일제는 2만여 명의 헌병 경찰과 헌병 보조원을 전국에 배치하여 강력한 무단 식민 통치를 실시하였다.

② **조직**: 헌병 사령관이 중앙의 경무총감이 되고, 각 도의 헌병 대장이 해당 도의 경무부장이 되어 경찰의 임무를 대행하였다.

| 헌병 경찰 조직도

③ **권한**: 헌병 경찰은 즉결 처분권을 행사할 수 있었는데, 정식 절차 없이 한국인에게 벌금·태형·구류 등의 처벌을 가할 수 있었다. 또한, 헌병 경찰은 민사 소송 조정권, 산림 감시권, 징세 사무권, 일반 행정권 등 한국인에 대한 포괄적 권한을 가지고 있었다.

④ **업무**: 의병 토벌, 독립운동가 색출, 민사 쟁송 조정, 농사 개량, 납세, 산림·위생, 첩보 수집, 각종 사법권 행사(범죄 즉결례, 조선 형사령, 조선 태형령), 검사 사무의 대리, 국경 세관, 호적 사무, 언론 지도, 강우량 측정 등의 업무를 담당하였다.

㉠ **범죄 즉결례**(1910)·**경찰범 처벌 규칙**(1912): 적법 절차나 재판을 거치지 않고 한국인에게 벌금 부과 및 구류 등 처벌을 가할 수 있게 하였다.

㉡ **조선 형사령**(1912): 한국인에게 적용하는 형사법을 규정하여 현행범이 아니어도 검사에게 피의자를 구속할 수 있는 권한을 부여하였다.

㉢ **조선 태형령**(1912): 일제는 조선 태형령을 제정·공포하여 한국인에게만 차별적으로 적용하였다. 이는 3·1 운동 이후 문화 정치를 표방하면서 폐지되었다.

중추원의 변천

시기	내용
고려 시대	군사 기밀과 왕명 출납 담당 기구(추밀+승선)
조선 시대	숙위, 경비 등 담당 → 이후 문무 당상관 우대 기구로 변화 (중추부로 개칭)
대한 제국 시기	내각 자문 기관, 독립 협회의 의회 개편 노력
일제 강점기	총독부 자문 기구, 형식상 한국인의 정치 참여

중추원에 참여한 친일 인사

중추원에는 **국권 침탈의 공로로 일본으로부터 작위를 받은 친일파**가 참여하였다. 한국인이 할 수 있는 최고의 직책은 '참의'로 친일 인사들에게는 선망의 대상이었으나, 의결권도 주어지지 않은 직책이었다.

일본 헌병대

헌병 경찰은 헌병과 보통 경찰을 결합하여, 군대의 경찰인 **헌병이 보통 경찰을 지휘**하며 일반인을 대상으로 한 경찰의 업무까지 담당하는 경찰 제도이다. 일제는 전국 곳곳에 헌병대와 경찰서를 설치하여 한국인의 일상 생활을 통제하였다.

교과서 사료 읽기

> **조선 태형령**(1912년 제정, 1920년 폐지)
>
> 제1조 3개월 이하의 징역 또는 구류에 처하여야 할 자는 그 정상에 따라 태형에 처할 수 있다.
> 제6조 태형은 태로써 볼기를 치는 방법으로 집행한다.
> 제13조 본령은 조선인에 한하여 적용한다.
>
> **사료 해설** | 태형이란 작은 곤장으로 죄인의 볼기를 치는 형벌로, 일제는 조선 태형령을 제정하여 일제의 식민 통치에 대한 불만을 나타내거나 세금을 체납하는 사람 등을 태형으로 다스렸다.

(3) **기본권 박탈:** 대한 제국 시기에 제정한 신문지법(1907), 보안법(1907), 학회령(1908), 출판법(1909)을 적용하여 일제는 한국의 언론, 출판, 집회, 결사의 자유를 박탈하였다.

(4) **제복의 착용과 착검:** 일제는 일반 관리는 물론 교원에게까지 제복을 입히고 칼을 차게 하여 공포 분위기를 조성하였다.

제복과 칼을 착용한 교원의 모습

1910년대 보통학교 졸업식 사진으로, 교사로 보이는 인물들이 제복을 입고 칼을 들고 있음을 확인할 수 있다.

(5) **민족 교육에 대한 규제:** 일제는 제1차 조선 교육령(1911), 사립 학교 규칙(1911), 서당 규칙(1918) 등을 제정하여 학교 설립과 교육 내용을 통제하고 개량 서당을 탄압하였다.

2. 문화 통치(민족 분열 통치, 1919~1931)

(1) **배경:** 무단 통치에 반발하며 일어난 3·1 운동(1919)으로, 일제는 더 이상 무력만으로 한국을 지배하기가 어렵다는 것을 깨달았으며, 일제의 식민 통치에 대한 국제 여론도 악화되었다.

(2) 성격

① **민족 분열·이간책:** 3대 총독으로 부임한 사이토가 가혹한 식민 통치 내용을 은폐하고 친일파 양성을 통한 민족 분열과 이간을 유도하는 정책을 실시하였다.

② **동화 정책:** 일제는 '조선을 일본의 연장으로 인정하여 조선을 동화(同化)할 것'이라는 원칙 아래, 한국인을 일본인으로 동화시키기 위한 교육·문화 정책을 실시하였다.

교과서 사료 읽기

> **문화 통치의 실시**
>
> 정부는 관제를 개혁하여 총독 임용의 범위를 확장하고 경찰 제도를 개정하며, 또한 일반 관리나 교원 등의 복제를 폐지함으로써 시대의 흐름에 순응하고 ...... 장래 기회를 보아 지방 자치 제도를 실시하여 국민 생활을 안정시키고 일반 복리를 증진시킬 것이다.
>
> \- 사이토 총독의 시정 방침 훈시, 1919. 9.
>
> **사료 해설** | 1919년에 사이토 총독은 문관 총독 임명, 한국인의 차별 대우 철폐 등의 내용을 담은 시정 방침을 발표하고 문화 통치를 실시하였다. 그러나 이는 실상 우리 민족을 분열시키기 위한 것이었다.

(3) **문화 통치의 실상**

① **문관 총독 임명 가능:** 일제는 문관도 총독에 임명될 수 있다고 하였으나, 실제로 광복까지 문관이 조선 총독에 임명된 적은 없었다.

② **보통 경찰제 실시:** 일제는 헌병 경찰제를 보통 경찰제로 바꾸었지만, 경찰관의 수와 장비는 이전보다 증가하였다.

③ **치안 유지법 제정**(1925): 일제는 국체 변혁, 사유 재산 제도 등을 부인하는 조직에 대한 처벌을 규정한 치안 유지법을 제정하여 반정부와 반체제 운동을 탄압하였다. 또한, 치안 유지법은 항일 민족 운동을 처벌하는 데에도 이용되었다.

기출 사료 읽기

> 치안 유지법(1925)
>
> 제1조 국체를 변혁하는 것을 목적으로 결사를 조직하는 자 또는 결사의 임원, 그 외 지도자로서 임무에 종사하는 자는 사형, 무기, 또는 5년 이상의 징역 또는 금고에 처한다. 사유 재산 제도를 부인하는 것을 목적으로 결사를 조직하는 자, 결사에 가입하는 자, 또는 결사의 목적 수행을 위한 행위를 돕는 자는 10년 이하의 징역 또는 금고에 처한다.
>
> 제7조 본 법은 누구를 막론하고 본법 시행 구역 밖에서 죄를 범한 자에게도 통용한다.
>
> **사료 해설 |** 일제가 식민 체제를 부인하는 반정부·반체제 운동이나 사회주의 단체를 탄압하기 위해 일본 본토에서 1925년에 제정한 법으로, 한국에도 적용되어 민족 해방 운동을 탄압하는 데 적용되었다.

④ **언론·집회·결사의 자유 허용**: 일제는 조선일보와 동아일보 등 민족 신문의 발행을 허용하였다. 그러나 사전 검열을 통한 정간·폐간 및 기사 삭제·수정을 자행하였다.

⑤ **도 평의회, 부·면 협의회 설치**: 한국인의 참여를 명목으로 지방 자치제를 시행하였으나, 의결 기구가 아닌 자문 기구였으며 그마저도 대부분 도지사와 군수가 의원을 임명했기 때문에 일본인이나 친일 인사만 의원이 될 수 있었다.

⑥ **제2차 조선 교육령 공포**(1922): 일제는 교육 기회의 확대를 표방하면서 제2차 조선 교육령을 공포하여 보통학교와 고등 보통학교를 증설하였으며, 보통학교의 교육 연한을 4년에서 6년으로 연장하였다. 그러나 한국인의 취학률은 일본인의 1/6밖에 되지 않았다.

(4) 기타 내용: 일제는 중추원 확대·개편, 제복·착검·태형 폐지, 한국인 관리 임명(말단 행정에 한정), 친일파 양성, 식민 사관 정립(조선사 편수회 설치) 등을 실시하였다.

(5) 영향: 일제의 문화 통치에 현혹되어 일부에서는 일본의 허용 범위 내에서 자치를 하자는 이른바 자치론을 주장하였다. 또한, 실력 양성을 명분으로 다양한 친일 단체가 등장하여 민족 운동이 분열되었다.

교과서 분석하기

문화 통치의 실상

구분	방침	실상
총독	문관 총독 임명 허용	해방까지 한 번도 문관 총독이 임명되지 않음
통치	헌병 경찰제에서 보통 경찰제로 전환	· 경찰 수와 장비 및 예산 증가 · 치안 유지법 제정(1925) → 감시와 탄압 강화
언론	신문·잡지 발행 허용 (조선·동아일보)	사전 검열, 정간, 기사 삭제 자행
지방 자치	지방 행정에 한국인 참여 (도 평의회, 부·면 협의회 등 설치)	· 선거권 제한 · 친일파 및 상층 자산가만 참여, 자문 기관에 불과
교육	교육 기회의 확대 (제2차 조선 교육령 공포, 경성 제국 대학 설립)	· 초등·실업 교육 위주 → 식민 통치에 필요한 하급 기술 인력 양성 · 취학률이 낮음

친일파 양성

총독부는 상하이에서 활동하던 **이광수**를 회유하여 귀국시키고, 3·1 운동으로 복역 중이던 **최린·최남선을 출옥시켜 문화 운동과 민족 개량의 선전을 담당**하게 하였다.

3. 민족 말살 통치(1931~1945)

(1) 배경: 일제는 1920년대 후반 세계 경제 공황의 난국을 타개하기 위하여 대륙 침략을 감행하였다.

(2) 병참 기지화 정책

① **목적**: 일제는 1931년 만주를 점령(만주 사변)하고, 1937년에는 중·일 전쟁을 도발하여 대륙 침략을 강행하면서 한반도를 대륙 침략의 병참 기지(군대의 전투력을 유지하고 작전을 지원하기 위한 보급, 정비, 교통, 건설 등 일체의 기능을 담당하는 기지)로 운용하였다.

② **내용**: 일제는 1938년에 국가 총동원법을 제정하여 전쟁 수행에 필요한 인적·물적 자원을 총동원하는 것은 물론 한민족의 생존을 위협하고 문화까지 말살시켰다. 또한, 일제는 병참 기지화 정책에 따라 한국인을 노동자로 징용하거나 군인으로 징병하였다.

> **만주 사변**
> 일제가 **만주를 중국 침략의 병참 기지로 만들기 위해 벌인 침략 전쟁**이다. 이 전쟁에서 승리한 일제는 괴뢰 정권으로 만주국을 세웠다.

(3) 황국 신민화 정책: 전시 동원을 원활하게 추진하기 위해 일제는 한국인의 민족 정신을 말살시키고 충성스러운 일본의 황국 신민으로 만들려는 황국 신민화 정책을 실시하였다.

① **민족 정신 말살**

㉠ **사상 선전**: 일제는 내선일체, 일선동조론을 선전하였다.

㉡ **사상 강요**: 아침마다 천황이 사는 궁을 향해 절하는 궁성 요배를 강요하였고, 천황에게 충성을 맹세하는 황국 신민 서사를 외우게 하였다(1937). 또한, 서울 남산에 조선 신궁을 짓고 전국 각면에 신사를 세워 참배를 강요하였으며, 공공 기관과 학교에는 봉안전을 세워 참배하게 하였다.

> **내선일체(内鮮一體)**
> 일본과 조선이 하나라는 것으로, **한국인을 일본인으로 동화시키려는 주장**. 여기에서 **내(内)는 내지인(일본인)을**, **선(鮮)은 한국인**을 가리킨다.

> **일선동조론(日鮮同祖論)**
> 일본 민족과 조선 민족의 조상이 같다는 이론이다.

> **궁성 요배**
> 
> 일본 궁성이 있는 방향으로 허리를 숙여 절을 하여 일본 천황에게 충성을 맹세하도록 하는 것으로, 일본 내지의 주민뿐 아니라 식민지의 주민에게도 강요되었다.

교과서 사료 읽기

황국 신민 서사

[아동용]
1. 나는 대일본 제국의 신민(臣民)이다.
2. 나는 마음을 합해 천황 폐하께 충의를 다한다.
3. 나는 인고단련(忍苦鍛錬, 괴로움을 참고 견뎌 몸과 마음을 튼튼히 한다)하여 훌륭하고 강한 국민이 된다.

[일반용]
1. 우리들은 황국 신민이다. 충성으로써 군국에 보답하자.
2. 우리들 황국 신민은 서로 신애협력하고 단결을 굳게 하자.
3. 우리들 황국 신민은 인고단련의 힘을 길러 황도를 선양하자.

사료 해설 | 일제는 우리 민족의 정신을 말살시키기 위해 일상생활 속에서 일본 천황의 충성스러운 백성이 되자는 황국 신민 서사를 제창하도록 하였다.

㉢ **국민학교로 개칭**: 일제는 소학교의 명칭을 황국 신민의 학교를 의미하는 국민학교로 변경하였다(1941).

② **민족 문화 말살**

㉠ **교육 탄압**: 일제는 제3차 조선 교육령(1938)을 반포하여 한국어를 수의(선택) 과목으로 지정하여 사실상 폐지하였다.

㉡ **신문 폐간**: 일제는 조선·동아일보 등의 한글 신문을 폐간하였다(1940).

③ 민족 근원 말살

㉠ **창씨개명**: 일제는 성과 이름을 일본식으로 바꾸는 창씨개명(1940년 시행)을 강요하였다. 처음에는 자발적인 신고를 원칙으로 하였으나, 신고율이 저조하자 학교 입학과 식량 배급 등을 제한하는 불이익을 주어 강제로 신고하도록 하였다.

㉡ **교육 탄압**: 일제는 제4차 조선 교육령(1943)을 반포하여 한국어·한국사 교육을 금지하였다.

(4) 사상과 주민 생활 통제

① **사상 통제**: 일제는 조선 사상범 보호 관찰령(1936)을 제정하여 치안 유지법 위반자 가운데 전향하지 않은 사람을 감시하였고, 친일 전향자 단체로써 시국 대응 전선 사상 보국 연맹(1938)을 설치하여 사상범에게 전향을 강요하였으며, 조선 사상범 예방 구금령(1941)을 제정하여 독립운동가들을 재판없이 예방 구금소에 구금하였다.

② **생활 통제**: 일제는 국민 정신 총동원 조선 연맹(1938)을 조직하여 제일 하부에 10호 단위의 애국반을 만들고 모든 한국인을 가입시켜 반상회를 통해 일본어 사용, 황국 신민 서사 낭독, 애국 저금 등을 강요하였다.

③ **전시 복장 강요**: 전시 복장으로 남성은 국민복을, 여성은 몸뻬를 입도록 강요하였다.

2 일제의 경제 수탈

1. 토지 조사 사업(1912~1918)

(1) 목적: 일제는 근대적인 토지 제도의 확립 아래에서 세원 확보와 토지 약탈을 위해 토지 조사 사업을 실시하였다.

(2) 방법

① **토지 조사령 공포**: 일제는 총독부 산하에 임시 토지 조사국을 설치(1910)하고, 토지 조사령을 공포(1912)하였다.

기출 사료 읽기

> 토지 조사령(1912)
>
> 제1조 토지의 조사 및 측량은 본령에 의한다.
>
> 제4조 토지 소유자는 조선 총독이 정하는 기간 안에 주소, 씨명, 명칭 및 소유지의 소재, 지목, 자번호(字番號), 사표(四標), 등급, 결수를 임시 토지 조사 국장에게 신고해야 한다. 단, 국유지는 보관 관청이 임시 토지 조사 국장에게 통보해야 한다.
>
> 제5조 토지 소유자나 임차인, 기타 관리인은 조선 총독이 정하는 기간 안에 토지의 사방 경계에 표식을 세우고, 지목 자번호 및 민유지에서는 소유자의 씨명, 명칭을, 국유지는 보관 관청명을 써야 한다.
>
> **사료 해설** | 일제는 근대적 토지 소유권 확립이라는 명분 아래 토지 조사령을 공포하여 토지 조사 사업을 시행하였다.

② **기한부 신고제**: 토지 소유권을 주장하는 사람이 토지 소유에 필요한 서류를 갖추어 지정된 기간 안에 신고해야만 소유권을 인정하였다(신고주의 원칙).

③ **복잡한 절차**: 토지 신고 절차가 복잡하고 그 기간도 짧았으며, 신고 정책에 대한 홍보도 제대로 이루어지지 않아 신고 기회를 놓친 사람들이 많았다.

사상범

사상범이란 **공산주의, 사회주의 또는 무정부주의 사상을 가지고 체제 전복을 꾀하다 체포된 사람**을 말하는데, 일제 강점기에는 **독립운동가**나 민족정신이 강한 사람을 사상범으로 분류하였다.

시국 대응 전선 사상 보국 연맹

1938년에 조직되었으며, 사상범 중 **친일로 전향(변절)한 자**를 맹원으로 하였다. 맹원들은 사상 정화, 포섭 공작을 위해 각종 활동을 전개하였으며, 형무소를 방문하여 복역 중인 사상범들에게 전향을 강요하였다. 이후 **대화숙(1940. 12.)에 통합**되었다.

애국반

10가구 정도로 구성된 **국민 정신 총동원 조선 연맹의 마을 단위 조직**이다. 공출, 국방, 헌금, 일본식 성명 강요 등 일제의 전시 동원 활동이 이 조직을 통해 이루어졌다.

토지 조사 사업을 시행한 목적

토지 조사 사업은 지세의 부담을 공평히 하고 지적을 명확히 하여 그 소유권을 보고하고, 그 매매·양도를 간편·확실하게 함으로써 토지의 개량 및 이용을 자유롭게 하고 또 그 생산력을 증진시키려는 것으로서 조선의 긴요한 시책이라는 것은 말할 필요도 없다. - 조선 총독부 시정연보

▶ **토지 조사 사업**은 지세를 공정하게 하고, 토지의 생산성을 높이기 위한 것이라는 목적에서 시행되었지만 **실제로는 일본인의 토지 소유를 쉽게 하고 지세를 안정적으로 확보하기 위한 것**이었다.

(3) 일제의 토지 약탈: 복잡한 절차로 인해 많은 사람들이 토지를 신고하지 못했고, 반일 감정 때문에 신고를 꺼리는 일도 있었으며, 동중·문중 소유의 토지는 소유주가 불분명하여 신고에서 누락되는 경우가 많았다. 또한, 역둔토·궁장토 등 관청이나 국가 소유의 토지는 자연히 총독부의 소유가 되었다. 따라서 사업 시행 결과 전국토의 40%가 총독부에 귀속되었다.

(4) 결과

① **농민의 몰락**: 농민들은 토지에 대한 소유권은 물론이고 경작권, 입회권, 도지권 등의 관습적인 권리마저 상실하여 기한부 계약에 의한 소작농으로 전락하였다.

② **농민의 유민화**: 토지를 수탈당한 농민들은 생계 유지를 위하여 화전민이 되거나 만주, 연해주 등지로 이주하였다.

③ **지주의 권한 강화**: 신고 과정에서 농민의 경작권을 인정하지 않고 지주의 소유권만을 인정하였다. 이를 통해 일제는 한국인 지주층을 식민지 체제 내로 포섭하였다.

④ **지세 수입 증가**: 대한 제국 시기에 비해 세금 부과 대상 토지의 면적이 50% 이상 증가하였고, 지세 수입이 2배 가까이 신장하였다.

⑤ **토지의 불하**: 수탈 토지는 동양 척식 주식회사를 비롯한 일본 토지 회사를 통해 일본 이주민에게 싼값에 불하되었다. 이후 일본인 농업 이민이 증가하여 일본인 지주가 늘어났다.

2. 산미 증식 계획(1920~1934)

(1) 목적: 일본 본토의 공업화 정책에 따라 식량이 부족해지자 이를 메꾸기 위해 한반도의 미곡 수확량을 늘려 수탈하는 산미 증식 계획을 실시하였다.

(2) 추진 내용

① **토지 개량 사업**: 관개 시설 개선을 통해 천수답(빗물에 의존하는 논)을 수리답(관개 시설을 이용하는 논)으로 만들었으며, 개간과 간척 사업을 대규모로 실시하여 쌀 생산량을 증산시키고자 하였다.

② **농사 개량 사업**: 품종 개량, 농법 개량, 농기구 개량, 시비 개량 등을 추진함으로써 쌀 생산량 증대를 꾀하였다.

(3) 결과

① **국내 식량의 부족**: 미곡의 증산이 목표량에 미달되었음에도 수탈을 계획대로 진행하였다. 이에 미곡의 증산량보다 반출량이 많아져 한국의 식량 부족 현상이 심화되었고, 우리 민족은 만주에서 조, 피, 수수 등 잡곡을 수입하여 연명하였다.

② **농민의 몰락**: 사업 진행 과정에서 대지주들이 고율의 소작료와 수리 조합비, 비료 대금, 토지 개량비 등을 소작 농민에게 전가하였다. 또한, 과중한 수리 조합비로 인해 많은 자작농이 토지를 팔고 소작농민으로 전락하였을 뿐 아니라 중소 지주들도 몰락하였다. 그 결과 농민들의 해외 유망이 심화되고 소작 쟁의가 빈발하였다.

③ **식민지 지주제 강화**: 지주 중심의 수리 조합 운영으로 일본인 지주나 상당한 재산을 가진 일부 한국인 대지주의 영향력이 강화되었다.

④ **농업 구조 왜곡**: 일제가 쌀 수탈에 집중하며 쌀 농사 중심의 단작형 농업 구조가 형성되었다. 이에 다양한 상품 작물의 재배가 축소되어 만성적인 농촌 공황이 초래되었다.

입회권

한 지역에 사는 주민이 그 지방의 관례나 법규에 의하여 **일정한 산림·원야·늪·못 따위에서 공동으로 이익을 얻을 수 있는 권리**이다.

도지권

17세기경부터 농민들이 농민적 토지 소유를 성립시켜 나가면서 획득한 **소작지에서의 부분 소유권**으로, 도지권을 가진 소작민은 획득한 소작지를 영구적으로 경작할 수 있었다.

지세령

일제는 '지세령'을 공포(1914)하여 지역별 지가와 지세 등을 확인하고 지세 수입을 늘려 식민지 지배에 필요한 재정을 뒷받침하였다.

동양 척식 주식회사

1908년 일본이 한국의 토지와 자원을 빼앗기 위해 만든 **식민지 착취 기구**이다.

산미 증식 계획의 결과

(단위: 만 석)

연도	생산량	수탈량
1920	1,488	209
1922	1,510	321
1924	1,322	489
1926	1,530	579
1928	1,351	702
1930	1,918	517
1931	1,587	903
1933	1,819	799

산미 증식 계획으로 한국의 쌀 생산량은 어느 정도 늘긴 하였지만 목표량에는 미달하였다. 그럼에도 일제는 애초에 계획하였던 양 만큼 쌀을 수탈해감으로써 한국의 식량 부족 현상은 더욱 심화되어 **한국인의 1인당 연간 쌀 소비량이 이전보다 줄어들었다.**

⑤ **중단**: 경제 대공황(1929)으로 일본 지주들이 쌀 수입을 반대하면서 산미 증식 계획이 1934년에 일시 중단되었다. 이후 중·일 전쟁으로 군량미 확보가 시급해지자 중단되었던 산미 증식 계획이 재개되었다.

교과서 사료 읽기

산미 증식 계획의 배경

일본에서 쌀 소비는 연간 약 6천 5백만 석인데, 일본 내 생산고는 약 5천 8백만 석을 넘지 못한다. 해마다 부족분을 다른 제국 반도 및 외국에 의지해야 한다. 일본 인구는 해마다 70만 명씩 늘어나고, 국민 생활이 향상되면 1인당 소비량도 점차 늘어나게 될 것이므로 앞으로 쌀은 계속 모자랄 것이다. 따라서 지금 미곡 증식 계획을 수립하여 일본 제국의 식량 문제를 해결하는 데 도움을 주는 것은 진실로 국책상 급무라고 믿는다. - 조선 총독부 농림국, 조선 산미 증식 계획 요강

사료 해설 | 일제는 자국에서 공업화 정책을 추진하면서 식량이 부족해지자 한반도를 자국의 식량 공급 기지로 만들기 위해 산미 증식 계획을 실시하였다.

(4) 농촌 진흥 운동(1932)

① **배경**: 대공황의 여파로 농촌 경제가 파탄 상태에 이르면서 소작 쟁의가 극심해지고, 사회주의 세력이 농촌으로 더욱 확산되었다. 이에 위기 의식을 느낀 일제는 농민 회유책의 일환으로 농촌 진흥 운동을 시행하였다.

② **내용**: 일제는 춘궁 퇴치, 농가 부채 근절 등을 명분으로 개별 농가를 철저히 파악하여 농촌을 통제하는 한편, 농민 스스로 가난에서 벗어나야 한다는 자력 갱생을 강조하며 농민의 정신 계몽에 주력하였다. 또한 소작농을 보호한다는 명분으로 조선 소작 조정령(1932), 조선 농지령(1934) 등을 발표하였다.

③ **결과**: 일제는 농민 경제의 안정화를 명분으로 농촌 진흥 운동을 벌였으나 이는 소작 쟁의 등의 반발을 무마함으로써 통제를 강화하기 위해 내놓은 미봉책일 뿐이었다.

조선 소작 조정령

조선 소작 조정령은 **소작 쟁의를 조정·억제하기 위해 일제가 만든 법령**(1932)으로, 제3자인 소작 위원회가 화해 권고를 하고 재판소가 소작 쟁의 당사자들 사이에서 조정을 실시하여 쟁의를 해결하는 것을 목표로 하였다.

조선 농지령

농민의 소작권 확립을 위해 마름(지주 대신 소작권을 관리하는 사람)을 단속하고, 소작 기간을 갱신할 때도 지주에게 제한을 가하도록 한 법령(1934)이다.

3. 산업 침탈

(1) 회사령(1910~1920)

① **목적**: 일제는 민족 기업(자본)의 성장을 억압하기 위해 회사령을 제정하였다(1910).

② **내용**: 회사령을 통해 일제는 회사의 설립을 총독의 허가제로 하고, 회사의 해산 또한 총독이 명할 수 있게 규정하였다.

③ **철폐**: 일제는 한국의 자원과 값싼 노동력을 활용하기 위해 회사령을 철폐(1920)하고, 일본 자본이 대거 유입될 수 있도록 회사 설립을 신고제로 변경하였다.

일본 자본의 한국 진출

1920년대에 회사령의 철폐로 회사 설립이 신고제로 전환되면서, 미쓰이(三井), 미쓰비시(三菱)와 같은 일본 대기업들이 한국에 진출하였다.

기출 사료 읽기

회사령(1910)

제1조 회사의 설립은 조선 총독의 허가를 받아야 한다.

제2조 조선 외에 있어서 설립한 회사가 조선에 본점 또는 지점을 설치하고자 할 때에도 조선 총독의 허가를 받아야 한다.

제5조 회사가 본령 혹은 본령에 의거하여 발표되는 명령이나 허가의 조건에 위반하거나 또는 공공의 질서, 선량한 풍속에 반하는 행위를 하였을 때에는 조선 총독은 사업의 정지 · 금지, 지점의 폐쇄 또는 회사의 해산을 명할 수 있다.

사료 해설 | 일제는 한국인의 기업 활동을 제한하기 위해 회사령을 실시하여 회사를 설립할 때 총독의 허가를 받도록 하였다.

(2) 기타 산업별 침탈 내용

① **임업**: 일제는 삼림령(1911)과 조선 임야 조사령(1918)을 통해 대부분의 임야를 국유지로 강제 편입시켜 총독부와 일본인이 강점하도록 하였다.

② **어업**: 일제는 조선 어업령(1911)을 공포하여 일본인 중심으로 어업권을 재편성하였다.

③ **광업**: 일제는 조선 광업령(1915)을 공포하여 한국인의 광산 경영의 허가제를 실시하였으며, 경제성이 있는 경우에는 일본인에게 광산 경영을 이관하였다.

(3) 호남선 철도 개설(1914): 일제는 호남선 철도를 건설하여 호남 곡창 지대의 농산물 반출을 확대하였다.

(4) 관세 철폐(1923): 일제는 일본 자본의 자유로운 한반도 진출을 위해 한국으로 들어오는 일본 상품에 대한 관세를 철폐하였다. 그 결과 국내 기업이 큰 타격을 입었으며 무역의 대일 의존도가 심화되었다.

(5) 신은행령(1928): 일제는 신은행령을 공포하여 은행 설립 및 운영을 제한하고, 한국인이 소유한 중소 규모의 은행을 모두 일본 은행에 합병시켰다.

4. 전시 경제 체제(1930년대 이후)

(1)병참 기지화 정책

① **배경**: 세계 경제 대공황(1929)으로 인해 각종 자원이 부족해진 일본은 경제 공황의 타개책으로 대륙 침략을 감행하여 만주 사변(1931)을 일으켰다. 그리고 한반도를 대륙 침략의 병참 기지로 삼고 경제적 수탈을 강화하였다.

② **남면북양 정책**: 일제는 1930년대 초반에 산미 증식 계획을 중단하고, 일본으로 수탈할 공업 원료 증산을 위한 남면북양 정책을 실시하였다. 남면북양 정책은 남부 지방 농민에게 목화(면화)를 재배하도록 하여 면직물 공업을 육성하고, 북부 지방 농민에게 양 사육을 강요하여 모직물 공업을 육성하고자 한 정책이다.

③ **중공업 육성책**: 일제는 전쟁 물자를 생산하기 위해 군수 산업과 관련이 있는 중화학 공업에 집중 투자하였다. 일제는 북부 지방에 군수 공업 시설을 건설하였으며, 철·석탄·텅스텐 등 지하 자원의 증산을 독려하여 한반도를 병참 기지화하였다.

(2) 전시 총력 동원 체제 강화

① **국가 총동원법 제정**(1938. 4.): 중·일 전쟁(1937)을 일으켜 대륙 침략을 본격화한 일제는 전쟁 수행을 위해 한국에도 국가 총동원법을 적용하여 물적·인적 수탈을 강화하였다.

기출 사료 읽기

> 국가 총동원법(1938. 4.)
>
> 제1조 국가 총동원이란 전시에 국방 목적을 달성하기 위해 국가의 전력을 가장 유효하게 발휘하도록 인적 및 물적 자원을 운용하는 것을 말한다.
>
> 제4조 정부는 전시에 국가 총동원상 필요할 때는 칙령이 정하는 바에 따라 제국 신민을 징용하여 총동원 임무에 종사하게 할 수 있다. 단, 병역법의 적용을 방해하지 않는다.
>
> 제8조 정부는 전시에 국가 총동원상 필요할 때는 칙령이 정하는 바에 따라 물자의 생산·수리·배급·양도 및 기타의 처분, 사용·소비·소지 및 이동에 관하여 필요한 명령을 내릴 수 있다.
>
> **사료 해설** | 일제는 국가 총동원법을 제정하여 전시에 노동력·물자·자금·시설·사업 등을 통제하였다.

일제의 임야 약탈

· **삼림법**(1908. 1. 24.)

제19조 삼림, 산야의 소유자는 본 법 시행일로부터 3년 이내에 산림, 산야의 지적 및 면적의 견적도를 첨부하여 농상공부 대신에게 제출해야 한다. 기한 내에 제출하지 않는 것은 모두 국유로 간주한다.

· **삼림령**(1911. 6. 20.)

제1조 조선 총독은 국토의 보안, 위해의 방지, 수원(水源)의 함양, 항행의 목표, 공중의 위생, 어부(魚附, 어류의 유치와 증식) 또는 풍치를 위하여 필요하다고 인정하는 때에는 삼림을 보안림으로 편입할 수 있다.

▶ 일제는 병합 이전에 삼림법을 제정해 **3년간 신고하지 않은 임야를 국유림에 편입**시켰으며, 병합 이후에는 삼림령을 제정하여 한국의 임야를 '국유 임야'로 강제 편입시켰다.

일제의 면화 재배 강요

일제는 1900년대 초부터 일본 면화·양잠 공업의 원료를 얻기 위해 목화의 대표적 품종 중 하나인 육지면을 재배할 것을 강요하였다.

북부 지방의 공업화 정책

일본 자본의 투자는 **지하 자원과 전력 확보에 유리**하고 **중국에 인접**해 있는 **함경남북도와 평안남도 등 한반도 북부 지방을 중심으로 집중**되었다. 또한 북부 지방에는 발전소가 건립되었는데, **흥남 질소 비료 공장**(1927, 일본의 신흥 재벌인 노구치가 건설)의 전력 공급을 위한 **부전강 수력 발전소, 장진강 수력 발전소, 압록강 수풍 발전소 등을 건립**하였다.

② **국민 정신 총동원 운동 전개**: 일제는 국민 정신 총동원 조선 연맹(1938)을 조직하여 10호 단위의 애국반을 만들고 한국인을 가입시킨 후 총독부 시책을 강요하였다.

③ **국민 총력 운동 전개**(1940): 국민 정신 총동원 조선 연맹의 후신으로 국민 총력 조선 연맹을 조직(1940. 10.)하여 황국 신민 정신을 고양하고 징병을 독려하였다.

④ **물적 수탈**

㉠ **산미 증식 계획 재개**(1940): 일제는 군량의 확보를 위해 중단되었던 산미 증식 계획을 재개하였다.

㉡ **공출 제도 강화**: 처음에는 군량 마련을 위한 양곡 공출로부터 시작하였으나, 전쟁 물자가 부족해지자 양곡은 물론 각종 물자에 대한 공출을 강행하였다. 일제는 무기 제조에 필요한 자원을 확보한다는 명목으로 철광, 석탄 등의 지하자원뿐만 아니라 각 가정의 농기구, 놋그릇, 가마솥, 종과 불상 등을 가리지 않고 빼앗아 갔다.

㉢ **식량 통제**: 일제는 군량 마련을 위해 쌀을 공출하고 식량 소비를 규제하기 위해 조선 미곡 배급 조정령(1939)을 공포하여 식량 배급제를 실시하였다. 이후 물자 통제령(1941)을 공포하여 배급제를 확대하였으며, 태평양 전쟁(1941)으로 식량 사정이 악화되자 조선 식량 관리령(1943)을 공포하여 쌀 전량과 잡곡까지 강제로 공출하였다.

⑤ **인적 수탈**

㉠ **지원병제 실시**(1938): 중·일 전쟁(1937) 직후 일제는 육군 특별 지원병령(1938. 2.)을 제정하여 한국의 청년들을 전쟁에 동원하였다. 이후 일제는 학도 지원병제(1943)를 통해 징집을 연기하고 있던 전문 학교와 대학교 학생들까지 전쟁에 동원하였다.

㉡ **징병제 실시**(1944): 일제는 징병제를 실시하여 한국의 청년들을 강제 징집하였다.

㉢ **노동력 강제 징용**: 일제는 국민 징용령(1939)과 국민 근로 보국령(1941)을 공포하여 노동력을 강제로 동원하였다.

㉣ **여성 노동력 착취**: 일제는 여자 정신대 근무령(1944)을 공포하여 젊은 여성들을 정신대라는 이름으로 강제 동원하였다. 정신대로 동원된 여성들은 군수 공장 등지에서 혹사 당하였으며, 이들 중 상당수는 중국과 동남아시아의 침략 전선으로 끌려가 일본군의 성 노예 역할을 강요 받았다.

기출 사료 읽기

1930~40년대 물적·인적 수탈

신고산이 우르르 함흥 차 가는 소리에
지원병 보낸 어머니 가슴만 쥐어뜯고요
… (중략) …
정신대 보낸 어머니 딸이 가엾어 울고요
… (중략) …
금붙이 쇠붙이 밥그릇마저 모조리 긁어 갔고요
어랑어랑 어허야 이름 석 자 잃고서 족보만 들고 우누나

- 신고산 타령

사료 해설 | 신고산 타령은 학도 지원병으로 동원된 학생, 정신대로 차출된 여성, 전쟁 물자의 공출, 창씨개명을 강요 받은 사람 등 일본의 물적·인적 수탈이 강화되면서 나타난 1940년대의 사회상을 보여주고 있다.

강제 공출된 금속류

일제는 **1941년에 금속 회수령을 공포**하고, 쇠붙이를 약탈하여 **전쟁 무기를 만드는 데 사용**하였다.

지원병 제도 확대

1943년 7월 일제에 의해 **해군 특별 지원병령이 공포**되면서 **지원병 제도는 해군으로까지 확대**되었다. 이는 일본의 진주만 기습 이후 태평양 전쟁이 발발(1941. 12.)하고, 미군과 해상 전투가 빈번히 이뤄지면서 일본의 해군 병력이 부족해졌기 때문이었다.

국민 근로 보국령(1941)

일제는 국가 총동원법을 제정한 1938년부터 **한국인 학생, 여성, 농민 등을 노동 현장에 동원하기 위하여 근로 보국대를 조직**하였으며, 이후 1941년에 국민 근로 보국령을 공포하여 근로 보국대 조직의 법적 근거를 마련하였다. **근로 보국대로 끌려간 한국인들은 주로 도로·철도·비행장·신사 등을 건설하는 데 동원**되었다.

OX 빈칸 핵심 개념 점검

* 학습한 개념을 OX/빈칸 문제를 통해 점검해보세요.

핵심 개념 1 | 무단 통치

01 무단 통치 시기에 국가 총동원법이 제정되었다. □ O □ X

02 무단 통치 시기에는 헌병 경찰이 칼을 차고 민간의 치안 및 행정 업무를 처리하도록 하였다. □ O □ X

03 일제는 무단 통치 시기에 사회주의자들을 탄압하기 위해 치안 유지법을 만들었다. □ O □ X

04 무단 통치 시기에 헌병 경찰은 한국인의 범죄에 대해 법 절차나 재판 없이 즉결 처분할 수 있는 권한이 있었다. □ O □ X

05 무단 통치 시기에 '______'을 공포하여 회사를 설립할 경우 총독부의 허가를 받도록 하였다.

핵심 개념 2 | 문화 통치

06 일제는 3·1 운동 이후 무단 통치를 이른바 '문화 통치'로 바꾸었다. □ O □ X

07 문화 통치 시기에 식량 생산을 대폭 늘려 일본으로 더 많은 쌀을 가져가기 위해 이른바 산미 증식 계획을 세워 추진하였다. □ O □ X

08 문화 통치 시기에 헌병 경찰제가 ______로 전환되면서 경찰의 수가 증가하였다.

09 문화 통치 시기에는 조선인 계통의 신문인 ______, ______의 발행을 허가하였다.

핵심 개념 3 | 민족 말살 통치

10 중·일 전쟁 이후 조선 총독부는 공업 자원의 확보를 위하여 남면북양 정책을 시행하였다. □ O □ X

11 국가 총동원법 제정 이후 시기에 조선 사상범 예방 구금령이 제정·공포되었다. □ O □ X

12 민족 말살 통치 시기에 일제는 여자 정신 근로령을 발표하였다. □ O □ X

13 민족 말살 통치 시기에 일본식 성과 이름으로 고치는 ______을 시행하였다.

14 민족 말살 통치 시기에 조선 총독부는 한국인에게 일본에 충성하자는 ______를 암송하게 하였다.

핵심 개념 4 | 토지 조사 사업

15 토지 조사 사업은 춘궁 퇴치, 농가 부채 근절을 목표로 내세웠다. □ O □ X

16 토지 조사 사업의 결과 조선 총독부의 지세 수입이 증가하였다. □ O □ X

17 토지 조사 사업의 결과 지주의 토지 소유권은 강화되었다. □ O □ X

18 토지 조사 사업은 경작 농민들이 가지고 있던 ______을 인정하지 않았다.

핵심 개념 5 | 산미 증식 계획

19 산미 증식 계획은 공업화로 인한 일본의 식량 부족 문제를 해결하고자 실시하였다. □ O □ X

20 산미 증식 계획의 영향으로 부족해진 식량을 메꾸기 위해 만주에서 조, 수수, 콩 등의 잡곡을 수입하였다. □ O □ X

21 산미 증식 계획의 시행 결과 소작 농민들은 고율의 소작료 외에도 수리 조합비를 비롯한 여러 비용을 부담해야 했다. □ O □ X

22 산미 증식 계획으로 인한 쌀 ______의 증가보다 일본으로의 ______ 증가가 두드러졌다.

정답과 해설

01	✖ 국가 총동원법이 제정된 것은 1938년으로 민족 말살 통치 시기의 사실이다.	**12**	O 일제는 민족 말살 통치 시기인 1944년에 여자 정신 근로령(근무령)을 발표하였다.
02	O 무단 통치 시기에는 헌병 경찰 통치가 시행되어 헌병 경찰이 칼을 차고 민간의 치안 및 행정 업무를 처리하도록 하였다.	**13**	창씨개명
03	✖ 치안 유지법은 문화 통치 시기인 1925년에 제정되었다.	**14**	황국 신민 서사
04	O 무단 통치 시기에 헌병 경찰은 즉결 처분권을 행사할 수 있어, 한국인의 범죄에 대해 법 절차나 재판 없이 구류, 태형 등의 처벌을 가하였다.	**15**	✖ 토지 조사 사업은 근대적인 토지 제도의 확립을 통한 세원 확보와 토지 약탈을 목표로 하였다. 한편 춘궁 퇴치, 농가 부채 근절을 목표로 한 것은 1930년대 시행된 농촌 진흥 운동이다.
05	회사령	**16**	O 토지 조사 사업의 결과 조선 총독부의 지세 수입이 증가하였다.
06	O 일제는 3·1 운동 이후 통치 방식을 무단 통치에서 문화 통치로 바꾸었다.	**17**	O 일제가 토지 조사 사업을 통해 지주층을 회유하고자 지주의 토지 소유권을 법적으로 인정하여 지주의 토지 소유권이 강화되었다.
07	O 문화 통치 시기에 일제는 자국에서 공업화 정책을 추진하면서 식량이 부족해지자, 한반도의 식량 생산을 대폭 늘려 일본으로 더 많은 쌀을 가져가기 위한 산미 증식 계획을 추진하였다.	**18**	도지권
08	보통 경찰제	**19**	O 산미 증식 계획은 공업화로 인한 일본의 식량 부족 문제를 해결하고자 실시되었다.
09	조선일보, 동아일보	**20**	O 일제의 지나친 쌀 수탈로 국내의 식량이 부족해지자 이를 보충하기 위해 만주에서 조, 수수, 콩 등의 잡곡을 수입하여 식량 부족분을 충당하였고, 이에 잡곡의 수입이 증가하였다.
10	✖ 조선 총독부가 일본의 공업 원료를 확보하기 위해 남면북양 정책을 실시한 것은 중·일 전쟁(1937) 이전인 1930년대 초반이다.	**21**	O 산미 증식 계획 시행 과정에서 지주들이 증산에 필요한 비용을 농민에게 전가하면서 소작 농민들은 고율의 소작료뿐 아니라 수리 조합비, 비료 대금 등 여러 비용을 부담해야 했다.
11	O 국가 총동원법 제정(1938) 이후인 1941년에 일제는 조선 사상범 예방 구금령을 제정·공포하여 독립운동가들에 대한 감시와 탄압을 강화하였다.	**22**	생산량, 수출량

3·1 운동과 대한민국 임시 정부

1 3·1 운동

학습 포인트
3·1 운동의 바탕이 되었던 1910년대의 주요 독립운동 단체의 활동을 정리하고, 3·1 운동의 원인, 전개, 결과 등에 대해 꼼꼼하게 학습하도록 한다.

빈출 핵심 포인트
독립 의군부, 대한 광복회, 경학사, 신흥 무관 학교, 중광단, 대한 광복군 정부, 신한청년당, 3·1 운동

1 1910년대 국내 민족 운동

1. 의병 활동

(1) **국내 의병의 위축**: 일본의 '남한 대토벌' 작전(1909)으로 국내 의병 활동이 위축되었다.

(2) **국외로 이동**: 국내 의병은 대부분 연해주·만주 지역으로 이동하여 독립 투쟁을 전개하였다.

(3) **채응언의 항전**: 대한 제국의 군인 출신이자 마지막 의병장인 채응언이 서북 지방을 중심으로 활약하였다.

2. 비밀 결사의 활동

(1) **독립 의군부**(1912, 복벽주의)

① **조직**: 독립 의군부는 고종의 밀명으로 의병장 출신의 임병찬이 의병과 유생을 규합하여 조직하였다.

② **활동**: 독립 의군부는 나라를 되찾은 뒤 고종을 황제로 복위시킨다는 복벽주의를 내세워 전국적인 의병 전쟁을 계획하였으며, 일본의 총리대신과 조선 총독에게 국권 반환 요구서를 보내고자 하였다.

(2) **조선 국권 회복단**(1915, 공화주의)

① **조직**: 조선 국권 회복단은 서상일, 윤상태 등 경북 지방 유생들이 시회(詩會)를 가장하여 조직한 비밀 결사 단체로, 단군 신앙을 바탕으로 일제로부터 국권을 회복하기 위한 활동을 전개하였다.

② **활동**: 조선 국권 회복단은 3·1 운동이 일어나자 창원 등 지방의 만세 운동을 주도하였으며, 만주·연해주의 독립 단체와 연계하여 투쟁을 전개하였다. 또한 대한민국 임시 정부에 독립운동 자금을 송금하기도 하였으며 파리 강화 회의에 독립 청원서를 제출하는 것에도 참여하였다.

채응언(1879~1915)

채응언은 1907년 **군대 해산을 계기로 의병 활동을 시작**하여 **국권 피탈 이후에도 평안남도, 함경남도 일대에서 항일 투쟁을 전개**하다가 1915년에 체포되어 순국하였다.

국권 반환 요구서

제가 생각건대 모든 폐해는 모두 한국을 병합하였기 때문입니다. 첫째, 부역이 너무 많고 과중하여 백성의 피폐함이 극도에 이르렀고 한국 행정 사업 등의 비용으로 매년 엄청난 금액을 소모하니 이는 이미 드러난 폐해입니다. 둘째, 열강들은 일본이 팽창함을 보고 세력을 고르게 하려 생각하니 외교를 하기 어렵게 되는 소이입니다. …… 만약 한국을 돌려주고 정족지세로 서서히 천하에 대의를 펴고 동아의 백성들을 보전하면 일본의 광명이 클 것입니다.

- 임병찬이 총독 데라우치에게 보내는 글

▶ 임병찬은 일본 내각 총리 대신과 데라우치 조선 총독 이하의 관료에게 **국권 반환 요구서를 제출**하여 **합방의 부당함을 국내외에 알리고자 하였다.**

(3) 대한 광복회(1915, 공화주의)

① **조직**: 대한 광복회는 채기중이 조직한 의병 계열의 대한 광복단(풍기 광복단)과 애국 계몽 운동 계열의 조선 국권 회복단의 일부 인사가 연합하여 1915년 대구에서 박상진, 김좌진 등이 군대식으로 조직을 결성하였다.

② **활동**: 대한 광복회는 국권 회복과 공화정체를 지향하였으며, 만주에 무관 학교를 설립하기 위해 군자금을 모았고, 친일파를 처단하는 등 활발한 활동을 전개하였다.

기출 사료 읽기

> **대한 광복회**
>
> 조선의 부호에게 협박문을 보내어 군자금을 징수하고, 만약 응하지 않을 경우 처단한다. 그 밖에 충남 직산 금광을 습격하고, 중국에 가서 통화를 위조하여 정화로 바꾼다. 그런 뒤에 만주에서 한국인 장정을 훈련하여 군대를 편성하는 한편, 국내 요지에 1개소 1만 원의 자본으로 1백 개소의 잡화점을 개업하여 그 이익으로 국권 회복 자금을 마련하고 동시에 무기를 구입하여 준비를 마친다. 이럴 때에 일본이 외국과 국교를 단절하게 되면, 일시에 일어나 일본에 항전하면 일본은 드디어 조선을 포기하기에 이르는 것이다.
>
> **사료 해설** | 대한 광복회는 국권 회복과 민주 공화국 수립을 목표로 사관 학교 설립을 계획하였으며, 군자금을 마련하기 위하여 부유한 친일파 등을 처단하였다.

대한 광복회 실천 강령

1. 부호의 의연금 및 일인이 불법 징수하는 세금을 압수하여 무장을 준비한다.
2. 남북 만주에 군관 학교를 세워 독립 전사를 양성한다.
3. 종래의 의병 및 해산 군인과 만주 이주민을 소집하여 훈련한다.
4. 중국 · 러시아 등 여러 나라에 의뢰하여 무기를 구입한다.

……

7. 무력이 완비되는 대로 일본인 섬멸전을 단행하여 최후 목적의 달성을 기한다.

▶ 대한 광복회는 독립 전쟁을 수행하기 위해 국내에서 조직된 단체로, 만주에 사관 학교를 설립하여 독립군을 양성하려 하였다.

(4) 조선 국민회(1915, 공화주의)

① **조직**: 조선 국민회는 대조선 국민 군단의 국내 지부적인 성격을 띠고 있는 단체로, 장일환이 숭실 학교 재학생과 졸업생을 중심으로 조직하였다.

② **활동**: 해외 독립운동가와 연락하며 군자금을 모금하고 무기 구입을 추진하였다.

(5) 기타 조직

① **송죽회**(1913): 평양 숭의 여학교 교사와 학생들을 중심으로 조직되어 군자금 모금 운동 등을 전개하였다.

② **대한 광복단**(풍기 광복단, 1913): 채기중 등이 경북 풍기에서 결성한 비밀 결사로, 이후 대한 광복회에 합류하였다.

2 1910년대 국외 민족 운동

1. 국외 독립운동 기지의 건설

(1) 독립운동 기지 건설의 목적

① **장기적인 항일 독립운동의 거점 마련**: 서간도의 삼원보, 북간도의 용정, 연해주의 신한촌 등 한인 집단촌이 건설되어 독립운동 기지의 역할을 하였다.

② **무장 독립 전쟁의 수행**: 간도, 연해주 지역을 중심으로 경제적 토대를 마련하여 근대적 민족 교육과 군사 훈련을 실시하였는데, 이는 결정적인 시기를 기다려 무장 독립 전쟁을 수행하기 위함이었다.

(2) 독립운동 기지 건설의 성격

① **자치 정부**: 서간도의 삼원보 등은 민정 조직과 군정 조직을 갖춘 독립적인 자치 정부의 역할을 수행하였다.

② **독립 준비론**: 한인들의 생활 대책 마련은 독립 전쟁 수행의 선행 조건이었기 때문에 경제 및 교육 운동을 표방하였다.

2. 서간도(남만주)

(1) 독립군 기지: 이회영, 이시영, 이동녕, 이상룡 등의 신민회 인사가 중심이 되어 삼원보에 독립운동 기지를 건설하였다.

(2) 자치 기구: 경학사(1911, 최초의 자치 단체) → 부민단(1912) → 한족회(1919) → 서로 군정서로 개편(군정부의 기능을 갖고 있음)

(3) 학교: 신흥 강습소(1911) → 신흥 중학교(1913) → 신흥 무관 학교(1919)로 발전하며 독립군을 양성하였다.

3. 북간도

(1) 독립군 기지: 명동촌, 용정촌 등이 대표적이다.

(2) 자치·군정 기구

① **중광단**(1911): 서일을 중심으로 대종교 신자들이 중심이 되어 조직하였으며, 정의단·군정회 등으로 확대·발전하다가 1919년 북로 군정서군으로 개편되었다.

② **대한 국민회**(1919): 대한 국민회는 간민 자치회가 간민회로 개칭하였다가 다시 대한 국민회로 개편한 것으로, 국민회군이라는 독립군 부대를 편성하여 안무를 총사령관으로 삼고 항일전을 수행하였다.

(3) 학교: 서전서숙(1906, 이상설)과 명동 학교(1908, 김약연)를 설립하여 민족 교육과 군사 교육을 실시하였다.

4. 북만주

이상설·이승희 등은 중국과 소련의 국경 지역인 밀산현 봉밀산에 황무지를 매입하고 주민을 이주시켜 새로운 독립운동 기지인 한흥동을 건설하였다. 또한 이곳에 한민 학교를 세웠다.

5. 중국(상하이·베이징)

(1) 동제사(1912)

① **조직**: 신규식·박은식·조소앙 등이 상하이에서 조직한 비밀 결사로, 미국, 일본 등지에도 지사를 설립하였다.

② **활동**: 중국 국민당 인사들과 연합하여 신아 동제사로 개편(1913)하였고, 박달 학원을 설립하는 등 청년 교육에 주력하였다.

(2) 신한 혁명당(1915)

① **조직**: 동제사 간부인 신규식, 박은식 등과 러시아에서 탄압을 피해 온 이상설 등이 연합하여 상하이에서 조직한 후, 본부는 베이징에 두었다.

간도의 모습

| 간도 이주민

| 신흥 강습소 학생들

| 용정 전경

북로 군정서군

김좌진을 사령관으로 맞이하여 교관 이범석, 김규식 등과 함께 수백 명의 사관생도를 양성하였다. **북간도에서 강력한 독립 군단을 편성**하였으며, **1920년 청산리 대첩에서 활약**하였다.

② **활동**: 초기에는 복벽주의에서 출발하였으나, 국민 주권과 공화주의를 토대로 하는 임시 정부의 수립을 내세우며 **대동 단결 선언**(1917)을 제창하였다.

교과서 사료 읽기

대동 단결 선언

융희 황제(순종)가 삼보(토지·인민·정치)를 포기한 경술년 8월 29일은 즉 우리 동지가 이를 계승한 8월 29일이니, 그 동안에 한 순간도 숨을 멈춘 적이 없음이라. 우리 동지는 완전한 상속자니 저 황제권 소멸의 때가 즉 민권 발생의 때요, 구한국의 마지막 날은 즉 신한국의 최초의 날이니, 무슨 까닭인가. 우리 대한은 무시(無始) 이래로 한인의 한이요 비(非)한인의 한이 아니니라. 한인 사이의 주권을 주고받는 것은 역사상 불문법의 국헌이오. 비한인에게 주권 양여는 근본적 무효요, 한국의 국민성이 절대 불허하는 바이라.

사료 해설 | 1917년 임시 정부 수립을 위해 신규식·박은식 등 14명이 발기하여 작성한 선언문으로, 나라의 주권이 국민에게 계승되었다는 것(국민 주권설)과, 대동 단결의 필요성, 임시 정부의 수립과 운영을 위한 강령 등으로 구성되어 있다.

(3) **대동 보국단**(1915): 신규식, 박은식 등이 조직하였으며, 『진단』이라는 잡지를 발간하였고, 신한 혁명당과 독립운동을 위한 연대를 모색하였다.

(4) **신한청년당**(1918): 여운형을 당수로 하였으며 『신한청년보』를 발간하였다. 또한 독립 청원서를 미국의 윌슨 대통령에게 전달하고, **김규식을 파견해 파리 강화 회의에 제출하여 독립을 요구하는 등 활발한 외교 활동을 전개하였다.**

6. 연해주

(1) **독립군 기지**: 러시아 연해주 블라디보스토크의 한인 집단 거주지 **신한촌**이 대표적이다.

(2) **신문 발행**: 해조신문·대동공보(1908) 등의 신문이 발행되었으며, 신문에는 항일 논설과 기사가 수록되어 국내·외 동포들의 자주 독립과 독립 투쟁 의지를 고무시켰다.

(3) **13도 의군**(1910): 유생 의병장인 **유인석**, 이범윤, 홍범도 등이 조직하였으며, 고종에게 연해주로 파천할 것을 건의하였다.

(4) **성명회**(1910): 유인석, 이상설 등이 조직하였으며, 한·일 합방의 부당성을 각국 정부에 호소하고, 취지서와 각종 격문을 한인 사회에 배포하였다.

(5) **권업회**(1911): 신한촌에 의병 계열과 계몽 운동 계열의 합작으로 조직된 자치 기관으로, 권업신문을 발행하고 **한민 학교·대전 학교**(군사 학교)를 설립하였다.

(6) **대한 광복군 정부**(1914): 권업회가 블라디보스토크에서 **이상설**과 **이동휘**를 정·부통령으로 하여 수립한 것으로, 사관 학교를 건립하며 **임시 정부 탄생의 계기**를 만들었으나 제1차 세계 대전의 영향으로 권업회와 함께 해체되었다.

(7) **전로 한족 중앙 총회**(1917): 러시아 혁명의 영향을 받아 설립되었다.

(8) **대한 국민 의회**(1919): 블라디보스토크의 전로 한족 중앙 총회가 정부 형태로 개편된 것으로, 고창일 등을 파리 강화 회의에 파견하였다. 이후 대한 국민 의회는 상해 대한민국 임시 정부로 통합되었다.

신한청년당의 의의

신한청년당은 국내, 도쿄, 연해주 등에 인사를 파견하여 연락 체계를 구축하였으며 『신한청년보』를 발행하여 해외의 동포들의 독립 정신을 고취시켰다. 이러한 활동은 3·1 운동에 영향을 끼쳤으며 **대한민국 임시 정부의 수립에 기여**하였다.

파리 강화 회의에 참석한 김규식

김규식은 3·1 운동이 일어나기 전에 신한청년당에 의해 **파리 강화 회의에 파견**되었으며, 대한민국 임시 정부에 의해 **초대 외무 총장에 임명**되어 활동 기반을 강화하였다. 광복 후에는 좌·우 합작 운동과 남북 협상에 참여하였다.

이상설 기출연표

- **1906** 북간도에 서전 서숙 설립
- **1907** 헤이그 만국 평화 회의 밀사로 임명됨
- **1909** 밀산현에 독립운동 기지 한흥동 건설
- **1910** 러시아 블라디보스토크에서 13도 의군 조직
- **1911** 러시아 블라디보스토크 신한촌에서 권업회 결성
- **1914** 대한 광복군 정부의 정통령에 선임
- **1915** 박은식, 신규식 등과 함께 신한 혁명당 조직을 협의

전로 한족회 중앙 총회(1917)

러시아가 변화하는 상황을 틈타 민족 자결의 노선을 주장하고, **러시아 내에서 한인의 권리를 보호하고자 노력**하였다. 1919년에는 한국의 독립을 선포하는 결의문을 발표하였으며, 파리 강화 회의에 대표를 파견하였다.

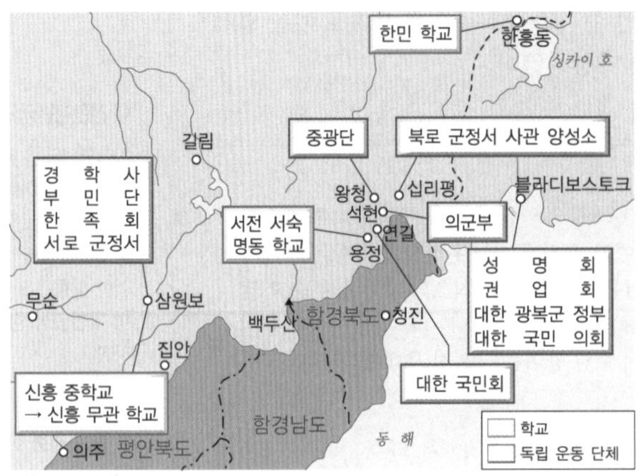

| 만주와 연해주의 독립운동 기지

7. 미주

(1) 자치 단체: 하와이에 신민회(1903)가 미주 지역 최초의 정치 단체로 조직되었으며, 이후 하와이의 한인 합성 협회(1907), 샌프란시스코의 공립 협회(1905)가 장인환·전명운의 스티븐스 저격 사건(1908)을 계기로 연합하여 국민회(1909)로 통합·재조직되었다.

(2) 대한인 국민회(1910): 국민회를 개편하여 박용만, 이승만을 중심으로 설립된 단체로, 샌프란시스코에 중앙 총회를 두었으며, 신한민보를 발행하고 성금을 모아 상하이 임시 정부에 전달하였다. 미국 윌슨 대통령에게 청원서를 제출하였고, 미국 상원에서 한국의 독립 문제를 토의하게 하였다.

(3) 흥사단(1913): 신민회가 해산(1911)된 이후 안창호가 샌프란시스코에서 기독교인을 중심으로 흥사단을 조직하였다. 이후 국내 지부로 수양 동우회(1926)를 설립하였으며, 잡지 『동광』을 발간하였다.

(4) 대조선 국민 군단(1914): 박용만이 하와이에서 조직한 것으로, 국민 개병설을 주장하여 군사 훈련을 실시하였고, 국내 조직으로 조선 국민회(1915)를 설립하였다.

(5) 숭무 학교(1910): 이근영 등이 무관 양성을 표방하며 멕시코에 설립된 학교였다.

3 3·1 운동(1919)

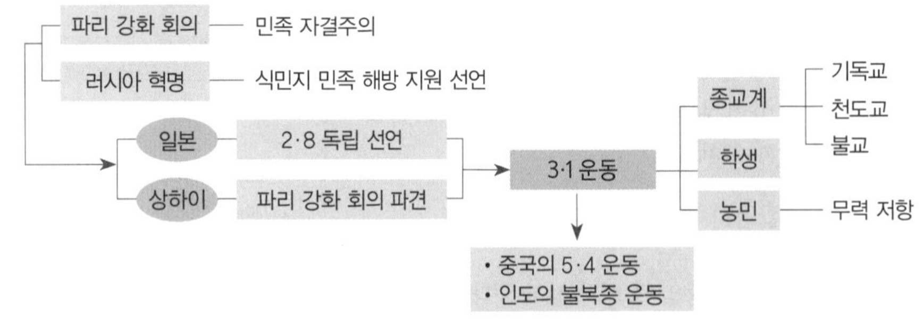

| 3·1 운동의 전개

흥사단

수양 동우회의 와해

수양 동우회는 1937년 일본 경찰에 발각되어 해산되었고, 회원들은 **치안 유지법 위반 혐의**로 붙잡혔다(수양 동우회 사건). 검거된 회원들은 강제로 전향한 뒤 **일제에 협력**하게 되었다.

박용만

박용만은 1909년 미국 네브라스카 주에 **한인 소년병 학교를 설립**하였으며, 1914년에는 하와이에서 **대조선 국민 군단을 조직**하여 독립 전쟁을 대비하였다.

1. 3·1 운동의 배경

(1) 국제 정세의 변화

① **레닌의 식민지 민족 해방 지원 선언**(1917): 러시아 혁명 후 레닌이 제국주의하에서 고통받는 약소 식민지 국가를 지원하겠다고 선언하였다.

② **윌슨의 민족 자결주의**(1918): 제1차 세계 대전 이후 전후 처리 문제를 논의하기 위한 파리 강화 회의에서 미국 대통령 윌슨이 민족 자결주의를 포함한 14개조의 평화 원칙을 제시하였다.

(2) 국외에서의 노력

① **일본**: 도쿄의 유학생들이 비밀 결사인 조선 청년 독립단을 조직하여 독립 선언서(2·8 독립 선언, 1919)와 결의문을 발표하고 시위를 벌였다. 이는 국내에서 3·1 운동이 일어나는 도화선으로 작용하였다.

② **상하이**: 상하이의 신한청년당은 독립 청원서를 작성하여 미국 특사에게 전달하였고, 김규식을 파리 강화 회의에 파견하였다.

(3) 국내 정세

① **고종의 죽음**(1919. 1.): 고종 황제가 갑작스럽게 승하하자 일본 독살설이 유포되어 거족적인 민족 운동 분위기가 조성되었다.

② **무단 통치에 대한 반발**: 토지 조사 사업 후 상당수의 농민이 몰락하고 일본 자본의 진출로 형성된 노동 계층이 가혹한 노동 조건에 대해 반발하자, 이에 대해 일제가 강경하게 탄압함으로써 저항 의식이 고조되고 있었다.

2. 3·1 운동의 전개

(1) 1단계(점화기)

① **계획**: 천도교에서 독립운동의 대중화·일원화·비폭력화의 3대 행동 원칙을 확립하고, 기독교, 불교와 연합하여 종교계 인사를 중심으로 학생 세력이 동참한 민족 대연합 전선을 구축하였다.

② **선언문 작성 및 서명**: 3·1 독립 선언서(기미 독립 선언서)는 최남선이 본문을 작성하였으며, 손병희, 이승훈 등 민족 대표 33인이 서명하여 미리 전국에 배포하였다.

③ **민족 대표의 독립 선언서 낭독**: 민족 대표들은 탑골 공원에서 독립 선언식을 가지려 했으나, 시위가 격해질 것을 우려하여 **태화관**에서 선언서를 낭독하고 자진하여 체포 당하였다.

교과서 사료 읽기

기미 독립 선언서(1919)

오등은 이에 아(我) 조선의 독립국임과 조선인의 자유민임을 선언하노라. 이로써 세계 만방에 고하여 인류 평등의 대의를 극명하며, 이로써 자손만대에 고하여 민족 자존의 정권을 영유하게 하노라. 반만 년 역사의 권위를 장하여 이를 선언함이며, 2천만 민중의 충성을 합하여 이를 표명함이며, 민족의 항구 여일한 자유 발전을 위하여 이를 주장함이며, 인류적 양심으로 발로에 기인한 세계 개조의 대 기운에 순응 병진하기 위하여 이를 제기함이니 …… 오늘날 우리의 맡은 바 임무는 다만 자기의 건설이 있을 뿐이요, 결코 타인의 파괴에 있지 아니하도다.

사료 해설 | 기미 독립 선언서는 우리나라의 독립을 선언하는 내용과 비폭력적·평화적인 방법으로 민족 자결에 의한 자주 독립의 전개 방법을 제시하고 있다.

민족 자결주의

강자가 약자를 지배하는 제국주의와는 달리 **민족 문제는 민족 스스로 결정해야 한다는 주장**. 제1차 세계 대전 후에 개최된 파리 강화 회의에서 미국 대통령 윌슨이 주장한 것으로, **독일 등 패전국의 식민지에만 적용**되었고, **승전국의 식민지에는 적용되지 않았다는 한계**를 가지고 있다. 당시 **일본은** 연합국의 일원으로서 **승전국**이었다.

2·8 독립 선언을 주도한 유학생들

고종의 장례식

3·1 운동의 전개

봉기는 낮과 밤으로 일어나고 있었다. …… 전국에서 학생들이 동맹 휴학을 했다. …… 상당히 많은 농민들은 씨 뿌리기를 거부하였고, 상인들은 날마다 가게 문을 열라고 총검으로 위협을 할 때까지 문 열기를 거부하고 있다. …… 처음 봉기가 일어난 지 2개월이 지난 오늘도 잡혀 오는 사람이 있다.

- 일제하 독립운동가의 서한집

▶ 3·1 운동은 전국 218개의 군 중 211개에서 일어날 만큼 **거국적인 독립운동**이었다.

④ **시위 전개**: 민족 대표들이 오지 않자, 탑골 공원에 모여 있던 수천 명의 학생과 시민들이 이미 배포되었던 독립 선언서를 낭독한 후 만세 시위에 들어갔으며, 평양에서도 거의 같은 시각에 독립 선언서가 배포되고 **만세 시위**를 시작하였다.

(2) **2단계**(도시 확산기)

① **주요 도시로의 확산**: 학생들이 주도적인 역할을 하여 주요 도시를 중심으로 만세 시위가 확산되었다.

② **계층 확산**: 상인과 노동자 계층도 시위에 참여하였고, 파업이나 자금 제공의 방법 등으로 적극 호응하였다.

(3) **3단계**(농촌 및 해외 확산기)

① **농촌으로의 확산**: 농민들이 시위에 적극적으로 참가하면서 만세 시위 운동이 전국의 농촌 각지로 확산되었으며, 특히 3월 말에서 4월 초 사이에는 독립운동이 최고조에 도달하였다.

② **폭력 투쟁 전개**: 비폭력 독립운동으로 시작된 만세 시위가 차츰 면사무소·헌병 주재소·친일 지주 등을 습격하는 무력적인 저항 운동으로 변모하였다.

③ **해외로의 확산**: 만주(삼원보, 용정), 연해주(블라디보스토크), 미주(필라델피아) 등에서 만세 시위가 전개되었다. 2·8 독립 선언을 통해 3·1 운동의 기폭제 역할을 하였던 도쿄 유학생들도 국내의 만세 운동 소식을 듣고 일본에서 만세 시위를 전개하였다.

(4) **일제의 탄압**: 일제는 헌병과 경찰은 물론 육·해군까지 동원하여 만세 시위를 전개하는 군중에게 무차별 총격을 가하며 탄압하였다(**제암리 학살 사건**, 유관순 열사 순국).

3. 3·1 운동의 의의 및 영향

(1) **독립 의지의 천명**: 3·1 운동은 우리 민족에게 독립에 대한 강한 희망과 자신감을 심어 주었고, 우리 민족의 자주 독립 의지와 역량을 전 세계에 천명하였다.

(2) **독립운동 참여 계층과 기반의 확대**: 3·1 운동에는 종교계와 학생을 비롯하여 노동자, 농민, 걸인에 이르기까지 전 국민이 신분·계급·남녀노소 등의 구분 없이 동참하였다.

(3) **독립운동의 방향 제시**: 3·1 운동은 민족 운동을 국내외의 거족적인 항쟁으로 유도하여 보다 조직적이고 체계적인 독립운동으로 발전하였다.

(4) **일제 통치 방식의 변화**: 3·1 운동을 계기로 일제는 무단 통치에서 친일 세력을 포섭하는 문화 통치로 통치 방식을 전환하였다.

(5) **대한민국 임시 정부 수립 계기**: 3·1 운동을 계기로 상하이에 **대한민국 임시 정부가** 수립되었다.

(6) **무장 투쟁의 필요성 인식**: 3·1 운동을 통해 **무장 투쟁의 필요성이** 대두하여 1920년대 봉오동 전투, 청산리 대첩 등의 독립 전쟁으로 발전하였다.

(7) **반제국주의 운동의 신호탄**: 3·1 운동은 중국의 5·4 운동, 인도의 비폭력·불복종 운동 및 중동 지역의 반제국주의 민족 운동 등에 영향을 미쳤다.

3·1 운동 참여자의 직업 구성

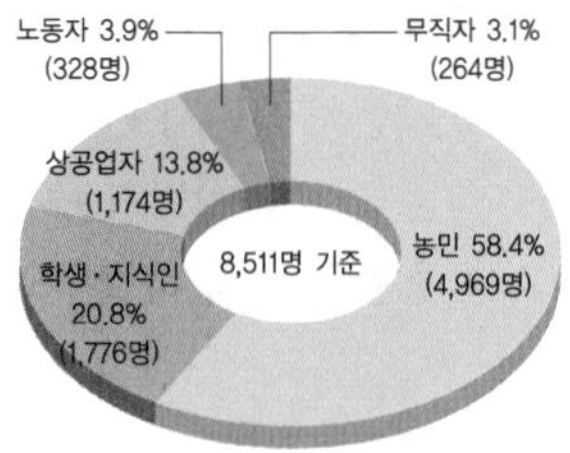

제암리 학살 사건 기출사료

만세 시위가 확산되자, 일제는 헌병 경찰은 물론이고 군인까지 긴급 출동시켜 시위 군중을 무차별 살상하였다. 정주, 사천, 맹산, 수안, 남원, 합천 등지에서는 일본 군경의 총격으로 수십 명의 사상자를 냈으며, 화성 제암리에서는 전 주민을 교회에 집합, 감금하고 불을 질러 학살하였다.

-『한국독립운동지혈사』

▶ 1919년 4월 15일, 일본군이 3·1 운동에 대한 보복으로 경기도 화성군 제암리에서 주민들을 집단적으로 학살한 사건이다.

유관순(1902~1920)

유관순은 고향인 **병천(천안) 아우내 장터**에서 직접 만든 태극기를 나눠 주며 **만세 시위를 주도**하다가 일본 헌병에게 체포되어 옥중에서 순국하였다.

중국의 5·4 운동 교과서 사료

파리 강화 회의가 열렸을 때, 정의·인도·공정이 세계에 널리 퍼지는 것이 우리의 희망이며 바라던 바가 아니었던가. 칭다오를 우리에게 돌려주고, 중·일 비밀 조약, 군사 협정, 기타 불평등 조약을 폐지함이 정당하고 공정하다. 그러나 힘 앞에 정의가 무너져 장차 5대국이 우리 영토를 마음대로 하게 될 것이다. 우리를 패전국 독일, 오스트리아처럼 대접하는 것은 부당하고 불공정하다. …… 아드리아 해협을 찾기 위한 투쟁에서 이탈리아인들도 '죽음'을 외쳤다. 조선인들도 독립운동을 하면서 부르짖었다. '독립을 하지 못하면 죽음이 있을 뿐이다.'

-『동양사연구자료집요』

▶ 중국에서는 베이징 대학생들을 중심으로 군벌 타도와 반제국주의를 주장하는 운동이 전개되었다.

OX 빈칸 핵심 개념 점검

* 학습한 개념을 OX/빈칸 문제를 통해 점검해보세요.

핵심 개념 1 | 1910년대 국내 민족 운동

01 대한 광복회는 공화주의 이념에 따라 공화 정치를 실현하는 것을 목표로 하였다. □ O □ X

02 독립 의군부와 대한 광복회는 모두 1910년대 국내에서 결성된 단체이다. □ O □ X

03 대한 광복회는 대한 광복단(풍기 광복단)과 조선 국권 회복단의 일부 인사가 통합하여 만들었다. □ O □ X

04 1913년에 평양 숭의 여학교 교사와 학생들로 구성된 송죽회가 조직되었다. □ O □ X

05 1910년대에 임병찬이 주도한 ＿＿＿＿가 항일 운동을 전개하였다.

06 ＿＿＿＿는 의병 계열과 애국 계몽 운동 계열의 인사들이 연합하여 만든 단체이다.

핵심 개념 2 | 1910년대 국외 민족 운동

07 서간도에는 자치 기관인 경학사와 부민단이 만들어졌다. □ O □ X

08 권업회라는 독립운동 단체는 북간도에서 조직되었다. □ O □ X

09 신흥 무관 학교는 만주 삼원보에 설립된 신흥 강습소가 개편된 것이다. □ O □ X

10 신규식과 박은식 등은 대동 보국단을 조직하고 『진단』이라는 잡지를 발간하기도 하였다. □ O □ X

11 이상설은 연해주에서 대한 국민 의회를 조직하였다. □ O □ X

12 안창호는 샌프란시스코에서 흥사단을 조직하였다. □ O □ X

13 이상설과 이동휘는 연해주에서 ＿＿＿＿ 수립을 주도하였다.

14 중국 상하이에서 신규식, 박은식, 조소앙 등의 주도로 ＿＿＿＿가 조직되었다.

15 하와이에 군사 양성 기관인 ＿＿＿＿이 창설되었다.

핵심 개념 3 | 3·1 운동

16 미국 대통령 윌슨의 민족 자결주의는 제1차 세계 대전 이후 지구상의 모든 식민지 처리에 적용되었다. □ O □ X

17 상하이의 신한청년당은 파리 강화 회의에 보낼 독립 청원서를 작성하여 김규식을 대표로 파견하였다. □ O □ X

18 3·1 운동은 국내외에서 민족 유일당 운동이 촉발되는 계기가 되었다. □ O □ X

19 3·1 운동은 중국의 5·4 운동, 인도의 비폭력·불복종 운동 등에 영향을 주었다. □ O □ X

20 3·1 운동은 ________ 의 수립에 영향을 주었다.

정답과 해설

01	O 대한 광복회는 국권 회복과 공화주의 이념에 따라 공화 정치를 실현하는 것을 목표로 하였다.	11	× 대한 국민 의회는 1919년에 러시아 연해주의 전로 한족 중앙 총회가 개편되어 설립된 것으로, 이상설과는 관련이 없다. 이상설은 연해주의 권업회(1911)와 대한 광복군 정부(1914) 등을 설립하였다.
02	O 독립 의군부와 대한 광복회 모두 1910년대 국내에서 결성된 비밀 결사 단체이다.	12	O 안창호는 1913년 미국 샌프란시스코에서 흥사단을 조직하고 미주 동포를 대상으로 애국 계몽 운동을 전개하였다.
03	O 대한 광복회는 채기중의 풍기 광복단(대한 광복단)과 박상진의 조선 국권 회복단의 일부 인사가 통합되어 설립된 단체이다.	13	대한 광복군 정부
04	O 송죽회는 1913년 김경희, 황에스더 등 평양 숭의 여학교 교사와 학생들을 중심으로 조직된 단체로 여성 계몽 운동을 전개하였다.	14	동제사
05	독립 의군부	15	대조선 국민 군단
06	대한 광복회	16	× 미국의 윌슨 대통령이 발표한 민족 자결주의는 제1차 세계 대전의 패전국 식민지에만 적용되었으며, 전승국의 식민지에는 적용되지 않았다.
07	O 서간도(남만주)에는 자치 기관으로 경학사와 부민단이 조직되었다.	17	O 상하이의 신한청년당은 독립 청원서를 작성하였으며, 김규식을 파리 강화 회의에 대표로 파견하였다.
08	× 권업회는 1911년에 연해주에서 계몽 운동 계열과 의병 계열의 합작으로 조직된 독립운동 단체이다.	18	× 국내외에서 민족 유일당 운동이 촉발되는 계기가 된 대표적인 사건은 6·10 만세 운동이다.
09	O 신흥 강습소는 신민회 인사들에 의해 독립운동 기지 건설의 일환으로 서간도의 삼원보에 설치되었다. 이후 신흥 강습소는 신흥 중학교로 개편(1913)되었으며, 1919년에 신흥 무관 학교로 개편되었다.	19	O 3·1 운동은 중국의 5·4 운동, 인도의 비폭력·불복종 운동 등에 영향을 주었다.
10	O 1915년 신규식과 박은식 등은 1915년 대동 보국단을 조직하고 『진단』이라는 잡지를 발간하였다.	20	대한민국 임시 정부

2 대한민국 임시 정부

학습 포인트
대한민국 임시 정부의 수립 과정과 주요 활동 내용을 파악한다. 또한 대한민국 임시 정부를 정비하기 위해 개최된 국민 대표 회의에서 각 세력의 주장과 이후의 임시 정부의 재정비에 대해 학습한다. 특히 임시 정부의 정치 체제의 변천 과정을 시기별로 파악하도록 한다.

빈출 핵심 포인트
대한민국 임시 정부, 교통국, 연통제, 국민 대표 회의, 한인 애국단

1 임시 정부의 수립과 조직

1. 배경

3·1 운동 이후 조직적·체계적으로 독립운동을 추진해야 할 필요성이 대두하였고, 독립 후 국민 국가 건설을 위해 이를 지도할 임시 정부 수립에 대한 공감대가 형성되었다.

2. 각지의 임시 정부

3·1 운동 직후 각지에 임시 정부가 수립되었으나, 이 중 3개의 임시 정부만이 실제적인 정부 부서를 구성하였다.

(1) **연해주의 대한 국민 의회:** 전로 한족회 중앙 총회가 대한 국민 의회로 개편한 후 대통령에 손병희, 국무총리에 이승만을 선임하고 정부 수립을 발표하였다.

(2) **상하이의 대한민국 임시 정부:** 신한 청년당을 중심으로 활동하던 민족 운동가들이 먼저 임시 의정원을 구성(1919. 4.)하고, 이승만을 국무총리로 하여 대한민국 임시 정부를 수립하였다.

(3) **국내의 한성 정부:** 서울에서 13도 대표가 모여 국민 대회를 열고 집정관 총재에 이승만을, 국무총리 총재에 이동휘로 하는 한성 정부 수립을 공포하였다.

3. 임시 정부의 통합(1919. 9.)

(1) 논쟁

① **위치:** 통합된 임시 정부의 위치를 놓고 외교 활동을 중시하는 상하이 중심론과 무력 투쟁을 중시하는 만주·연해주 안이 대립하다가 상하이로 결정되었다.

② **대통령 선정:** 각각의 정부 수반 중 누구를 대통령으로 선정할지 논쟁하였다.

(2) **통합 원칙:** 연해주의 대한 국민 의회를 흡수하여 입법 기관을 형성하고, 한성 정부의 법통을 계승하여 행정부를 조직하는 형태로 상하이에 대한민국 임시 정부가 수립되었다(1919. 9.).

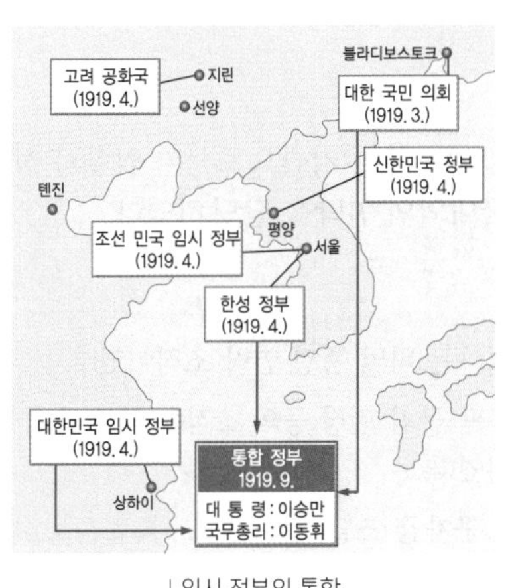

| 임시 정부의 통합

임시 의정원(1919. 4.)

1919년 4월 상하이에서 임시 정부 수립에 앞서 입법 기관인 임시 의정원이 먼저 구성되었다. 임시 의정원에서는 임시 정부의 초대 헌법인 임시 헌장을 제정하여 초대 상하이 임시 정부의 체제 및 구성을 결정하였다. 통합된 임시 정부 수립 이후에는 대한민국 임시 정부 헌법을 개정하는 역할 등을 담당하였다.

임시 정부의 위치 논쟁 교과서 사료

· **상하이 중심론**(안창호의 제안)
- 상하이와 러시아령에서 설립한 정부들을 일체 해소하고 오직 국내에서 13도 대표가 창설한 한성 정부를 계승할 것이니 국내의 13도 대표가 민족 전체의 대표임을 인정함이다.
- 정부의 위치는 아직 상하이에 둘 것이니 각지의 연락이 비교적 편리하기 때문이다.
- 정부의 명칭은 대한민국 임시 정부라 할 것이니 독립 선언 이후에 각지를 원만히 대표하여 설립된 역사적 사실을 살리기 위함이다.

- 주요한, 『안도산 전서』

· **만주·연해주 안**(문창범의 제안)
만주와 연해주처럼 국내와 접해 있는 지역에서도 국내와의 연락을 충분히 할 수 없으며, 또 마음대로 활동할 수 없는데, 상하이와 같이 원격지이며 타국의 영토 안에 있으면서 어떤 일을 할 수 있으리라고 생각되지 않는다.

- 강덕상, 『현대사 자료』

▶ 통합된 임시 정부의 위치를 놓고 임시 정부의 외교 활동을 중시하는 상하이 중심론과 무력 투쟁을 중시하는 만주·연해주 안이 대립하였다.

(3) 체제

① **민주 공화제**: 대통령제의 3권 분립에 입각한 최초의 민주 공화제 정부를 구성하였다.

② **체제**: 대통령·국무총리 체제를 표방하였다.

> **3권 분립 체제**
> 대한 민국 임시 정부는 **입법부**로서 **임시 의정원**, **행정부**로서 **국무원**, **사법부**로서 **법원**을 두어 3권 분립 체제를 구성하였다.

(4) 구성

① **인물**: 대통령에 이승만, 국무총리에 이동휘를 선임하였다.

② **기관**: 입법 기관인 임시 의정원, 사법 기관인 법원, 행정 기관인 국무원 등을 두었다.

교과서 사료 읽기

> **대한민국 임시 헌장**(1919. 4.)
>
> 제1조 대한민국은 민주 공화제로 한다.
> 제2조 대한민국 임시 정부는 임시 의정원의 결의에 의하여 이를 통치한다.
> 제3조 대한민국의 인민은 남녀 귀천 및 빈부의 계급이 없고 일체 평등하다.
> 제4조 대한민국의 인민은 종교, 언론, 저작, 출판, 결사, 집회, 통신, 주소 이전, 신체 및 소유의 자유를 향유한다.
> 제5조 대한민국의 인민으로 공민(公民) 자격이 있는 사람은 선거권 및 피선거권을 가진다.
>
> 민국 원년 3월 1일 우리 대한민족이 독립을 선언한 뒤 …… 이제 본 정부가 전 국민의 위임을 받아 조직되었으니 전 국민과 더불어 전심(專心)으로 힘을 모아 국토 광복의 대사명을 이룰 것을 선서한다.
>
> **사료 해설** | 임시 의정원은 대한민국 임시 정부 헌법의 기초가 되는 '대한민국 임시 헌장'을 발표하고(1919. 4.), 임시 정부의 정책을 논의하여 독립운동의 방향과 방법을 결의하였다.

2 임시 정부의 활동

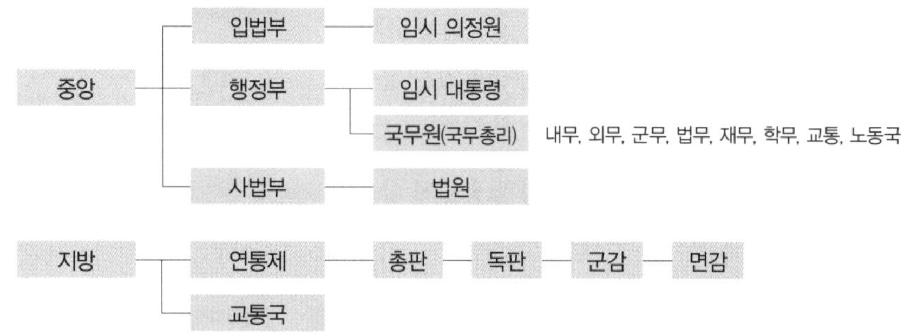

| 임시 정부 조직도

> **대한민국 임시 정부**
>
> 
> | 임시 정부 청사(상하이)
>
> 
> | 임시 정부 요인

1. 비밀 행정 조직망

(1) 교통국: 교통국은 비밀 통신망으로, 통신 기관으로서의 역할과 정보의 수집·분석·교환·연락 업무를 관장하는 등 국내외의 연락을 담당하였다.

(2) 연통제(1919~1921)

① **성격**: 연통제는 국내외를 연결하는 비밀 행정 연락 조직이었다.

② **설치**: 전국의 각 도·군·면에 독판·군감·면장 등의 조직을 만들어 정부 연락 책임자를 두고, 간도에는 독판부를 설치하였다.

③ **활동**: 정부 문서와 명령 전달, 군자금 조달, 정보 보고, 독립운동 지휘·감독 등을 담당하였다.

2. 독립운동 자금 조달

(1) **군자금 마련**: 임시 정부는 애국 공채(독립 공채) 발행, 인두세 징수, 국민 의연금 모금 등을 통해 군자금을 마련하였다.

(2) **운반**: 군자금은 이륭 양행(만주), 백산 상회(부산) 및 연통제·교통국 조직 등을 통해 전달하였다.

3. 외교 활동

(1) **파리 위원부**: 임시 정부는 독립 청원서를 제출하기 위해 파리 강화 회의에 파견된 신한청년당의 김규식을 외무총장 및 주 파리 위원으로 임명하였다. 이를 계기로 설치된 파리 위원부는 한국의 독립 투쟁을 유럽 각국에 알리는 외교 활동을 전개하였다.

(2) **구미 위원부**: 임시 정부는 미국 워싱턴에 외교 위원부로 구미 위원부를 설치하고, 미국이나 유럽을 중심으로 한국 독립 문제의 국제 여론화를 위해 노력하였다.

(3) **결과**: 한국 독립의 열망을 호소하였지만 국제 사회는 이를 외면하였고, 이후 독립운동 방향 전환의 필요성이 대두되었다.

4. 군사 활동

(1) **군무부와 육군 무관 학교 설립**: 행정부인 국무원에 군사 업무를 담당하는 군무부를 두고, 군무부 산하에 육군 무관 학교(상하이)를 설립하여 군사 간부를 양성하였다.

(2) **직할 부대 편성**: 군무부의 직할대로 서간도에 광복군 사령부(광복군 총영으로 개편), 남만주에 임시 정부 직할의 육군 주만 참의부를 조직하였다.

(3) **한국광복군 창설**: 충칭에 자리 잡은 임시 정부는 한국광복군을 창설(1940)하여 대일 항전을 주도적으로 전개하였다.

5. 문화 활동

(1) **독립신문 발간**: 이광수 등이 주필이 되어 임시 정부의 기관지로 독립신문(1919, 국한문 혼용)을 간행·배포하였다.

(2) **사료 편찬소 설치**: 안창호와 이광수 등이 한국의 독립운동사에 관한 사료를 수집·정리하기 위하여 사료 편찬소(임시 사료 편찬회)를 설치하고, 『한·일 관계 사료집』을 간행하였다. 이 과정에서 박은식의 『한국독립운동지혈사』가 집필되어 민족 독립 의식을 고취시키고, 자주 독립의 당위성을 제시하였다.

3 임시 정부의 시련과 재정비

1. 배경

(1) **연통제 및 교통국 해체**(1920년대 초반): 연통제와 교통국 등이 일제에 발각되어 해체되면서 국내와 연락이 어렵게 되었고, 자금난을 겪게 되었다.

애국 공채

이륭 양행

1915년 아일랜드 출신 영국인 조지 쇼가 경영하던 무역 선박 회사로, 같은 건물에 대한민국 임시 정부 산하 '안동 교통국 사무국'을 두고 독립운동가들이 비밀리에 무기 반입, 정보 수집, 연락 활동 등을 할 수 있도록 도움을 주었다.

백산 상회

1914년 백산 안희제가 부산에 세운 민족 기업으로, 독립운동의 국내외 연락과 독립운동 자금 조달에 크게 활약하였으나 일제의 탄압으로 1927년에 문을 닫았다.

외교 위원부

임시 정부는 필라델피아에 서재필의 **한국 통신부**, 파리에 **김규식**의 **파리 위원부**, 워싱턴에 **이승만**의 **구미 위원부**를 설립하였다.

연통제

국내의 도·군·면에 각각 감독부(독판), 총감부(군감), 사감부(면감)를 둔 임시 정부의 비밀 행정 조직

(2) 독립운동 노선의 차이: 이동휘 계열의 무장 투쟁론, 이승만 계열의 외교 독립론, 안창호 계열의 실력 양성론 등 독립운동의 방향을 둘러싼 대립·갈등이 심화되었다.

(3) 이념 대립: 사회주의 세력의 성장으로 민족주의 세력과 갈등이 발생하였다.

(4) 미흡한 외교 활동: 외교 활동의 성과가 미흡하자 이에 대한 비판 여론이 등장하였다.

(5) 이승만의 위임 통치 청원: 임시 대통령 이승만이 미국 정부에 국제 연맹이 대한민국을 위임 통치해 줄 것을 건의하는 위임 통치 청원을 제출하였고, 여러 독립운동가들이 이를 비판하였다.

2. 국민 대표 회의 소집(1923)

(1) 소집 요구: 이승만의 위임 통치 청원서를 계기로 신채호 등 중국 관내 세력과 만주, 연해주의 무장 세력이 독립운동 전선의 통일과 독립운동의 방향 전환을 위해 국민 대표 회의의 소집을 요구하였다.

기출 사료 읽기

> 국민 대표 회의의 개최
>
> 본 회의는 이천만 민중의 공정한 뜻에 바탕을 둔 국민적 대회합으로 최고의 권위를 가지고 국민의 완전한 통일을 공고케 하며, 광복 대업의 근본 방침을 수립하여 이로써 민족의 자유를 만회하며 독립을 완성하기를 기도하고 이에 선언하노라. …… 본 대표 등은 국민이 위탁한 사명에 따라 국민적 대단결을 도모하며 독립운동의 방향을 확립하여 통일적 기관 아래에서 대업을 완성하고자 하노라.
>
> **사료 해설** | 1923년 국민 대표 회의가 개최되었으나, 창조파와 개조파의 대립으로 결렬되었다.

(2) 개최: 국내, 상하이, 베이징, 간도, 연해주, 미주 등 각지의 독립 지사들이 모여 독립운동 과정을 평가·반성하고, 나아갈 방향을 토론하였다.

(3) 회의에서의 대립: 국민 대표 회의에서는 독립운동의 방향과 임시 정부의 존속에 대해 논의하였다. 이때 대한민국 임시 정부의 해체와 새로운 정부 수립을 주장하였던 세력을 창조파, 현재의 대한민국 임시 정부를 개편하여 존속시킬 것을 주장하였던 세력을 개조파라고 한다. 한편, 김구 등 현상 유지파는 국민 대표 회의에 참석하지 않았다.

구분	창조파	개조파	현상 유지파
인물	박용만, 신채호	안창호	김구, 이동녕
주장	· 임시 정부 해체 · 새로운 정부 수립 주장 · 무력 항쟁 강조	· 임시 정부의 개혁과 존속 · 실력 양성을 우선으로 하면서 외교 활동 강조	임시 정부 유지

(4) 결과: 창조파와 개조파의 대립이 격화되자, 현상 유지파였던 김구가 국민 대표 회의의 해산을 명하는 내무부령을 발표하였다.

(5) 임시 정부 분열: 창조파 인사들이 임시 정부에서 이탈하여 새로운 정부를 조직하고 소련으로 갔으나, 소련의 지원을 못 받고 실패하였다.

이승만의 위임 통치 청원서

교과서 사료

미국 대통령 각하, 대한인 국민회 위원회는 본 청원서에 서명한 대표자로 하여금 다음과 같은 공식 청원서를 각하에게 제출합니다. …… 참석한 열강이 먼저 한국을 일본의 학정으로부터 벗어나게 하여 장래 완전한 독립을 보증하고 당분간은 한국을 국제 연맹 통치 밑에 두게 할 것을 빌며 …… 한국을 극동의 완충국 혹은 1개 국가로 인정하게 하면 동아 대륙에서의 침략 정책이 없게 될 것이며, 그렇게 되면 동양 평화는 영원히 보전될 것입니다.

▶ 이승만이 **미국의 윌슨 대통령에게 보낸 위임 통치 청원서를 계기로 이승만 탄핵안이 거론**되었고, 그 영향으로 독립운동의 방향을 논의하기 위한 **국민 대표 회의가 소집**되었다.

신채호

신채호는 **대한민국 임시 정부의 독립운동 노선과 이승만의 위임 통치 청원에 반대**하여 **임시 정부를 탈퇴**하였다.

국민 대표 회의 대립의 쟁점

① 국민 대표 회의의 소집 여부

현상 유지파	창조파·개조파
소집 반대	소집 찬성

② 임시 정부의 해체 여부

창조파	개조파
해체	개조

김구의 국민 대표 회의 해산 명령

이른바 국민 대표회에서 연호 및 국호를 달리 정한 것은 (대한)민국에 대한 모반이기에 …… 조국의 존엄한 권위를 침범하였음이라. …… 이에 6월 2일 이래 모든 행사의 작소(해소)를 명하고, 대표회 자체의 즉각적인 해산을 명한다. - 내무총장 김구

▶ 김구의 주도로 국민 대표 회의는 해산되었으며, 이후 한동안 임시 정부의 활동은 침체되었다.

3. 임시 정부의 재정비

(1) **주도**: 김구, 이시영, 이동녕 등 소수의 독립운동가가 임시 정부를 주도하였다.

(2) **이승만 탄핵**(1925): 이승만을 탄핵하여 물러나게 하고 박은식을 제2대 대통령으로 추대하였다.

(3) **정치 체제 변화**: 박은식의 발의로 대통령제에서 국무령 중심의 내각 책임제로의 정치 체제 개편(제2차 개헌, 1925)이 이루어졌다. 이후 제3차 개헌(1927)으로 국무 위원 중심의 집단 지도 체제로 정치 체제의 개편이 다시 한번 이루어졌다.

필수 개념 정리하기

임시 정부의 정치 체제 변화

개헌	정치 체제	정부 수반
제1차 개헌(1919) 임시 헌법	대통령 중심제(3권 분립)	이승만 → 박은식
제2차 개헌(1925) 임시 헌법	국무령 중심의 내각 책임제	이상룡, 홍진, 김구 등
제3차 개헌(1927) 임시 약헌	국무 위원 집단 지도 체제	국무위원 10여 명
제4차 개헌(1940) 임시 약헌	주석 중심의 단일 지도 체제	김구
제5차 개헌(1944) 임시 헌장	주석·부주석 체제	김구(주석), 김규식(부주석)

(4) **한국 독립당 창당**(1930): 임시 정부 산하 정당으로 한국 독립당이 창당되었다. 이후 한국 독립당의 일부(조소앙 등)는 의열단이 주도한 민족 혁명당에 합류(1935)하였고, 합류하지 않은 김구 등의 인사들은 한국 국민당을 결성하여 임시 정부의 유지를 옹호하였다.

(5) **한인 애국단 조직**(1931): 김구는 임시 정부의 위상을 높이고 침체에 빠진 독립운동을 활성화하기 위하여 의열 투쟁을 수행할 비밀 조직인 한인 애국단을 조직하였다. 단원인 이봉창·윤봉길의 의거로 임시 정부는 일제의 공격을 받게 되었고, 이를 피해 상하이를 떠나 이동하게 되었다.

(6) **한국 독립당 재창당**(1940): 중국 관내에서 활동하던 김구의 한국 국민당, 조소앙의 한국 독립당, 지청천의 조선 혁명당의 3개 정당이 모여 한국 독립당을 재창당(1940)하였다. 한국 독립당은 대한민국 임시 정부의 집권당 역할을 하였다.

(7) **충칭 정착**(1940): 임시 정부는 중국 국민당 정부가 있는 충칭으로 이동하여 정착하였다.

| 임시 정부의 이동

이승만 탄핵 교과서 사료

정무를 총괄하는 국가 총책임자로서 정부의 행정과 재무를 방해하고, 임시 헌법에 의해 의정원의 선거를 받아 취임한 임시 대통령이 자기 지위에 불리한 결의라 하여 의정원의 결의를 부인하고, 심지어 한성 조직의 계통 운운함과 같음은 대한민국의 임시 헌법을 근본적으로 부인하는 행위라. …… 고로 주문과 같이 심판함.
- 대한민국 임시 정부 공보 제42호(1925)

▶ **이승만**은 **외교 활동의 성과 미비**와 **위임 통치 건 등**을 이유로 1925년 3월 대통령직에서 **탄핵**되었다.

한국 독립당

1930. 1.	상하이에서 안창호, 김구, 이동녕, 조소앙 등이 임시 정부 산하의 정당으로 창당
1930. 7.	만주에서 혁신 의회 계열의 지청천이 창당
1935. 9.	조소앙이 민족 혁명당에서 탈당 후 다시 창당
1940. 5.	한국 국민당, 조선 혁명당, 한국 독립당의 3개 정당이 합당

임시 정부의 수립과 이동

OX 빈칸 핵심 개념 점검

* 학습한 개념을 OX/빈칸 문제를 통해 점검해보세요.

핵심 개념 1 | 대한민국 임시 정부의 수립과 조직

01 대한민국 임시 정부에는 만주 지역의 무장 투쟁 세력들도 참여하였다. □ O □ X

02 대한민국 임시 정부는 우리 역사상 최초의 공화제 정부였다. □ O □ X

03 대한민국 임시 정부는 블라디보스토크와 상하이, 한성(서울) 등 세 곳의 임시 정부가 협력하여 수립되었다. □ O □ X

04 통합된 대한민국 임시 정부의 초대 대통령은 ______, 국무총리는 ______였다.

핵심 개념 2 | 대한민국 임시 정부의 활동

05 대한민국 임시 정부는 국내와의 연락을 위해 교통국을 두었다. □ O □ X

06 대한민국 임시 정부는 국외 거주 동포에게 독립 공채를 발행하였다. □ O □ X

07 대한민국 임시 정부는 대동 단결 선언을 발표하였다. □ O □ X

08 대한민국 임시 정부는 미국에 구미 위원부를 두어 외교 활동을 전개하였다. □ O □ X

09 대한민국 임시 정부는 기관지로 ______을 발간하였다.

10 대한민국 임시 정부는 사료 편찬소에서 『______』을 간행하였다.

핵심 개념 3 | 국민 대표 회의 소집

11 1923년에 국내외의 독립운동 상황을 점검하고 새로운 활로를 모색하기 위하여 상하이에서 국민 대표 회의가 열렸다. □ O □ X

12 국민 대표 회의에서는 창조파와 개조파 등의 주장이 대립되었다. □ O □ X

13 국민 대표 회의에서는 파리 강화 회의에 김규식을 파견하는 것이 논의되었다. □ O □ X

14 국민 대표 회의에서 박은식이 임시 대통령으로 선출되었다. □ O □ X

15 국민 대표 회의 직후 대한민국 임시 정부는 헌법을 고쳐 정부 형태를 대통령 중심의 집단 지도 체제로 전환하였다. □ O □ X

16 안창호는 ______의 대표적인 인물로, 실력 양성을 우선으로 하면서 대한민국 임시 정부의 외교 활동을 강조하였다.

17 국민 대표 회의에 참석한 ______는 주로 외교론을 비판하는 무장 투쟁론자들로 구성되었다.

핵심 개념 4 | 대한민국 임시 정부의 재정비

18 대한민국 임시 정부는 제3차 개헌(1927)을 통해 국무위원 집단 지도 체제로 변화하였다. □ O □ X

19 대한민국 임시 정부는 김구를 주석으로 하는 단일 지도 체제를 만들고 대한민국 건국 강령을 제정하였다. □ O □ X

20 대한민국 임시 정부는 1940년에 중국 국민당 정부가 위치한 ______으로 이동하였다.

정답과 해설

01	**O** 대한민국 임시 정부 수립 당시 만주 지역의 무장 투쟁 세력들도 함께 참여하였다.	**11**	**O** 대한민국 임시 정부는 그때까지의 독립운동 상황을 점검·평가하고, 앞으로의 독립운동 방향을 논의하기 위해 상하이에서 국민 대표 회의를 개최(1923)하였다.
02	**O** 대한민국 임시 정부는 대통령제를 중심으로 한 우리나라 최초의 공화제 정부로 평가받는다.	**12**	**O** 국민 대표 회의에서 임시 정부의 방향을 두고 임시 정부를 해산하고 새 정부를 만들자는 창조파와 임시 정부를 그대로 두고 개편하자는 개조파의 주장이 대립되었다.
03	**O** 대한민국 임시 정부는 블라디보스토크(연해주)의 대한 국민 의회와, 상하이의 임시 정부, 한성(서울)의 한성 정부가 협력하여 1919년 9월 상하이에서 수립되었다.	**13**	**×** 파리 강화 회의에 김규식을 파견하는 것이 논의된 것은 국민 대표 회의 개최 이전인 1919년의 사실이다.
04	이승만, 이동휘	**14**	**×** 박은식이 임시 정부의 제2대 대통령으로 선출된 것은 국민 대표 회의가 결렬(1923)된 이후인 1925년이다.
05	**O** 대한민국 임시 정부는 국내와의 연락을 위해 비밀 통신망인 교통국과, 비밀 행정 조직망인 연통제를 두었다.	**15**	**×** 국민 대표 회의가 결렬(1923)된 이후 임시정부는 제2차 개헌을 통해 정부 형태를 대통령이 아닌 국무령 중심의 집단 지도 체제로 전환하였다(1925).
06	**O** 대한민국 임시 정부는 독립운동 자금을 마련하기 위해 중국과 미국 등 국외 거주 동포에게 독립 공채(애국 공채)를 발행하였다.	**16**	개조파
07	**×** 대동 단결 선언은 임시 정부가 조직되기 이전인 1917년에 발표되었다. 신규식, 박은식 등 14명의 지식인들은 공화주의를 표방하며 임시 정부 성립의 필요성을 제기한 대동 단결 선언을 발표하였다.	**17**	창조파
08	**O** 대한민국 임시 정부는 외교 활동을 위해 프랑스 파리와 미국 워싱턴에 각각 파리 위원부와 구미 위원부를 설치하였다.	**18**	**O** 제3차 개헌(대한민국 임시 약헌, 1927)을 통해 대한민국 임시 정부의 형태가 10여 명의 국무위원을 중심으로 한 집단 지도 체제로 개편되었다.
09	독립신문	**19**	**O** 대한민국 임시 정부는 제4차 개헌(1940)을 통해 김구를 주석으로 하는 단일 지도 체제를 만들고, 1941년에 대한민국 건국 강령을 제정하였다.
10	한·일 관계 사료집	**20**	충칭

03 무장 독립 전쟁의 전개

1 국내 무장 항일 투쟁과 의열 투쟁

학습 포인트
의열단과 한인 애국단의 단원, 주요 의거 활동에 대해서 반드시 학습하도록 한다.

빈출 핵심 포인트
의열단, 김원봉, 「조선혁명선언」, 한인 애국단, 이봉창, 윤봉길

1 국내 무장 항일 투쟁

1. 무장 항일 투쟁

(1) **천마산대**(1919): 3·1 운동 이후 최시흥 등 대한 제국의 군인 출신들이 조직하였으며, 평북 의주 천마산을 중심으로 활동하였다.

(2) **보합단**(1920): 김시황, 김동식, 백운기 등이 중심이 되어 조직하였으며, 군자금을 모아 대한민국 임시 정부에 보내고, 암살대를 조직하여 친일파 숙청에 주력하였다.

(3) **구월산대**(1920): 만주에서 활동하던 대한 독립단의 파견 부대 중 하나로 파견 대장 이명서가 중심이 되어 황해도 구월산에서 결성하였다.

2. 국내 독립군 부대의 활동

만주의 독립군과 긴밀한 연락을 취하면서 일제의 식민 통치 기관 파괴, 일본 군경과의 교전, 친일파 처단, 군자금 모금 등의 무장 항일 투쟁을 전개하였다.

2 의열 투쟁

1. 의열단(1919, 김원봉)

(1) **배경**: 3·1 운동 이후 강력한 무장 투쟁의 필요성이 대두하였다.

(2) **조직**: 의열단은 김원봉, 윤세주, 이종암 등이 중심이 되어 신흥 무관 학교 출신 청년들과 더불어 만주의 지린(길림)에서 결성하였다.

(3) **활동**: 의열단은 단원을 모집하여 암살과 파괴 등을 통한 의거 활동을 전개하였다.

(4) **목표**: 5파괴(5가지 파괴 대상)와 7가살(7가지 암살 대상)을 목표로 하였다.

문화 통치 시기의 항일 민족 운동

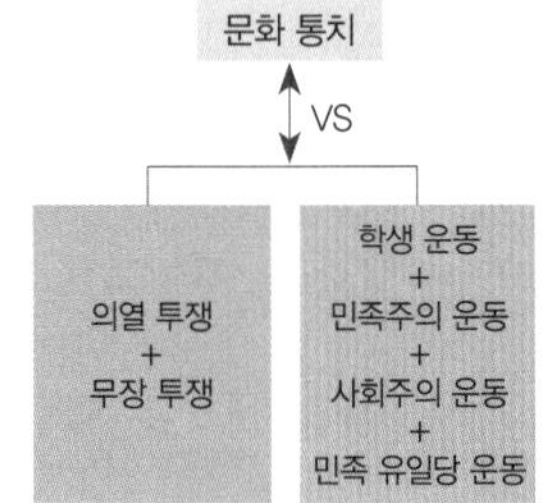

김원봉

- 1919년: 의열단 조직
- 1932년: 난징에서 조선 혁명 간부 학교를 창설
- 1935년: 난징에서 민족 혁명당 결성 주도
- 1937년: 조선 민족 전선 연맹 조직
- 1938년: 조선 의용대 창설
- 1942년: 한국광복군에 합류

5파괴 7가살

- **5파괴**: 조선 총독부, 동양 척식 주식회사, 매일신보사, 경찰서, 일제 중요 기관
- **7가살(可殺)**: 조선 총독 이하 고관, 일본 군부 수뇌, 대만 총독, 매국노, 친일파 거두, 적탐(적의 밀정), 반민족 토호 열신(친일 지주)

(5) 신채호의 「조선혁명선언」(1923)

① **작성**: 「조선혁명선언」은 신채호가 김원봉의 요청을 받아들여 의열단의 지침서로 작성한 것이다.

② **내용**: 신채호는 「조선혁명선언」에서 무정부주의를 바탕으로 개인 폭력 투쟁을 통한 민중의 직접 혁명과 독립을 주장하였고, 외교론·자치론·문화 운동론·준비론(실력 양성론) 등을 비판하였다.

기출 사료 읽기

> 「조선혁명선언」
>
> 민중은 우리 혁명의 대본영(大本營)이다. 폭력은 우리 혁명의 유일한 무기이다. 우리는 민중 속으로 가서 민중과 손을 맞잡아 끊임없는 폭력, 암살, 파괴, 폭동으로써 강도 일제의 통치를 타도하고, 우리 생활에 불합리한 일체의 제도를 개조하여 인류로써 인류를 압박하지 못하며, 사회로써 사회를 박탈하지 못하는 이상적인 조선을 건설할지니라. - 신채호
>
> **사료 해설** | 신채호가 김원봉의 요청으로 작성한 의열단 활동 지침서인 「조선혁명선언」에서는 민중의 직접 혁명을 강조하였다.

(6) 주요 의거 활동

인물	활동
박재혁	부산 경찰서에 폭탄 투척(1920)
최수봉	밀양 경찰서에 폭탄 투척(1920)
김익상	조선 총독부에 폭탄 투척(1921), 오성륜·이종암과 함께 중국 상하이 황포탄 부두에서 일본 육군 대장 다나카 기이치 저격(1922)
김상옥	종로 경찰서에 폭탄 투척(1923)
김지섭	일본 도쿄 궁성 정문 앞 이중교에 폭탄 투척(1924)
나석주	동양 척식 주식회사와 조선식산은행에 폭탄 투척(1926)

(7) 활동 변화

① **방법 전환**: 의열단은 대규모 거사를 계속 시도하였으나 자금난이 심화되고 일제의 감시가 강화되면서 큰 성과를 거두지 못했다. 이에 의열 활동을 통한 개별 투쟁의 한계를 인식하고 1920년대 후반부터는 조직적 무장 투쟁을 전개하고자 하였다. 이에 따라 중국 혁명 세력과의 연대를 통한 대일 전쟁을 도모하는 방향으로 활동 방법을 전환하였다.

② **군사 훈련**: 단원들은 황푸(황포) 군관 학교에 입교(1926)하여 군사·정치 교육을 받았으며, 중국 국민당 정부의 지원 아래 조선 혁명 간부 학교(1932)를 설립하였다.

③ **민족 혁명당 결성**(1935): 중국 내 독립운동 조직을 통합하기 위한 민족 유일당 운동의 일환으로 김원봉의 주도 하에 의열단과 조선 혁명당·신한 독립당·한국 독립당 등 민족주의 계열과 사회주의 계열이 통합된 민족 혁명당이 결성되었다(중국 난징).

2. 한인 애국단(1931, 김구)

(1) 배경: 국민 대표 회의가 결렬되면서 대한민국 임시 정부가 침체에 빠졌다. 이런 상황에서 만보산 사건(1931)으로 인하여 한·중 국민 사이의 감정이 악화되어 중국 관내에서 독립운동을 전개하는 것이 어려워졌다.

무정부주의

무정부주의는 **자본주의 사회 타도와 사유 재산 철폐, 무계급·무착취 사회 건설을 지향**한다는 점에서 공산주의와 비슷하지만, 그 주요 목표를 **자유에 대한 관심과 통치 기구의 폐지를 촉진하는 데 둠으로써 공산주의에 대해서도 철저히 반대**한다는 점에서 다르다. 일제하 한국의 무정부주의자들은 주로 제국주의자 암살과 기관 파괴와 같은 활동으로 투쟁하였다.

의열단의 투쟁 방향 전환

조선 민족이 일본과 대항하기 위해서는 군사학과 무기 사용법 등을 배워야 하는 바, 본교는 실제로 그것을 습득하는 곳이 될 것이다. 중·한민족은 절대적으로 제휴하여 중국 동북 3성을 탈환함으로써 조선의 독립을 달성해야 한다. 제군은 본교에서 기술을 습득하고 학습을 연마하여 장래의 발전을 기약하도록 하라.
- 김원봉, 조선 혁명 간부 학교 2기생 입교 축사

▶ 일제의 식민 통치 기관과 매국노 암살을 위한 개인 투쟁을 전개하던 **의열단은 개별 투쟁의 한계를 인식하고 조직적 투쟁의 필요성을 절감하였다.**

황푸(황포) 군관 학교

1924년 쑨원이 **국민당과 공산당을 합작하여 군 지휘관을 양성하기 위해 세운 육군 군관 학교**. 김원봉을 비롯한 한국인 청년들도 이곳에서 훈련을 받았다.

만보산 사건

1931년에 중국 길림성 장춘현의 만보산 지역에서 **중국인 농민과 우리나라 농민 간에 수로 문제를 둘러싸고 일어난 유혈 충돌 사건**. 일제는 이를 악의적으로 과장 보도하여 우리나라와 중국 간의 관계를 이간질시켰다. 일제의 의도대로 국내에서는 중국인 폭행 사건이 일어나게 되었고, 중국에서는 한국인에 대한 보복 사태가 일어났다. 이러한 **일제의 한·중 이간책**으로 **재만 동포들은 생존에 큰 위협**을 받게 되었다.

(2) 결성: 임시 정부의 위상을 높이고 독립운동을 활성화 시키기 위해 김구가 상하이에서 한인 애국단을 결성하였다.

(3) 주요 의거 활동

① **이봉창의 일왕 저격**(1932. 1.)

㉠ **내용**: 이봉창은 일본 도쿄에서 일왕 히로히토의 마차에 폭탄을 투척하였으나 실패하였다.

㉡ **영향**: 이봉창의 의거에 대해 중국 신문이 '안타깝게도 일본 국왕이 죽지 않았다.'라는 식으로 보도하자, 이에 대한 보복으로 일제는 상하이 사변을 일으켰다.

㉢ **의의**: 이봉창의 의거는 침체에 빠져 있던 임시 정부에 새로운 전기를 마련해 주었다.

② **윤봉길의 훙커우 공원 의거**(1932. 4.)

㉠ **내용**: 상하이 사변에서 승리한 일본이 훙커우 공원에서 일왕 생일 축하 겸 전승 축하식을 거행하자, 윤봉길은 단상을 향해 물병 모양의 폭탄을 던져 일본군 사령관 대장 시라카와 등 일본군 장성과 고관들을 제거하였다.

㉡ **의의**: 윤봉길의 의거는 국제적으로 큰 관심사가 되어 한국 독립운동의 의기를 드높였으며, 만보산 사건 이후 나빠졌던 중국인과 한국인의 감정이 완화되었다.

㉢ **결과**: 임시 정부에 대한 일본의 탄압이 강화되자 임시 정부는 상하이를 떠나 항저우로 이전하게 되었다. 한편, 중국 국민당 정부가 임시 정부에 대한 지원을 강화하여 뤄양(낙양) 군관 학교에 한인 특별반을 설치함으로써 한국광복군 창설의 기반이 마련되었다.

③ **기타 의거**

㉠ **일본군 사령부 폭파 기도**(1932): 일본군 사령부를 폭파하려 하였으나 미수에 그쳤다.

㉡ **조선 총독 암살 시도**(1932): 이덕주·유진만이 조선 총독 우가키 가즈시게를 암살하려 하였으나 실패하였다.

기출 사료 읽기

이봉창과 윤봉길의 의거

1. 이봉창의 의거

대한민국 13년 12월 초순, 고난을 참아가며 기다리던 호기가 찾아왔다. 제조 중인 폭탄이 완성되었다. …… 김구 선생은 이 돈을 전부 의사에게 주기로 하고 그가 반드시 성공하리라는 것을 깊이 믿으셨다. 이듬해 1월 8일 사쿠라다몬(櫻田門) 앞에서 폭탄을 던져 왜왕(倭王)의 가슴을 서늘하게 만든 의사는 적의 군중들이 놀라 아우성을 칠 때 그 자리에서 태극기를 꺼내들고 소리 높여 '대한 독립 만세'를 세 번 부르고 조용히 놈들의 체포를 받았다. - 김구, 『도왜실기』

사료 해설 | 이봉창은 일본 도쿄에서 관병식을 마치고 돌아가던 일왕 히로히토를 겨냥하여 폭탄을 던졌으나 실패하였다.

2. 윤봉길의 의거

너희도 만일 피가 있고 뼈가 있다면 반드시 조선을 위해 용감한 투사가 되어라. 태극의 깃발을 높이 드날리고 나의 빈 무덤 앞에 찾아와 한 잔의 술을 부어 놓아라. 그리고 너희들은 아비 없음을 슬퍼하지 마라. 사랑하는 어머니가 있으니 …… - 윤봉길의 유언

사료 해설 | 윤봉길은 상하이 훙커우 공원에서 열린 전승 축하식에서 단상을 향해 폭탄을 던졌고, 이 폭탄 투척으로 일본 장군들의 상당수가 죽거나 크게 다쳤다. 당시 중국 주석 장제스는 윤봉길의 의거에 대해 '중국의 100만 대군도 하지 못한 일을 한국의 한 청년이 했다니 정말 대단하다.'고 감탄하였다.

이봉창

상하이 사변

본질적으로 상하이 사변은 일본이 만주국을 수립하기 위해 국내외의 이목을 분산시키고자 상하이를 무력 침공한 사건이었다.

윤봉길

3. 기타 의열 단체와 활동

(대한) 노인 동맹단 (1919)	단원인 강우규가 서울역에서 총독 사이토에게 폭탄 투척
불령사(1923)	박열 등이 조직한 항일 운동 단체, 관동 대지진 당시 일본 왕세자의 결혼식에서 일왕 등 왕실 요인을 폭살하려 했다는 혐의로 구속
다물단(1925)	베이징에서 김창숙이 조직한 단체, 친일파 밀정 김달하 암살
한국 혁명당 총동맹 (1928)	만주국 수립 직후 주만 일본 전권대사인 무토를 암살하고자 하였으나 실패
남화 한인 청년 연맹 (1930)	· 상하이에서 조직된 무정부주의 단체(재만 조선 무정부주의자 연맹을 개편)로, 폭력 투쟁 전개 · 백정기, 이강훈, 원심창이 중국 상하이 육삼정(중국 요리점)에서 일본 공사 아리요시 암살 시도(1933)
대한 애국 청년당 (1945)	서울에서 조직된 단체로, 경성 부민관에서 열린 아세아민족분격대회장에 폭탄을 설치하여 친일파를 제거하려고 폭탄을 터트림(경성 부민관 사건)
기타	대한 통의부, 참의부, 정의부, 의성단, 신민부 등 만주의 한인 단체들이 국내 진입 작전을 펼쳐 일제 주요 통치 기관을 습격하고 친일파를 처단하는 활동 전개

필수 개념 정리하기

의열 투쟁 활동

인물	소속	시기	내용
강우규	(대한) 노인 동맹단	1919	남대문역(서울역)에서 사이토 총독에게 폭탄 투척
박재혁	의열단	1920	부산 경찰서에 폭탄 투척
최수봉	의열단	1920	밀양 경찰서에 폭탄 투척
김익상	의열단	1921	조선 총독부에 폭탄 투척
양근환	-	1921	도쿄에서 참정권 운동을 주도하던 친일파 민원식 척살
김상옥	의열단	1923	종로 경찰서에 폭탄 투척
박열	불령사	1923	도쿄에서 일본 국왕 암살 미수
김지섭	의열단	1924	도쿄 궁성 이중교에 폭탄 투척
송학선	-	1926	순종 승하 시, 이를 조문하러 온 사이토 총독 처단 시도
나석주	의열단	1926	조선식산은행과 동양 척식 주식회사에 폭탄 투척
조명하	-	1928	천황의 장인 구니노미야 구니히코가 육군 대장으로 타이완에 오자, 독검으로 암살 시도
이봉창	한인 애국단	1932	도쿄에서 일왕에게 폭탄 투척
윤봉길	한인 애국단	1932	상하이 홍커우 공원에 폭탄 투척
남자현	-	1933	만주국의 일본 장교 노부요시 암살을 위해 이동 중 체포, 옥중에서 단식 투쟁으로 항거, 하얼빈에서 순국
조문기	대한 애국 청년당	1945	경성 부민관 아세아민족분격대회장에 폭탄을 투척

의열 투쟁 지사

박재혁

최수봉

김익상

김상옥

김지섭

나석주

강우규

OX 빈칸 핵심 개념 점검

* 학습한 개념을 OX/빈칸 문제를 통해 점검해보세요.

핵심 개념 1 | 의열단

01 의열단은 개인 폭력 투쟁을 통해 민중 직접 혁명을 달성하려 하였다. □ O □ X

02 의열단은 일제 요인 암살 등을 목표로 하였고, 후에 이 단체 계통 인사들이 조선 의용대를 조직하였다. □ O □ X

03 의열단원이 상하이 훙커우 공원에서 열린 일본군의 상하이 점령 축하 기념식장에 폭탄을 던져 일본군을 살상하였다. □ O □ X

04 김지섭은 동경 궁성에 폭탄을 투척하였다. □ O □ X

05 의열단원인 김익상이 조선 총독부에 폭탄을 투척하였다. □ O □ X

06 의열단의 나석주가 동양 척식 주식회사에 폭탄을 투척하였다. □ O □ X

07 의열단은 한국 독립당, 조선 혁명당 등과 함께 민족 혁명당을 결성하였다. □ O □ X

08 신채호는 김원봉의 요청으로 「　　　　　　」을 지어 의열단의 투쟁 노선과 행동 강령을 제시하였다.

09 의열단은 일부 구성원을 　　　　　　에 보내 군사 훈련을 받도록 하였다.

10 의열단은 혁명 투사·독립운동 지도자를 양성하기 위한 　　　　　　를 설립·운영하였다.

핵심 개념 2 | 한인 애국단

11 한인 애국단은 1931년 대한민국 임시 정부의 침체를 극복하기 위해 김구가 결성하였다. □ O □ X

12 한인 애국단에서 활동한 사람으로는 이봉창과 윤봉길이 있다. □ O □ X

13 이봉창은 하얼빈에서 이토 히로부미를 사살하였다. □ O □ X

14 윤봉길의 의거는 중국인의 반한 감정을 완화시키는 계기가 되었다. □ O □ X

15 윤봉길의 의거는 한국광복군 형성의 기초가 되었다. □ O □ X

16 ______이 동경에서 일왕 히로히토에게 폭탄을 던졌다.

17 일본은 이봉창의 의거를 보도한 중국 신문의 내용을 빌미로 ______을 일으켰다.

핵심 개념 3 | 기타 의열 단체의 활동

18 박열은 일본에서 항일 운동 단체인 불령사를 조직하였다. □ O □ X

19 대한 애국 청년당의 조문기, 유만수 등이 경성 부민관에 폭탄을 투척하였다. □ O □ X

20 노인 동맹단의 ______는 새로 부임하는 사이토 조선 총독에게 폭탄을 투척하는 의거를 일으켰다.

정답과 해설

01	O 의열단은 개인 폭력 투쟁을 통한 민중 직접 혁명을 달성하여 독립을 쟁취할 것을 주장하였다.	11	O 한인 애국단은 1931년에 대한민국 임시 정부의 침체를 극복하고 독립운동을 활성화하기 위해 김구가 결성하였다.
02	O 일제 요인 암살 등을 목표로 한 의열단의 인사들은 이후 1938년에 조선 의용대 결성을 주도하였다.	12	O 한인 애국단에서 주요 의거 활동을 벌인 사람으로는 이봉창과 윤봉길 등이 있다.
03	✖ 상하이 훙커우 공원에서 열린 일본군의 상하이 점령 축하 기념식장에 폭탄을 던져 일본군을 살상한 것은 한인 애국단원인 윤봉길이다.	13	✖ 하얼빈에서 이토 히로부미를 사살(1909)한 인물은 안중근이다. 한인 애국단원이었던 이봉창은 도쿄에서 일본 국왕 히로히토의 마차를 향해 폭탄을 투척하였으나 실패하였다(1932).
04	O 의열단 소속의 김지섭은 동경(도쿄) 궁성 이중교에 폭탄을 투척하였다.	14	O 윤봉길의 의거는 만보산 사건 이후 나빠졌던 중국인의 반한 감정을 완화시키는 계기가 되었다.
05	O 의열단 소속의 김익상은 일제 식민 지배의 중심 기관인 조선 총독부에 폭탄을 투척하였다.	15	O 윤봉길의 의거로 중국 국민당 정부가 임시 정부에 대한 지원을 강화하여 한국광복군 형성의 기초를 마련할 수 있었다.
06	O 의열단의 나석주는 동양 척식 주식회사와 조선식산은행에 폭탄을 투척하였다.	16	이봉창
07	O 의열단은 중국 내 독립운동 조직을 통합하기 위해 중국 난징에서 조선 혁명당, 신한 독립당, 한국 독립당 등과 함께 민족 혁명당을 결성하였다(1935).	17	상하이 사변
08	조선 혁명 선언	18	O 박열은 1923년에 일본에서 항일 운동 단체인 불령사를 조직하였다.
09	황푸(황포) 군관 학교	19	O 대한 애국 청년당의 조문기, 유만수 등이 1945년에 친일파를 제거하기 위해 경성 부민관에 폭탄을 투척하였다.
10	조선 혁명 간부 학교	20	강우규

2 독립군의 무장 독립 전쟁

학습 포인트
1920년대부터 1940년대까지의 주요 독립군 부대와 전투 내용을 순서대로 정리하여 학습하도록 한다.

빈출 핵심 포인트
봉오동·청산리 전투, 간도 참변, 자유시 참변, 3부, 한국 독립군, 조선 혁명군, 조선 의용대, 한국광복군, 조선 의용군

1 1920년대 무장 독립 전쟁

1. 독립군의 활동

(1) 봉오동 전투(1920. 6.)

① **배경**: 만주와 연해주 지역에서 결성된 독립군 부대들은 압록강과 두만강을 넘나들며 활발한 국내 진입 작전을 감행하였다.

② **전개**: 독립군이 함북 종성에서 일본 헌병 순찰대 공격(삼둔자 전투) → 일본군은 두만강을 건너 독립군 추격하여 봉오동을 기습 공격 → 독립군 연합 부대에 패배(봉오동 전투)

③ **참가 부대**: 대한 독립군(홍범도)을 중심으로 군무 도독부군(최진동), 국민회군(안무)이 연합하였다.

(2) 청산리 전투(1920. 10.)

① **배경**: 일본군은 봉오동 전투에 대한 보복을 위해 만주에 진입하려 하였으나 중국이 거부하자 출병 구실을 만들기 위해 훈춘 사건을 조작하였다.

② **전개**: 일본군 부대가 만주로 출동 → 일본군의 공세를 피해 백두산 지역으로 이동하던 독립군 부대들이 연합하여 백운평 전투를 시작으로 일본군과 6일간 10여 차례의 전투 전개 → 백운평, 어랑촌, 고동하 등에서 독립군 부대들이 대승을 거두었다.

③ **참가 부대**: 북로 군정서군(김좌진)을 비롯한 대한 독립군(홍범도), 국민회군(안무) 등이 연합하였다.

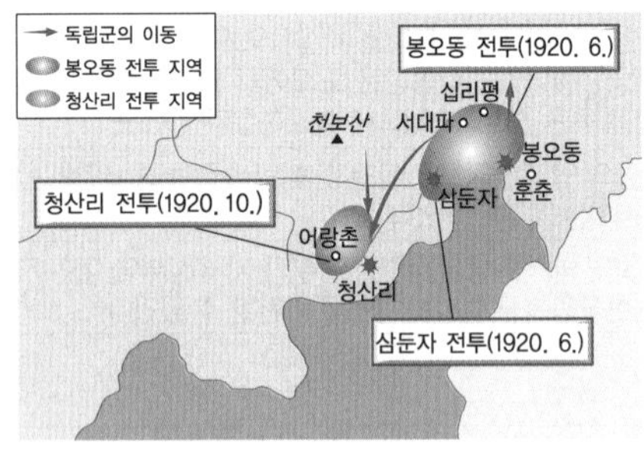

| 봉오동 전투와 청산리 전투

전투	전투일자
백운평, 완루구 전투	10. 21.
천수평, 어랑촌 전투	10. 22.
맹개골, 만기구 전투	10. 23.
천보산 전투	10. 24.~25.
고동하 전투	10. 25.~26.

| 청산리 전투 일지

2. 독립군의 시련

(1) 간도 참변(1920. 10. 경신참변)

① **배경**: 일제는 봉오동·청산리 전투의 패배에 대해 보복하고자 하였다.

1920년대 무장 독립 전쟁

봉오동 전투(1920. 6.)
↓
청산리 전투(1920. 10.)
↓
대한 독립 군단 결성(1920. 12.)
↓
자유시 참변(1921)
↓
• 육군 주만 참의부(1923)
• 정의부(1924)
• 신민부(1925)
↓
미쓰야 협정(1925)
↓
3부 통합 운동
↓
• 혁신 의회(1928)
• 국민부(1929)

홍범도 기출사료

그는 평안도 양덕 사람으로 …… 체격이 장대하고 지기가 왕성하였는데, 비록 글은 배우지 못하였으나 천성적인 의협심이 있어, 남을 돕는 일을 급무로 삼은 연유로 사람들이 많이 따랐다. 1907년 겨울에 차도선, 송상봉, 허근 등 여러 사람들과 의병을 일으켜 …… 전투를 벌였다.

▶ **홍범도**는 1907년에 **포수를 중심으로 의병**을 일으켰으며, 김좌진 등과 함께 **청산리 전투(1920)에서도 일본군을 크게 격파**하였다. 이후 만주·연해주 지역에서 활동하던 홍범도는 소련 스탈린의 한인 이주 정책에 따라 중앙아시아의 카자흐스탄으로 강제 이주되었다(1937).

훈춘 사건(1920. 10.)

일제가 만주에 군대를 투입할 구실을 만들기 위해 중국 마적을 매수하여 훈춘의 일본 영사관과 일본인을 공격하게 한 사건이다.

② **전개**: 일제가 독립군 근거지를 소탕한다는 명분으로 1920년 10월부터 1921년 봄까지 독립군은 물론 무고한 만주의 한인들까지 학살하였다.

③ **결과**: 간도 지역 한인 사회가 초토화되고, 대부분의 무장 단체가 와해되었으며, 다수의 독립군은 일제를 피해 러시아로 피신하였다.

(2) 대한 독립 군단 편성(1920. 12.)

① **배경**: 일제가 독립군 토벌 작전을 단행하자 이를 피해 북로 군정서·대한 독립군·서로 군정서 등의 독립군이 러시아와 중국의 국경 지대인 밀산부에 집결하였다.

② **조직**: 서일을 총재로 각각의 독립군 부대를 통합하여 대한 독립 군단을 편성하고, 안전한 지대인 연해주로 집결하였다가 러시아 영토 내로 이동하였다.

(3) 자유시 참변(1921, 흑하 사변)

① **배경**: 간도에서 이동한 대한 독립 군단과 연해주 각지의 한인 무장 부대들이 약소국을 지원하겠다는 러시아 적군의 선전에 속아 자유시(스보보드니)로 이동하였다.

② **전개**

㉠ **독립군의 분열**: 자유시로 결집한 독립군은 러시아군 내의 한인 부대와 연합하였다. 그러나 자유시의 한인 부대는 독립군 지휘권을 놓고 상하이파 공산당(사할린 의용대)과 이르쿠츠크파 공산당(자유대대) 세력으로 분열되어 있었다.

㉡ **무장 해제 요구**: 이때 러시아 정부는 러시아 영토 내에 무장 한인 단체를 육성하지 말라는 일본의 요구에 굴복하여 독립군에게 무장 해제를 요구하였다.

③ **결과**: 러시아의 지지를 얻은 이르쿠츠크파 공산당 측의 자유대대는 러시아 적군과 함께 무장 해제를 거부하는 상하이파 공산당 측의 사할린 의용대를 공격하여 무수한 사상자를 내었으며, 이로 인해 독립군 세력이 와해되었다.

3. 독립군의 재정비

(1) 3부의 성립

참의부(1923)	압록강 인근의 독립군을 통합, 임시 정부의 직할부대로서 육군 주만 참의부라 명명
정의부(1924)	지청천과 오동진을 중심으로 결성, 남만주 일대를 관할
신민부(1925)	자유시 참변 이후 러시아에서 탈출한 독립군을 중심으로 북만주 일대에서 결성

(2) 미쓰야 협정(1925): 조선 총독부 경무국장 미쓰야는 만주에서 활동하는 독립군을 탄압하기 위하여 만주 군벌 장쭤린과 미쓰야 협정을 체결하였다.

(3) 3부의 통합 운동(민족 유일당 운동의 일환)

① **배경**: 1920년대 국내외에서 민족 유일당 운동이 전개되자, 이에 만주에서도 3부 통합 운동이 추진되었다. 그러나 통합을 둘러싼 갈등으로 완전한 통합을 이루지는 못하고, 3부는 혁신 의회와 국민부로 각각 재편되었다.

② **혁신 의회**(1928, 북만주): 김좌진, 지청천, 김동삼 등이 혁신 의회를 조직하였고, 이 계통의 인사들이 이후 한국 독립당과 한국 독립군을 결성하였다.

③ **국민부**(1929, 남만주): 양세봉을 중심으로 조직된 국민부는 조선 혁명당과 조선 혁명군을 결성하였다.

간도 참변 [기출사료]

간도 용정촌에서 40리 정도 떨어진 한 마을을 일본군이 포위하였다. 남자라면 늙은이, 어린아이를 막론하고 끌어내어 죽이거나 타오르는 짚더미에 던져 타 죽게 하였다. …… 할머니와 며느리 둘이 잿더미 속에서 타다 남은 살덩이와 부서진 뼈를 줍고 있는 것을 보았다.

– 선교사 마틴의 기록

▶ 일본은 독립군의 근거지를 없앤다는 명분으로 간도 지역에 군대를 파견하여 한국인을 참혹하게 학살하였다.

자유시 참변

간도 참변 이후 러시아 자유시로 이동한 독립군 부대를 통합하는 과정에서 지휘권을 둘러싼 다툼이 일어났고, 러시아 적군이 독립군의 무장 해제를 강요하면서 수백 명의 독립군이 희생되었다.

3부의 성격

3부는 모두 **민정 조직과 군정 조직을 갖춘 기관**이었으며, 행정부, 입법부, 사법부를 구성하여 3권 분립 체제에 의한 민주적인 정부의 성격을 띠었다.

미쓰야 협정 [교과서 사료]

- 한국인이 무기를 가지고 다니거나 한국으로 침입하는 것을 엄금하며, 위반자는 검거하여 일본 경찰에 인도한다.
- 일본이 지명하는 독립운동가를 체포하여 일본 경찰에 인도한다.

▶ 미쓰야 협정의 정식 명칭은 '재만 한인 취체(단속) 방법에 관한 협약'으로, 일제와 만주 군벌이 미쓰야 협정을 맺고 공동으로 독립군을 색출하자, 독립군의 활동이 위축되었다.

2 1930년대 무장 독립 전쟁

1. 한·중 연합 작전

(1) 배경: 일제가 만주 사변(1931)을 일으키고 만주국을 수립하자 독립군은 큰 위협을 받게 되었다. 이에 한국인과 중국인 사이에서 연합 전선이 형성되었다.

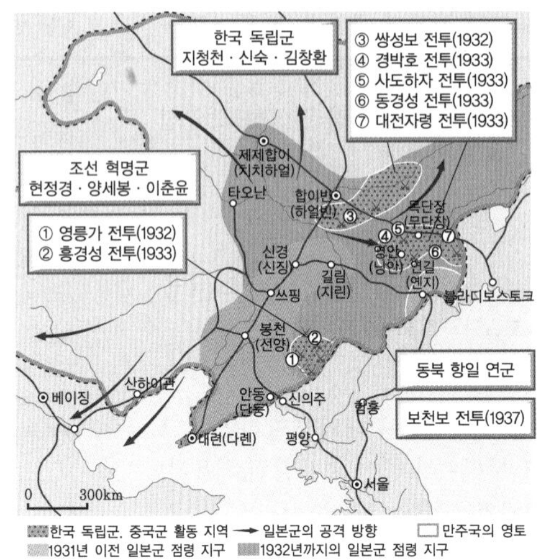

| 1930년대 국외 무장 투쟁

(2) 한국 독립군

① **활동**: 한국 독립군은 북만주 일대에서 중국 호로군 등과 연합 작전을 수행하여 쌍성보·사도하자·동경성·대전자령 전투 등에서 대승을 거두었다.

② **결렬**: 일본군의 대토벌 작전, 한·중 양군의 의견 대립 등으로 연합이 결렬되었다.

③ **중국 관내 이동**: 이후 지청천 등은 임시 정부의 요청으로 중국 관내로 이동하였다.

(3) 조선 혁명군

① **활동**: 조선 혁명군은 남만주 일대에서 총사령관 양세봉의 지휘 아래 중국 의용군 등과 연합하여 영릉가·흥경성·신개령·통화현 전투 등에서 크게 승리하였다.

② **약화**: 사령관 양세봉이 피살(1934)된 이후 세력이 약화되었다.

교과서 사료 읽기

한·중 연합 작전

· 한국 독립군과 중국 호로군의 합의 내용(1931)
1. 한·중 양군은 최악의 상황이 오는 경우에도 장기간 항전할 것을 맹서한다.
2. 중동 철도를 경계선으로 서부 전선은 중국이 맡고, 동부 전선은 한국이 맡는다.
3. 전시의 후방 전투 훈련은 한국 장교가 맡고, 한국군에 필요한 군수품 등은 중국군이 공급한다.

· 조선 혁명군과 중국 의용군의 합의 내용(1932)
중국과 한국 양국의 국민은 한마음 한뜻으로 일제에 대항하여 싸우고, 인력과 물자는 서로 나누어 쓰며, 합작의 원칙하에 국적에 관계없이 그 능력에 따라 항일 공작을 나누어 맡는다.
- 한국광복군 사령부, 『광복』

사료 해설 | 일제가 만주 사변을 일으키자 한국군과 중국군 사이에서 연합 전선이 형성되었다.

사도하자 전투 기출사료

독립군은 사도하자에 주둔하여 병력을 증강시키면서 훈련에 여념이 없었다. …… 적은 약 1개 사단의 병력으로 황가둔에서 이도하 방면을 거쳐 사도하자에 진격하여 왔다. …… 때를 기다리던 아군이 일제히 포문을 열어 급습하니 적군은 미처 응전하지도 못한 채 쓰러져 갔다.

▶ 사도하자 전투는 **1933년 한국 독립군과 중국 호로군 등이 연합**하여 만주 사도하자에서 일본군과 만주군 연합 부대와 벌인 전투이다. 이 전투에서 한·중 연합군은 대승을 거두었다.

영릉가 전투 교과서 사료

때는 해동 무렵이어서 얼음이 풀린 소자강은 수심이 깊었다. 게다가 성애장이 뗏목처럼 흘러내렸다. 하지만 이 강을 건너지 못하면 영릉가로 쳐들어갈 수 없었다. 밤 12시 정각까지 영릉가에 들어가 공격을 알리는 신호탄을 울려야만 했다. 양 사령은 전사들에게 소자강을 건너라고 명령하고 나서 자기부터 먼저 강물에 뛰어들었다. 전사들은 사령을 본받아 다 잠방이만 입고 행군했으나 찬바람이 살을 에었는데…….
- 조선 혁명군 총사령 양세봉, 『봉화』

▶ **영릉가 전투**는 1932년 4월 남만주 일대에서 활동하던 **조선 혁명군과 중국 의용군 등이 연합**하여 영릉가에서 일본군과 만주군을 물리친 전투이다.

2. 만주 지역의 항일 투쟁

(1) 배경: 만주 사변 이후 공산주의자들의 주도로 추수 투쟁, 춘황 투쟁이 전개되었고, 이는 소규모 유격대를 중심으로 한 항일 무장 투쟁으로 발전하였다.

(2) 동북 인민 혁명군(1933): 동북 인민 혁명군은 한인 항일 유격대와 중국 공산당 유격대가 결합하여 중국 공산당 계열의 정규군으로 조직되었다.

(3) 동북 항일 연군(1936): 일본의 중국 침략이 강화되자 항일 연합 전선을 형성하기 위해 동북 인민 혁명군을 확대·개편하여 동북 항일 연군을 조직하였다.

(4) 조국 광복회(1936)

① **조직**: 동북 항일 연군의 한국인 간부들이 반일 민족 연합의 통일 전선을 실현하고 독립적인 인민 정부를 수립하고자 조국 광복회를 조직하였다.

② **활동 및 해체**: 국내의 민족주의자 및 공산주의자들과 연결망을 구축하여 함경도 일대에도 조직이 확대되었다. 그러나 보천보 전투와 국내 진공 작전을 지원하는 과정에서 일제에 의해 지도부가 체포되며 조직이 와해되었다.

(5) 보천보 전투(1937): 동북 항일 연군의 김일성 부대가 국내 진공을 시도하여 함경남도 갑산의 보천보를 습격하고 경찰 주재소 등을 파괴하였다.

3. 중국 관내의 항일 투쟁

(1) 민족 혁명당(1935)

① **조직**: 1932년에 민족 유일당 결성을 위한 협의체인 한국 대일 전선 통일 동맹이 출범하였다. 이후 통일 동맹에 참여하였던 의열단·한국 독립당 등과 여러 단체의 인사들은 민족 유일당 결성을 목표로 민족 혁명당(1935)을 조직하였다. 한편, 임시 정부의 김구는 민족 혁명당에 참여하지 않고, 한국 국민당을 창당(1935)하였다.

② **개편**(1937): 김원봉을 중심으로 한 의열단 계통의 인사들이 민족 혁명당을 주도하자 조소앙과 지청천(이청천) 등의 우파 인사들이 탈퇴하였다. 남은 민족 혁명당 세력은 의열단 중심의 조선 민족 혁명당으로 개편되었다.

③ **조선 민족 전선 연맹 결성**(1937): 중·일 전쟁 발발(1937) 이후 조선 민족 혁명당을 중심으로 한 중도 좌파의 단체들이 약화된 통일 전선을 강화하기 위해 난징에서 회의를 열고, 조선 민족 전선 연맹(민족 전선)을 조직하였다.

④ **조선 의용대 창설**(1938)

㉠ **창설**(1938): 조선 의용대는 조선 민족 전선 연맹의 산하 군대로 창설되었으며, 중국 국민당의 지원 아래 중국 관내(중국 한커우)에서 조직된 최초의 한국인 군사 조직이었다.

㉡ **활동**: 조선 의용대는 중국군과 연합하여 일본군에 대한 심리전·포로 심문·첩보 활동·후방 교란 등의 활동을 전개하였다.

㉢ **분열**(1940년 이후): 중국 국민당 정부가 항일 투쟁에 소극적인 태도를 보이자 조선 의용대의 세력 일부는 더 적극적인 항일 투쟁을 위해 화북 지역으로 이동하여 조선 의용대 화북 지대를 결성하였다. 한편, 화북으로 이동하지 않은 조선 의용대 잔류 세력은 김원봉의 지휘 아래 충칭으로 이동하여 한국광복군에 합류하였다(1942).

추수 투쟁과 춘황 투쟁

만주에서 농민들과 공산주의자들이 **가을걷이와 춘궁기 때 중국인이나 친일 지주들로부터 쌀을 빼앗아 가난한 농민에게 나누어 주었던 활동**을 의미한다. 1930년대에 들어서는 무장 투쟁으로 발전하였다.

동북 항일 연군

일제에 반대하는 사람이라면 **사상이나 노선, 민족에 관계없이 단결하자는 주장에 따라 편성된 무장 부대**이다.

조국 광복회 강령

① 조선 민족의 총동원에 의하여 광범위한 반일 통일 전선을 실현함에 의하여, 강도 일본 제국주의의 지배를 전복시키고, 참된 조선 인민 정부를 수립할 것

② 조·중 양 민족의 친밀한 연합에 의하여, 일본 및 그 앞잡이 '만주국'을 전복하고, 중국 인민이 스스로 선거한 혁명 정부를 창설하여, 중국의 영토에 거주하는 조선인의 참된 자치를 실현할 것

▶ 조국 광복회 강령에는 일제 식민 통치 전복, 조선 인민 정부 수립, 봉건 잔재 청산 등이 담겨 있다.

민족 혁명당

의열단(김원봉)을 중심으로 **한국 독립당**(조소앙), **신한 독립당**(지청천), **조선 혁명당**(최동오), **대한 독립당**(김규식)의 다섯 정당 및 단체가 난징에서 창당한 **중국 관내 최대 규모의 민족 유일당**이다(단일 정당). 이후 민족 혁명당 내에서 의열단 계열이 주도권을 행사하자 조소앙, 지청천 등은 민족 혁명당에서 탈당하였다. 탈당 이후 조소앙은 한국 독립당(1935)을, 지청천은 조선 혁명당(1937)을 재건하였다.

조선 의용대 화북 지대

조선 의용대 화북 지대는 일본군에 맞서 호가장 전투(1941)·태항산 전투 등을 수행하였으며, 이후 조선 독립 동맹과 조선 의용군이 설립(1942)되는 바탕이 되었다.

(2) 한국 국민당(1935)

① **조직**: 임시 정부를 유지·옹호하기 위해 김구, 이동녕 등을 중심으로 한국 국민당이 창당되었다(민족 혁명당 결성에 대응).

② **활동**: 임시 정부의 옹호 및 민주 공화국 수립을 목표로 하였으며, 삼균주의(三均主義)를 당의 정치 강령으로 채택하였다.

(3) 한국 광복 운동 단체 연합회(1937): 중·일 전쟁 이후 김구의 한국 국민당을 중심으로 조선 민족 혁명당에서 탈퇴한 조소앙 중심의 한국 독립당과 지청천의 조선 혁명당, 대한인 국민회 등이 연합하여 한국 광복 운동 단체 연합회(광복 진선)가 결성되었다.

(4) 통일 전선 운동 추진: 중국 관내에서 조선 민족 전선 연맹(김원봉 주도)과 한국 광복 운동 단체 연합회(김구 주도)가 별개의 단체로 성립되어 활동을 이어가자, 중국 정부는 중·일 전쟁에서 효율적인 한·중 연합 항일 투쟁을 전개하기 위해 두 단체가 연합할 것을 종용하였다.

(5) 전국 연합 진선 협회(1939): 민족주의계의 한국 광복 운동 단체 연합회(김구 주도)와 사회주의계의 조선 민족 전선 연맹(김원봉 주도)이 제휴하여 전국 연합 진선 협회를 조직하려고 하였으나, 통합에 성공하지는 못하였다.

3 1940년대 무장 독립 전쟁

1. 임시 정부의 강화

(1) 한국 독립당의 결성(1940): 민족주의 계열의 한국 국민당(김구), 한국 독립당(조소앙), 조선 혁명당(지청천)을 통합하여 한국 독립당으로 재창당하고 충칭에 정착하였다.

(2) 건국 강령의 발표(1941)

① **삼균주의**: 임시 정부는 조소앙의 삼균주의를 바탕으로 건국 강령을 발표하였다.

인균	정치, 경제, 교육의 균등을 통해 실현(개인 평등)
족균	소수·약소 민족의 독립을 통해 실현(민족 평등)
국균	식민 정책, 제국주의, 상호 침략을 배제하여 실현(국가 평등)

② **건국 강령의 내용**: 보통 선거, 의무 교육, 토지 국유화, 토지 개혁, 생산 기관의 국유화 등의 내용을 포함하였다.

기출 사료 읽기

대한민국 임시 정부의 건국 강령

삼균 제도를 골자로 한 헌법을 실행하여 정치와 경제와 교육의 민주적 실시로 실제상 균형을 도모하며, 전국의 토지와 대생산 기관의 국유화가 완성되고 전국 학령 아동의 전수가 고급 교육의 무상 교육이 완성되고 보통 선거 제도가 구속 없이 완전히 실시되어 ...... 극빈 계급의 물질과 정신상 생활 정도와 문화 수준이 최고 보장되는 과정을 건국의 제2기라 함.

사료 해설 | 임시 정부의 건국 강령은 새로운 민주주의의 확립과 사회 계급 타파, 경제적 균등 등을 주장하였다.

한국 국민당 창당

5당 통일이 형성될 당시부터 동지들은 단체 조직을 주장하였으나 나는 만류하였다. ...... 그러나 지금은 조소앙이 한국 독립당의 재건설을 추진하니 내가 단체를 조직하여도 통일을 파괴하는 것은 아니며 임시 정부가 종종 위협을 당하는 것은 튼튼한 배경이 없기 때문인데 이제 임시 정부를 옹호하는 단체가 필요하다 생각하고 이 당을 조직하였다.

- 김구, 『백범일지』

▶ 김구는 김원봉(의열단) 주도의 민족 혁명당(1935)에 참여하지 않았고, 이에 대응하여 한국 국민당을 창당하였다.

한국 독립당 성립(3당 해체 선언)

조선 혁명당, 한국 국민당, 한국 독립당은 이제부터 다시 존재할 조건이 소멸되었을 뿐 아니라 각기 해소될 것을 전제로 하고 신당 창립에 착수하였다. ...... 그러므로 신당은 보다 큰 권위, 보다 많은 인원, 보다 광대한 성세, 보다 고급적 지위를 가지고 우리 독립운동을 보다 유력하게 추진케 할 것을 확실히 믿고 바라며 3당 자신은 이에 해소됨을 선언한다.

▶ 충칭에 정착한 임시 정부는 재창당된 한국 독립당의 주도로 운영되었다.

삼균주의

조소앙의 삼균주의는 중국 사상가 쑨원(孫文)의 삼민주의에서 영향을 받은 정치 사상으로, 1920년대 말에 구체적으로 정립되며 대한민국 임시 정부의 기본 이념이 되었다. 조소앙은 삼균주의를 통해 **개인과 개인, 민족과 민족, 국가와 국가 간의 균등을 이루고자 하였다.**

2. 한국광복군

(1) 창설(1940): 지청천과 김구 등이 충칭에서 신흥 무관 학교 출신의 독립군과 중국에서 활동하던 청년들을 모아 한국광복군을 창설하였다.

(2) 좌·우 통합: 한국광복군은 김원봉이 이끄는 조선 의용대 일부를 흡수(1942)하여 전력을 보강하였다.

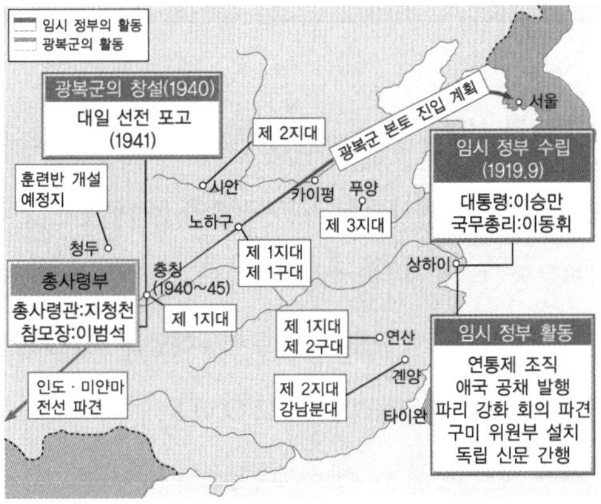

| 대한민국 임시 정부와 한국광복군

(3) 활동

① **중국 국민당 정부와 군사 협정 체결**(1941): 한국광복군은 한국광복군 행동 준승 9개항 때문에 중국 군사 위원회의 지휘를 받아야 했다. 이러한 제약은 한국광복군 행동 준승 9개항이 폐기되는 1944년까지 계속되었다.

② **대일 선전 포고**(1941): 태평양 전쟁이 일어나자 중국 국민당 정부의 지원을 받아 전투력을 강화한 한국광복군은 일본에 선전 포고를 하고 연합군의 일원으로 참전하였다.

③ **미얀마·인도 전선에 파견**(1943): 한국광복군은 미얀마·인도 전선에서 영국군과 연합 작전을 수행하였으며, 이때 주로 포로 심문, 선전 전단의 작성 등을 담당하였다.

④ **국내 진공 작전 계획**(1945): 한국광복군은 미국 전략 정보국(OSS)의 도움을 받아 국내 정진군을 편성하여 특수 훈련을 실시하고, 비행대까지 편성하여 국내 진공 작전(독수리 작전)을 준비하였으나 일본의 무조건 항복으로 실행되지 못하고 중단되었다.

3. 조선 독립 동맹과 조선 의용군

(1) 화북 조선 청년 연합회(1941): 화북 조선 청년 연합회는 화북 지역 사회주의자와 조선 의용대 화북 지대가 연합하여 민족 해방 운동 조직으로 결성되었다.

(2) 조선 독립 동맹(1942)

① **조직**: 조선 독립 동맹은 화북 조선 청년 연합회가 김두봉을 위원장으로 하여 확대·개편한 것이었다.

② **건국 강령**: 보통 선거에 의한 민주 공화국의 수립, 남녀 평등 및 의무 교육제 실시, 언론·출판·집회·결사의 자유, 토지 분배와 대기업의 국영화 등을 제안하였다.

③ **조선 의용군**(1942)

㉠ **조직**: 조선 의용군은 조선 독립 동맹 산하의 군사 조직으로, 조선 의용대 화북 지대가 개편된 단체이다. 김두봉을 중심으로 옌안에서 조직되었다.

㉡ **항일전 수행**: 태항산 지역에서 중국 팔로군과 연합하여 항일 전투를 수행하였다.

㉢ **해방 후**: 해방 후 중국 국·공 내전에 참여한 후, 북한 인민군에 편입되었다.

한국광복군 창설 선언문 [기출사료]

대한민국 임시 정부는 대한민국 원년 정부가 공포한 군사 조직법에 의거하여 중화민국 총통 장개석 원수의 특별 허락으로 중화민국 영토 내에 광복군을 조직하고, 대한민국 2년 9월 17일 한국광복군 총사령부를 창설함을 이에 선언한다.

▶ 김구는 "한·중 두 나라의 독립을 회복하고자 **일본 제국주의를 타도**하며 **연합군의 일원으로 항전할 것을 목적**으로 한다"는 한국 광복군 창설의 취지를 밝혔다.

한국 광복군 행동 준승 9개항

한국광복군은 중국의 재정 원조를 받는 대가로 중국 정부와 한국광복군 행동 준승 9개항을 체결하여, 중국 군사 위원회의 지휘와 간섭을 받았다.

대일 선전 포고 [교과서 사료]

우리는 3천만 한국 인민과 정부를 대표하여 삼가 중·영·미·소·캐나다 기타 제국의 대일 선전이 일본을 격패케 하고 동아를 재건하는 가장 유효한 수단이 됨을 축하하여 이에 특히 다음과 같이 성명한다.

1. 한국의 전 인민은 현재 이미 반침략 전선에 참가하였으니 한 개의 전투 단위로서 추축국에 선전한다.

▶ 대한민국 임시 정부는 태평양 전쟁이 발발한 이후인 1941년 12월에 대일 선전 포고문을 발표하였다.

국내 진공 작전(독수리 작전) [교과서 사료]

우리들의 국내 잠입의 준비는 완료되었고, 출발 명령만 내리면 언제든지 떠날 수 있게 되었다. 이 장군은 진입 대원들에게 몇 시간 뒤에라도 출동할 수 있도록 특별 대기령을 내렸다. …… 이때 임시 정부와 광복군은 이 국내 진입에 모든 운명을 거는 듯하였다.

- 김준엽, 『장정』

▶ 한국 광복군은 **국내 진공 작전**을 계획하였으나, 예상치 못한 **일본의 무조건 항복으로 무산**되었다.

중국 팔로군

중국 공산당 산하의 군대로, 제2차 국·공 합작 이후 중국 공산군이 중국군의 제8로군으로 편제되었다.

OX 빈칸 핵심 개념 점검

* 학습한 개념을 OX/빈칸 문제를 통해 점검해보세요.

핵심 개념 1 | 1920년대 독립군의 활동과 시련

01 일제가 중국 마적을 매수하여 훈춘의 민가, 일본 영사관을 습격하고, 이를 핑계로 일본 군대를 두만강 이북으로 출병시켰다. □ O □ X

02 김좌진이 이끄는 북로 군정서군이 백운평 전투와 천수평, 어랑촌 전투에서 대승을 거두었다. □ O □ X

03 일본군이 청산리 대첩 패전에 대한 보복으로 간도 동포를 무차별로 학살하였다. □ O □ X

04 1920년대 민족 유일당 운동의 일환으로 국민부를 결성하였다. □ O □ X

05 서일을 총재로 조직된 ＿＿＿＿은 일본군을 피해 러시아 영토인 자유시로 집결하였다.

06 자유시 참변 이후 만주로 돌아온 독립군은 조직의 재건에 착수하여 ＿＿＿, ＿＿＿, ＿＿＿의 3부를 조직하였다.

07 독립군의 활동을 위축시키기 위해 일제와 만주 군벌은 ＿＿＿＿을 체결하였다.

핵심 개념 2 | 1930년대 무장 독립 전쟁

08 한국 독립군은 한국 독립당의 산하 부대로 동경성 전투도 수행하였다. □ O □ X

09 조선 혁명군은 북만주 일대에서 중국 호로군 등과 연합 작전을 수행하였다. □ O □ X

10 조선 의용대는 3부 통합으로 성립된 국민부 산하의 군대였다. □ O □ X

11 조선 의용대는 중국 국민당 정부의 지원을 받아 1938년에 창설되었다. □ O □ X

12 양세봉의 ＿＿＿＿이 영릉가 전투에서 승리하였다.

13 ＿＿＿＿은 쌍성보 전투와 대전자령 전투에서 일본군을 물리쳤다.

14 1935년 난징에서 의열단과 조선 혁명당 등이 결집하여 ＿＿＿＿을 창당하였다.

핵심 개념 3 | 한국광복군의 활동

15 한국광복군은 김원봉이 이끌던 조선 의용대의 병력을 통합하였다. □ O □ X

16 한국광복군은 중국 관내에서 조직된 최초 한국인 군사 조직이었다. □ O □ X

17 한국광복군은 만주에서 중국 의용군과 연합 작전을 수행하였다. □ O □ X

18 영국군의 요청에 따라 인도, 미얀마 전선에 한국광복군이 파견되었다. □ O □ X

19 한국광복군은 총사령에 ＿＿＿, 참모장에 ＿＿＿을 선임하였다.

20 한국광복군은 미국 전략 정보처와 함께 ＿＿＿＿을 계획하였다.

핵심 개념 4 | 조선 독립 동맹과 조선 의용군

21 조선 독립 동맹은 건국 강령을 통해 보통 선거에 의한 민주 정권의 수립, 토지 분배와 대기업의 국영화 등을 제안하였다. □ O □ X

22 조선 의용군은 중국 팔로군과 태항산 지역에서 협동 작전을 벌였다. □ O □ X

23 ______은 조선 의용대 화북 지대를 기반으로 조선 의용군을 조직하였다.

24 ______은 해방 후 중국 인민 해방군 소속으로 중국 국·공 내전에 참여한 후, 북한 인민군에 편입되었다.

정답과 해설

01	O 봉오동 전투 직후 일제는 만주 지역의 독립군 토벌을 위해 중국 마적을 매수하여 훈춘의 일본 영사관과 민가를 습격하게 하였고(훈춘 사건), 일본 영사관과 거류민을 보호한다는 구실로 두만강 이북의 북간도 지역에 대규모 일본군을 출병시켰다.	**13**	한국 독립군
02	O 김좌진의 북로 군정서군과 홍범도의 대한 독립군 등의 연합 부대는 백운평, 천수평, 어랑촌 전투 등이 이루어진 청산리 전투에서 대승을 거두었다.	**14**	민족 혁명당
03	O 일본군은 봉오동·청산리 전투의 패배에 대한 보복으로 간도의 한인 동포들을 무차별적으로 학살하는 간도 참변을 일으켰다.	**15**	O 한국광복군은 김원봉이 이끌던 조선 의용대 일부 병력을 통합(1942)하여 전력을 보강하였다.
04	O 1920년대 민족 유일당 운동의 일환으로 1929년에 국민부가 결성되었다.	**16**	× 중국 관내에서 조직된 최초 한국인 군사 조직은 조선 의용대이다.
05	대한 독립 군단	**17**	× 만주에서 중국 의용군과 연합 작전을 수행한 것은 조선 혁명군이다.
06	참의부, 정의부, 신민부	**18**	O 한국광복군은 영국군의 요청에 따라 인도, 미얀마 전선에 파견되어 영국군과 연합 작전을 수행하였다(1943).
07	미쓰야 협정	**19**	지청천, 이범석
08	O 한국 독립군은 한국 독립당의 산하 부대로, 1930년대 초반 중국 호로군 등과 함께 쌍성보·사도하자·동경성·대전자령 전투 등을 수행하였다.	**20**	국내 진공 작전(독수리 작전)
09	× 북만주 일대에서 중국 호로군 등과 한·중 연합 작전을 수행한 것은 한국 독립군이다.	**21**	O 조선 독립 동맹은 건국 강령을 통해 보통 선거에 의한 민주 정권의 수립, 의무 교육, 토지 분배와 대기업의 국영화 등을 제안하였다.
10	× 3부 통합으로 성립된 국민부 산하의 군대는 조선 혁명군이다.	**22**	O 조선 독립 동맹 산하의 조선 의용군은 태항산 지역에서 중국 팔로군과 협동 작전을 벌였다.
11	O 조선 민족 전선 연맹 산하의 군대인 조선 의용대는 중국 국민당 정부의 지원을 받아 1938년에 창설되었다.	**23**	조선 독립 동맹
12	조선 혁명군	**24**	조선 의용군

04 사회·경제적 민족 운동

1 민족의 저항 운동

학습 포인트
사회·경제적 방향에서 전개된 민족의 저항 운동을 주요 주제로 구분한 다음 관련 내용을 파악한다.

빈출 핵심 포인트
형평 운동, 암태도 소작 쟁의, 원산 노동자 총파업, 6·10 만세 운동, 광주 학생 항일 운동, 물산 장려 운동, 민립 대학 설립 운동, 문맹 퇴치 운동

1 사회주의 운동의 전개

1. 사회주의 사상의 수용

(1) **배경**: 제1차 세계 대전 이후 전후 처리가 승전국의 이권 조정에 한정되자 민족 자결주의에 걸었던 기대가 무산되었다. 한편 레닌이 약소 민족의 독립운동 지원을 약속하자 중국과 연해주 지역의 독립운동가들이 사회주의 사상을 민족 운동의 새로운 사상으로 수용하였다.

(2) **확산**: 3·1 운동 이후 소수의 지식인·청년층을 중심으로 사회주의가 확산되었다.

2. 국외의 사회주의 운동

(1) **한인 사회당**(1918): 한인 사회당은 이동휘를 중심으로 조직된 한국 최초의 사회주의 단체로, 러시아 하바로프스크에서 창립되었으며 이후 상하이파 고려 공산당으로 개편되었다.

(2) **북성회**(1922): 북성회는 김약수가 일본 유학생들을 중심으로 일본 동경에서 조직하였으며, 국내의 북풍회로 연결되었다.

3. 국내의 사회주의 운동

(1) **북풍회**(1924): 북풍회는 김약수가 일본 동경에서 조직한 북성회의 국내 조직으로, 화요회와 긴밀한 협조를 유지하였다.

(2) **조선 공산당**(1925)

① **결성**: 조선 공산당은 김재봉을 책임 비서로 하여 화요회, 북풍회, 무산자 동맹 등의 공산주의자들이 서울에서 비밀리에 조직하였다.

② **활동**: 6·10 만세 운동, 노동·농민 운동 등을 주도하였고, 민족주의 좌파 계열과 연계하여 신간회 결성에 적극 참여하였다.

이동휘

- 1907: 이동녕, 안창호 등과 함께 신민회 조직
- 1908: 서북학회 창립
- 1914: 대한 광복군 정부 수립, 부통령 취임
- 1918: 러시아의 하바로프스크에 사회주의 단체인 한인 사회당을 결성
- 1919: 대한민국 임시 정부 국무총리 취임

북풍회 강령(1924)

우리는 대중 운동 부문인 노동자, 농민, 청년, 여성, 형평 운동의 지적 교양과 계급적 훈련을 병행, 모든 현상 타파 운동을 지지함과 동시에 경제 문제에 비중을 두어 과학 사상을 보급하고 도시와 농촌의 협동을 기한다. 우리는 계급 관계를 무시한 단순한 민족 운동을 부인한다.

▶ 북풍회는 한국에서 사회주의 목표를 실현하기 위해 **노동자 계급의 관계 강화**를 주장하고, **민족 운동의 병행**도 강조하였다.

③ **탄압**: 일제는 치안 유지법(1925)을 제정하여 조선 공산당을 탄압하였다.

④ **해체**(1928): 국내적으로는 내부 분열로 와해와 재건을 반복하던 상황에서 코민테른이 '12월 테제'를 통하여 지식인 중심의 당 해체와 노동자·농민 중심의 당 재조직을 지시하면서 조선 공산당은 해체되었다.

(3) **영향**: 사회주의 사상은 청년·소년·여성·노동·농민·형평 운동 등 사회·경제적 대중 운동의 활성화에 영향을 미쳤다.

2 민족 운동의 전개

1. 청년 운동

(1) **특징**: 청년 운동은 계몽 운동(강연회, 토론회, 야학, 문맹 퇴치), 항일 투쟁(동맹 휴학, 시위) 등의 형태로 표출되었다.

(2) **조선 청년 연합회**(1920)

① **결성**: 조선 청년 연합회는 청년 운동 단체의 연합 기관으로 서울에서 조직되었다.

② **활동**: 교육 진흥·산업 진흥·도덕 수양을 통한 지·덕·체의 함양을 목표로 하여 민족 독립 운동을 전개하였다.

(3) **조선 청년 총동맹**(1924)

① **결성**: 조선 청년 총동맹은 서울 청년회, 화요회 계열의 사회주의 세력을 중심으로 결성되었다.

② **성격**: 조선 청년 연합회를 흡수하는 등 전국 250여 개의 청년 단체가 소속된 사회주의와 민족주의의 연합 단체였다. 이들은 각 지방에서 노동·농민 운동 등을 지원하였다.

2. 소년 운동

(1) **배경**: 1920년대 이후 아동 노동자 수가 증가하였고, 대부분의 아이들이 교육의 기회를 가지지 못하였다.

(2) **천도교 소년회**(1921)

① **결성**: 천도교 청년회에서 소년부를 설치하면서 소년 운동이 본격화되었다.

② **활동**: 방정환 중심의 천도교 소년회로 독립하여 5월 1일을 어린이날로 제정하고, 잡지 『어린이』를 발간하였다.

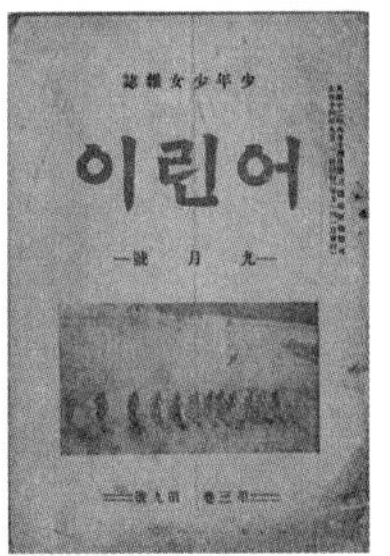

| 잡지 『어린이』

(3) **색동회(1923)**: 방정환은 일본 동경에서 어린이 연구 단체인 색동회를 창립하였다.

(4) **조선 소년 연합회**(1927): 조선 소년 연합회는 전국적 조직체로, 체계적인 소년 운동을 전개하였고 어린이날을 5월 첫 번째 일요일로 변경하였다.

(5) **쇠퇴**: 중·일 전쟁 이후 일제는 청소년 운동을 금지하였고 이에 따라 관련 조직이 해산되었다.

12월 테제의 의미와 영향

12월 테제(정치·사회적 운동의 기본 방침이 되는 강령)란 1928년 12월 코민테른(국제 공산주의 연합 기구) 집행 위원회 정치 서기국이 채택한 공산당 재조직에 관한 결정서를 말한다. 이전에 코민테른은 '민족주의 세력과 협동해야 한다'라고 주장하였으나 **12월 테제에서는 민족주의 세력과 결별하고 노동자, 농민 중심으로 당을 재조직**해야 한다고 하였다. 이러한 12월 테제는 한국 사회주의 운동에 큰 영향을 미쳐 **신간회가 해소되는 계기**가 되었고, 적색 노동 조합 운동 및 적색 농민 조합 운동이 활발하게 전개되는 바탕이 되었다.

조선 청년 총동맹 강령(1924)

우리는 계급적 대단결을 목표로 청년 운동의 통일을 도모하기 위하여 다음의 강령으로서 조선 청년 총동맹을 발기하노라. 아아! 이에 공명하여 전진하려는 각 청년 단체여 어서 가맹하여라! 단결하라!

1. 대중 본위인 신사회의 건설을 기도함.
1. 조선 민중 해방 운동의 선구가 되기를 기약함.

▶ 조선 청년 총동맹은 **사회주의 계통뿐 아니라 민족주의 계통의 단체들이 참여하여 결성된 연합 단체**였다.

어린이날 표어

어린이날은 처음에 5월 1일로 제정되어 1923년 기념 행사를 했고, 이후 1927년에 5월 첫째 주 일요일로 바뀌었다가 광복 후에 5월 5일로 변경되어 현재까지 이어지고 있다.

기출 사료 읽기

소년 운동 선언

첫째, 어린이를 재래의 윤리적 압박으로부터 해방하여 그들에 대한 완전한 인격적 대우를 허하게 하라. 둘째, 어린이를 재래의 경제적 압박으로부터 해방하여 만 14세 이하의 그들에 대한 무상, 또는 유상의 노동을 폐지하게 하라. 셋째, 어린이 그들이 고요히 배우고 즐거이 놀기에 족한 각양의 가정, 사회적 시설을 행하게 하라.

사료 해설 | 소년 운동 선언문(1923)은 어린이에게 노동에 대한 압박을 없애고 배우고 놀 수 있는 권리가 있다는 주장이 담겨 있다.

3. 여성 운동

(1) 배경: 일제가 호주제를 법제화하면서 가부장제를 가족법에 반영하고 강화시켜 여성의 법적 지위가 열악한 처지에 있었고, 민족적·계급적·성적 차별과 억압으로 여성의 지위가 퇴보하였다.

(2) 조선 여성 동우회(1924): 우리나라 최초의 사회주의 이념 여성 단체이다.

(3) 근우회(1927)

① **결성**: 김활란 등이 중심이 되어 여성 단체들을 통합하여 **신간회의 자매 단체**로 근우회가 조직되었다.

② **활동**: 강연회와 토론회 개최, 야학 설치 등을 통한 여성 계몽 활동과 함께 여성 노동자의 권익 옹호와 신생활 운동을 전개하였다. 또한 기관지인 『근우』를 발간하였으며, 노동과 농민 여성의 조직화, 여학생 운동을 전개하기도 하였다.

③ **해체**: 신간회가 해소되면서 근우회도 함께 해체되었다(1931).

기출 사료 읽기

근우회 창립 취지문

인류 사회는 많은 불합리를 생산하는 동시에, 그 해결을 우리에게 요구하고 있다. 여성 문제는 그 중의 하나이다. …… 과거의 조선 여성 운동은 분산되어 있었다. 그것에는 통일된 조직이 없었고 통일된 지도 정신도 없었고 통일된 항쟁이 없었다. …… 우리 조선 자매 전체의 역량을 공고히 단결하여 운동을 전반적으로 전개하지 아니하면 아니된다.

일어나라! 오너라! 단결하자! 분투하자! 조선 자매들아! 미래는 우리의 것이다.

사료 해설 | 민족주의 계열과 사회주의 계열로 나누어져 있던 여성 단체들은 1927년 신간회 창립을 계기로 통합 단체인 근우회를 결성하였다.

4. 형평 운동

(1) 배경: 갑오개혁으로 법적인 신분제가 폐지되었지만 사회적 차별은 잔존하였다.

(2) 차별 내용: 일제는 새 호적을 만들면서 백정 출신 호적에 '도한'이라고 기록하거나 이름 위에 붉은 점을 찍어 차별하였다. 이로 인해 백정은 도살업 외에 다른 직장에 취직하는 것이 사실상 불가능하였다. 또한 백정 자녀의 보통학교 입학 원서에도 신분을 기재하여 입학이 거부되거나 다른 아동들의 따돌림을 받아 학교를 그만두는 경우가 많았다.

근우회 행동 강령 교과서 사료

① 여성에 대한 사회적·법률적 일체 차별 철폐
② 일체 봉건적인 인습과 미신 타파
③ 조혼 폐지 및 결혼의 자유
④ 인신 매매 및 공창(公娼) 폐지
⑤ 농촌 부인의 경제적 이익 옹호
⑥ 부인 노동의 임금 차별 철폐 및 산전·산후 임금 지불
⑦ 부인 및 소년공의 위험 노동 및 야업 금지

▶ 근우회는 순회 강연, 부인 강좌, 야학 등을 통해 **여성의 권리에 대한 인식을 확산**시켰고, 여성 노동자·농민의 조직화, 여학생 운동 지원 등 사회 운동에도 적극적으로 참여하였다.

근우회 기관지 『근우』

근우회에서 1929년 5월에 창간한 **기관지 성격의 여성 잡지**로, 논설, 부인 강좌, 평론, 문학 작품, 광고 등으로 구성되어 있다.

도한(屠漢)

소나 개, 돼지 따위를 잡는 일을 직업으로 하는 사람을 뜻한다.

(3) 1920년대 초반

① **형평사 창립**: 진주에서 이학찬을 중심으로 조선 형평사(1923)가 창립되었다.

② **신분 해방 운동 전개**: 조선 형평사는 전국적으로 조직을 확대하고, 사회적 차별 철폐를 요구하는 신분 해방 운동을 전개하였다.

(4) 1920년대 중반~30년대: 형평 운동은 사회주의 계열과 연계하여 파업과 소작 쟁의에 참여하는 등 신분 해방 운동을 넘어서 민족 해방 운동으로 발전하였다.

형평 운동의 성과

백정들의 형평 운동은 호적이나 학적부에 기록하였던 백정 신분 표시가 공식적으로 철폐되고, 백정 자녀들의 학교 입학이 허용되는 등 1930년대 초에 어느 정도 성과를 거두었다.

| 형평사 제6회 전 조선 정기 대회 포스터

기출 사료 읽기

조선 형평사 취지문(1923)

공평은 사회의 근본이고 사랑은 인간의 본성이다. 고로 우리는 계급을 타파하고 모욕적인 칭호를 폐지하여 교육을 장려하고 우리도 참다운 인간으로 되고자 함이 본사(本社)의 주지이다. 지금까지 우리는 어떠한 지위와 압박을 받아왔던가? 과거를 회상하면 종일 통곡하고도 피눈물을 금할 수 없다. …… 그러나 이러한 비극에 대한 사회의 태도는 어떠했는가? 소위 지식 계층에 의한 압박과 멸시만이 있지 않았던가? 직업의 구별이 있다고 한다면 금수의 생명을 빼앗는 자는 우리들만이 아니다. …… 우리도 조선 민족의 2천만의 분자로서 갑오년 6월부터 칙령으로써 백정의 칭호가 없어지고 평민이 된 우리들이다 애정으로써 상호 부조하며 생명의 안정을 도모하고 공동의 존영을 기하려 한다.

사료 해설 | 갑오개혁 때 신분제가 법적으로 폐지되었음에도 백정에 대한 신분적 차별이 계속되자, 백정들은 진주에서 '저울(衡)처럼 평등한(平) 사회를 지향하는 단체(社)'란 뜻을 가진 조선 형평사를 조직하고 강연 등을 통해, 사회적 평등을 추구하는 형평 운동을 전개하였다.

(5) 쇠퇴

① **내부 이념 대립**: 온건파(신분 해방)와 급진파(계급 투쟁)의 대립이 격화되었다.

② **반(反)형평 운동 전개**: 신분 의식에서 벗어나지 못한 대중들이 백정의 집을 공격하는 등 형평 운동에 반발하였다.

③ **변질**: 일제의 탄압이 심화되자 형평 운동은 경제적 이권 확보를 위한 운동으로 변질되었으며, 조선 형평사는 친일 단체인 대동사(1935)로 변모하였다.

3 농민 운동과 노동 운동

1. 농민 운동의 전개

(1) 배경

① **일제의 수탈**: 일제의 토지 조사 사업과 산미 증식 계획으로 인해 상당수의 농민이 소작농으로 전락하였고, 과중한 소작료와 지주가 물어야 할 지세까지 부담하게 되면서 농민들의 불만이 고조되었다.

② **농민의 의식 성장**: 3·1 운동 이후 사회주의 사상이 보급되고 학생들의 계몽 운동이 활발해지면서 농민들의 자아 인식이 확대되고, 민족 의식이 성장하였다.

(2) 1920년대 농민 운동

① **특징**: 초반에는 주로 소작인 조합이 중심이 되어 50% 이상이었던 고율의 소작료 인하와 소작권 이전 반대 운동 등의 농민의 생존권 확보를 위한 경제적 권익 투쟁을 전개하였다.

② 전개

㉠ **조선 노동 공제회 조직**(1920): 최초의 전국적인 노동 운동 단체이며, 농민 운동을 지원하여 농민들을 조직화하는데 기여하였다.

㉡ **소작 쟁의 전개**: 전국적인 농민 조직인 조선 농민 총동맹(1927)이 조직된 이후, 전국 각지에서 농민 조합이 결성되어 소작 쟁의가 보다 조직적으로 전개되었다.

③ **대표적 소작 쟁의**: 암태도 소작 쟁의(1923), 북률 동척(동양 척식 주식회사) 농장 소작 쟁의(1924), 불이흥업 서선 농장 소작 쟁의(1925~1931)

(3) 1930년대 농민 운동

① **배경**: 경제적 권익 투쟁의 한계를 절감한 농민들은 일제의 식민지 수탈 정책이 농촌 궁핍의 근본적 원인이었다는 사실을 깨달았다.

② **특징**: 1930년대의 농민 운동은 부역 동원 반대, 군수용 물자 강제 수매(收買) 반대 등 일제의 식민지 수탈 정책에 근본적으로 저항하는 정치 투쟁의 성격이 강하였다.

③ **전개**: 사회주의와의 연계 아래 일본 제국주의 타도와 농민의 토지 소유 실현 등의 기치를 내건 비합법적·혁명적 농민 조합(적색 농민 조합)이 증가하였으나, 일제의 탄압으로 대부분 좌절되었다.

④ **일제의 회유책**: 농촌 진흥 운동의 일환이었다.

㉠ **조선 소작 조정령**(1932): 일제가 자본가와 지주 등을 중심으로 소작 위원회를 구성하여 소작 쟁의를 조정하게 하였으나 지주에게 유리하게 진행되었다.

㉡ **조선 농지령**(1934): 일제가 마름의 악폐를 제거하고 일정 기간 소작권 이동을 막는 등 농촌의 안정을 도모하기 위해 조선 농지령을 제정하였다.

2. 노동 운동의 전개

(1) 배경: 회사령 철폐 이후 일본 자금이 유입되어 공장이 설립되고, 한국인 기업도 늘어나면서 노동자 수가 빠르게 증가하였고, 열악한 노동 환경으로 하루 12시간이 넘는 힘겨운 노동과 저임금으로 노동자들의 불만이 고조되었다.

(2) 1920년대 노동 운동

① **특징**: 임금 인상, 노동 시간 단축, 노동 조건 개선 등 노동자의 생존권 확보를 위한 경제적 권익 투쟁을 전개하였다.

② **전개**: 조선 노동 총동맹(1927)이 결성되어 노동 운동이 조직화되었고, 대도시에 한정되던 노동 쟁의가 전국적으로 확산되어, 노동 운동이 대중화되었다.

③ **대표적 노동 운동**: 부산 부두 노동자 파업(1921), 경성 고무 공장 여성 노동자 파업(아사 동맹, 1923), 원산 노동자 총파업(1929)

교과서 분석하기

원산 노동자 총파업

영국인이 경영하는 원산의 라이징 선 석유 회사의 일본인 감독이 한국인 노동자를 폭행한 사건을 계기로 3천여 명이 참가한 일제 강점기 최대 규모의 파업이었다. 파업 기간 중 전국 각지의 노동 단체뿐만 아니라 일본·중국·프랑스·소련의 노동 단체들도 원산 총파업에 격려와 후원을 보내왔다.

암태도 소작 쟁의 교과서 사료

지주 문재철과 소작 쟁의 중인 전남 무안군 암태도 소작인 남녀 500여 명은 … 광주지방법원 목포지청에 몰려들어 왔는데 …… 무엇보다도 두려운 죽음을 불구하고 다시 이 법정에 들어온 것은 사활 문제가 이때에 있다 하며, …… 이번 운동의 결과를 얻지 못할 경우면 아사 동맹을 결속하고 자기들의 집에서 떠날 때부터 지금까지 식사를 폐지하였다고 한다.

\- 동아일보

▶ 1923년 8월부터 1924년 8월까지 지주 문재철과 그를 비호하는 일제에 대항하여 **암태도의 소작인들이 소작인회를 조직**하고 **소작료 인하를 요구하여 관철**시킨 사건이다.

조선 농지령

제7조 소작지의 임대차 기간은 3년을 내려갈 수 없다. 단, 영년 작물 재배를 목적으로 하는 임대차는 7년을 내려갈 수 없다.

제13조 임차인은 임대인의 승낙이 있을 때라도 소작지를 전대할 수 없다.

▶ 일제는 농민의 소작권 확립을 위해 **마름을 단속**하고, 소작 기간을 갱신할 때도 **지주에게 제한**을 가하도록 하였다. 그러나 지주의 이익은 더욱 증가하였고, 소작 쟁의는 계속 이어졌다.

경성 고무 공장 여성 노동자 파업(1923)

경성의 4개 고무 공장의 100명이 넘는 여성 노동자가 임금 삭감 반대와 일본인 감독의 파면을 요구하며 파업하였다. 공장주들은 이들의 명단을 작성하여 재취업을 막았고, 이에 격분한 여성 노동자들은 굶어 죽기를 맹세하는 **'아사 동맹'을 맺고 농성을 진행**하였다.

(3) 1930년대 노동 운동

① **배경**: 세계 경제 공황, 일제의 병참 기지화 정책과 전시 동원 체제의 시행으로 노동 조건이 더욱 악화되고 탄압이 강화되었다.

② **특징**: 노동 운동이 급진화되고, 정치적 투쟁 형태로 변화하였다.

③ **전개**: 사회주의와 연계한 비합법적·혁명적 노동 조합을 중심으로 전개되었으나 일제의 탄압으로 점차 쇠퇴하였다.

④ **대표적 노동 운동**: 평원 고무 공장 노동자 파업(1931)

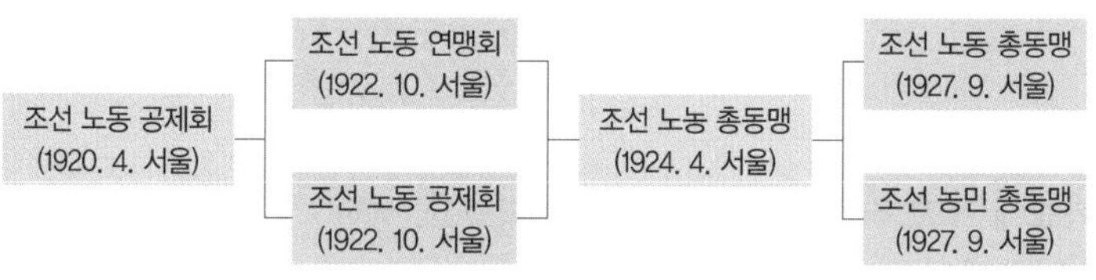

| 농민·노동 운동 단체의 조직·분화

평원 고무 공장 노동자 파업

교과서 사료

우리는 49명 우리 파업단의 임금 삭감을 중요하게 생각하는 것이 아닙니다. 이것이 결국은 평양의 2,300명 고무 직공의 임금 삭감의 원인이 될 것이므로 죽기로써 반대하는 것입니다. …… 이래서 나는 죽음을 각오하고 이 지붕 위에 올라왔습니다. 나는 평원 고무 사장이 이 앞에 와서 임금 삭감의 선언을 취소하기까지는 결코 내려가지 않겠습니다.

▶ 평원 고무 공장에서 임금을 삭감하겠다고하자 **여직공 강주룡**은 임금 삭감을 취소하라며 **을밀대에서 고공 농성**을 벌였다(1931).

4 대중 투쟁

1. 6·10 만세 운동(1926)

(1) 배경: 일제의 수탈과 식민지 차별 교육 정책에 대해 불만이 고조되고 있는 상황에서 순종의 서거로 일제에 대한 반발의 분위기가 고조되었다.

(2) 주도 세력: 조선 학생 과학 연구회를 비롯한 학생 운동 단체들, 그리고 천도교 구파와 연합한 사회주의 계열에서 각각 만세 운동을 추진하였다.

조선 학생 과학 연구회

1925년 9월, 사회 과학의 보급을 목적으로 만들어진 학생 운동 조직. 사회·과학 보급, 학생의 사상 통일과 상호 단결, 인간 본위 교육의 실시, 조선 학생 당면 문제의 해결 등을 강령으로 내걸었다.

(3) 전개

① **사회주의 계열**: 사회주의 계열이 중심이 되어 만세 운동을 계획하였으나 일제에 의해 사전에 발각되었다.

② **학생들의 시위**: 조선 학생 과학 연구회를 비롯한 학생들은 예정대로 순종의 인산일(6. 10.)에 격문을 뿌리고 대규모 가두 시위를 전개하였다. 각급 학교에 만세 운동이 연쇄 반응을 일으키며 확산되었으나, 일제의 탄압으로 좌절되었다.

6·10 만세 운동의 전개

순종의 국장(인산)일인 6월 10일 당시 서울 태평로에 모인 학생들과 시민들의 모습이다.

(4) 의의

① **항일 민족 운동으로 발전**: 비밀 결사의 형태로 전개되었던 학생 운동이 6·10 만세 운동을 통해 대중적 차원의 항일 민족 운동으로 발전하였다.

② **학생 운동의 성장**: 6·10 만세 운동은 학생들이 독자적으로 추진·계획한 운동으로, 학생들이 항일 민족 운동의 구심체 역할을 하는 계기가 되었다.

③ **경제적 투쟁 요구**: '토지는 농민에게 돌리라, 8시간 노동제를 채택하라'는 내용을 담아 농민·노동자층을 대변하면서 경제적 투쟁 전개를 요구하였다.

④ **민족 유일당 운동의 계기**: 6·10 만세 운동은 준비 과정에서 민족주의 계열인 천도교와 사회주의 계열의 단체들이 연대함으로써, 이후 민족 협동 전선인 신간회 창립(1927)에 기여하였다.

기출 사료 읽기

> **6·10 만세 운동 때의 격문**
>
> 조선 민중아! 우리의 철천지 원수는 자본·제국주의 일본이다. 2천만 동포야! 죽음을 각오하고 싸우자! 만세 만세 조선 독립 만세! 조선은 조선인의 조선이다. 횡포한 총독 정치를 구축하고 일제를 타도하자. 학교의 용어는 조선어로, 학교장은 조선 사람이어야 한다.
>
> **사료 해설** | 6·10 만세 운동으로 학생층이 독립운동의 주체로 성장하였다. 한편 민족주의 계열인 천도교계와 사회주의 계열의 단체가 함께 6·10 만세 운동 추진하면서, 이후 민족 유일당 운동이 전개되는 계기를 마련하였다.

2. 광주 학생 항일 운동(1929)

(1) 배경: 6·10 만세 운동 직후부터 각급 학교에 크고 작은 항일 결사가 조직되었고, 식민지 차별 교육에 항거하는 동맹 휴학이 빈발하였다.

(2) 발단: 광주에서 나주로 가는 통학 열차 안에서 일본 남학생이 한국 여학생을 희롱하여 한·일 학생 간 충돌이 발생하였다. 이 사건을 일본 경찰이 편파적으로 수사하여 한국 학생들의 불만이 고조되었다.

(3) 전개

① **학생 시위**: 11월 3일에 광주에서 가두 시위를 시작하였다. 이후 광주의 학생 조직인 성진회와 그 후신인 독서회 중앙 본부의 지도로 광주와 전라도 지역으로 시위가 확산되었다.

② **전국적 확대**: 시위는 전국적인 규모의 항일 투쟁으로 확산되어 5개월여 동안 약 5만 4천여 명의 학생들이 참여하였다.

③ **주장 내용**: 초기에는 식민지 차별 교육 철폐, 한국인 본위의 교육 제도 확립, 언론·출판·집회·결사의 자유 등을 요구하였다. 이후 운동이 전국적으로 확산되자 식민지 통치 자체를 반대하는 민족 해방 운동으로 발전하였다.

기출 사료 읽기

> **광주 학생 항일 운동 때의 격문**
>
> 학생, 대중이여 궐기하라! 우리의 슬로건 아래로!
> 검거된 학생들을 즉시 우리 손으로 탈환하자. / 경찰의 교내 침입을 절대 반대한다.
> 언론·출판·집회·결사·시위의 자유를 획득하자. / 조선인 본위의 교육 제도를 확립하라.
> 식민지적 노예 교육 제도를 철폐하라. / 사회 과학 연구의 자유를 획득하자.
> 전국 학생 대표자 회의를 개최하라.
>
> **사료 해설** | 광주 학생 항일 운동 초기에는 주로 검거된 학생의 석방이나 조선인 본위의 교육 실시를 주장하는 내용의 격문이 많았다. 그러나 시위가 확대되면서, 일본 제국주의 타도를 내세우며 일제의 식민 통치를 전면적으로 부정하는 방향으로 발전하였다.

(4) 신간회의 후원: 신간회 본부는 광주 학생 항일 운동을 민족적·민중적 운동으로 확산시키려 하였다. 이에 조선 청년 동맹, 조선 학생 전위 동맹과 함께 진상 조사단을 파견하고 민중 대회를 개최할 것을 계획하였으나 일제에 발각되어 실패하였다.

(5) 의의: 광주 학생 항일 운동은 광주에서 시작되어 전국적으로 확산된 것으로, 3·1 운동 이후에 일어난 최대 규모의 민족 운동이었다.

광주 학생 항일 운동에 참여한 학생 규모
- 참여 학생 수: 약 54,000여 명(중등 이상 학생 수: 약 9만 여명)
- 퇴학: 582명
- 무기정학: 2,330명
- 구속: 1,642명

신간회의 후원
시위(광주 학생 항일 운동)가 확산되자 신간회 광주 지부를 중심으로 학생 투쟁 지도 본부가 설치되어 "우리의 투쟁 대상은 광주 중학교의 일본 학생이 아니라 일본 제국주의이니 투쟁 방향을 일제로 돌리자."라고 결의하고 투쟁을 더욱 발전시켜 갔다.

필수 개념 정리하기

6·10 만세 운동과 광주 학생 항일 운동 비교

구분	6·10 만세 운동	광주 학생 항일 운동
공통점	한국인 본위의 교육 주장	
특징	· 천도교, 사회주의 계열 인사와 학생(조선 학생 과학 연구회)들이 주도 · 순종의 장례식을 계기로 전개 · 일본어 강요 반대 (나는 조선말로 대답하겠소!) · 신간회 성립에 영향	· 독서회가 주도 · 신간회가 진상 조사단 파견 · 3·1 운동 이후 최대 규모의 민족 운동 · 동맹 휴학 → 가두 시위로 발전 · 신간회 해소의 배경

5 민족 실력 양성 운동

1. 실력 양성 운동의 대두

(1) **배경**: 3·1 운동 이후 일부 지식인들은 일본으로부터 즉각적으로 독립하는 것이 불가능하다고 판단하였으며, 일제의 문화 통치에 기대를 하였다.

(2) **내용**: 실력 양성 운동은 사회 진화론적 세계관에 입각한 개량주의를 수용하여 '선 실력 양성·후 독립'을 주장하였다.

(3) **한계**: 실력 양성 운동은 일제의 허용 범위에서만 전개되었고, 이광수 등의 일부 지식인들이 독립운동의 포기나 다름없는 자치 운동을 주장하며 친일파로 변질되었다.

2. 물산 장려 운동

(1) 배경

① **일본 자본 유입**: 1920년 회사령 철폐로 일본 대자본이 유입되어 자국 내 시장 경쟁이 심화되었다.

② **한·일 간의 관세 철폐**: 일본은 한국 경제를 일본에 예속시키기 위해 한·일 간의 관세 철폐를 추진하였다.

(2) 단체

① **조선 물산 장려회**(1923): 조만식 등의 민족 자본가를 중심으로 평양에서 조선 물산 장려회 발기인 대회를 개최하였고 평양 물산 장려회를 조직(1920)하였다. 이후 서울에서 조선 물산 장려회가 조직(1923)되면서 물산 장려 운동이 전국적으로 확산되었다.

② **기타 참여 조직**: 토산 애용 부인회, 자작회 등 전국적으로 다양한 단체가 탄생하였다.

(3) **활동**: 물산 장려 운동은 초반에 자급자족, 국산품 애용 등을 통해 민족 산업을 육성하여 민족 경제의 자립을 목표로 하는 활동을 전개하였고, 점차 근검절약, 생활 개선, 금주·단연 운동 등으로 확대되었다.

물산 장려 운동 기출사료

· 비록 우리의 재화가 남의 재화보다 품질상 또는 가격상으로 개인 경제상 다소 불이익이 있다 할지라도 민족 경제의 이익에 유의하여 이를 애호하며 장려하여 수요하며 구매하지 아니치 못할지라.
- 물산 장려 운동 취지서, 『산업계』

· 내 살림 내 것으로!
보아라! 우리의 먹고 입고 쓰는 것이다.
다 우리의 손으로 만든 것이 아니었다.
입어라! 조선 사람이 짠 것을
먹어라! 조선 사람이 만든 것을
써라! 조선 사람이 지은 것을
조선 사람, 조선 것.
- 물산 장려 운동 궐기문

▶ 일본 대자본의 유입과 관세 철폐의 움직임에 따라 민족 자본의 위기감이 고조되어 민족 기업의 육성과 **민족 경제의 자립을 목표로 물산 장려 운동이 전개되었다.**

(4) 한계

① **물가 상승**: 늘어난 수요를 뒷받침할 수 있는 생산 시설의 미흡으로 오히려 토산물의 가격만 상승하였다.

② **사회주의 계열의 비판**: 사회주의 계열의 운동가들과 일부 민중들이 '물산 장려 운동은 자본가 계급만을 위한 운동'이라고 비판하였다.

교과서 사료 읽기

> **물산 장려 운동에 대한 사회주의 계열의 비판**
>
> 물산 장려 운동의 선봉이 된 것은 중산 계급이 아닌가. 노동자에게는 이제 새삼스럽게 물산 장려를 말할 필요가 없다. 그들은 자본가, 중산 계급이 양복이나 비단옷을 입는 대신 무명과 베옷을 입었고, 저들 자본가가 위스키나 브랜디나 정종을 마시는 대신 소주나 막걸리를 마시지 않았는가. …… 저들은 민족적, 애국적 하는 감상적인 말로 노동 계급의 후원을 갈구하는 것이다. 그러나 노동자에게 있어서는 저들도 외래 자본가와 조금도 다를 것이 없다. - 동아일보
>
> 사료 해설 | 물산 장려 운동으로 생산력이 증가하기보다는 오히려 상품 가격만 오르는 경우가 많았으며, 일부에서는 '다소 비싸더라도 조선 상품을 사 쓰자!'라고 주장해 사회주의 계열의 맹렬한 비판을 받았다.

3. 민족 교육 운동

(1) 배경

① **일제의 우민화 교육**: 일제는 한국인을 식민 통치에 유용한 하급 인력으로 양성하기 위해 우민화 교육을 시행하였다.

② **민족 교육 운동**: 우리 민족은 일제의 식민지 교육에 맞서 사립 학교, 개량 서당, 야학 등의 대중 교육 기관을 설립하여 민족 교육을 담당하였으나 일제의 탄압을 받았다.

(2) 조선 여자 교육회(1920. 3.): 차미리사를 중심으로 결성된 조선 여자 교육회는 부녀자를 위한 토론회·강연회를 개최하고, 야학을 설립하는 등 여성 계몽 운동을 전개하였다.

차미리사
차미리사는 미국 유학 후 돌아와 배화학당에서 교사 생활을 하다가 1920년에 조선 여자 교육회를 조직하였다. 이후 전국 여자 순회 강연단을 조직하여 부인들을 대상으로 한 계몽 강연을 실시하는 등 여성 교육가이자 독립운동가로 활동하였으며, 현 덕성 여자 대학교의 전신인 근화여학교를 설립하였다.

(3) 조선 교육회(1920. 6.): 한규설, 이상재 등이 조직한 조선 교육회는 언론을 통한 국민 계몽과 문맹 퇴치 운동, 민립 대학 설립 운동을 주도하였다.

(4) 민립 대학 설립 운동

① **배경**: 3·1 운동 이후 교육열이 고조되고 한국인 본위의 교육이 강조되었으며, 고등 교육 기관 설립의 필요성이 대두하였다.

② **전개**: 조선 교육회를 중심으로 이상재, 이승훈, 조만식 등이 **조선 민립 대학 기성회**(1923)를 조직하여 '한민족 1천만이 한 사람이 1원씩'이라는 구호로 1,000만 원 모금 운동을 전개하였다.

③ **결과**: 일제의 방해와 가뭄, 전국적인 수해 등으로 모금 운동이 어려워져 실패하였다. 또한 인구의 대다수가 문맹이기 때문에 대학보다는 노동자 강습소, 야학 등이 더 필요하다는 비판을 받기도 하였다. 민립 대학 설립 운동 이후로도 연희 전문 학교, 이화 학당 등을 대학으로 승격시키려는 노력이 있었으나 일제의 방해로 실현되지 못하였다.

④ **일제의 회유책**: 일제는 한국인의 고등 교육 요구 열기를 무마하고, 한국 거주 일본인의 고등 교육을 위해 **경성 제국 대학**을 설립하였다(1924).

교과서 사료 읽기

민립 대학 설립 기성회 발기 취지서(1923)

우리들의 운명을 어떻게 개척할까? 정치냐? 외교냐? 산업이냐? 물론 이러한 사업들이 모두 다 필요하다. 그러나 그 기초가 되고 요건이 되며, 가장 급무가 되고 가장 선결의 필요가 있으며, 가장 힘 있고 가장 필요한 수단은 교육이 아니면 불능하도다. …… 민중의 보편적 지식은 보통 교육으로도 가능하지만 심오한 지식과 학문은 고등 교육이 아니면 불가하며, 사회 최고의 비판을 구하며 유능한 인물을 양성하려면 …… 이제 우리 조선인도 세계의 일각에서 다른 나라 사람과 어깨를 나란히 하려면 대학의 설립을 빼고는 다시 다른 길이 없도다.

사료 해설 | 대학 설립의 필요성을 느낀 지식인들은 교육을 통해 민족의 실력을 양성할 것을 주장하며 민립 대학 설립 운동을 전개하였다.

4. 문맹 퇴치 운동

(1) **배경**: 일제의 우민화 교육으로 한국인의 문맹률이 증가한 상황에서 농촌 계몽 운동에 대한 관심이 증가하였다.

(2) **문자 보급 운동**(1929~1934): 조선일보는 "아는 것이 힘, 배워야 산다!"라는 표어 아래 귀향 학생들을 동원하여 『한글원본』 등의 교재를 배포하고, 문자 보급 운동을 전개하였다.

(3) **브나로드 운동**(1931~1934): 동아일보는 "힘써 배우자! 아는 것이 힘이다!", "배우자! 가르치자! 다 함께 브나로드!" 등의 구호를 내걸고 학생들을 통한 계몽 운동을 전개하였다. 브나로드 운동은 농촌 계몽, 한글 보급, 미신 타파 등을 목표로 하였다.

(4) **일제의 탄압**: 문맹 퇴치 운동은 한글 보급뿐만 아니라 민족 의식 고취에도 영향을 주었기 때문에 결국 조선 총독부의 문맹 퇴치 운동 금지령(1935)으로 인해 중단되었다.

교과서 사료 읽기

문맹 퇴치 운동

・조선일보의 문자 보급 운동

오늘날 조선인에게 무엇 하나 필요치 않은 것이 없다. 산업과 건강과 도덕이 다 그러하다. 그러나 그중에도 가장 필요하고 긴급한 것을 들자면 지식 보급을 제외하고는 다시 없을 것이다. …… 전 인구의 1,000분의 20밖에 문자를 이해하지 못하고, 취학 연령 아동의 10분의 3밖에 학교에 갈 수 없는 조선의 현실에서 간단하고 쉬운 문자의 보급은 우리 민족이 해결해야 할 가장 시급한 일이라 하겠다.

\- 조선일보

・브나로드 운동 선전문

여러분들의 고향에는 조선 문자도 모르고 숫자도 모르는 이가 얼마쯤 있는가. …… 우리는 모름지기 자신을 초월한 것이다. 모든 이들을 위해 자신의 이해와 고락을 희생할 것이다. 우리는 보수를 바라지 않는 일꾼이 되어야 할 것이다. 새로운 사상을 갖는 새로운 학생들을 보라! …… 참으로 민중을 생각하는 마음으로 민중을 대하라. 그리하여 민중의 계몽자가 되고, 민중의 지도자가 되라!

\- 동아일보

사료 해설 | 조선일보는 문자 보급 운동을, 동아일보는 브나로드 운동을 통해 문맹 퇴치 운동을 전개하였다.

브나로드 운동

브나로드란 **'민중 속으로'라는 뜻을 가진 러시아어**로 1870년대 러시아에서 지식 계층이 **민중 계몽 운동을 위하여 내세운 슬로건**이다.

OX 빈칸 핵심 개념 점검

* 학습한 개념을 OX/빈칸 문제를 통해 점검해보세요.

핵심 개념 1 | 민족 운동

01 천도교 소년회에서는 어린이날을 제정하고, 잡지 『어린이』를 발간하였다. □ O □ X

02 근우회는 신간회의 자매 단체로 여성의 지위 향상과 생활 개선을 위한 활동을 전개하였다. □ O □ X

03 백정들은 형평사를 창립하고, 평등한 대우를 요구하는 형평 운동을 펼쳤다. □ O □ X

04 형평 운동으로 신분제가 법적으로 폐지되었다. □ O □ X

05 백정은 자신들에 대한 차별 대우를 폐지하여 저울처럼 평등한 세상을 만들겠다는 의지를 모아, 경남 ______에서 조선 형평사를 창립하였다.

핵심 개념 2 | 농민·노동 운동

06 초기 소작 쟁의의 요구 사항은 주로 소작권 이동 반대, 소작료 인하 등이었다. □ O □ X

07 농민 운동이 활성화되면서 전국적인 농민 운동 단체인 조선 농민 총동맹이 결성되어 보다 조직적으로 농민 운동을 이끌었다. □ O □ X

08 1930년대의 노동 운동은 사회주의와 연계하여 비합법적·혁명적 노동 조합을 중심으로 전개되었다. □ O □ X

09 1923년에 일어난 대표적인 소작 쟁의인 ______는 소작료 인하를 요구하여 관철시킨 사건이었다.

10 1920년대 노동 운동 중에서 가장 규모가 큰 투쟁은 ______이었다.

핵심 개념 3 | 6·10 만세 운동

11 6·10 만세 운동은 사회주의 세력과 학생들이 준비하였다. □ O □ X

12 6·10 만세 운동은 사회주의자들과 민족주의자들이 함께 준비하였다. □ O □ X

13 6·10 만세 운동은 일제 강점기 최대 규모의 항일 학생 운동이었다. □ O □ X

14 6·10 만세 운동 때에는 ______의 국장일에 학생들이 만세 시위를 벌이고 시민들이 가세하였다.

핵심 개념 4 | 광주 학생 항일 운동

15 한·일 학생 간의 충돌 사건을 계기로 광주 학생 항일 운동이 일어났다. □ O □ X

16 광주 학생 항일 운동을 전국으로 확대되어 이듬해까지 동맹 휴학 투쟁이 계속되었다. □ O □ X

17 광주 학생 항일 운동에는 ______에서 진상 조사단을 파견하였다.

핵심 개념 5 | 물산 장려 운동

18 물산 장려 운동은 조선 총독부의 회사령에 맞서기 위해 전개되었다. □ O □ X

19 물산 장려 운동에 대해 일부 사회주의자는 자본가 계급을 위한 운동이라고 비판하였다. □ O □ X

20 물산 장려 운동은 조선과 일본 간의 ____ 철폐 정책에 대항한 것이다.

21 물산 장려 운동은 조만식 등에 의해 ____에서 시작되어 전국으로 확산되었다.

핵심 개념 6 | 민립 대학 설립 운동과 문맹 퇴치 운동

22 1920년대 초반 이상재 등은 민립 대학 설립 기성회를 만들고 모금 운동에 나섰다. □ O □ X

23 동아일보는 문맹 퇴치와 미신 타파를 목적으로 브나로드 운동을 전개하였다. □ O □ X

24 일제는 민립 대학 설립 운동의 열기를 무마하기 위해 ________을 설립하였다.

정답과 해설

01	O 방정환 중심의 천도교 소년회는 5월 1일을 어린이날로 제정하고, 잡지 『어린이』를 발간하였다.	**13**	× 일제 강점기 최대 규모의 항일 학생 운동은 광주 학생 항일 운동(1929)이다.
02	O 근우회는 신간회의 자매 단체로, 강연회, 토론회, 야학 설치 등 여성의 계몽과 지위 향상, 생활 개선을 위한 활동을 전개하였다.	**14**	순종
03	O 일제 강점기에 백정들은 조선 형평사를 창립하고 형평 운동을 전개하여 모욕적인 칭호를 폐지하는 등 평등한 대우를 요구하였다.	**15**	O 광주 학생 항일 운동은 한·일 학생 간의 충돌 사건을 계기로 1929년에 일어났다.
04	× 신분 제도는 형평 운동이 전개되기 이전인 갑오개혁(1894) 때 법적으로 폐지되었다.	**16**	O 광주 학생 항일 운동은 전국적으로 확대되어 이듬해까지 동맹 휴학 투쟁이 계속되었고, 여기에 일반 국민과 만주 지역의 민족 학교 학생들, 일본 유학생들까지 가세하였다.
05	진주	**17**	신간회
06	O 초기에 전개된 소작 쟁의에는 주로 소작권 이동 반대, 소작료 인하 등 농민의 생존권 확보를 위한 경제적 권익 투쟁의 형태였다.	**18**	× 물산 장려 운동은 일제의 회사령이 폐지(1920)된 이후에 전개되었다.
07	O 농민 운동이 활성화되면서 1927년에는 전국적인 농민 운동 단체인 조선 농민 총동맹이 결성되어 보다 조직적으로 농민 운동을 이끌었다.	**19**	O 일부 사회주의 세력은 물산 장려 운동이 자본가 계급만을 위한 운동이라고 비판하였다.
08	O 1930년대에는 사회주의와 연계한 비합법적·혁명적 노동 조합을 중심으로 노동 운동이 전개되었다.	**20**	관세
09	암태도 소작 쟁의	**21**	평양
10	원산 노동자 총파업	**22**	O 1920년대 초반 이상재, 현상윤 등은 민립 대학 설립 기성회를 만들고, '한민족 1천만이 한 사람 1원씩'이라는 구호로 모금 운동을 전개하였다.
11	O 6·10 만세 운동은 사회주의 세력과 조선 학생 과학 연구회를 중심으로 한 학생들이 각각 만세 운동을 준비하였다.	**23**	O 동아일보는 문맹 퇴치와 미신 타파를 목적으로 농촌 계몽 운동인 브나로드 운동을 전개하였다.
12	O 6·10 만세 운동의 준비 과정에서 사회주의 계열과 민족주의 계열이 연대하면서 민족 유일당이 결성될 수 있는 기반이 마련되었다.	**24**	경성 제국 대학

2 민족 유일당 운동과 국외 이주 동포

학습 포인트
신간회의 설립 과정과 주요 활동 내용을 정리하도록 한다. 그리고 국외 이주 동포들의 이주 배경과 이주한 후의 독립운동에 대해 파악하도록 한다.

빈출 핵심 포인트
자치 운동, 정우회 선언, 신간회, 근우회, 만주, 연해주, 미주, 일본

1 민족 유일당 운동과 신간회

1. 민족 유일당 운동의 배경

(1) 민족 유일당 운동의 의미: 민족 운동의 역량을 하나로 모아 독립운동을 추진하자는 것으로, 1920년대에 이념과 노선의 차이를 뛰어넘어 민족주의 진영과 사회주의 진영이 통합된 단체를 조직하자는 민족 유일당 운동이 전개되었다.

(2) 국외의 상황

① **중국의 제1차 국·공 합작**(1924)

㉠ **합작 추진**: 분열과 분파를 거듭하던 중국 내의 국민당과 공산당이 일제에 대항하기 위해 국·공 합작을 추진하였다.

㉡ **영향**: 국·공 합작 소식이 국내에도 전해져 이념과 노선을 초월한 독립운동 단체의 통합에 대한 관심이 증가하였다.

② **한국 독립 유일당 북경 촉성회**(1926)

㉠ **배경**: 안창호는 베이징, 상하이 등지에서 여러 독립운동 단체들의 단결을 호소하였고, 이에 호응하여 한국 독립 유일당 북경 촉성회가 창립되었다.

㉡ **영향**: 이로 인해 만주에서는 3부 통합 운동이 전개되었고, 국내에서도 민족 통일 전선의 분위기가 확산되었다.

(3) 국내의 상황

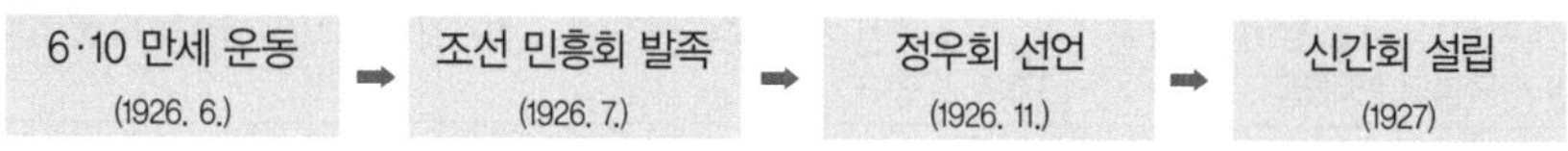

| 국내의 민족 유일당 운동 전개 과정

① **사회주의의 유입과 민족 운동의 분열:** 3·1 운동 이후 사회주의 사상이 유입되면서 사회주의 진영과 민족주의 진영 사이에서 독립운동의 방법을 둘러싸고 분열하였다.

② **자치 운동의 대두와 비판**

㉠ **자치 운동의 대두**: 1920년대 중반 일제의 민족 분열책으로 인해 이광수, 최린 등 타협적 민족주의자들이 등장하였다. 이들은 일제의 식민 지배를 인정한 다음 자치권을 획득하여 실력을 기르자는 자치 운동을 전개하였다.

㉡ **자치 운동 비판**: 이상재, 안재홍 등을 중심으로 한 비타협적 민족주의자들은 타협적 민족주의자들의 자치 운동을 비판하며 사회주의 세력과의 연대를 모색하였다.

안창호

- 1878: 평안남도 강서군 출생
- 1900: 미국 샌프란시스코에서 대한인 공립 협회 설립
- 1907: 양기탁, 신채호 등과 함께 신민회 조직
- 1912: 미국 샌프란시스코에서 대한인 국민회 중앙 총회 조직
- 1913: 흥사단 창설
- 1919: 3·1 운동 직후 상하이로 건너가 임시 정부 내무총장 겸 국무총리 대리직 수행
- 1923: 개조파 입장에서 국민 대표 회의를 주도

③ **일제의 사회주의 탄압**: 일제는 치안 유지법을 제정(1925)하여 사회주의 계열을 집요하게 탄압하였고, 당시 조선 공산당은 내부 파벌 싸움으로 와해와 재건을 반복하며 어려움을 겪고 있었다. 이에 사회주의자들은 민족주의 계열과의 연대를 모색하였다.

④ **6·10 만세 운동**(1926): 6·10 만세 운동을 계기로 민족주의 계열과 사회주의 계열이 연대의 길을 본격적으로 모색하기 시작하였다.

(4) 조선 민흥회 결성(1926. 7.): 비타협적 민족주의 계열의 조선 물산 장려회와 사회주의 계열의 서울 청년회가 중심이 되어 조선 민흥회를 결성하였다.

(5) 정우회 선언(1926. 11.): 사회주의 단체인 정우회가 비타협적 민족주의 세력과의 연대를 주장하여 신간회 설립의 계기가 마련되었다.

기출 사료 읽기

정우회 선언

민족주의적 세력에 대하여는 그 부르주아 민주주의적 성질을 명백하게 인식하는 동시에 또 과정적 동맹자적 성질도 충분히 승인하여 그것이 타락하는 형태로 출현되지 아니하는 것에 한하여는 적극적으로 제휴하여 대중의 개량적 이익을 위하여서도 종래의 소극적 태도를 버리고 분연히 싸워야 할 것이다. - 조선일보, 1926

사료 해설 | 정우회는 '정우회 선언'을 통해 분파 투쟁의 청산, 사상 단체의 통일, 경제 투쟁에서 정치 투쟁으로의 전환 등을 강조하며 민족주의 세력과의 연대를 주장하였다.

2. 신간회

(1) 설립(1927)

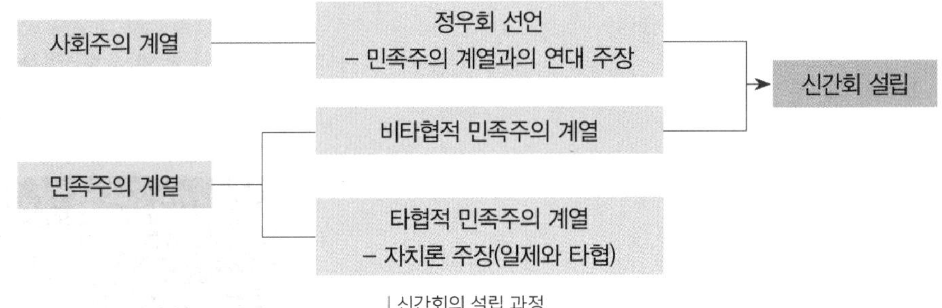

| 신간회의 설립 과정

① **배경**: 정우회 선언을 계기로 비타협적 민족주의 계열과 사회주의 계열의 일부가 연대하였다.

② **강령**: 기회주의자 배격, 민족 대단결, 정치·경제적 각성을 촉구하였다.

③ **일제의 묵인**: 일제는 독립운동가들을 보다 쉽게 색출하기 위해 신간회 활동을 합법화하였다.

(2) 조직

① **조직 확대**: 신간회는 전국에 140여 개의 지회와 4만여 명의 회원을 확보하여 일제 지배하 최대 규모의 합법적인 민족 운동 단체로 성장하였다.

② **자매 단체**: 근우회(1927)가 신간회의 자매 단체로 창립되어 새로운 여성 운동을 전개하였다.

조선 민흥회 교과서 사료

조선 민흥회는 조선 민족의 공동 권익을 쟁취하고, 조선민의 단일 전선을 결성할 목적으로 창설되었다. 조선 민흥회는 산업 종사자, 종교인, 학생, 지식인 등 전 국민의 단합과 통일을 주장한다. 민족적 통합의 그 목적은 '조선의 해방'에 있다. …… 조선의 사회주의자들도 반제국주의 운동에 있어서 공동 권익을 지향하는 계급들의 일체적 동원에 대한 필요성을 절감하고 있다. …… 우리는 중국의 국민당을 본보기로 하여 이 운동을 발전시키고자 한다. - 조선일보

▶ 조선 물산 장려회 중심의 민족주의 세력과 서울 청년회 중심의 사회주의 계열이 연합하여 조선 민흥회를 결성하였다.

정우회

1926년 4월 14일 화요회, 북풍회, 조선노동당, 무산자 동맹회 4개의 단체 합동위원회가 발전적으로 해체하여 이룬 사회주의 계열의 단체이다.

신간회 강령 기출사료

1. 우리는 정치적·경제적 각성을 촉진한다.
2. 우리는 단결을 공고히 한다.
3. 우리는 기회주의를 일체 부인한다.

▶ 신간회는 강령을 통해 자치론을 주장한 타협적 민족주의 세력을 '기회주의'라 지칭하며 배격하였다.

(3) 활동

① **항일 투쟁**: 동양 척식 주식회사 등의 착취 기관 폐지, 치안 유지법 폐지 등을 주장하였다.

② **자치 운동 비판**: 타협적 민족주의 계열의 자치 운동을 규탄하였다.

③ **대중 운동과 사회 운동 전개**: 원산 노동자 총파업(1929) 지원, 갑산 화전민 학살 사건 진상 규명 운동, 소작 쟁의, 재만 동포 옹호 운동, 수재민 구호 운동 등을 전개하였다. 또한 노동 운동과 연계하여 최저 임금제 등 노동자들의 권익 향상을 요구하였다.

④ **학생 운동 후원**: 광주 학생 항일 운동(1929)에 대한 **진상 조사단을 파견**하였고, 각지의 동맹 휴학을 지도하였다. 또한 진상 보고를 위한 전국 민중 대회를 열어 항일 운동을 확산시키려 하였으나 사전에 발각되어 실패하였다.

⑤ **민중 계몽 운동**: 순회 강연단을 구성하여 전국 각지에서 민족 의식을 고취시켰으며, 노동 야학 참여, 교양 강좌 설치 등 민중 계몽 운동을 전개하였다.

(4) 해소(1931)

① **일제의 탄압**: 일제는 전국 민중 대회를 불허하고, 위원장 허헌과 간부들을 구속하는 등 단속을 강화하였다.

② **새로운 집행부의 우경화**: 1930년 이후 새로운 집행부가 신간회의 조직 내의 주도권을 유지하기 위해 처음 강령(기회주의 배격)과는 달리 자치 운동을 주장하는 타협적 민족주의자들과 협력하려고 하자, 사회주의자들이 이에 반발하면서 내부 갈등이 심화되었다.

③ **코민테른의 노선 변화**: 코민테른이 '12월 테제'를 발표하여 민족주의자들과의 통일 전선 운동 방침을 폐기하고 계급 투쟁으로 정책 노선의 변경을 지시하자, 사회주의자들이 신간회의 해소를 선언하며 이탈하였다.

(5) 의의: 신간회는 사회주의 세력과 민족주의 세력이 통합하여 결성한 국내의 대표적인 민족 협동 전선이자, 일제 강점기 최대 규모의 항일 단체였다.

2 국외 이주 동포들의 생활

1. 만주 이주 동포

(1) 이주 배경

① **19세기 후반**: 생계 유지 목적으로 농민들이 생활 터전을 확보하기 위해 이주를 시작하였다.

② **국권 피탈 이후**: 독립운동을 위해 망명한 사람들과, 일제에 토지를 강탈당하여 생존의 어려움에 직면한 농민들이 대거 이주하였다.

(2) 생활: 만주 이주 동포들은 황무지를 개간하여 생활의 근거지를 마련하였다.

(3) 독립운동: 만주 이주 동포들은 항일 독립운동을 위한 기지를 건설하고, 독립군을 양성하였고, 봉오동 전투와 청산리 전투 등 무장 독립군의 활동을 지원하였다.

(4) 시련

① **간도 참변**(1920): 봉오동·청산리 전투에 연이어 패한 일본은 독립군의 근거지를 소탕한다는 명분으로 간도 지역 동포를 무차별적으로 학살하는 간도 참변을 일으켰다.

갑산군 화전민 사건(1929)

작년 수재에 놀란 재민 천여명은 …… 주린 창자를 움켜쥐면서도 개간에 애를 쓰던 터이나 지난 음력 5월 3일에 영림서에서 서원이 와서 이곳은 국유림이니 다른 곳으로 가라 하므로 …… 6월 17일에 이르러 영림서원 여섯 명이 무장한 경관 열일곱 사람을 데리고 와서 말로 일러서 아니 들으니 이렇게 할 수 밖에는 도리가 없다고 하며 집집마다 들어가서 세간살이를 집어내뜨리고 불을 질러 화광이 충천하게 되었더라. -조선일보

▶ 갑산군 화전민 사건은 일제의 식민지 수탈 정책으로 증가한 **화전민들**이 함경남도 갑산 지역에서 **일제의 추방 정책에 저항하였던 사건**이다. **신간회**는 이 사건에 대한 **진상 규명을 총독부에 요구**하였다.

12월 테제

코민테른(국제 공산주의 연합 기구)이 1928년 12월에 채택한 공산당의 정치·사회적 운동에 대한 기본 방침이다. 코민테른은 12월 테제를 통해 기존의 '민족주의 세력과 협동해야 한다'는 방침을, '민족주의 세력과 결별하고 노동자·농민을 중심으로 당을 재조직해야 한다'는 방향으로 전환하였다.

신간회 해소

해소는 단순히 해체를 의미하는 것이 아니라 **다른 운동 형태로 발전한다는 의미**로 사용되었다. 사회주의 계열은 신간회를 해소하고 **농민·노동자 중심의 계급 투쟁에 집중**하고자 하였다.

| 신간회 해소를 주장한 책 표지

만주로 이주한 한국인

② **만보산 사건**(1931): 일제의 한·중 이간책으로, 중국 농민과 우리나라 농민 간에 수로 문제를 둘러싸고 유혈 충돌 사건이 발생하였다(만보산 사건).

2. 연해주 이주 동포

(1) 이주 배경: 19세기 후반 러시아가 변방 개척을 위해 한국인의 연해주 이주를 허용하고 토지를 제공하였다.

(2) 생활: 1905년 이후 한인 이주가 급증하여 **신한촌**과 같은 한인 집단촌이 형성되었다.

(3) 독립운동: 블라디보스토크의 신한촌을 중심으로 **권업회**, **대한 광복군 정부**, 대한 국민 의회 등 많은 독립운동 단체가 조직되었다.

(4) 시련

① **자유시 참변**(1921): 자유시 참변으로 다수의 독립군이 희생되었다.

② **강제 이주**(1937): 소련 당국에 의하여 연해주 거주 동포들이 재산과 가택을 상실한 채 중앙아시아로 **강제 이주**되었고, 이 과정에서 수많은 한인들이 희생당하였다.

교과서 사료 읽기

중앙아시아 강제 이주

소련 인민 위원 대표자 회의와 볼셰비키 전 소련 중앙 위원회는 …… 일본의 간첩 행위 침투를 차단하기 위하여 극동 지역에 다음과 같은 조치를 시행한다. …… 고려 주민들을 추방하여 남카자흐스탄주, 아랄해와 우즈베키스탄 공화국 등에 이주시키도록 명한다.

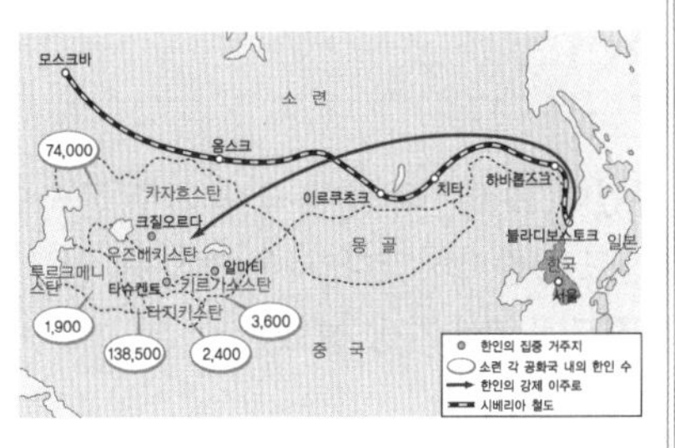

사료 해설 | 소련은 일본과 전쟁이 발발하면 한국인들이 일본을 지원할 것이라 여겨, 연해주 지역의 한국인 수십만 명을 중앙아시아로 강제 이주시켰다.

연해주 이주 동포의 삶

토지가 없는 이 지역의 한인들에게는 법이 있으나 마나였으며, 그들의 생명은 그때그때의 고용주나 경찰은 말할 것도 없고 모든 러시아인에게 달려 있었다. 토지가 없는 한인이 이해 당사자로 나서는 법률적 처리나 재판의 사례에 대하여 들어 본 적이 없다. 공정한 입장에서 본다면 토지 없는 한인들은 '방랑하는 가축'과 같아서, 고용주만 바뀔 뿐 일의 본질은 바뀌지 않았다. 앞서 언급한 이야기들은 결코 비유적인 표현이 아니고, 한인들의 지나 온 실제적인 삶에 근거를 두고 신중하게 생각해서 내린 결론이라 할 수 있다.

– 『아무르 지역의 한인 문제』

▶ 연해주로 이주한 동포들은 법의 적용을 받지 못한 채 러시아 고용주에 따라 처우가 달라지는 불안정한 생활을 하였다.

3. 미주 이주 동포

(1) 이주 배경: 20세기 초부터 하와이 사탕수수밭 농장주들이 우리나라에서 노동자를 모집하였고, 미국의 주선으로 정부 공인하에 **북중미 지역으로의 이민**이 이루어졌다.

(2) 생활

① **하와이**: 일제에 의하여 하와이 이민이 금지된 1905년 말까지 7천여 명이 하와이로 이주하였고, 사탕수수 농장에 취업하여 생계를 유지하였다.

② **미국 본토**: 미국 캘리포니아 주를 비롯한 서해안 일대의 이주민들은 철도 공사장 또는 채소 농장의 인부로 취업하였다.

③ **멕시코와 쿠바**: 멕시코·쿠바 이주민들은 노예와 같은 가혹한 노동을 강요당하였다.

하와이 사탕수수 농장

(3) 독립운동: 미주 지역의 동포들은 한반도와 멀리 떨어져 있었기 때문에 직접적인 독립운동보다는 자치 단체인 **대한인 국민회** 등을 통한 **재정 지원이나 선전 및 외교 활동**에 주력하였으며, 군사 양성 기관인 **대조선 국민 군단**을 창설하였다.

4. 일본 이주 동포

(1) **이주 배경**: 19세기 말에는 이주자 대부분이 유학생이나 정치적 망명자들이었다. 국권 피탈 이후에는 일제의 경제적 수탈로 생활 터전을 상실한 농민들이 일본으로 이주하여 산업 노동자로 취업하였으며, 중·일 전쟁 이후 강제 징용·징병으로 일본으로 건너간 한인의 수가 급증하였다.

(2) **생활**: 한인들은 일제 자본가의 착취와 극심한 민족 차별을 받으며 어렵게 생활하였다.

(3) **독립운동**: 일본 유학생들은 조선 청년 독립단을 조직하고 2·8 독립 선언을 발표하였으며, 국내에서 3·1 운동이 일어나자 동맹 휴학 후 국내 만세 시위 운동에 가담하였다.

(4) 시련

① **민족 차별**: 일본에서의 한인은 열악한 조건에서 노동하면서 제대로 임금도 못 받는 가혹한 착취를 당해야 했고, 한국인이라는 이유로 심한 차별을 받는 이중적 고통을 겪었다.

② **관동 대학살**(1923): 관동 대지진 당시 일본 당국의 유언비어로 6천여 명의 재일 동포가 학살당하는 대참사가 발생하였다.

3 인구의 증가와 도시의 변화

1. 인구의 증가

일제 강점기에 인구는 꾸준히 증가하였다. 1910년대 말에 국내 거주 한국인은 1,700만 명 정도였는데, 1942년에는 2,600만 명 정도로 증가하였다. 서울(경성)의 인구는 1920년에 24만 명 정도였고, 1940년에는 93만 명 정도로 4배 가량 늘었다.

2. 도시의 변화

(1) **일본인 거주지 형성**: 1930년 무렵 서울에는 10만여 명의 일본인이 살고 있었다. 이들 일본인은 본정(현 충무로), 명치정(현 명동), 황금정(현 을지로) 일대를 중심으로 일본인 거주지를 이루었다.

(2) **이중적인 도시 모습 형성**: 청계천을 경계로 남쪽의 일본인 거리는 남촌, 북쪽의 한국인 거리는 북촌으로 불렀다. 당시 남촌의 거리는 서울의 정치와 상업의 중심지로서 관공서, 은행, 백화점, 상가, 도로 포장, 신호등, 가로등, 네온등 등 근대 도시의 겉모습을 갖추고 있었지만, 북촌의 거리는 그렇지 못하였다. 이와 같은 도시의 이중적인 모습은 서울뿐만 아니라, 일본인이 많이 살았던 기존의 개항장 도시 대부분이 가지고 있었다.

4 의식주 생활의 변화

1. 의생활의 변화

(1) **1910년대**: 1910년대까지만 해도 대부분 여성은 쪽진 가르마 머리를 하였다.

관동 대학살

1923년 9월 1일 일본 관동 지방에 진도 7.9의 강진이 일어났고 화재로 도쿄 시내 건물의 2/3가 소실되었다. 이때 '조선인이 우물에 독을 풀었다.', '조선인들이 폭동을 일으켜 도둑질을 하고 불을 지른다.' 라는 유언비어가 퍼졌다. 이 말에 현혹된 일본인들은 자경단을 중심으로 **한국인들을 무차별적으로 학살**하였다.

| 일본인 자경단

1930년대 서울의 모습

남대문을 통과하여 아카시아 가로수의 보도를 따라 '조선은행 앞 광장'으로 향했다. …… 정면의 한 끝을 차지하고 있는 것은 지나가면서도 보이는데, 메이지 분위기가 강한 빨간 벽돌의 중앙 우편국이다. …… 우측의 한 끝에는 마찬가지로 화강암 외장이 호장한 감을 주는 조선 저축 은행과 고딕 르네상스풍의 장식을 입힌 미쓰코시 백화점 경성 지점이 줄을 잇고 있다. - 기시 겐, 『경성명소 이야기』

▶ 1930년대 서울의 중심지였던 **남촌** 거리에는 **일본의 영향을 받은 관공서, 백화점 등 근대식 건물**들이 세워졌다.

일제 강점기의 백화점

일제 강점기에는 서울 명동에 일본의 미쓰코시 백화점(1930)이 설립되었고, **종로에는 한국인 박흥식에 의해 화신 백화점(1931)이 설립**되었다.

일제 강점기의 도시

기존에 개항장이었던 지역들을 중심으로 빠르게 도시화가 이루어졌는데, 부산·인천·군산·목포·마산 등이 대표적이다.

(2) 1920~30년대

① **소비 문화와 대중 문화의 형성**: 1920년대에 공업화와 도시화가 진행되면서 도시를 중심으로 소비 문화가 확산되고 대중문화가 형성되면서 서양식 옷차림을 한 '모던 보이'와 '모던 걸'이 등장하였고, 신여성의 상징으로 단발머리가 유행하였으며, 블라우스와 스커트 차림, 파마머리, 스타킹, 하이힐도 등장하였다.

② **잡지 창간**: 『신여성』(1923), 『별건곤』(1926), 『삼천리』(1929) 등의 잡지가 창간되어 새로운 패션이나 화장법을 소개하여 유행을 이끌었다.

기출 사료 읽기

> 『별건곤』에 묘사된 1920년 패션
>
> 혈색 좋은 흰 피부가 드러날 만큼 반짝거리는 엷은 양말에, 금방 발목이나 삐지 않을까 보기에도 조마조마한 구두 뒤로 몸을 고이고, 스커트 자락이 비칠 듯 말 듯한 정강이를 지나는 외투에 단발 혹은 미미가쿠시(당시 유행하던 머리 모양)에다가 모자를 푹 눌러 쓴 모양 … 분길 같은 손에 경복궁 기둥 같은 단장을 휘두르면서 두툼한 각테 안경, 펑퍼짐한 모자, 코 높은 구두를 신고 … – 『별건곤』 모년 12월호
>
> **사료 해설** | 『별건곤』은 1926년 천도교 기관인 개벽사가 언론 잡지인 『개벽』의 뒤를 이어 창간한 월간 취미 잡지로 위 자료에서는 1920년대에 등장한 모던 걸의 패션 모습을 묘사하고 있다.

2. 식생활의 변화

(1) 1910년 이후: 과자, 빵, 케이크, 아이스크림 등의 서양 음식이 대중에게 본격적으로 소개되었다. 이러한 서양 음식의 소비는 도시 상류층에 한정되어 있었다.

(2) 산미 증식 계획 이후: 일제의 산미 증식 계획으로 한국인 1인당 쌀 소비량이 갈수록 줄어들었다.

(3) 중·일 전쟁 이후: 일제가 쌀 공출제를 실시함에 따라 식량 부족 현상이 더욱 심각해졌다. 이에 일반 서민들은 조·수수 등의 잡곡밥을 먹거나 소나무 속껍질로 만든 송기떡, 콩깻묵 등으로 연명하기도 하였다.

3. 주택의 변화

(1) 도시: 도시에 사람이 몰리면서 이전에 볼 수 없던 주택이 나타났다. 1920년대 이후에 상류층의 문화 주택, 중류층의 개량 한옥, 중·하류층의 영단 주택이 등장하였다.

① **1920년대**: 1920년대에 지어진 개량 한옥은 사랑채가 생략되고, 대청마루에 유리문을 달고 문간에 중문이 달리고 문간방이 생기며 장식적 요소들이 가미된 주택이었다.

② **1930년대**: 1930년대에 유행한 문화 주택은 2층 양옥으로, 전에 없던 복도와 응접실, 침실, 아이들 방 등 개인의 독립된 공간이 생겨났다.

③ **1940년대**: 1940년대 들어 도시민, 특히 서민의 주택난을 해결하기 위해 지은 일종의 국민 연립 주택인 영단 주택이 등장하였다.

(2) 서울 변두리: 서울 변두리에는 빈민이 토막집을 짓고 살았다.

영단 주택
일본식 개량 주택에 한국식 온돌을 가미한 일종의 연립 주택이다.

토막집
맨땅 위에 자리를 깔고 짚이나 거적때기로 지붕과 출입구를 만든 원시적인 움막집이다.

OX 빈칸 핵심 개념 점검

* 학습한 개념을 OX/빈칸 문제를 통해 점검해보세요.

핵심 개념 1 | 타협적 민족주의와 자치 운동의 대두

01 1920년대에 일제는 친일파를 육성하고 민족주의 세력을 회유하여 민족 운동을 분열시켰다. □ O □ X

02 타협적 민족주의자들은 일제의 식민 지배를 인정하고 그 밑에서 정치적 실력 양성을 해야 한다고 주장하였다. □ O □ X

03 타협적 민족주의자들은 일제가 허용하는 범위 내에서 자치권을 획득하자는 ______을 벌였다.

핵심 개념 2 | 신간회의 성립

04 신간회 결성을 위해 비타협적 민족주의 세력과 사회주의 세력이 연합하였다. □ O □ X

05 신간회는 기회주의를 배격하고 정치, 경제적 각성을 촉구하였다. □ O □ X

06 신간회는 ______ 선언을 계기로 결성되었다.

핵심 개념 3 | 신간회의 활동과 해소

07 신간회는 민중의 직접 폭력 혁명으로 강도 일본을 무너뜨리는 목표를 설정하였다. □ O □ X

08 신간회는 6·10 만세 운동을 주도하였다. □ O □ X

09 신간회는 민족 협동 전선의 성격을 표방하였다. □ O □ X

10 신간회는 사회주의자들이 해소론을 주장하여 해체되었다. □ O □ X

11 신간회는 ______의 교육 제도 실시를 주장하였고, 원산 노동자 총파업을 지원하였다.

12 신간회에서 ______에 진상 조사단을 파견하였다.

핵심 개념 4 | 국외 이주 동포들의 생활

13 만주로 이주했던 우리 동포는 일본군에 의해 간도 참변을 겪었다. □ O □ X

14 만주의 한인들은 집단촌인 신한촌을 건설하고 대한 광복군 정부, 대한 국민 의회 등의 정부 조직을 마련하였다. □ O □ X

15 일본 유학생들은 조선 청년 독립단을 조직하고 독립 선언서를 발표하였다. □ O □ X

16 연해주에 이주했던 동포들은 1937년 소련 당국에 의하여 ______로 강제 이주되었다.

17 하와이에서는 군사 양성 기관인 ______이 창설되었다.

핵심 개념 5 | 의식주 생활의 변화

18 1920년대에는 서양식 옷차림을 한 '모던 보이'와 '모던 걸'이 등장하였다. □ O □ X

19 1940년대에는 상류층이 한식 주택을 2층으로 개량한 영단 주택에 모여 살았다. □ O □ X

20 1920년대에 『　　　』, 『　　　』, 『　　　』 등의 잡지는 새로운 패션이나 화장법을 소개하였다.

정답과 해설

01	O 1920년대에 이른바 문화 통치를 전개한 일제는 친일파를 육성하고 민족주의 세력을 회유하여 민족 운동을 분열시켰다.	**11**	조선인 본위
02	O 이광수 등의 타협적 민족주의자들은 일제의 식민 지배를 인정하고 그 밑에서 정치적 실력 양성을 해야 한다고 주장하였다.	**12**	광주 학생 항일 운동
03	자치 운동	**13**	O 만주로 이주했던 우리 동포는 독립군의 근거지를 없앤다는 구실로 일본군에 의해 간도 참변을 겪었다.
04	O 신간회는 비타협적 민족주의 세력과 사회주의 세력이 연합하여 결성되었다.	**14**	✖ 신한촌 건설, 대한 광복군 정부, 대한 국민 의회 등의 정부 조직을 마련한 동포는 연해주 이주 동포들이다.
05	O 신간회는 강령을 통해 기회주의자 배격, 민족 대단결, 정치·경제적 각성을 촉구하였다.	**15**	O 일본 도쿄의 유학생들은 조선 청년 독립단을 조직하고, 조선 청년 독립단의 이름으로 2·8 독립 선언서를 발표하였다(1919).
06	정우회	**16**	중앙아시아
07	✖ 민중의 직접 폭력 혁명으로 일본을 무너뜨리는 목표를 설정한 단체는 의열단이다.	**17**	대조선 국민 군단
08	✖ 신간회는 6·10 만세 운동(1926) 이후인 1927년에 결성되었다.	**18**	O 1920년대에는 도시를 중심으로 대중 문화가 형성되면서 서양식 옷차림을 한 '모던 보이', '모던 걸'이 등장하였다.
09	O 신간회는 정우회 선언 등을 계기로 비타협적 민족주의 인사들과 사회주의자들이 결성한 단체로, 민족 협동 전선의 성격을 표방하였다.	**19**	✖ 영단 주택은 1940년대 들어 서민의 주택난을 해결하기 위해 지은 일종의 연립 주택이다. 상류층을 위한 주택으로는 문화 주택이 있다.
10	O 신간회는 집행부가 우경화되는 상황에서 코민테른이 민족주의자와의 연대 방침을 폐기하자, 사회주의자들이 해소론을 주장하며 신간회에서 이탈하자 해체되었다.	**20**	신여성, 별건곤, 삼천리

민족 문화 수호 운동

1 일제의 식민지 문화 정책

학습 포인트

일제가 시행한 조선 교육령의 주요 내용을 시기별로 정리해 살펴보고, 일제의 역사 왜곡 내용에 대해서도 파악한다.

빈출 핵심 포인트

조선 교육령, 국민학교령, 식민 사관, 타율성론, 정체성론

1 일제의 식민지 교육·문화 정책

1. 일제의 식민지 교육 정책

(1) 목적

① **우민화 교육**: 일제는 식민 지배를 원활하게 하기 위해 우민화(愚民化) 교육을 전개하여 한국인을 자신들의 식민 통치에 유용한 하급 기술 인력으로 양성하고자 하였다.

② **민족 정신 말살**: 일제는 황국 신민화 정책(민족 말살 정책)에 따라 우리 고유의 문화를 말살하여 한국인을 일본인으로 동화시키고자 하였다.

(2) 내용: 일제는 민족주의 교육을 억압하고 교육 제도를 철저히 통제·관리하여 보통·실업 교육을 통한 하급 기술 인력을 양성하였다.

2. 조선 교육령 및 기타 법령

(1) 1910년대(무단 통치 시기)

① **제1차 조선 교육령**(1911): 일제는 제1차 조선 교육령을 반포하여 낮은 수준의 보통·실업·전문 교육을 통해 식민지 공업화에 필요한 노동 인력을 양성하였다.

교과서 사료 읽기

제1차 조선 교육령

제 1 조 조선에 있는 조선인의 교육은 본령에 따른다.
제 2 조 교육은 '교육에 관한 칙어'에 입각하여 충량한 국민을 육성하는 것을 본의로 한다.
제 5 조 보통 교육은 보통의 지식, 기능을 부여하고, 특히 국민된 성격을 함양하며, 국어(일본어)를 보급함을 목적으로 한다.
제 6 조 실업 교육은 농업, 상업, 공업에 관한 지식, 기능을 가르치는 것을 목적으로 한다.

사료 해설 | 일제는 제1차 조선 교육령을 통해 한국인의 교육을 보통 교육과 실업 교육 위주로 규정하였고, 일본인과 한국인 사이의 교육 연한에 차별을 두었다. 이러한 교육 정책은 한국인의 취학 기회를 차단하여 고등 교육의 부재 속에서 식민지 통치에 유용한 하급 기술 인력을 양성하기 위한 것이었다.

② **사립 학교 규칙**(1911): 일제는 사립 학교 규칙을 제정하여 사립 학교의 설립을 총독부가 인가하도록 하였으며, 교과서는 총독부에서 편찬한 것이거나 당국의 사용 허가를 받은 것에 한정하였다.

③ **서당 규칙**(1918): 일제는 서당 규칙을 통해 서당 설립을 신고제에서 허가제로 바꾸어 반일적인 서당 설립 및 서당의 교육 활동을 억압하였다.

(2) 1920년대(문화 통치 시기)

① **제2차 조선 교육령**(1922): 일제는 제2차 조선 교육령을 반포하여 표면상 수업 연한의 연장, 학교 설립 확대 등 일본인 교육과 대등하게 보이도록 하고, 한국어를 필수과목화 하였으나 실질적으로는 교육 차별이 존재하였다.

㉠ 한국어·한국 역사·지리 교육시간이 최소화되고 일본어·일본 역사·지리 시간은 늘어났다. 또한 일본 문화에 동화시키는 교육과 일본 군국주의 사상을 주입하였다.

㉡ 한국인이 취학하는 학교와 일본인을 대상으로 하는 학교를 별도로 두었다.

기출 사료 읽기

제2차 조선 교육령

제2조 국어(일본어)를 상용하는 자의 보통교육은 소학교령, 중학교령 및 고등 여학교령에 의한다. 단, 이 칙령들 중 문부대신의 직무는 조선 총독이 행한다.

제3조 국어를 상용하지 않는 자에게 보통교육을 하는 학교는 보통학교, 고등 보통학교 및 여자 고등 보통학교로 한다.

제5조 보통학교의 수업 연한은 6년으로 한다. 단, 지역의 정황에 따라 5년 또는 4년으로 할 수 있다. 보통학교에 입학하는 자는 연령 6년 이상의 자로 한다.

사료 해설 | 한국인의 학교 제도와 한국 내에 거주하는 일본인 학교 제도의 수업 연한은 동일하게 하였으나 그 체계를 별도로 만들어 전자를 일본어를 상용하지 않는 자의 학교 제도, 후자를 일본어를 상용하는 자의 학교 제도라 하여 차별하였다. 남녀의 사범 학교를 신설하였는데 일본인 학교인 소학교와 한국인 학교인 보통학교의 교원을 별도로 양성하였다.

② **경성 제국 대학 설립**(1924): 일제는 민립 대학 설립 운동을 방해하고, 한국 거주 일본인의 고등 교육을 위해 경성 제국 대학을 설립하였다.

(3) 1930년대 이후(민족 말살 통치 시기)

① **제3차 조선 교육령**(1938): 일제는 제3차 조선 교육령을 반포하여 내선일체와 일선동조론을 강조하였으며, 보통학교와 소학교를 (심상)소학교로, 고등 보통학교를 중학교로 학교 명칭을 개편하였다. 또한 한국어를 수의 과목(선택 과목)으로 전환하였다.

기출 사료 읽기

제3차 조선 교육령

제1조 소학교는 국민 도덕의 함양과 국민 생활의 필수적인 보통의 지능을 갖게 함으로써 충량한 황국 신민을 육성하는 데 있다.

제13조 심상소학교의 교과목은 수신, 국어(일어), 산술, 국사(일본사), 지리, 이과, 직업, 도화, 수공, 창가, 체조이다. 조선어는 수의(선택) 과목으로 한다.

제16조 국체의 본의를 명확히 밝혀 아동에게 황국 신민으로서의 자각을 환기한다. 국가 사회에 봉사하는 마음으로 내선일체의 미풍을 기른다.

제20조 국어는 황국 신민으로서의 자각을 굳게 하며 지덕을 개발하는 것으로써 요지를 삼는다.

사료 해설 | 제3차 조선 교육령은 일제의 중·일 전쟁 도발 후에 제정되었다. 여기에는 일본 천황 중심의 정치 체제를 명확하게 인식시킨다는 국체명징, 한국인도 민족 의식을 버리고 천황에 충성을 다해야 한다는 내선일체, 이를 위해 충성스러운 마음을 실천으로 옮긴다는 인고단련의 3대 교육 강령이 담겨있다.

서당 규칙(1918. 2.)

① 서당을 개설하려고 할 때에는 도지사의 인가를 받아야 한다.

② 서당에서는 조선 총독부 편찬의 교과서를 사용하여야 한다.

③ 조선 총독부가 적격자로 인정하지 않는 자는 서당의 개설자 또는 교사가 될 수 없다.

④ 도 장관은 서당의 폐쇄 또는 교사의 변경, 기타 필요한 조치를 명령할 수 있다.

▶ **반일적인 서당 설립을 억제**하기 위해 서당 규칙을 제정하여 식민지 통치 질서를 해치거나 교육상 해롭다고 인정될 때에는 **해당 도의 장관이 그에 대한 처분 조치를 취할 수 있다고 규정**하였다.

학교 명칭 차별

- 한국인 학교 명칭: 보통학교, 고등 보통학교, 여자 고등 보통학교
- 일본인 학교 명칭: 소학교, 중학교, 고등 여학교

제3차 교육령 시기의 학교명 개편

기존에 서로 달랐던 한국인 학교와 일본인 학교의 명칭을 (심상)소학교와 중학교로 통일한 것으로, 일제가 민족 말살 통치 시기의 추진한 동화 정책의 일환이었다.

② **국민학교령**(1941): 일제는 국민학교령을 반포하여 소학교의 명칭을 '황국 신민의 학교'라는 뜻의 '국민학교'로 변경하였다.

③ **제4차 조선 교육령**(1943): 일제는 제4차 조선 교육령을 반포하여 한국의 교육 체제를 교육에 관한 전시 비상 조치령에 의한 전시 교육 체제로 변경하였다. 또한 수의 과목으로 형식적으로 존재하던 한국어·한국사 과목을 완전히 폐지시켰다.

필수 개념 정리하기

조선 교육령

교육령	내용	현실
제1차 조선 교육령 (1911)	· 보통학교의 수업 연한 단축(6년 → 4년) · 보통·실업 교육 중심 · 일본어를 국어라 하여 시수 확대	고등 교육은 존재하지 않음
제2차 조선 교육령 (1922)	· 보통학교의 수업 연한 연장 (4년 → 6년) → 일본과 동일한 학제로 변경 · 한국어를 필수 과목화 · 3면 2교 정책으로 보통학교의 수를 늘림	실업 교육에 치중되며 고등 교육은 제한됨
제3차 조선 교육령 (1938)	· 보통학교와 소학교를 심상소학교로 변경 · 한국어 과목은 수의(선택) 과목화	일상 생활에서 한국어 사용을 금지하여 사실상 교육 금지, 한국사 내용 배제
제4차 조선 교육령 (1943)	· 수업 연한을 4년으로 단축 · 한국어·한국사 교육 완전 폐지	학교 교육을 군사 체제로 편입시킴

3. 한국사 왜곡

(1) 목적: 일제는 한국사 왜곡을 통해 우리 민족의 민족성을 말살하고, 일제의 침략과 식민 지배를 정당화하였다.

(2) 내용

① **고대사 왜곡**: 일제는 우리 민족의 근원이 되는 단군 조선을 부정하였고, 고대사를 왜곡하여 우리 민족의 자주성과 독자성을 훼손시키고자 하였다.

② **식민 사관**: 일제는 타율성론, 정체성론, 당파성론을 기반으로 식민 사관을 앞세워 한국사의 자율성과 독창성을 부정하였다.

타율성론	· 한반도의 역사는 만주 지역의 역사에 종속되었다는 만선 사관에 기초하여 성립된 식민 사관 · 한국사의 전개가 우리 민족의 주체적 역량에 의하여 자율적으로 이루어 지지 못하고, 주변 국가에 종속되어 전개되었다는 논리 · 반도성론: 동아시아 대륙에 붙어있는 반도라는 지리적 특성 때문에 한국은 외세의 침입을 받을 수 밖에 없다는 논리
정체성론	한국사는 봉건적 단계를 거치지 못하고 고대 단계에 정체되어 있다는 논리로, 일본이 한국을 지배하여 한국의 근대화를 도와야 한다는 주장을 합리화함
당파성론	우리 민족은 분열성이 강하기 때문에 내분을 일으키며 당쟁을 일삼은 것이 조선 왕조 멸망의 원인이라는 논리

초등학교 명칭의 변천

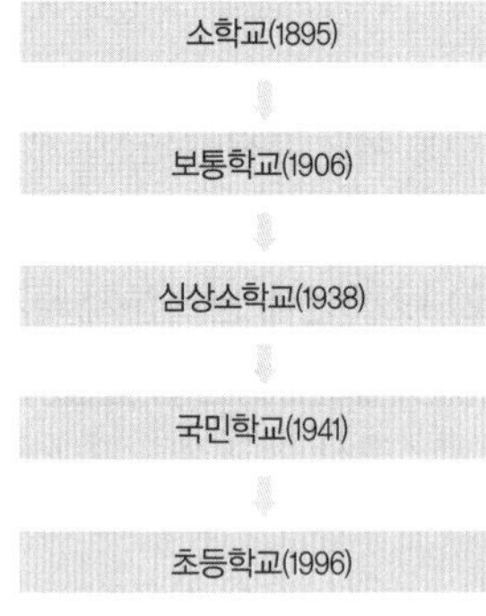

일제 강점기의 교육

| 일본어를 쓰는 한국 어린이

| 「일본어독본」을 읽는 어린이

중·일 전쟁 이후 민족 말살 정책에 따라 초·중등 교육에서 한국어 과목을 아예 없애 버렸다.

기출 사료 읽기

식민 사관

· 타율성론

아시아 대륙의 중심부에 가까이 부착된 한반도는 정치적, 문화적으로 반드시 대륙에서 일어난 변동의 여파를 받음과 동시에, 또 주변 위치 때문에 항상 그 본류로부터는 벗어나 있다.

- 미지나 쇼에이, 『조선사개설』

사료 해설 | 일제는 한국사가 한국인의 자주적인 역량에 의해 자율적으로 이루어지지 못하고 외세의 간섭에 의해 타율적으로 이루어졌다고 주장하였다.

· 정체성론

(후쿠다가 말하길) 한국에는 봉건 제도가 없으며, 봉건 사회의 무사라고 하는 계급도 없으며, 지배자인 양반은 단지 자기 노예를 가지고 있을 뿐이라는 것입니다. 한국은 자력으로 근대화하는 것은 전혀 불가능하며, 일본이 한국을 지도하여 근대화로 인도하여야 한다는 것입니다.

- 하타다 다카시

사료 해설 | 일제는 한국사가 근대 사회로 이행하기 위해 거쳐야 할 필수 단계인 봉건 사회를 거치지 못하고 전근대 사회 단계에 머물러 있다고 주장하였다.

(3) 친일 역사 단체

조선사 편수회 (1925)	· 한국사 왜곡을 위해 총독부 산하의 조선사 편찬 위원회(1922)를 개편하여 조직 · 식민 사관을 토대로 『조선사』 편찬
청구 학회 (1930)	· 경성 제국 대학 교수들과 조선 총독부의 조선사 편수회 간부들이 중심이 되어 조직 · 한국사를 왜곡하고 식민 사관 보급에 주력, 『청구학총』 간행

2 일제의 언론·종교의 탄압

1. 언론의 탄압

1910년대	총독부의 기관지인 매일신보를 제외한 대부분의 신문을 폐간시킴
1920년대	조선일보, 동아일보 등의 발행을 허용하였으나 검열, 삭제, 정간 등으로 통제 강화
1930년대 이후	· 일장기 삭제 사건(1936)을 빌미로 동아일보 탄압 · 1940년대에는 조선·동아일보를 강제로 폐간시킴

일장기 삭제 사건

일제는 1936년 8월 마라톤 선수 **손기정**의 유니폼에 **일장기를 삭제**하여 기사를 실은 동아일보에 무기 정간 처분을 내렸다.

2. 종교의 탄압

(1) **개신교**: 일제는 안악 사건(1910), 105인 사건(1911) 등을 조작하여 황해도 지역의 반일 개신교인을 탄압하였고, 신사 참배를 거부하는 개신교 지도자를 탄압하였다.

(2) **불교**: 사찰령(1911)을 제정하여 불교의 친일화를 도모하였다.

(3) **천도교·대종교**: 민족 종교 성격이 강한 천도교와 대종교는 일제의 지속적인 탄압과 감시를 받았다.

OX 빈칸 핵심 개념 점검

* 학습한 개념을 OX/빈칸 문제를 통해 점검해보세요.

핵심 개념 1 | 일제의 식민지 교육 정책

01 일제는 헌병 경찰 중심의 통치 체제하에서 낮은 수준의 실용 교육만 실시하고자 제1차 조선 교육령을 공포하였다. □ O □ X

02 일제는 서당 규칙을 제정하여 서당의 설립을 신고제에서 허가제로 전환하였다. □ O □ X

03 일제는 제2차 조선 교육령을 통해 보통학교의 수업 연한을 6년에서 4년으로 축소시켰다. □ O □ X

04 일제는 제3차 조선 교육령을 통해 보통학교와 소학교의 명칭을 동일하게 개편하였다. □ O □ X

05 중·일 전쟁 이후 조선 총독부는 황국 신민 의식을 강화하고자 소학교를 국민학교로 개칭하였다. □ O □ X

06 제2차 조선 교육령은 ______ 이후 격화된 한국인의 반일 감정을 무마하기 위해 공포된 것이다.

07 ______ 통치 시기에 제2차 조선 교육령이 공포되었다.

08 제2차 조선 교육령 시기에 최초의 대학 기관인 ______이 설립되었다.

09 ______ 시행 시기에 조선어가 선택 과목이 되었다.

핵심 개념 2 | 일제의 한국사 왜곡

10 일제는 우리 민족의 근원이 되는 단군 조선을 부정하였다. □ O □ X

11 일제는 한국사 왜곡을 위한 단체로 사료 편찬소를 두었다. □ O □ X

12 총독부가 설치한 ______는 식민주의 사관을 토대로 『조선사』를 편찬하여 한국사 왜곡에 앞장섰다.

13 1930년에 경성 제국 대학 교수들과 조선 총독부의 조선사 편수회 간부들이 중심이 되어 ______를 조직하였다.

14 『조선사』 편찬자들은 조선의 역사를 ______, ______ 등으로 설명하려 하였다.

핵심 개념 3 | 일제의 언론·종교 탄압

15 일제는 무단 통치 시기에 대부분의 신문을 강제 폐간시켰다. □ O □ X

16 일제는 문화 통치 시기에 일부 신문의 발행을 허용하였으나 검열과 삭제 등으로 통제를 강화하였다. □ O □ X

17 손기정 선수 유니폼의 일장기를 삭제하여 사진을 게재한 동아일보는 일제에 의해 무기 정간 처분을 당했다. □ O □ X

18 1920년대에 일제는 조선인 계통의 신문인 ______와 ______의 발행을 허가하였다.

19 일제는 불교계를 장악하기 위하여 1911년에 ______을 공포하였다.

정답과 해설

01	O 일제는 낮은 수준의 실용·실업 교육만 실시하여 노동 인력을 양성하고자 제1차 조선 교육령(1911)을 공포하였다.	**11**	✖ 사료 편찬소는 대한민국 임시 정부 산하의 기관이다. 일제가 한국사 왜곡을 위해 설립한 단체는 조선사 편수회이다.
02	O 일제는 1918년에 서당 규칙을 제정하여 서당의 설립을 신고제에서 허가제로 전환하였다.	**12**	조선사 편수회
03	✖ 일제는 제2차 조선 교육령(1922)을 통해 보통학교의 수업 연한을 4년에서 6년으로 연장하였다.	**13**	청구 학회
04	O 일제는 제3차 조선 교육령(1938)을 공포하여 보통학교(조선어 상용자 학교)와 소학교(일어 상용자 학교)의 명칭을 동일하게 (심상)소학교로 개편하였다.	**14**	정체성(론), 타율성(론)
05	O 조선 총독부는 중·일 전쟁(1937) 이후인 1941년에 국민학교령을 내려 (심상)소학교의 명칭을 황국 신민의 학교를 의미하는 국민학교로 개칭하였다.	**15**	O 일제는 무단 통치 시기에 언론·출판·결사의 자유를 박탈하고 총독부의 기관지인 매일신보를 제외한 대부분의 신문을 폐간시켰다.
06	3·1 운동	**16**	O 일제는 문화 통치 시기에 조선일보, 동아일보 등의 발간을 허용하였지만, 실상은 검열·삭제·정간 등을 통해 통제를 강화하였다.
07	문화	**17**	O 1936년에 동아일보는 손기정 선수의 유니폼에 일장기를 삭제한 사진을 게재한 일장기 삭제 사건으로 인해 일제에 의해 무기 정간 처분을 당했다.
08	경성 제국 대학	**18**	조선일보, 동아일보
09	제3차 조선 교육령	**19**	사찰령
10	O 일제는 오랜 세월 우리 민족의 근원이 되던 단군 조선을 부정하였다.		

2 민족 문화의 발전

학습 포인트
일제 강점기 국어 연구 단체와 주요 활동 내용을 정리하고 한국사 연구의 경우, 성격에 따라 사학자들을 분류하여 학습하도록 한다. 또한 일제 강점기에 종교계의 활동 내용을 살펴보고, 문학 및 예술 활동의 발전에 대해서도 살펴본다.

빈출 핵심 포인트
조선어 학회, 민족주의 사학, 조선학 운동, 실증 사학, 사회·경제 사학, 천도교, 중광단, 신경향파, 아리랑

1 국어 연구

1. 조선어 연구회(1921)

(1) **조직**: 조선어 연구회는 임경재, 이윤재, 최현배, 장지영 등이 국문 연구소의 전통을 계승하여 창립하였다.

(2) **활동**: 한글 연구와 더불어 강습회·강연회 등을 통하여 한글 보급 운동에 앞장섰으며 한글 기념일인 '가갸날'을 제정하고, 잡지 『한글』을 간행하였다.

2. 조선어 학회(1931~1942)

(1) **조직**: 조선어 학회는 조선어 연구회가 개편된 것으로 최현배, 이극로 등이 주도하였다.

(2) **활동**: 한글 교재를 편찬하고 강연회를 통하여 한글을 보급하였으며 한글 맞춤법 통일안과 표준어를 제정하였다. 또한 『우리말 큰 사전』 편찬을 시도하였으나 일제의 방해로 실패하였다.

(3) **조선어 학회 사건**(1942): 일제가 조선어 학회를 독립운동 단체로 간주하여 회원들을 치안 유지법의 내란죄로 몰아 체포·투옥함으로써 강제 해산되었다.

(4) **영향**: 해방 이후 조선어 학회는 한글 학회(1949)로 계승되었다.

필수 개념 정리하기

국어 연구

국문 연구소(1907)	지석영·주시경, 국문 정리와 국어 연구
조선어 연구회(1921)	잡지 『한글』 간행, 가갸날 제정
조선어 학회(1931)	한글 맞춤법 통일안·표준어 제정, 『우리말 큰 사전』 편찬 시도
한글 학회(1949)	『우리말 큰 사전』 편찬(1957)

2 한국사 연구

1. 배경

일제 식민 사관의 한국사 왜곡에 맞서 한국사 연구가 진행되었다.

국문 연구소(1907)
대한 제국 시기 **학부 내에 설치되었던 한글 연구 기관**으로, 지석영, 주시경 등이 중심이 되어 국문 정리 및 연구 활동을 하였다.

『우리말 큰 사전』 편찬
조선어 학회는 일제의 방해로 『우리말 큰 사전』의 편찬을 완성하지 못하였다. 광복 이후 조선어 학회를 계승한 **한글 학회**에서 1945년 경성역 운송부 창고에서 찾아낸 원고를 바탕으로 **1957년에 총 6권의 『우리말 큰 사전』을 간행**하였다.

조선어 학회 사건
피고인 **이극로**를 중심으로 하여, 문화 운동 중 그 기초적 중심이 되는 위에서 말한 바 어문 운동의 방법을 취하여 그 이념으로써 지도 이념을 삼아, 겉으로 문화 운동의 가면을 쓰고, 조선 독립을 목적한 실력 배양 단체로서 본 건이 검거되기까지 10여 년이나 오랫동안 조선 민족에 대하여 **조선 어문 운동을 전개**해 왔다.
- 조선어 학회 회원들에 대한 예심종결 결정문

▶ 일제는 한글 연구로 민족의식이 고취되는 것을 막기 위해 조선어 학회를 독립운동 단체로 간주하여 이극로, 이윤재, 최현배 등의 회원들을 대거 체포하고 조선어 학회를 강제로 해산하였다.

2. 민족주의 사학

(1) 특징: 민족주의 사학은 한민족의 기원을 밝히고, 우리 문화의 우수성과 한국사의 주체적 발전을 강조하였다.

(2) 주요 학자

신채호	· 민족 정신으로 '낭가 사상'을 강조, 고대사 연구에 치중, 일편단생(一片丹生), 단생(丹生), 단재(丹齋) 등의 별칭 사용 · **「독사신론」**: 민족주의 사학의 방향 제시 · **『조선사연구초』**: 묘청의 난은 '조선 역사 일천 년 이래 제일대사건'이라 평가 · **『조선상고사』**: 역사는 아(我)와 비아(非我)의 투쟁
박은식	· 민족 정신으로 '혼' 강조, 겸곡(謙谷), 백암(白巖), 태백광노(太白狂奴, 나라를 잃고 미쳐버린 노예), 무치생(無恥生, 부끄러움도 모르는 인간) 등의 별칭 사용 · **『한국통사』**: "나라는 형(形, 형체)이요, 역사는 신(神, 정신)이다." · 『한국독립운동지혈사』: 항일 독립운동에 관한 역사서 · 유교구신론 발표
정인보	· 민족 정신으로 '얼' 사상 강조 · **『조선사연구』**: 한국 고대사를 특정 주제를 정해 통사 형식으로 서술 · **「광개토경평안호태왕릉 비문 석략」**: 광개토 대왕릉비에 대한 새로운 해석 방법 제시 · **「5천 년간 조선의 얼」**: 우리 민족의 시조를 단군으로 설정, 동아일보에 연재 · 『양명학 연론』 저술
문일평	· 민족 정신으로 '조선심', '조선 사상' 강조 · 『대미 관계 50년사』, 『호암전집』 등을 저술

기출 사료 읽기

민족주의 사학

1. 신채호

역사란 무엇이뇨? 인류 사회의 아(我)와 비아(非我)의 투쟁이 시간부터 발전하며 공간부터 확대하는 심적 활동 상태의 기록이니, 세계사라 하면 세계 인류의 그리되된 상태의 기록이며, 조선사라면 조선 민족의 그리되어 온 상태의 기록이니라. 무엇을 '아'라 하며 무엇을 '비아'라 하느뇨? … 그러므로 역사는 아와 비아의 투쟁의 기록이니라. - 『조선상고사』

사료 해설 | 민족주의 사학자인 신채호는 조선일보에 『조선상고사』를 연재하여 민족 의식을 고취하였다.

2. 박은식

옛사람이 말하기를 나라는 멸망할 수 있으나 그 역사는 결코 없어질 수 없다고 했으니, 이는 나라가 형체라면 역사는 정신이기 때문이다. 이제 우리나라의 형체는 없어져 버렸지만, 정신은 살아남아야 할 것이다. 이것이 내가 역사를 쓰는 까닭이다. - 『한국통사』

사료 해설 | 박은식은 국가를 구성하는 정신적 요소인 '국혼'만 살아 있으면 비록 나라가 무너지더라도 언젠가 이를 되살릴 수 있다고 주장하였다.

3. 정인보

누구나 어릿어릿하는 사람을 보면 '얼'이 빠졌다고 하고, '멍'하니 앉은 사람을 보면 '얼'하나 없다고 한다. '얼'이란 이같이 쉬운 것이다. 그런데 '얼' 하나의 있고 없음으로써 그 광대·웅맹함이 혹 저렇기도 하고 그 잔루·구차함이 이렇기도 하니, '얼'에 대하여 명찰통조(明察通眺)함은 실로 거론하기 어렵다 할 수도 있다. - 「5천 년간 조선의 얼」

사료 해설 | 정인보는 유학자 출신으로 양명학에 정통하였으며, 민족 정신으로 '얼' 사상을 강조하였다.

신채호의 주요 활동

· 1912년 권업신문의 주필 역임
· 1919년 대한민국 임시 의정원 의원 역임
· 1923년 의열단의 「조선혁명선언」 집필

신채호의 「독사신론」

국가의 역사는 민족의 소장성쇠(消長盛衰)의 상태를 서술할지라. 민족을 빼면 역사가 없으며 역사를 빼어 버리면 민족의 그 국가에 대한 관념이 크지 않을지니, …… 만일 그렇지 않으면 이는 무정신의 역사이다. 무정신의 역사는 무정신의 민족을 낳으며, 무정신의 국가를 만들 것이니 어찌 두렵지 아니하리오.

▶ 신채호는 「독사신론」을 통해 민족주의 역사학의 방향을 제시하였다.

박은식의 주요 활동

· 1909년 유교구신론 발표, 대동교 창설
· 1912년 동제사(상하이) 조직
· 1925년 임시 정부 제2대 대통령 취임

『한국독립운동지혈사』 서문

…… 우리의 국성(國性)은 모든 면에서 다른 민족과 구별되어 왔다. 이러한 여러 요소가 합해져 우리의 국혼(國魂)을 생성시키고 우리의 국혼을 강하고 견고하게 만들었으므로 결코 다른 민족에 동화될 수 없다.

▶ 박은식은 대한민국 임시 정부의 사료 편찬 위원으로 있으면서 수집된 자료를 기초로 **갑신정변부터 3·1 운동이 일어난 다음 해인 1920년까지의 역사를 『한국독립운동지혈사』에 서술**하였다.

박은식의 유교구신론

소위 (유교계의) 3대 문제는 무엇인가. 첫째는 유교파의 정신이 전적으로 제왕 측에 존재하고 …… 우리 대한 유가에서 간이 적절한 법문(양명학)을 구하지 아니하고 질질 끌고 되어가는 대로 내버려 두는 공부(주자학)를 전적으로 숭상함이라.

▶ 기존의 성리학 중심의 연구에서 벗어나 양명학 중심의 실천적 유교 정신을 회복해야 한다고 주장하였다.

(3) 조선학 운동(1934)

① **계기**: 다산 정약용 서거 99주기를 맞아 『여유당전서』를 간행한 것이 계기가 되어 정인보, 문일평, 안재홍 등의 민족주의 사학자들이 조선학 운동을 전개하였다.

② **특징**: 과거 민족주의 역사학이 지나치게 국수적·낭만적이었음을 비판하고, 실학에서 자주적인 근대 사상과 주체성을 찾아 한국 문화의 고유성과 세계성을 학문적으로 체계화하고자 활발한 연구 활동을 전개하였다.

3. 실증 사학

(1) 특징: 실증 사학은 역사적 사실을 실증적·객관적으로 밝히려는 학술 활동을 전개하였다.

(2) 진단 학회(1934): 진단 학회는 청구 학회의 한국사 왜곡에 맞서 이윤재, 이병도, 손진태 등이 조직한 것으로, 『진단학보』를 발행하고, 객관적인 연구 활동을 전개하였다.

(3) 한계: 문헌 고증에 치우치면서 식민 사학의 허구성을 폭로하고 독립을 쟁취해야 하는 역사 인식이 부재하였다.

4. 사회·경제 사학

(1) 특징: 사회·경제 사학은 역사 발전의 원동력을 정신이 아닌 민중에게서 구하였으며, 유물 사관에 입각하여 한국사를 세계사적 보편성 위에 체계화하려는 과정에서 식민 사학의 정체성론을 반박하였다.

(2) 주요 학자

학자	내용
백남운	·『조선사회경제사』(~삼국 시대), 『조선봉건사회경제사』(고려 시대) 저술 ·「조선 민족의 진로」를 통해 '연합성 신민주주의' 제창
이청원	『조선사회사독본』, 『조선독본』 저술
전석담	『조선사교정』, 『조선경제사』 저술

(3) 한계: 한국사의 발전을 서양 역사의 틀에 끼워 맞추려 하였으며, 민족적 모순 관계보다는 계급 의식을 지나치게 강조하였다.

기출 사료 읽기

사회·경제 사학

우리 조선 역사 발전의 전 과정은 가령 지리적 조건 · 인종학적 골상 · 문화 형태의 외형적 특징 등 다소의 차이는 인정되더라도, 외관적인 특수성은 다른 문화 민족의 역사적 발전 법칙과 구별될 만큼 독자적인 것은 아니다. 세계사적 · 일원론적인 역사 법칙에 따라 다른 여러 민족과 거의 같은 발전 과정을 거쳐 왔다. 그 발전 과정의 빠름과 느림, 각 문화의 특수한 모습의 짙고 옅음은 결코 본질적인 특수성이 아니다.

- 백남운, 『조선사회경제사』

사료 해설 | 백남운은 유물 사관에 입각하여 저술한 『조선사회경제사』에서 한국사에도 세계사적 발전 법칙이 존재하였음을 밝혀 식민 사관의 정체성론을 비판하였다. 한편 사회·경제 사학은 민족주의 사학이 역사의 원동력을 민족 정신과 같은 지나치게 관념적인 것에서 구하고 있다고 비판하기도 하였다.

조선학 운동

근일에 사용하는 조선학은 …… 넓은 의미로는 종교, 철학, 예술, 민속 할 것 없이 조선 연구의 학적 대상이 될 만한 것은 모두 포함된 것이나, 좁은 의미로는 조선어, 조선사를 비롯하여 순 조선 문학 같은 것을 주로 지칭하여야 한다. …… 또 조선인의 실생활을 조선말로 써 놓은 조선 문학 같은 것이 조선학의 중심 골자가 되어야 한다. - 문일평

▶ 문일평은 **'조선심', '조선 문학', '조선 사상'을 강조**하며 **조선학 운동을 전개**하였다. 특히 문일평은 조선심의 결정체로서 '한글'을 들었다.

진단 학회

진단 학회는 문헌 고증을 통하여 있었던 사실을 그대로 밝혀내는 것을 목적으로 삼았다. 이들은 역사에 어떤 일반적인 법칙이 있다고 가정하여 사실을 이론에 끼워 맞추기보다는 객관적인 사실을 정확하게 인식함으로써 한국사를 깊이 이해할 수 있다고 주장하였다.

유물 사관(유물론)

사회주의 사상에 기초한 역사관으로, 역사 발전의 원동력을 정신이 아닌 물질적인 생산력과 생산 관계의 변화로 보았다.

백남운 기출사료

조선 경제사의 기도는 사회의 경제적 구성을 기축으로 하여 대략 다음과 같은 제 문제를 취급하게 되어 있다.

제1. 원시 씨족 공산체의 태양
제2. 삼국의 정립 시대의 노예 경제
제3. 삼국 시대 말기경에서 최근세에 이르기까지 아시아적 봉건 사회의 특질
제4. 아시아적 봉건 국가의 붕괴 과정과 자본주의의 맹아 형태
제5. 외래 자본주의 발전의 일정과 국제적 관계
제6. 이데올로기 발전의 총 과정

- 『조선사회경제사』 서문

▶ 1933년 한국의 원시·고대 사회 경제에 관한 최초의 사회·경제사적 연구서라 할 수 있는 **『조선사회경제사』를 저술**하였으며, 1937년에는 그 속편이라고 할 수 있는 **『조선봉건사회경제사』를 저술**하였다.

5. 신민족주의 사학

(1) **등장:** 신민족주의 사학은 민족주의 사학을 계승하여 1940년대 이후 등장하였다. 또한 자주적 민족 국가 수립이라는 시대적 과제 속에서 실증적 토대 위에 민족주의 사학과 사회·경제 사학의 방법을 수용하였다.

(2) **특징:** 대내적으로 사회 계층 간의 대립을 비판하고, 민족 중심의 단결을 도모하였다. 대외적으로는 민족적 자유와 평등을 실현한다는 입장에서 역사적 사실을 재평가하고 민족사를 체계화하였다.

(3) **주요 학자**

안재홍	· **『조선상고사감』**: 신채호의 고대사 연구를 사회적인 방법으로 발전시킴 · **「신민족주의와 신민주주의」**: 극우와 극좌를 배격하고 중도우파의 이데올로기 제시
손진태	『조선민족사개론』, 『조선민족설화의 연구』, 『국사대요』 저술

손진태의 신민족주의 사학 기출사료

계급 투쟁은 민족의 내부 분열을 초래할 것이며, 계급투쟁의 길은 우리가 반드시 취해야할 필요는 없고, 민족 균등이 실현되는 날 그것은 자연 해소되는 문제다. …… 이 세계적 기운과 민족적 요청에서 민족 사관은 출발하는 것이며, 민족사는 그 향로와 방법을 명백하게 과학적으로 지시하여야 할 것이다.

- 『조선민족사개론』

▶ 손진태는 **민족주의 사학을 바탕으로 사회·경제 사학의 방법을 수용**하여 역사적 사실을 재평가하였다.

3 교육과 종교 활동

1. 교육 운동

(1) **1910년대**: 민족 운동가들은 사립 학교(종교계), 개량 서당, 강습소 등을 설치하여 학생들에게 민족정신을 고취하기 위한 교육을 실시하였다.

(2) **1920년대**: 한국어, 지리, 역사, 창가 등과 같은 민중 계몽을 위한 교육을 담당하는 야학 설립 운동이 전개되었으나 일제의 탄압으로 점차 쇠퇴하였다.

2. 종교 활동

(1) 개신교

① **활동**: 개신교는 3·1 운동을 주도하였고, 조선 중앙 기독교 청년회(YMCA)와 조선 기독교 여자 청년회(YWCA)가 중심이 되어 교육·의료 및 민중 계몽 운동을 전개하였다.

② **신사 참배 거부**: 1930년대에는 신사 참배 거부 운동을 전개하여 많은 지도자와 신자들이 투옥되었고, 개신교계 학교는 폐쇄되었다.

(2) 천주교

① **활동**: 천주교는 고아원, 양로원 등의 사회 사업을 전개하였고, 잡지 『경향』을 발간하여 계몽 운동에 기여하였다.

② **의민단 조직**(1919): 일부 천주교도들은 만주에서 항일 무장 단체인 의민단을 결성하여 청산리 전투 등에 참여하였다.

(3) 천도교

① **활동**: 천도교는 3·1 운동을 주도하였고, 추후 제2의 3·1 운동을 계획하였다.

② **민중 계몽**: 잡지 『개벽』, 『신여성』, 『어린이』, 『학생』 등을 간행하였다.

종교 활동

구분	활동
개신교	신사 참배 거부 운동(1930년대)
천주교	의민단 조직(1919) → 청산리 전투 참여
천도교	· 천도교 소년회(1921) · 제2의 3·1 운동 계획 · 잡지 『개벽』 등 발간
대종교	무장 독립운동 전개 (중광단, 북로 군정서군)
불교	조선 불교 유신회 조직 (한용운, 1921)
원불교	· 박중빈이 창시(1916) · 새 생활 운동 전개

『개벽』과 『신여성』, 『어린이』

- **『개벽』**은 1920년부터 **천도교의 개벽사에서 발행한 종합 잡지**로 한국 문학사를 빛낸 여러 문학 작품이 이를 통하여 발표되었다.
- **『신여성』**은 1923년부터 **천도교 개벽사에서 발행한 여성 잡지**로, 새로운 패션이나 화장법을 소개하고, 여성들의 계몽을 촉구하는 논문·시·소설·수필 등의 문학 작품을 게재하였다.
- **『어린이』**는 1923년부터 천도교 소년회, 개벽사에서 발행한 **어린이 잡지**로 방정환이 주관하였다.

(4) 대종교

① **활동**: 대종교는 나철·오기호가 창시한 대표적인 항일 종교로 일제의 남한 대토벌 이후 교단 본부를 만주로 이동하여 항일 무장 투쟁을 전개하였다.

② **중광단**(1911): 중광단은 만주에서 조직된 항일 무장 단체로, 3·1 운동 직후에 북로 군정서로 개편되어 청산리 전투에 참여하였다.

(5) 불교

① **활동**: 일제가 사찰령, 승려법 등으로 불교를 탄압하고 일본 불교에 예속시키려 하는 데 맞서 민족 종교의 전통을 지키기 위해 노력하였다.

② **조선 불교 유신회 조직**(1921): 조선 불교 유신회는 불교 교단의 친일화에 대항하여 한용운을 중심으로 조직된 불교 혁신 운동 단체이다. 이 단체는 불교계 정화 운동과 항일 운동을 전개하며 불교 교단의 친일화에 대항하였다.

(6) 원불교

① **개창**(1916): 원불교는 박중빈이 불교의 현대적 생활화를 주장하며 창도하였다.

② **활동**: 미신 타파, 개간 사업과 허례 폐지, 저축 운동·남녀 평등, 금주, 단연 등 새 생활 운동을 전개하였다.

4 문학과 예술 활동

1. 문학 활동

(1) 1910년대의 문학: 1910년대의 문학은 계몽 문학적 성격을 띠었으며 이광수의 소설 「무정」(1917)이 매일신보에 연재되었다.

(2) 1920년대 초반의 문학: 3·1 운동 이후 일제가 문화 통치를 내세우자 지식인의 일부가 일제와 타협하여 변절하였다.

① **동인지의 간행**: 김동인이 중심이 된 『창조』(1919), 염상섭·김억·남궁벽의 『폐허』(1920), 현진건·나도향·이상화의 『백조』(1922) 등의 동인지가 3·1 운동 이후 간행되었다. 동인지는 예술성만 강조하고 현실 문제에 대해서는 소극적인 경향을 보였다.

② **문학 잡지의 간행**

㉠ **종류**: 『개벽』(1920), 『조선지광』(1922) 등의 종합 문학 잡지가 발간되어 문인들의 작품 활동의 폭이 확장되었다.

㉡ **탄압**: 항일 운동을 암시하는 작품을 게재하여 일제의 탄압을 받았다.

(3) 1920년대 중반의 문학

① **신경향파 문학의 대두**

㉠ **특징**: 사회주의의 영향으로 문학의 사회적 기능을 강조한 신경향파 문학이 등장하여 식민지 현실 고발과 계급 의식 고취를 강조하였으며, 이후 저항 문학, 프로 문학으로 발전하기도 하였다. 김기진과 박영희 등의 신경향파 문인들은 1925년 카프(KAPF, 조선 프롤레타리아 예술가 동맹)를 결성하였다.

㉡ **대표작**: 「탈출기」, 「기아와 살육」(최서해)

동인지

공통된 사상·목적을 가진 사람들이 주체가 되어 기획·집필·편집·발행하는 잡지

프로 문학

카프를 중심으로 한 사회주의 계열의 일부 문인들이 **프로(프롤레타리아)문학을 표방**하며 극단적인 계급 노선을 추구하기도 하였다.

카프

프롤레타리아 문학 단체이자 최초의 전국적인 문학 단체이다. 초기에는 문예 운동을 통한 정치 운동의 형태를 띠다가 **점차 계급 투쟁적인 성격을 강조**하였다.

② **민족 정서 강조**: 「진달래꽃」(김소월), 「빼앗긴 들에도 봄은 오는가」(이상화), 「님의 침묵」(한용운) 등

③ **국민 문학 운동의 전개**: 민족주의 계열의 문인들이 신경향파 문학의 계급주의에 반대하고 민족 의식 고취와 전통 문화의 부흥 등을 강조하는 문학 운동을 전개하였다.

(4) 1930년대의 문학

① **순수 문학**: 일제의 탄압을 피해 정지용과 김영랑 등은 『시문학』 동인으로 문학의 예술성과 작품성을 강조하는 순수시 운동을 전개하여 순수 문학 발전에 기여하였다.

② **반일·저항 문학**: 이육사, 윤동주 등 전문적인 문인 외에도 독립운동가들이 작품 활동을 통해 민족 의식과 독립 사상을 고취시키고자 하였다.

(5) 1940년대의 문학

① **문학의 침체기**: 일제는 침략 전쟁을 확대하면서 문학 활동도 극심하게 탄압하였다.

② **친일 문학**: 이광수, 최남선, 서정주, 주요한, 김활란, 노천명 등의 문인들은 일제의 침략과 군국주의를 찬양하는 친일 활동에 동원되었다.

2. 예술 활동

(1) 음악

창가	· 1910년대 서양 음악에 기반을 두고 작곡 · 국권 피탈을 전후하여 망국의 슬픔과 일제에 대한 저항 의식 표현 · 「학도가」, 「한양가」, 「거국가」 등
가곡	· 민족의 심정 대변 · 홍난파의 「봉선화」, 현제명의 「고향생각」, 안익태의 「애국가」·「코리아 환상곡」등
동요	색동회의 윤극영은 「반달」과 「설날」 등 창작

(2) 연극

① **3·1 운동 이전**: 3·1 운동 이전에는 민족의 애환을 표현한 신파극이 유행하였다.

② **3·1 운동 이후**

㉠ **극예술 협회**: 동경 유학생들이 조직한 극예술 협회(1920)가 민중 계몽의 수단으로 연극을 공연하였다.

㉡ **발전**: 토월회(1923)·극예술 연구회(1931, 유치진의 『토막』)가 본격적인 근대 연극을 공연하여 민중 계몽과 독립 의식 고취에 기여하였다.

③ **중·일 전쟁 이후**: 일제의 탄압으로 연극의 주제·내용·언어 등이 제한되었다.

(3) 영화: 촬영과 상영에 필요한 자본, 기술, 기자재 등이 부족하여 더디게 발전하였다.

① **조선 키네마 주식회사**(1924): 조선 키네마 주식회사는 부산에서 설립된 우리나라 최초의 영화 제작사였다.

② **아리랑**(1926): 아리랑은 나운규가 제작한 한국 영화로, 민족 정서를 토대로 민족의 비애를 그려낸 작품이다.

③ **조선 영화령**(1940): 일제는 조선 영화령을 제정하여 민족적 정서를 담은 영화의 제작 및 상영을 금지하였고, 영화를 전시 체제의 옹호와 선전의 수단으로 사용하였다.

일제 강점기의 저항 문학

매운 계절의 채찍에 갈겨 / 마침내 북방으로 휩쓸려오다.
하늘도 그만 지쳐 끝난 고원 / 서릿발 칼날진 그 위에 서다.
어데다 무릎을 꿇어야 하나 / 한발 재겨 디딜 곳조차 없다.
이러매 눈 감아 생각해 볼밖에 / 겨울은 강철로 된 무지갠가 보다.
\- 이육사, 「절정」

▶ **이육사**는 식민지 체제 아래 민족의 비운을 소재로 삼아 **강렬한 저항 의지와 강고한 민족 정신을 표현**하였다.

친일 매국 문학 교과서 사료

· 남아면 군복에 총을 메고 / 나라 위해 전장에 나감이 소원이리니
이 영광의 날 / 나도 사나이였드면
나도 사나이였드면 귀한 부르심 입는 것을
\- 노천명, 「님의 부르심을 받들고서」

· 진주만의 九位勇士(9위용사)에게서 우리는 무엇을 배웠나?
스물 두살에서 스물 여듧살까지의 청년인 그이들.
아직 수염도 다 안난 그이들이 일본의 신이 되셨다.
대관절 사람이 이 세상에 무엇하려 왔나?
이 몸이란 무엇에 쓰자는 것인가.
\- 이광수, 「진주만의 구군신」

▶ **노천명·이광수** 등의 문인들은 **일제의 군국주의를 찬양**하며 **전쟁 참여를 독려**하는 **친일 활동을 전개**하였다.

일본 음악의 영향

1930년대에는 일본 주류 대중 음악(엔카)의 영향으로 **트로트 양식이 정립**되었다.

토월회

도쿄 유학생 박승희·김기진 등이 시작한 모임으로, 현실(土)을 도외시하지 않고 이상(月)을 좇는다는 뜻에서 토월회라 명명하였다. 신파극의 한계를 극복하고 연극에 리얼리즘을 도입하였다.

OX 빈칸 핵심 개념 점검

* 학습한 개념을 OX/빈칸 문제를 통해 점검해보세요.

핵심 개념 1 | 일제 강점기의 국어 연구

01 조선어 연구회는 '한글 맞춤법 통일안'을 제정하였다. □ O □ X

02 조선어 학회는 국문 연구소를 설립하였다. □ O □ X

03 ______는 한글 기념일인 '가갸날'을 제정하였다.

04 ______는 『우리말 큰 사전』 편찬을 시도하였다.

핵심 개념 2 | 일제 강점기의 한국사 연구

05 박은식은 『조선사회경제사』에서 식민주의 사학의 정체성 이론을 반박하였다. □ O □ X

06 신채호는 묘청의 난을 '조선 역사상 일천 년래 제일대 사건'이라고 평가하였다. □ O □ X

07 신채호는 정약용 서거 99주년을 기념하며 『여유당전서』를 간행하면서 조선학을 제창하였다. □ O □ X

08 손진태는 『진단학보』를 발간한 진단 학회의 발기인으로 활동하였다. □ O □ X

09 ______는 역사를 '아(我)와 비아(非我)의 투쟁'으로 해석했다.

10 ______은 '나라는 형(形)이고 역사는 신(神)'이라고 주장하였다.

11 ______는 '조선 얼'을 강조하며 '조선학 운동'을 펼쳤다.

12 백남운은 유물 사관으로 식민 사학의 ______ 이론을 반박했다.

13 실증주의 사학자들은 ______를 조직하고 철저한 문헌 고증으로 한국사를 객관적으로 서술하려 하였다.

핵심 개념 3 | 일제 강점기의 종교 활동

14 천도교 계열의 인사들의 주도로 항일 무장 단체인 의민단을 결성하여 청산리 전투 등에 참여하기도 하였다. □ O □ X

15 천도교에서는 『개벽』, 『신여성』, 『어린이』 등의 잡지를 발행하였다. □ O □ X

16 대종교는 항일 단체인 ______의 결성을 주도하였다.

17 박중빈이 창시한 ______에서는 개간 사업을 추진하고 새생활 운동을 전개하였다.

핵심 개념 4 | 일제 강점기의 문학과 예술 활동

18 1920년대에 정지용과 김영랑은 『시문학』 동인으로 순수 문학의 발전에 이바지하였다. □ O □ X

19 일제는 1940년에 조선 영화령을 공포하여 영화를 전시 체제의 옹호와 선전의 수단으로 사용하였다. □ O □ X

20 1920년대 중반에 민중 생활에 관심을 기울인 ______ 문학이 대두하여 식민 통치에 대한 저항 문학으로 발전했다.

21 1923년에 조직된 ______는 본격적인 근대 연극을 공연하며 민중 계몽과 독립 의식 고취에 기여하였다.

22 1926년에 나운규가 민족의 비애를 담은 영화 ______을 발표하였다.

정답과 해설

01	✖ '한글 맞춤법 통일안'(1933)을 제정한 연구 단체는 조선어 학회이다.	**12**	정체성
02	✖ 국문 연구소는 대한 제국의 학부에 설치되었던 국문 연구 기관으로, 조선어 학회와는 관련이 없다.	**13**	진단 학회
03	조선어 연구회	**14**	✖ 항일 무장 단체인 의민단을 결성(1919)한 것은 천주교 계열의 인사들이다.
04	조선어 학회	**15**	O 천도교 기관인 개벽사에서 민중 계몽을 위해 『개벽』, 『신여성』, 『어린이』 등의 잡지를 발행하였다.
05	✖ 『조선사회경제사』에서 식민주의 사학의 정체성 이론을 반박한 인물은 사회·경제 사학자인 백남운이다.	**16**	중광단
06	O 신채호는 『조선사연구초』에서 묘청의 난을 '조선 역사상 일천 년래 제일대 사건'이라고 평가하였다.	**17**	원불교
07	✖ 정약용 서거 99주년을 기념하며 『여유당전서』를 간행하면서 조선학 운동을 제창한 인물은 정인보, 문일평, 안재홍 등이다.	**18**	✖ 정지용과 김영랑이 『시문학』 동인으로 순수 문학의 발전에 이바지한 것은 1930년대 이후의 일이다.
08	O 손진태는 『진단학보』를 발간한 실증 사학 단체인 진단 학회의 발기인으로 활동하였다.	**19**	O 일제는 1940년에 조선 영화령을 공포하여 민족적 정서를 담은 영화의 제작 및 상영을 금지하였고, 영화를 전시 체제의 옹호와 선전의 수단으로 사용하였다.
09	신채호	**20**	신경향파
10	박은식	**21**	토월회
11	정인보	**22**	아리랑

핵심 키워드로 일제 강점기 마무리

구분	일제의 식민 통치	일제의 경제 수탈	대한민국 임시 정부
1900년대	• 국권 피탈 과정 – 한·일 의정서: 군사 기지 사용권 – 제1차 한·일 협약: 고문 정치 – 제2차 한·일 협약: 통감 정치, 외교권 박탈 – 한·일 신협약: 차관 정치 – 기유각서: 사법권·경찰권 박탈 – 한·일 병합 조약: 식민 통치 시작(1910) • 법령 제정: 신문지법, 보안법, 출판법	• 황무지 개간권 요구 • 화폐 정리 사업 • 동양 척식 주식회사 설립	–
1910년대	• 무단 통치: 조선 총독부 설치, 헌병 경찰 통치, 제복 착용과 착검, 기본권 박탈, 중추원 설치 • 조선 태형령 제정 • 제1차 조선 교육령: 보통·실업 교육 실시	• 토지 조사 사업: 기한부 신고제, 토지 약탈 • 회사령: 허가제 • 산림령·조선 임야 조사령: 임야 강점 • 어업령: 일본인의 어업권 독점 • 조선 광업령: 한국인 광산 경영 억제	• 대한 국민 의회 + 상하이 임시 정부 + 한성 정부 → 대한민국 임시 정부 수립 • 제1차 개헌: 대통령 중심제, 3권 분립 • 비밀 행정 조직망: 연통제·교통국 • 애국 공채 발행 → 군자금 마련 • 독립신문 발간 • 사료 편찬소 설치 • 파리·구미 위원부: 외교 활동 전개
1920년대	• 문화 통치: 문관 총독 임명 가능(해방까지 임명x), 보통 경찰제, 조선·동아일보 창간(신문 검열, 정간, 기사 삭제) → 친일파 양성(자치론 등장) • 조선 태형령 폐지 • 제2차 조선 교육령: 한국인의 교육 기회 확대(실상은 실업 교육에 치중) • 경성 제국 대학 설립 • 치안 유지법	• 산미 증식 계획: 증산량보다 더 많은 미곡 수탈 • 회사령 철폐: 허가제 → 신고제 • 관세 철폐 → 대일 의존도 심화 • 신은행령: 한국인 소유의 은행을 일본 은행에 합병	• 국민 대표 회의 – 창조파: 임시 정부 해체, 무력 항쟁 강조 – 개조파: 임시 정부 개혁, 외교 활동 강조 – 현상 유지파: 임시 정부 그대로 유지 • 이승만 탄핵 • 제2차 개헌: 국무령 중심의 내각 책임제 • 제3차 개헌: 국무 위원 중심의 집단 지도 체제
1930~40년대	• 민족 말살 통치: 국가 총동원법 제정, 내선일체·일선동조론 주장, 신사 참배, 황국 신민 서사 암송, 궁성 요배 강요, 창씨개명 • 국민학교령: 소학교 명칭을 국민학교로 변경 • 제4차 조선 교육령: 한국어·한국사 과목 폐지 • 한글 신문 폐간	• 남면북양 정책: 공업 원료 증산 • 중공업 육성책: 한반도 병참 기지화 • 공출 제도: 각종 물자 공출 • 산미 증식 계획 재개, 식량 통제 • 인적 자원 동원: 징병제, 정신대 등	• 한인 애국단 조직: 의열 투쟁 (이봉창, 윤봉길) • 한국 국민당 창당 • 한국 독립당 창당 • 충칭 정착 • 제4차 개헌: 주석 중심 체제 • 한국광복군 창설 • 건국 강령 발표: 조소앙의 삼균주의 • 제5차 개헌: 주석·부주석 체제

무장 독립 투쟁 · 전쟁	사회 · 경제적 민족 운동	민족 문화 수호 운동
• 을사의병·정미의병 • 활빈당	• 국채 보상 운동 • 보안회, 신민회	• 국문 연구소 설립 • 「독사신론」(신채호): 민족주의 사관에 입각하여 서술, 대한매일신보에 연재 • 연극: 원각사
• 국내: 독립 의군부(복벽), 대한 광복회(공화), 조선 국권 회복단(공화) 등 • 국외 – 서간도(삼원보): 경학사, 신흥 무관 학교 등 – 북간도(명동촌, 용정촌): 중광단, 서전서숙 – 연해주(신한촌): 13도 의군, 대한 광복군 정부 – 상하이: 신한청년당 – 미주: 대한인 국민회, 흥사단 • 3·1 운동: 만세 시위 전개 • 의열단: 김원봉이 조직, 김익상·김상옥·나석주 등 활동	–	• 『한국통사』(박은식): 국혼 강조 • 천주교: 의민단 조직 • 천도교, 개신교: 3·1 운동 참여 • 원불교: 박중빈이 창시
• 봉오동 전투: 대한 독립군(홍범도) 중심 • 청산리 전투: 북로 군정서군(김좌진) 중심 • 대한 독립 군단 편성 → 자유시 참변 → 3부 성립(정의부, 참의부, 신민부) → 3부 통합 운동(혁신 의회, 국민부)	• 소년 운동(천도교) • 형평 운동: 조선 형평사 • 암태도 소작 쟁의(농민 운동) • 원산 노동자 총파업(노동 운동) • 민족 실력 양성 운동: 물산 장려 운동, 민립 대학 설립 운동 • 6·10 만세 운동: 신간회 창립에 기여 • 민족 유일당 운동: 신간회, 근우회 • 광주 학생 항일 운동: 3·1 운동 이후 최대의 민족 운동	• 조선어 연구회: 잡지 『한글』, 가갸날 • 『한국독립운동지혈사』(박은식): 항일 독립운동의 역사서 • 「조선혁명선언」(신채호): 의열단 지침서 • 천도교: 제2의 3·1 운동 계획 • 불교: 조선 불교 유신회 조직(한용운) • 문학: 동인지 간행, 카프 결성(신경향파 문학) • 연극: 토월회 • 영화 아리랑(나운규)
• 한국 독립군: 중국 호로군 등과 연합, 쌍성보·사도하자·동경성·대전자령 전투 • 조선 혁명군: 중국 의용군 등과 연합, 영릉가·흥경성 전투 • 민족 혁명당: 조선 의용대 조직 • 조선 독립 동맹: 조선 의용군 조직	• 문자 보급 운동(조선일보) • 브나로드 운동(동아일보) • 비합법적·혁명적인 농민·노동 운동 전개	• 조선어 학회: 한글 맞춤법 통일안, 『우리말 큰 사전』 편찬 시도 → 조선어 학회 사건 • 『조선상고사』(신채호): 역사는 아와 비아의 투쟁 • 진단 학회(이병도): 실증 사학 • 사회·경제 사학(백남운): 유물 사관 • 조선학 운동(정인보, 문일평)

공무원시험전문 **해커스공무원**

gosi.Hackers.com

현대 출제 경향

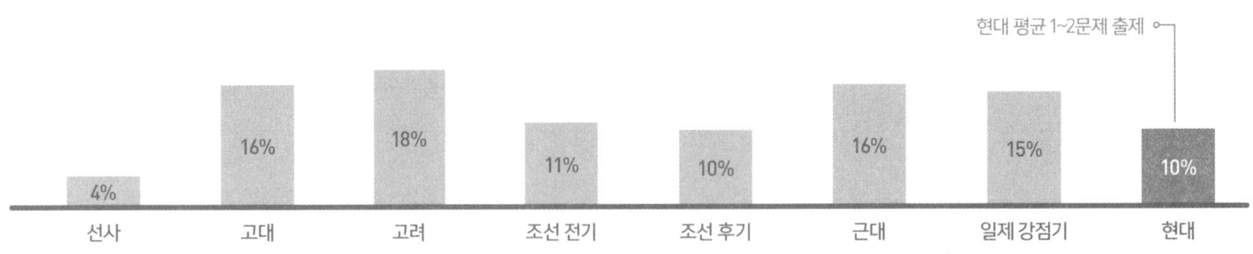

현대에서는 매해 평균 1~2문제가 출제되고 있습니다. 사건의 순서나 특정 시기 이후의 사실을 묻는 문제가 자주 출제되고 있기 때문에 여러 사실들의 전후 상황을 파악해 두어야 합니다. 또한, 경제사·사회사에서는 생소한 개념을 다룬 문제들이 출제되기도 하므로 반드시 모든 개념을 학습해 두어야 합니다.

해커스공무원 한국사 기본서 **2권 근현대사**

VIII 현대 사회의 발전

	출제 비중	빈출 키워드
01 광복과 대한민국 수립	49%	모스크바 3상 회의, 미·소 공동 위원회, 좌·우 합작 운동, 6·25 전쟁
02 민주주의의 시련과 발전	24%	4·19 혁명, 유신 헌법, 6월 민주 항쟁
03 평화 통일의 과제	16%	7·4 남북 공동 성명, 남북 기본 합의서, 6·15 남북 공동 선언
04 경제 발전과 사회·문화의 변화	11%	농지 개혁법, 각 정부 시기의 경제 정책

현대사에서는 '광복과 대한민국 수립'의 출제 비중이 가장 높은 편이며 해당 단원에서는 광복 전후의 상황과 대한민국 정부 수립 과정을 꼼꼼하게 학습해야 합니다. 이외 단원에서는 민주화 운동의 전개 과정과 영향, 유신 헌법 시행 시기의 사건, 각 정부의 통일 정책, 시기별 경제 상황에 대한 내용 등을 정리해두어야 합니다.

한눈에 보는 현대 연표

1945. 8.	1945. 12.	1946	1948. 5.	1948. 8.	1950	1960. 3.	1960. 4.	1960. 8.
광복	모스크바 3국 외상 회의	좌·우 합작 운동	5·10 총선거	대한민국 정부 수립	6·25 전쟁	3·15 부정 선거	4·19 혁명	장면 내각 성립

정부 수립 과정 / 이승만 정부 / 장면 내각

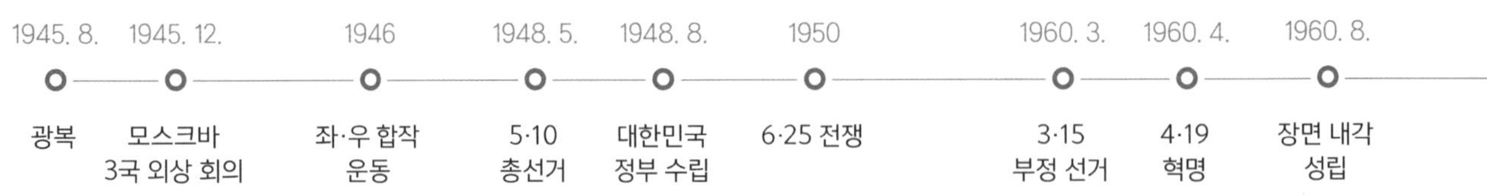

1945~1948 정부 수립 시기

- 광복(1945. 8. 15.)
- 모스크바 3국 외상 회의 개최(1945)
- 제1차 미 · 소 공동 위원회 개최(1946)
- 이승만, 정읍 발언(1946)
- 좌 · 우 합작 위원회 조직, 좌·우 합작 7원칙 발표(1946)
- 제2차 미 · 소 공동 위원회 개최(1947)
- 남조선 과도 정부 수립(1947)
- 유엔 총회 개최(1947)
- 유엔 소총회 개최(1948)
- 제주 4 · 3 사건(1948)
- 남북 협상(1948)
- 5 · 10 총선거(1948)
- 제헌 헌법 공포(1948)
- 대한민국 정부 수립(1948)

1948~1960 이승만 정부

- 반민족 행위 처벌법 제정(1948)
- 여수 · 순천 10 · 19 사건(1948)
- 농지 개혁법 제정(1949, 실시: 1950)
- 귀속 재산 처리법 제정(1949)
- 6 · 25 전쟁 발발(1950)
- 인천 상륙 작전(1950)
- 1 · 4 후퇴(1951)
- 발췌 개헌(1952)
- 휴전 협정 체결(1953)
- 한 · 미 상호 방위 조약 체결(1953)
- 사사오입 개헌(1954)
- 제3대 대선(1956)
- 진보당 사건(1958)
- 경향신문 폐간(1959)
- 3 · 15 부정 선거(1960)
- 4 · 19 혁명(1960)

1960~1961 장면 내각

- 허정 과도 정부 수립(1960)
- 제3차 개헌(1960)
- 장면 내각 출범(1960)
- 5 · 16 군사 정변(1961)

1961	1965	1972	1979	1980	1987	1997	2000	2007	2018
5·16 군사 정변	한·일 협정	유신 체제 성립	· YH 무역 사건 · 부·마 항쟁 · 10·26 사태	5·18 민주화 운동	6월 민주 항쟁	외환 위기	6·15 남북 공동 선언 발표	10·4 남북 공동 선언 발표	4·27 판문점 선언 발표

박정희 정부 ← → 전두환 정부 ← → 노태우 정부 ← → 김영삼 정부 ← → 김대중 정부 ← → 노무현 정부 ← → 이명박~문재인 정부

1963 박정희 정부
- 제5대 대선, 박정희 당선(1963)
- 6·3 항쟁(1964)
- 한·일 협정 체결(1965)
- 브라운 각서 체결(1966)
- 제6차 개헌(3선 개헌, 1969)
- 7·4 남북 공동 성명 발표, 남북 조절 위원회 설치(1972)
- 10월 유신 선포(1972)
- 3·1 민주 구국 선언(1976)
- 수출 100억불 달성(1977)
- YH 무역 사건(1979)
- 부·마 항쟁(1979)
- 10·26 사태, 유신 체제 붕괴(1979)

1979 신군부~전두환 정부
- 12·12 사태(1979)
- 5·18 민주화 운동(1980)
- 전두환 제11대 대통령 선출(1980)
- 박종철 고문 치사 사건(1987)
- 4·13 호헌 조치 발표(1987)
- 6월 민주 항쟁(1987)
- 6·29 선언 및 제9차 개헌(1987)

1988 노태우 정부
- 7·7 선언(1988)
- 서울 올림픽 개최(1988)
- 3당 합당(1990)
- 남북한 유엔 동시 가입(1991)
- 남북 기본 합의서 채택(1991)
- 한반도 비핵화 공동 선언 채택(1991)

1993 김영삼 정부
- 금융 실명제 실시(1993)
- OECD 가입(1996)
- 외환 위기(1997)

1998 김대중 정부
- 금강산 해로 관광 시작(1998)
- 6·15 남북 공동 선언 발표(2000)

2003 노무현 정부
- 10·4 남북 공동 선언 발표(2007)
- 한·미 FTA 체결(2007)

2008 이명박 정부
- G20 정상 회의 개최(2010)

2013 박근혜 정부
- 박근혜 대통령 탄핵(2017)

2017 문재인 정부
- 4·27 판문점 선언 발표(2018)

광복과 대한민국 수립

1 대한민국 건국 준비 과정

학습 포인트
광복을 전후하여 우리나라에 있었던 정치 단체를 정리한다.

빈출 핵심 포인트
카이로 회담, 포츠담 선언, 8·15 광복, 미·소 군정, 조선 건국 준비 위원회, 조선 인민 공화국

1 광복 직전의 건국 준비 활동

1. 국외에서의 활동

(1) 민족주의 계열(대한민국 임시 정부)**의 활동**

① **한국 독립당 조직**(1940)

㉠ **조직**: 대한민국 임시 정부는 김구, 김규식을 중심으로 민족주의 계열의 독립운동 단체들을 통합하여 한국 독립당을 조직하였다.

㉡ **활동**: 대한민국 임시 정부는 정규군으로 한국광복군을 창설하였고, 한국광복군은 1942년 김원봉 중심의 사회주의 계열인 조선 민족 혁명당 산하의 조선 의용대 일부를 흡수·통합하여 군사력을 증강하였다.

② **대한민국 건국 강령 발표**(1941)

㉠ **민주 공화국 수립**: 보통 선거를 통한 민주 공화국 수립을 표방하였다.

㉡ **삼균주의 채택**: 조소앙의 삼균주의를 채택하여 1941년 건국 강령을 제정·공포하고, 토지 국유화와 토지 개혁, 대기업 국유화, 의무 교육 실시 등을 주장하였다.

(2) 사회주의 계열의 활동

① **조선 독립 동맹 조직**(1942)

㉠ **조직**: 중국 화북 지방에서 김두봉을 중심으로 사회주의 계열 인사들이 조선 독립 동맹을 조직하였다.

㉡ **활동**: 산하 정규군인 조선 의용군은 중국 공산당 팔로군과 연합하여 항일전에 참여하였고, 해방 이후 북한 인민군으로 편입되었다.

② **건국 강령 발표**: 보통 선거에 의한 민주 정권의 수립을 제시하였으며, 친일파의 재산 몰수, 남녀 평등, 대기업의 국유화, 의무 교육 실시 등을 주장하였다.

(3) 기타

미주 지역의 한국인 단체들이 연합하여 재미 한족 위원회를 결성(1941)하고, 모금 운동을 전개하여 대한민국 임시 정부를 재정적으로 후원하였다.

대한민국 건국 강령 교과서 사료

- 삼균 제도의 건국 원칙을 천명하였으니, 이른바 보통 선거 제도를 실시하여 정권을 균(均)히 하고, 국유 제도를 채용하여 이권을 균히 하고, 공비(公費) 교육으로써 학권(學權)을 균히 하며 ……
- 삼균 제도를 골자로 한 헌법을 실시하여 정치·경제·교육의 민주적 시설로 실제상 균형을 도모하며, 전국의 토지와 대생산 기관의 국유가 완성되고 전국의 학령 아동 전체가 고급 교육의 무상 교육이 완성되고 보통 선거 제도가 구속 없이 완전히 실시되어 ……

▶ 대한민국 건국 강령은 조소앙의 삼균주의에 입각하여 정치·경제·교육 균등의 실현을 전제로 **보통 선거의 실시, 토지의 국유화, 대기업의 국유화, 의무 교육 제도의 실시를 천명**하였다.

📜 교과서 사료 읽기

조선 독립 동맹의 건국 강령(1942)

본 동맹은 조선에 대한 일본 제국주의의 지배를 전복하고 독립 자유의 조선 민주 공화국을 수립할 목적으로 다음 임무를 실현하기 위하여 싸운다.

1. 전국민의 보통 선거에 의한 민주 정권을 수립한다.
3. 국민 인권 존중의 사회 제도를 실현한다.
4. 법률·사회·생활상 남녀 평등을 실현한다.
6. 조선에 있는 일본 제국주의의 일체 자산 및 토지를 몰수하고 일본 제국주의와 밀접한 관계에 있는 대기업을 국영으로 귀속하고 토지 분배를 실행한다.
7. 8시간 노동제를 실시하여 사회의 노동을 보장한다.
9. 국민 의무 교육 제도를 실시하고 이에 필요한 경비는 국가가 부담한다.

사료 해설 | 조선 독립 동맹은 보통 선거에 의한 민주 정권 수립, 일본인 및 친일파 재산 몰수 등을 강령의 주요 내용으로 하였다.

2. 국내에서의 활동

(1) 조선 건국 동맹 조직(1944)

① **조직**: 일제의 패망이 가시화되면서 여운형을 중심으로 국내에서 비밀리에 민족 연합 전선이 형성되었다.

② **활동**: 중앙과 지방 조직을 갖추고 군사 행동을 계획하였으며, 농민 동맹을 결성하여 식량 공출, 군수 물자 수송, 일제의 징병·징용을 방해하는 활동을 전개하였다.

③ **개편**: 광복 이후에는 '조선 건국 준비 위원회'로 개편되었다.

(2) 건국 강령 발표: 조선 건국 동맹은 일제 타도와 민주주의 국가 건설을 주요 내용으로 하는 건국 강령을 발표하였다.

2 8·15 광복과 국토의 분단

1. 광복 이전 열강들의 회담

(1) 카이로 회담(1943. 11.)

① **참가국**: 미국의 루스벨트, 영국의 처칠, 중국의 장제스가 이집트의 카이로에서 회담하였다.

② **내용**: 일본이 제1차 세계 대전 이후 강탈한 다른 나라의 영토를 반환하도록 하였으며, '한국 인민의 노예 상태에 유의하여 적당한 시기(in due course)에 한국을 해방시키며 독립시킬 것을 결의한다.'라고 선언하였다(카이로 선언).

③ **의의**: 카이로 회담은 최초로 한국의 독립을 약속한 국제 회담이었다.

(2) 얄타 회담(1945. 2.)

① **참가국**: 미국의 루스벨트, 영국의 처칠, 소련의 스탈린이 소련의 얄타에서 회담하였다.

② **내용**: 소련의 대일전 참가를 결정하였고, 독일의 항복 후 전후 처리 문제를 논의하였다. 또한 이 회담에서 루스벨트의 제안으로 미국·영국·중국·소련의 4개국이 한반도를 20~30년간 신탁 통치하는 방안이 논의되었다.

카이로 회담의 3국 수뇌

사진의 왼쪽부터 **장제스 총통**(중국), **루스벨트 대통령**(미국), **처칠 수상**(영국)이다. 세 연합국의 수뇌는 일본이 항복할 때까지 서로 협력하여 싸울 것을 협의하였다.

얄타 회담(얄타 협정) 교과서 사료

소련·미국·영국은 독일이 항복하고 또 유럽에서 전쟁이 끝나고 2, 3개월 뒤에 소련이 다음의 조건으로 연합국 편에서 일본에 대한 전쟁에 참가하기로 협정하였다.

제2조 1904년 일본의 배신적 공격으로 침해된 러시아 제국의 옛 권리는 회복되어야 한다.

제3조 쿠릴 열도를 현 소련에게 넘겨준다.

▶ 얄타 회담에서 **소련은** 독일이 항복한 뒤 2~3개월 내에 **대일전에 참전할 것을 약속**했고, 그 대가로 미국과 영국은 러·일 전쟁에서 러시아가 상실한 영토 및 여러 권리를 소련에게 되돌려주기로 했다.

③ **의의**: 일본 패전 이후의 한반도에 대한 신탁 통치 방법과 기간 등이 구체적으로 언급된 회담이었다. 또한 소련의 대일전 참전 약속으로 소련군이 한반도에 상륙하게 되어, 일본의 항복 이후 미국과 소련이 38도선을 경계로 한반도를 분할 점령하는 계기가 되었다.

신탁 통치
국제 연합의 감독 아래 시정국(신탁 통치를 하는 나라)이 일정 지역이나 국가를 통치하는 특수한 통치 형태이다.

(3) 포츠담 선언(1945. 7.)

① **참가국**: 미국의 트루먼, 영국의 처칠(후에 애틀리), 중국의 장제스가 독일의 포츠담에서 회담하였고, 후에 소련의 스탈린이 참가하여 선언문에 서명하였다.

② **내용**: 연합국은 카이로 선언의 이행을 재확인하고, 일본의 영토에서 한반도를 제외시킴으로써 한국의 독립을 재확인하였으며, 일본에 무조건 항복을 권고하였다.

기출 사료 읽기

카이로 선언과 포츠담 선언

· 카이로 선언(1943. 11.)

3대 동맹국(미국 · 영국 · 중국)은 일본의 침략을 정지시키며 이를 벌하기 위하여 이번 전쟁을 속행하고 있는 것이다. …… 위 동맹국의 목적은 일본이 1914년 제1차 세계 대전 개시 이후에 탈취 또는 점령한 태평양의 도서(島嶼) 일체를 빼앗고 만주, 대만 및 팽호(澎湖) 섬과 같이 일본이 청국으로부터 빼앗은 지역 일체를 중화민국에 반환함에 있다. …… 앞의 3대국(미국 · 영국 · 중국)은 한국민의 노예 상태에 유의하여 적당한 시기(in due course)에 한국을 자주 독립시킬 결의를 한다.

사료 해설 | 중국은 한국의 즉각적인 독립을 주장하여 선언문의 초안에는 '가능한 가장 이른 시일'에 한국을 독립시킨다는 내용이 담겨 있었다. 그러나 영국과 미국은 한국의 조기 독립에 부정적이었다. 이에 최종적인 카이로 선언문에는 '적당한 시기'에 한국을 독립시키겠다는 애매한 표현을 사용하였다.

· 포츠담 선언(1945. 7.)

1. 미합중국 대통령, 중화민국 정부 주석 및 대영 제국 수상은 우리들의 수억 국민을 대표하여 협의한 결과, 일본에 대해 지금의 전쟁을 종결할 기회를 준다는 것에 합의하였다.
4. 무분별한 계산으로 일본을 멸망 직전까지 몰아넣은 군국주의자들의 손에 일본을 맡길 것인지 결정할 시기가 도래하였다.
7. 일본의 전쟁 수행 능력이 파괴되었다는 것을 확인할 때까지는 …… 연합국이 지정한 일본 영역 내의 지점들은 점령될 것이다.
8. 카이로 선언의 조항은 이행되어야 하며, 또 일본국의 주권은 혼슈, 홋카이도, 규슈, 시코쿠 및 우리가 결정하는 섬에 국한될 것이다.

사료 해설 | 포츠담 선언은 연합국이 일본에 대해 최종적으로 무조건 항복을 요구하고, 제2차 세계 대전 이후의 일본에 대한 처리 방침을 포괄적으로 제시했다는 점에서 역사적 의의가 있다. 그러나 일본은 연합국의 항복 권고를 거부하였고, 결국 히로시마와 나가사키에 원자 폭탄이 투하되었다.

2. 8·15 광복(1945. 8. 15.)

(1) 배경: 원폭 투하 이후 일본의 패배가 유력해지고, 우리 민족의 독립운동이 국내외에 알려지면서 각계각층에서 독립에 대한 준비가 진행되었다.

(2) 일본과 민족 지도자의 협상: 조선 총독부는 일본의 패망이 임박하자 조선 내 일본인들의 안전한 귀국을 위하여 민족 지도자들과 협상을 시도하였다.

① **송진우와 협상**: 일본은 송진우에게 치안권·행정권 인수를 제의하였으나 거절당하였다.

② **여운형과 협상**: 일본은 치안권과 약간의 재정권을 인계하는 대신 자국민의 안전한 귀국을 보장하는 조건을 제시하며 여운형과 협상하였다. 여운형은 치안 유지와 건국 활동에 불간섭 등을 조건으로 일본의 제안을 받아들이고, 광복과 동시에 조선 건국 동맹을 개편한 건국 준비 위원회를 발족시켰다.

기출 사료 읽기

여운형이 요구한 5개 조항(1945. 8. 15.)

1. 전국적으로 정치범, 경제범을 즉시 석방할 것
2. 서울의 3개월분 식량을 확보할 것
3. 치안 유지와 건국 운동을 위한 정치 운동에 대하여 절대로 간섭하지 아니할 것
4. 학생과 청년을 조직·훈련하는 데 대하여 간섭하지 않을 것
5. 노동자와 농민을 건국 사업에 동원하는 데 있어 절대로 간섭하지 말 것

사료 해설 | 여운형은 조선 총독부 정무총감 엔도 류사쿠와 정치·경제범의 석방, 치안 유지 및 건국 사업에 대한 간섭 배제 등을 조건으로 협상을 체결하였다.

3. 조선 건국 준비 위원회와 조선 인민 공화국

조선 건국 동맹 (1944) ➡ 조선 건국 준비 위원회 (1945. 8. 15.) ➡ 조선 인민 공화국 (1945. 9. 6.)

| 국내의 건국 준비 과정

(1) 조선 건국 준비 위원회(1945. 8. 15.)

① **조직**: 여운형 등의 중도 좌파와 안재홍 등의 중도 우파가 합작하여 조선 건국 준비 위원회를 조직하였다.

② **구성**: 조선 건국 준비 위원회는 치안대(치안·행정 담당)를 설치하고, 전국에 145개의 지부를 조직하였다.

③ **강령**: 조선 건국 준비 위원회는 강령을 발표하여 자주 독립 국가의 건설, 민주주의 정권의 수립, 국내 질서의 자주적 유지를 통한 대중 생활의 확보 등을 표방하였다.

④ **의의와 한계**: 조선 건국 준비 위원회는 광복 이후 최초의 정치 단체였으나 민족주의 우파(김성수, 송진우)는 임시 정부에 대한 지지를 선언하며 불참하였다.

기출 사료 읽기

조선 건국 준비 위원회 강령

1. 우리는 완전한 독립 국가의 건설을 기함.
2. 우리는 전 민족의 정치적, 경제적, 사회적 기본 요구를 실현할 수 있는 민주주의 정권의 수립을 기함.
3. 우리는 일시적 과도기에 있어서 국내 질서를 자주적으로 유지하여 대중 생활의 확보를 기함.

사료 해설 | 조선 건국 준비 위원회는 여운형이 중심이 되어 조직한 최초의 건국 준비 단체로, 민족의 역량을 일원화하여 자주적으로 국내 질서를 유지하고자 하였다.

(2) 조선 인민 공화국 선포(1945. 9. 6.)

① **목적**: 조선 건국 준비 위원회는 미군 진주에 앞서 미군과의 협상에서 유리한 입장을 차지하기 위하여 전국 인민 대표자 회의를 개최한 후 국가의 모습을 갖춘 조선 인민 공화국을 수립하고 지방에는 인민 위원회를 조직하였다.

② **조직**: 이승만을 주석, 여운형을 부주석으로 임명하였으나 박헌영 등 조선 공산당이 실권을 장악하였고, 미군정도 조선 인민 공화국을 부정하였다.

③ **활동**: 조선 인민 공화국은 일본 제국주의의 잔재 청산과 국민 평등을 내용으로 하는 시정 방침을 발표하고, 산하에 조선 노동 조합 평의회와 전국 농민 조합 총동맹 등의 대중적 조직을 편성하였다.

미군정의 조선 인민 공화국 부정

북위 38도 이남의 조선에는 오직 한 정부가 있을 뿐이다. 이 정부는 맥아더 원수의 포고와 하지 중장의 명령과 아놀드 소장의 행정령에 의하여 정당히 수립된 것이다. 아놀드 군정 장관과 군정관들이 엄선하고 감독하는 조선인으로 조직된 정부로서 행정 각 방면에 있어서 절대의 지배력과 권위를 가지었다.

- 미군정 장관 아놀드, 매일신보

▶ **조선 인민 공화국**은 한민족을 대표하는 기관임을 표방하였으나, **미군정이 실체를 인정하지 않음**으로써 제 기능을 발휘하지 못하였다.

4. 국토의 분단

(1) 정부의 발언권 약화: 일본의 갑작스러운 항복으로 임시 정부의 국내 진공이 무산되었는데, 이는 제2차 세계 대전 이후 한반도의 운명을 결정하는 것에 대해 우리 민족의 의지가 제대로 반영되지 못하는 결과를 초래하였다.

(2) 38도선 설정

① **배경**: 얄타 협정에 따라 소련군이 대일전에 참전하고 한반도에 미국보다 먼저 진주하였다. 8월 일본이 항복 의사를 전해오자, 미국은 소련군의 점령 지역이 확대되는 것을 방지하고자 하였다.

② **내용**: 미국은 한반도에 남아 있는 일본군의 무장 해제를 구실로 미·소 양군이 38도선을 경계로 한반도의 남과 북에 각각 진주할 것을 제안하였고, 소련이 이를 수용함으로써 38도선이 미군과 소련군의 군사 분계선으로 설정되었다.

③ **결과**: 우리나라는 일제로부터 해방되었지만 미국과 소련의 영향력 아래 편입되었다.

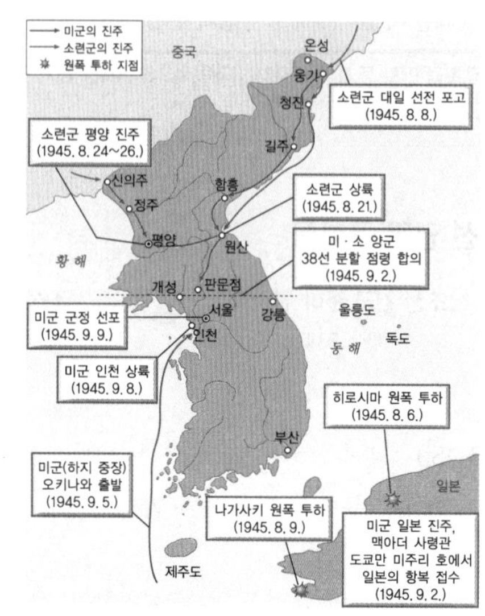

| 미군과 소련군의 진주

5. 미·소 군정의 실시

(1) 남한(미 군정의 직접 통치)

① **미 군정청 설치**: 남한에 주둔한 미군 아놀드 소장을 군정 장관으로 임명하여 직접 통치의 방식으로 남한을 통치하였다.

② **맥아더 사령관의 포고**: 미군정은 맥아더 포고령 1호에 따라 치안과 행정을 맡았던 건국 준비 위원회 및 조선 인민 공화국을 불법 조직으로 간주하고 대한민국 임시 정부를 불인정하였다.

③ **일제 통치 체제 유지**: 미군정은 행정 편의를 위해 조선 총독부에서 일하였던 관료와 경찰 등을 처벌하지 않고 그대로 고용하는 등 기존의 행정 체제를 활용하였다.

④ **우익 세력 지원**: 미군정은 친미 우익 정부를 수립하기 위하여 이승만과 한민당 계열의 국내 우익 세력을 지원하였다.

(2) 북한(소 군정의 간접 통치)

① **인민 위원회 활용**: 소련군은 북한 주민들이 자발적으로 조직한 인민 위원회에 행정권과 치안권을 넘겨줌으로써 간접 통치를 실시하였다.

② **공산 정권의 수립 기반 마련**: 소련군과 공산주의자들이 중심이 되어 북쪽의 민족주의 계열 인사들을 숙청하고, 공산주의 정권을 수립하기 위한 기반을 마련하였다.

(3) 결과: 미·소 군정의 실시로 우리 민족에 의한 자주 독립의 통일 국가 수립이 이루어지지 못하였고, 민족 분단이라는 비극이 초래되었다.

38도선 설정

일본의 항복이 갑작스레 닥쳐와서 국무성과 군부는 일본 항복 후의 조치에 대해 긴급히 검토해야만 하였다. …… 우리는 미군 책임 지역 내에 수도를 포함하는 것이 중요하다고 생각하였기 때문에, 38도선을 건의하였다. …… 소련이 훨씬 남쪽 선을 고집할 것으로 생각하였으므로, 본인은 소련이 38도선 안을 받아들였다고 들었을 때 약간 놀랐던 것으로 기억한다. - 38도선 확정에 관여한 미군 장교 러스크의 증언(1950. 7.)

▶ **38도선 분할 점령**은 **얄타 회담**에서 잠정적으로 논의되었으나, 이를 공식 확정한 것은 **미 육군 태평양 총사령관 맥아더가 내린 일반 명령 1호**(1945. 9.)에 의해서이다.

태평양 방면 미 육군 총사령관 맥아더 포고령 1호 기출사료

제1조 북위 38도 이남의 조선 영토와 조선 인민에 대한 통치의 전 권한은 당분간 나의 권한하에서 시행한다.

제2조 정부의 전 공공(公共) 및 명예 직원과 사용인 및 공공복지와 공공위생을 포함한 전 공공사업 기관의 유급 혹은 무급 직원 및 사용인과 중요한 사업에 종사하는 기타의 모든 사람들은 새로운 명령이 있을 때까지 그의 정당한 기능과 의무를 실행하고 모든 기록과 재산을 보존·보호하여야 한다.

▶ 맥아더는 포고문을 통해 미군이 직접 한반도를 통치하는 **미군정을 선포**하였고, **친일파를 대거 고용**하였으며, 한국 민주당을 비롯한 **우익 세력을 지원**하였다.

인민 위원회

인민 위원회는 광복 직후 각지에서 조직되어 **실질적인 통치 기능을 발휘했던 주민 자치 기구**이다. 1945년 8월 말에는 전국적으로 145개에 달하는 인민 위원회가 조직되었다.

6. 광복 이후의 정당 및 정치 단체

(1) 한국 민주당

① **조직**: 송진우, 김성수 등 민족주의 세력을 중심으로 한국 민주당이 조직되었다.

② **활동**: 한국 민주당은 대한민국 임시 정부 지지를 명분으로 내세우고, 미 군정청과 긴밀한 관계를 유지하며 우익 진영의 대표 정당으로 발전하였다.

(2) 독립 촉성 중앙 협의회: 이승만을 중심으로 좌우익 정당을 아우르고자 하였으나, 친일적 인사까지 포함되었음을 이유로 좌익 계열이 참여를 거부하였다. 이에 따라 남한 우익 정당들을 잠정적으로 통합하는 데 그쳐 좌·우 대립이 심화되었다.

(3) 한국 독립당: 미군정이 대한민국 임시 정부를 승인하지 않았기 때문에 김구는 개인 자격으로 귀국하였다. 귀국 이후 그는 임시 정부의 정당이었던 한국 독립당을 이끌며 남북한의 통일 정부를 수립하기 위한 활동을 전개하였다.

(4) 국민당: 건국 준비 위원회 내에서 좌익 세력이 강화되는 데 반발하며 탈퇴한 안재홍 등 중도 우파 세력이 국민당을 조직하였다. 이들은 각 계급의 단결을 강조하는 신민주주의와 신민족주의를 표방하고 임시 정부에 대한 지지를 표명하였다.

(5) 조선 인민당: 여운형 등 중도 좌파 세력을 중심으로 진보적인 민주주의와 민족 역량의 총결집을 표방하여 좌·우 합작을 추진하였다.

(6) 조선 공산당: 박헌영과 여운형 등이 조선 공산당을 재건하였으나 미 군정의 탄압을 받아 약화되면서 조선 인민당 및 남조선 신민당과 함께 남조선 노동당(남로당)으로 통합·개편되었다.

(7) 민족 자주 연맹: 김규식을 중심으로 좌우 합작 노선을 전개하였으며, 남북 연석 회의를 주도하고 단독 정부 수립에 불참·반대하였다.

필수 개념 정리하기

광복 직후 주요 정치 세력

정당	중심 인물	성향	활동
한국 민주당	송진우, 김성수	우파	미군정에 적극 참여·협조, 토지 개혁을 비롯한 개혁 정책과 친일파 처리에 반대, 단독 정부 수립 주도
독립 촉성 중앙 협의회	이승만		반탁 운동 추진, 단독 정부 수립 주도
한국 독립당	김구		임시 정부 계승론 주장, 반탁 운동 추진, 미·소 공동 위원회 참가 거부, 단독 정부 수립 반대
국민당	안재홍	중도 우파	신민족주의 표방, 대한민국 임시 정부 지지
조선 인민당	여운형	중도 좌파	좌·우 합작 운동 추진
조선 공산당	박헌영	좌파	· 조선 공산당 재건 → 미군정과 대립하며 세력이 약화됨 → 남로당 결성 · 모스크바 3국 외상 회의 결정 지지

한국 민주당

민족주의 우파 세력인 **송진우, 김성수**를 중심으로 창당되었으며, 일제 강점기의 지주와 기업가를 기반으로 하였다. 한국 민주당은 여운형이 조직한 건국 준비 위원회에 대항하기 위해 중국에서 귀국할 임시 정부 지지를 선언하였으며, 조선 인민 공화국을 반대하면서 **미 군정에 적극 협력하여 세력을 확대**시켜 나갔다.

송진우의 훈정론

송진우는 자주 국가를 건설하기 위해서는 미국의 협조가 필요하다는 훈정론을 주장하였다.

박헌영의 8월 테제

박헌영은 **조선 공산당의 정치 노선**으로 '8월 테제(현 정세와 우리의 임무)'를 제시하였다. 8월 테제는 **민족의 완전 독립과 토지 문제의 혁명적 해결**을 주요 내용으로 하였다.

OX 빈칸 핵심 개념 점검

* 학습한 개념을 OX/빈칸 문제를 통해 점검해보세요.

핵심 개념 1 | 열강의 독립 약속

01 얄타 회담에서 미국의 루즈벨트 대통령이 한반도에 대한 20~30년간의 신탁 통치안을 제안하였다. □ O □ X

02 포츠담 회담에서는 한국 문제를 언급하여 '적당한 시기(in due course)'에 한국을 독립시킬 것을 결의하였다. □ O □ X

03 ______에서 한국의 독립을 약속하였다.

핵심 개념 2 | 광복 직전의 건국 준비 활동

04 조선 건국 동맹은 건국 강령에서 일제 타도와 민주주의 국가 건설을 제시하였다. □ O □ X

05 조선 건국 동맹을 기반으로 조선 건국 준비 위원회가 조직되었다. □ O □ X

06 대한민국 임시 정부는 조소앙의 ______를 바탕으로 한 건국 강령을 제정하였다.

07 중국 화북 지방에서 김두봉을 중심으로 사회주의 계열 인사들이 ______을 조직하였다.

핵심 개념 3 | 광복 직후의 정세

08 여운형, 안재홍 등은 조선 건국 준비 위원회를 조직하였다. □ O □ X

09 미군정은 행정 편의를 위해 조선 총독부에서 일하였던 관료와 경찰 등을 그대로 고용하였다. □ O □ X

10 남한에서 미군은 간접 통치, 북한에서 소련군은 직접 통치를 실시하였다. □ O □ X

11 미군정은 조선 인민 공화국을 한반도의 유일한 합법 정부로 승인하였다. □ O □ X

12 여운형 등 중도 좌파 세력은 민족 역량의 총집결을 강령으로 하는 조선 인민당을 결성하였다. □ O □ X

13 안재홍은 한국 민주당 결성을 주도하였다. □ O □ X

14 조선 건국 준비 위원회는 조선 인민 공화국의 수립을 선포하였다. □ O □ X

15 광복 이후 ______________는 국내 치안을 담당하기 위해 치안대를 조직하였다.

16 송진우와 김성수는 ________을 결성하여 미군정에 적극적으로 참여하였다.

정답과 해설

01	O 1945년 2월에 개최된 얄타 회담에서 미국의 루즈벨트 대통령은 미·영·중·소의 4개국이 한반도를 20~30년간의 신탁 통치할 것을 제안하였다.	**09**	O 미군정은 조선 총독부에서 일하였던 관료와 경찰 등을 처벌하지 않고 그대로 고용하는 등 기존의 행정 체제를 활용하였다.
02	✖ 한국을 '적당한 시기(in due course)'에 독립시킬 것을 결의한 것은 포츠담 회담이 아니라 카이로 회담이다.	**10**	✖ 미군이 남한을 직접 통치하였고, 소련군이 북한을 간접 통치하였다.
03	카이로 회담	**11**	✖ 미군정은 조선 인민 공화국을 정부로 인정하지 않았다.
04	O 여운형을 중심으로 조직된 조선 건국 동맹은 건국 강령에서 일제 타도와 민주주의 국가 건설을 제시하였다.	**12**	O 조선 인민당은 여운형 등 중도 좌파 세력을 중심으로 결성된 정당으로 진보적 민주주의를 표방하였다.
05	O 조선 건국 준비 위원회는 조선 건국 동맹을 기반으로 조직되었다.	**13**	✖ 한국 민주당은 조선 건국 준비 위원회에 불참한 송진우, 김성수 등의 민족주의 세력이 주도하였다. 한편 건국 준비 위원회에서 탈퇴한 안재홍은 국민당을 조직하였다.
06	삼균주의	**14**	O 조선 건국 준비 위원회는 미군 진주에 앞서 미군과의 협상에서 유리한 입장을 차지하기 위하여 조선 인민 공화국의 수립을 선포하였다.
07	조선 독립 동맹	**15**	조선 건국 준비 위원회
08	O 중도 좌파의 여운형과, 중도 우파의 안재홍 등이 합작하여 조선 건국 준비 위원회를 조직하였다.	**16**	한국 민주당

2 대한민국의 수립

학습 포인트
대한민국 정부의 수립 과정을 주요 단체의 활동, 주요 사건과 함께 시기 순서대로 정리하며 학습한다.

빈출 핵심 포인트
모스크바 3국 외상 회의, 신탁 통치, 미·소 공동 위원회, 정읍 발언, 좌·우 합작 운동, 남북 협상, 제주 4·3 사건, 5·10 총선거, 제헌 국회, 반민족 행위 처벌법, 농지 개혁

1 모스크바 3국 외상 회의와 좌·우 대립

1. 모스크바 3국 외상 회의(1945. 12.)

(1) **참가국**: 38도선을 기준으로 남과 북에서 각각 군정이 실시되는 상황에서, 미국·영국·소련 3국의 외상(外相, 외무장관)이 모스크바에서 회의를 열어 전후 처리 사안 및 한반도 문제에 대해 협의하였다.

(2) **내용**: 한반도 문제에 대해 민주주의 원칙하에서 독립 국가를 건설하기 위한 임시 민주 정부 수립과, 임시 정부 수립을 지원하기 위한 미·소 공동 위원회 설치, 2주일 이내에 미·소 양군 대표 회의를 소집할 것을 협의하였다. 또한 미국·소련·영국·중국 4개국이 최고 5년간 한국을 신탁 통치할 것을 협의하였다.

기출 사료 읽기

> **모스크바 3국 외상 회의 결정서**
>
> 1. 조선을 독립 국가로 재건설하며 조선을 민주주의적 원칙하에 발전시키는 조건을 조성하고 일본의 장구한 조선 통치의 참담한 결과를 가급적 속히 청산하기 위하여 '조선 민주주의 임시 정부'를 수립한다.
> 2. 조선 임시 정부 수립을 원조할 목적으로 먼저 그 적절한 방책을 연구 · 조성하기 위하여 남조선 미국 사령부와 북조선 소련 사령부의 대표자들로 공동 위원회가 설치될 것이다. 위원회는 제안을 작성할 때에 조선의 민주주의 정당들, 사회 단체들과 협의해야 한다.
> 3. 위 공동 위원회는 조선 임시 정부와 민주주의 단체가 협의하여 조선 인민의 정치적 · 경제적 · 사회적 진보와 민주주의적 자치 발전과 독립 국가의 수립을 원조 협력할 방안을 작성하는 역할을 수행한다. 공동 위원회는 조선 임시 정부와 협의하여 미 · 소 · 영 · 중 4개국 정부가 최고 5년 기간의 신탁 통치 협약을 작성하는 데 공동으로 참작할 수 있도록 제안을 제출하여야 한다.
> 4. 남 · 북조선에 공통된 긴급 문제와 행정 · 경제 방안의 영구적 조정 방침 강구를 위해 미 · 소 양국 조선 주둔 사령관 대표는 앞으로 2주일 이내에 회의를 소집할 것이다.
>
> **사료 해설 |** 모스크바 3국 외상 회의에서는 크게 한국에 민주주의 임시 정부 수립, 미 · 소 공동 위원회 설치, 신탁 통치 문제, 미 · 소 양군 대표 회의 소집 문제에 관한 4개항의 결의서를 결정하였다.

동아일보의 오보

外相會議에論議된 朝鮮獨立問題
蘇聯은信託統治主張
蘇聯의口實은三八線分割占領
米國은即時獨立主張
朝鮮의分占은不當

모스크바 3국 외상 회의에서 미국은 선 탁치·후 정부 수립을, 소련은 선 임시 정부 수립·후 후견(탁치)을 주장하여 결과적으로 소련의 주장이 채택되었다. 그런데 동아일보는 회의의 결과가 공식적으로 발표되기도 전에 '소련은 신탁 통치를 주장한 반면, 미국은 즉각 독립을 요구하였다'고 사실과 다르게 보도하였다.

2. 좌·우 대립 심화

(1) 반탁과 찬탁의 대립

① **배경**: 동아일보가 모스크바 3국 외상 회의에 대해 소련이 신탁 통치를 주장하고 미국은 즉시 독립을 주장한다는 내용의 오보를 냈다.

② **우익 계열**: 김구, 이승만, 한국 민주당 등 우익 세력은 신탁 통치를 또 다른 식민지 지배로 보고 전국적으로 신탁 통치 반대 운동을 전개하였다.

㉠ **신탁 통치 반대 국민 총동원 위원회**: 우익 세력인 김구와 임시 정부의 핵심 인사들은 신탁 통치 반대 국민 총동원 위원회를 결성하였다.

㉡ **대한 독립 촉성 국민회**: 김구의 신탁 통치 반대 국민 총동원 위원회는 이승만의 독립 촉성 중앙 협의회와 통합하여 대한 독립 촉성 국민회를 발족하고 반탁 운동을 전개하였다.

③ **좌익 계열**: 박헌영·조선 공산당 등의 좌익 세력은 처음에는 신탁 통치에 반대하였으나, 신탁 통치의 본질이 임시 정부의 수립에 있다고 보고, 신탁 통치를 포함한 모스크바 협정의 총체적 지지를 선언하며 찬탁 운동으로 태도를 바꾸었다.

④ **중도 계열**

㉠ **중도 우파**: 김규식 등은 모스크바 3국 외상 회의의 결정은 지지하되, 신탁 통치 문제는 임시 정부 수립 후 결정한다는 견해를 채택하였다.

㉡ **중도 좌파**: 여운형과 백남운은 미·소 공동 위원회에 적극 협조하되 신탁 통치에는 반대한다는 입장을 표명하였다.

⑤ **결과**: 신탁 통치 문제에 대한 우익 세력의 반탁 운동과 좌익 세력의 찬탁 운동으로 극심한 좌·우 대립이 초래되었다.

구분	신탁 통치에 대한 입장	정부 수립에 대한 입장
김구 계열	반탁	통일 정부
이승만 계열	반탁	남한 단독 정부
중도 계열 (김규식·안재홍 등)	임시 정부 수립 후 결정	통일된 임시 정부 수립
좌익 계열	초기에는 반탁, 후에 찬탁으로 선회	통일 정부

(2) 미·소 공동 위원회

① **제1차 미·소 공동 위원회**(1946. 3.): 덕수궁 석조전에서 임시 정부 수립 문제를 논의하기 위한 미·소 공동 위원회가 개최되었으나, 임시 정부 수립을 위한 협의 대상 선정 문제를 쟁점으로 양국이 대립하였다. 미국은 반탁 운동을 펼치던 우익 세력까지 협의 대상에 포함시킬 것을 주장한 반면, 소련은 신탁 통치에 반대하는 정당·단체와는 협의할 수 없다는 입장을 보였다. 결국 제1차 미·소 공동 위원회는 무기한 휴회에 돌입하였다.

② **제2차 미·소 공동 위원회**(1947. 5.): 트루먼 독트린이 발표되어 미·소 간에 냉전이 격화된 가운데, 자국에 우호적인 정당을 내세우려는 미국과 소련의 대립으로 미·소 공동 위원회가 완전히 결렬되었다.

(3) 이승만의 정읍 발언(1946. 6.): 제1차 미·소 공동 위원회가 무기한 휴회에 들어간 이후 이승만은 정읍 발언을 통해 남한만의 단독 정부 수립을 주장하고, 한국 민주당 등 지지 세력을 규합하였다.

기출 사료 읽기

이승만의 정읍 발언

이제 우리는 무기 휴회된 공위(미·소 공동 위원회)가 재개될 기색도 보이지 않으며 통일 정부를 고대하나 여의케 되지 않으니 우리 남방만이라도 임시 정부 혹은 위원회 같은 것을 조직하여 38 이북에서 소련이 철퇴하도록 세계 공론에 호소하여야 될 것이니 여러분도 결심하여야 될 것이다.

사료 해설 | 이승만은 정읍에서 단독 정부 수립을 언급한 뒤 남한 단독 정부 수립을 위한 활동을 전개하였다.

좌·우 대립 - 반탁과 찬탁 교과서 사료

- 반탁

카이로·포츠담 선언과 국제 헌장으로 세계에 공약한 한국의 독립 부여는 이번 모스크바에서 열린 3국 외무 장관 회의의 신탁 관리 결의로써 수포로 돌아갔다. 동포여! 8·15 이전과 이후 피차의 과오와 마찰을 청산하고서 우리 정부(대한민국 임시 정부) 밑에 뭉치자. …… 3천만의 모든 힘을 발휘하여 신탁 관리제를 배격하는 국민 운동을 전개하여 ……

- 신탁 통치 반대 국민 총동원 시위 대회 선언문

- 찬탁

임시 민주 정부를 조직한다는 국제적 결정은 조선을 위해 가장 정당한 것이라 우리는 인정한다. 문제의 5년 기한은 그 책임이 3국 회의에 있는 것이 아니라, …… 오랜 일본 지배의 해독과 민족적 분열에 있다고 반성하지 않으면 안 된다. …… 모스크바 결정은 카이로 결정을 더욱 발전 구체화시킨 것이다. 그러므로 우리의 할 일은 무엇보다도 먼저 통일의 실현에 있다.

- 모스크바 3국 외무 장관 회의 지지 담화문

▶ 신탁 통치에 대해 **우익은 반탁, 좌익은 찬탁을 주장**하면서 두 세력의 대립은 더욱 심화되었다.

미·소 공동 위원회의 결렬

1946년 3월 미국과 소련은 **모스크바 3상 회의 결정 사항의 구체적 실행 방안을 마련하기 위해 제1차 미·소 공동 위원회를 개최**하였다. 그러나 자신들에게 우호적인 정부를 세우려던 미국과 소련은 **정당과 사회 단체의 참여 범위를 놓고 대립**하였다. 소련은 모스크바 3국 외상 회의 결정을 반대하는 단체가 참여하는 것은 모순이라고 주장하였고, 미국은 모든 단체가 참여해야 한다고 주장하였다. 결국 위원회는 두 달여 만에 휴회에 들어가게 되었고, 이후 국제적으로 **냉전이 본격화되면서** 1947년 5월에 열린 **제2차 미·소 공동 위원회도 이견을 좁히지 못한 채 결렬**되었다(1947. 10.)

3. 좌·우 합작 운동

(1) **배경**: 좌·우 세력의 대립이 격화되는 가운데 제1차 미·소 공동 위원회가 결렬되고, 이승만은 남한만의 단독 정부 수립 운동을 전개하였다.

(2) **좌·우 합작 위원회 결성**(1946. 7.): 남북 분단을 우려한 중도 우익 김규식과 중도 좌익 여운형 등이 분열을 방지하기 위해 좌·우 합작 위원회를 조직하여 좌·우 합작의 임시 정부를 수립하고자 하였다.

(3) **미군정의 지원**: 미국은 반탁을 주장하는 극우 세력을 배제하고, 중도 세력을 중심으로 미국에 우호적인 정부를 세우기 위해 좌·우 합작 위원회의 활동을 지원하였다.

(4) **좌·우 합작 7원칙**(1946. 10.)

① **의견 대립**: 좌·우익은 좌우 합작으로 통일을 이루어야 한다는 것에 동의하였다. 그러나 토지 문제와 친일파 처리 문제 등에서 의견이 엇갈렸고 좌익은 5원칙을, 우익은 8원칙을 제시하였다.

② **합의**: 좌·우 합작 위원회는 좌익의 5원칙과 우익의 8원칙을 절충한 좌·우 합작 7원칙에 합의하였다. 김구는 좌·우 합작 7원칙을 지지하였으나 좌·우 합작 위원회에 참여하지는 않았고, 이승만은 좌·우 합작 7원칙에 소극적으로 찬성(조건부 찬성)하였다. 한편, 한국 민주당과 조선 공산당은 좌·우 합작 7원칙에 반대하였다.

기출 사료 읽기

좌·우 합작 7원칙(1946. 10.)

1. 조선의 민주 독립을 보장한 모스크바 3국 외상 회의 결정에 의하여 남북을 통한 좌·우 합작으로 민주주의 임시 정부를 수립할 것
2. 미·소 공동 위원회의 속개를 요청하는 공동 성명을 발표할 것
3. 토지 개혁에 있어서 몰수, 유(有)조건 몰수, 체감매상(토지 등급을 차례로 감하여 매상) 등으로 토지를 농민에게 무상으로 분여하며, 시가지의 기지 및 대건물을 적정 처리하며, 중요 산업을 국유화하며, 사회 노동 법령 및 정치적 자유를 기본으로 지방 자치제의 확립을 속히 실시하며, 통화 및 민생 문제 등을 급속히 처리하며, 민주주의 건국 과업 완수에 매진할 것
4. 친일파 민족 반역자를 처리할 조례를 좌·우 합작 위원회에서 입법 기구에 제안하여 입법 기구로 하여금 심리·결정하여 실시케 할 것
5. 남북을 통하여 현 정권하에 검거된 정치 운동자들의 석방에 노력하고, 아울러 남북 좌우의 테러적 행동을 일체 즉시로 제지하도록 노력할 것
6. 입법 기구에 있어서는 일체 그 기능과 구성 방법 운영을 본 합작 위원회에서 작성하여 적극적으로 실행할 것
7. 전국적으로 언론·집회·결사·출판·교통·투표 등의 자유가 절대 보장되도록 노력할 것

사료 해설 | 좌·우 합작 7원칙은 좌익과 우익이 서로 대립하던 토지 문제, 친일파 처리 문제 등을 중도적 입장에서 조정하였기 때문에, 좌익과 우익이 수용할 수 없는 부분이 많았다.

(5) **미군정의 남조선 과도 정부 수립**

① **남조선 과도 입법 의원 창설**(1946. 12.): 미군정은 좌·우 합작을 추진함과 동시에 남조선 과도 입법 의원을 창설하였다. 선거에 의한 민선 의원 45명과 미군정에서 임명한 관선 의원 45명으로 구성되었으며, 입법 의원 의장으로는 김규식이 당선되었다.

② **남조선 과도 정부 발족**(1947): 미국인 군정 장관 아래 안재홍을 민정 장관에, 김용무를 대법원장에 임명하였다. 이로써 민정 이양을 위한 남조선 과도 정부가 수립되었다.

좌·우 합작 운동 전개 과정

좌·우 합작 위원회 조직 (1946. 7.)

좌·우 합작 7원칙 발표 (1946. 10.)

남조선 과도 입법 의원 창립 (1946. 12.)

좌·우 합작 7원칙에 대한 좌·우익의 대립

- **좌익의 주장**: 모스크바 3국 외상 회의 지지 및 미·소 공동 위원회 속개 촉진 운동 전개, 무상 몰수·무상 분배의 토지 분급, 모든 산업의 국유화, 친일파·민족 반역자의 처벌, 미군정에서 인민 위원회로의 정권 이양, 군정 자문 기관 및 입법 기관 창설 반대
- **우익의 주장**: 좌·우 합작에 의한 남북한 민주주의 임시 정부 수립, 미·소 공동 위원회 재개 요청하는 성명 발표, 신탁 통치 문제는 임시 정부 수립 후 미·소 공동 위원회와 협의하여 해결, 임시 정부 수립 후 6개월 내 전국 국민 대표 회의를 소집하고 이후 3개월 내 정식 정부를 수립, 정치·경제·교육의 모든 제도와 법령은 균등 사회 건설을 목표로 국민 대표 회의에서 결정, 친일파·민족 반역자를 징벌하되 임시 정부 수립 후 즉시 특별 법정으로 구성하여 처리

⇒ **좌·우 합작 7원칙의 반영 방향**: 모스크바 3상 회의 결정에 따른 임시 정부 수립, **미·소 공동 위원회의 속개 요청, 몰수·유조건 몰수·체감 매상 및 무상 분배 원칙에 따른 토지 개혁** 실시 등

(6) 좌·우 합작 운동의 실패

① **주도 세력의 불참**: 광복 정국에서 실질적인 힘을 가지고 있었던 우익 세력(김구, 이승만)과 좌익 세력(박헌영)이 불참하여 좌·우 합작 운동의 영향력이 강하지 못했다.

② **미군정의 지원 방침 철회**: 트루먼 독트린 발표 이후 냉전 체제가 심화되면서 미국은 좌·우 합작 운동에 대한 지원을 철회하고, 우익 세력을 옹호하였다.

③ **여운형 암살**(1947. 7.): 좌·우 합작 위원회의 중심 인물인 여운형이 극우 세력에 의하여 암살되면서 좌·우 합작 위원회가 해산되었다(1947. 12.).

여운형의 암살

여운형은 좌·우 합작 운동을 추진하던 중 1947년 7월 19일 서울 혜화동에서 극우파 청년 한지근에게 암살당하였다.

| 여운형의 장례식

필수 개념 정리하기

1946년~1947년의 사건 순서

시기	사건	시기	사건
1946. 3.	제1차 미·소 공동 위원회 개최	1947. 3.	트루먼 독트린 발표(냉전 체제 강화)
1946. 6.	정읍 발언	1947. 5.	제2차 미·소 공동 위원회 개최
1946. 7.	좌·우 합작 위원회 조직	1947. 9.	한반도 문제 유엔 이관
1946. 10.	좌·우 합작 7원칙 발표	1947. 11.	유엔 총회에서 남북한 총선거 결의
1946. 12.	남조선 과도 입법 의원 개원	1947. 12.	좌·우 합작 위원회 해산

2 대한민국 정부의 수립과 활동

1. 한반도 문제의 유엔 상정

(1) 배경

① **제2차 미·소 공동 위원회의 결렬**: 트루먼 독트린으로 냉전이 격화되면서 제2차 미·소 공동 위원회가 결렬되었다.

② **한반도 문제 유엔 이관**(1947. 9.): 미국은 한반도 문제를 유엔(UN, 국제 연합)에서 논의할 것을 제안하였다. 소련은 이에 반대하였지만, 결국 한반도 문제는 유엔에 이관되었다.

(2) 유엔 총회의 결의안(1947. 11.): 유엔 한국 임시 위원단을 구성하고, 임시 위원단의 감시하에 인구 비례에 의한 남북한 총선거를 실시하여 통일 정부를 수립하자는 미국의 상정안이 유엔 총회의에서 가결되었다.

(3) 유엔 한국 임시 위원단의 내한(1948. 1.)

① **임시 위원단 입국**: 유엔의 결정에 따라 총선거를 실시하기 위해 프랑스, 중국, 인도 등 8개국 대표로 구성된 유엔 한국 임시 위원단이 입국하였다.

② **북한과 소련의 거부**: 북한과 소련은 유엔의 결정에 반발하여 유엔 한국 임시 위원단의 북한 방문을 거부하였다.

(4) 유엔 소총회의 결의안(1948. 2.): 소련이 입북을 거부하자 유엔은 소총회를 열어 '임시 위원단이 접근 가능한 38도선 이남 지역(남한)에서만의 단독 총선거 실시'를 결의하였다.

유엔 소총회의 결의안 기출사료

소총회는 …… 한국 인민의 대표가 국회를 구성하여 중앙 정부를 수립할 수 있도록 선거를 시행함이 긴요하다고 여기며, 총회의 의결에 따라 국제 연합 한국 임시 위원단이 접근할 수 있는 지역에서 결의문 제2호에 기술된 계획을 시행함이 동 위원단에 부과된 임무임을 결의한다.

▶ 유엔 소총회에서는 임시 위원단의 접근이 가능한 지역(남한)에서의 단독 선거 실시를 결의하였다.

(5) 정치권의 반응

① **이승만 계열**: 남한만의 단독 선거를 주장하였던 이승만과 한국 민주당은 유엔 소총회의 결의안을 크게 환영하였다.

② **김구 계열**: 김구와 한국 독립당은 남한만의 단독 정부 수립을 반대하며 남북 지도자들의 협상에 의한 총선거를 주장하였다.

③ **좌익 계열**: 좌익은 남한 단독 총선거에 대한 반대 투쟁을 전개하였다.

2. 남북 협상

(1) 배경: 유엔의 남한 단독 선거 논의로 남북 분단이 기정사실화되었다.

(2) 전개

① **분단 가능성에 대한 반발**: 유엔의 남한 단독 선거 논의에 반발하며 김구가 '삼천만 동포에게 읍고함'이라는 성명을 발표하였다(1948. 2.).

기출 사료 읽기

김구의 단독 정부 수립 반대

한국이 있어야 한국 사람이 있고, 한국 사람이 있고야 민주주의도 공산주의도 또 무슨 단체도 있을 수 있는 것이다. 통일 정부를 수립하려 하는 이때에 있어서 어찌 개인이나 자기의 집단의 사리사욕에 탐하여 국가민족의 백년대계를 그르칠 자가 있으랴? …… 마음 속의 38도선이 무너지고야 땅 위의 38도선도 철폐될 수 있다. …… 현실에 있어서 나의 유일한 염원은 3천만 동포와 손을 잡고 통일된 조국의 달성을 위하여 공동 분투하는 것뿐이다. 이 육신을 조국이 필요로 한다면 당장에라도 제단에 바치겠다. 나는 통일된 조국을 건설하려다 38도선을 베고 쓰러질지언정 일신의 구차한 안일을 위하여 단독 정부를 세우는 데는 협력하지 아니하겠다.

– 김구, '삼천만 동포에게 읍고함'

사료 해설 | 김구는 남북 분단과 단독 정부 수립에 반대하며 성명을 발표하고, 남북 협상을 제의하였다.

② **제의**: 김구와 김규식은 남한 단독 선거가 분단을 초래할 것을 우려하여 이에 반대하고 남북 협상을 제의하였다(1948. 2.).

③ **남북 지도자 회의 개최**(평양, 1948. 4.): 김구, 김규식, 김일성, 김두봉은 평양에서 개최된 남북 제(諸) 정당 사회 단체 연석 회의(남북 연석 회의)를 통해 남한의 단독 선거와 단독 정부 수립 반대 및 미·소 군대의 철수 등을 요구하는 결의문을 채택하였다.

남북 협상을 위해 38도선을 넘어 북행하는 김구 일행

(3) 결과: 남북 협상은 미·소 간의 냉전 체제 강화로 실패하였고, 김구와 김규식은 남한으로 돌아와 통일 정부 수립 운동을 전개하며, 5·10 총선거 불참을 선언하였다.

교과서 사료 읽기

남북 조선 제 정당 및 사회 단체 공동 성명서(1948. 4. 30.)

- 소련이 제의한 바와 같이 우리 강토에서 외국 군대가 즉시 철수하는 것은 우리 조국에서 조성된 곤란한 상태하에서 조선 문제를 해결하는 가장 정당하고 유일한 방법이다. 미국은 이 정당한 제의를 수락하고 자기 군대를 남조선에서 철퇴시킴으로써 조선 독립을 실제로 원조하지 않으면 안 된다.
- 남북 정당, 사회 단체 지도자들은 우리 강토에서 외국 군대가 철퇴한 후에 내전이 발생할 수 없다는 것을 확인하며, 또 그들은 통일에 대한 조선 인민의 지망에 배치하는 여하한 무질서의 발생도 용서하지 않을 것이다.

사료 해설 | 남북 협상에서 결의한 성명서에는 외국 군대 즉시 철수, 내전이 발생하지 않을 것이라는 약속, 총선에 의한 통일 정부 수립, 단독 선거 및 단독 정부 반대와 불인정의 4원칙이 담겨 있다.

3. 대한민국 정부의 수립

(1) 5·10 총선거 실시(1948. 5. 10.)

① **실시**: 우리나라 최초로 민주적인 보통 선거에 의한 남한만의 총선거가 실시되어 2년 임기의 제헌 국회의원을 선출하였다.

② **한계**: 김구, 김규식 등 남북 협상 참가 세력과 공산주의자들이 불참하였으며, 제주도 일부 지역의 선거가 무산되었다(2개 선거구).

③ **결과**: 선거 결과 제헌 국회가 구성되었다. 당선된 의석 수로는 무소속이 가장 많았고, 이승만 계열(독립 촉성)과 김성수 계열(한민당)이 차례로 많은 의석을 차지하였다.

(2) 헌법 공포(1948. 7. 17.)

① **기본 정신**: 제헌 국회는 대한민국이 3·1 운동 정신과 대한민국 임시 정부의 법통을 계승한 민주 공화국임을 천명하였다.

② **내용**: 제헌 국회는 대통령 중심제와 내각 책임제의 혼합형 정치 형태, 3권 분립, 국회의 간접 선거에 의한 대통령 선출 등을 요지로 하는 헌법을 제정하여 공포하였다.

기출 사료 읽기

제헌 헌법

유구한 역사와 전통에 빛나는 우리들 대한 국민은 기미 3·1 운동으로 대한민국을 건립하여 세계에 선포한 위대한 독립 정신을 계승하여, 이제 민주 독립 국가를 재건함에 있어서, 정의·인도와 동포애로써 민족의 단결을 공고히 하여, 모든 사회적 폐습을 타파하고 민주주의 제도를 수립하여 정치·경제·사회·문화의 모든 영역에서 각인의 기회를 균등히 하고…… 정당 또 자유로이 선거된 대표로서 구성된 국회에서 단기 4281년 7월 12일 이 헌법을 제정한다.

제 1 조 대한민국은 민주 공화국이다.

제 53 조 대통령과 부통령은 국회에서 무기명 투표로써 각각 선거한다.

제 55 조 대통령과 부통령의 임기는 4년으로 한다. 단, 재선에 의하여 1차 중임할 수 있다.

제102조 이 헌법을 제정한 국회는 이 헌법에 의한 국회로서의 권한을 행하며 그 위원의 임기는 국회 개회일로부터 2년으로 한다.

사료 해설 | 제헌 국회는 대한민국 임시 정부의 법통을 계승한 민주 공화국 체제의 헌법을 제정하였다. 당시 헌법은 대통령 중심제였고, 대통령은 국회에서 간선제로 선출하였다.

(3) 대한민국 정부의 수립(1948. 8. 15.): 헌법에 따라 제헌 국회에서 대통령에 이승만, 부통령에 이시영을 선출하였고, 대한민국 정부의 수립을 국내외에 선포하였다.

(4) 유엔 총회의 승인(1948. 12.): 파리에서 열린 제3차 유엔 총회는 대한민국 정부를 한반도의 선거 가능한 지역 내에서의 유일한 합법 정부로 승인하였다.

4. 정부 수립 전후의 혼란

(1) 제주 4·3 사건(1948. 4. 3.)

① 배경

㉠ **좌익의 활동**: 남한만의 단독 선거가 확정된 상황에서 단독 정부 수립을 반대하는 좌익의 활동이 계속되고 있었다.

㉡ **극우 단체에 대한 반감 심화**: 군정 경찰, 서북 청년회와 같은 극우 반공 단체의 횡포에 대한 제주도민들의 반감이 심화되고 있었다.

제헌 국회 소속 정당별 의석수

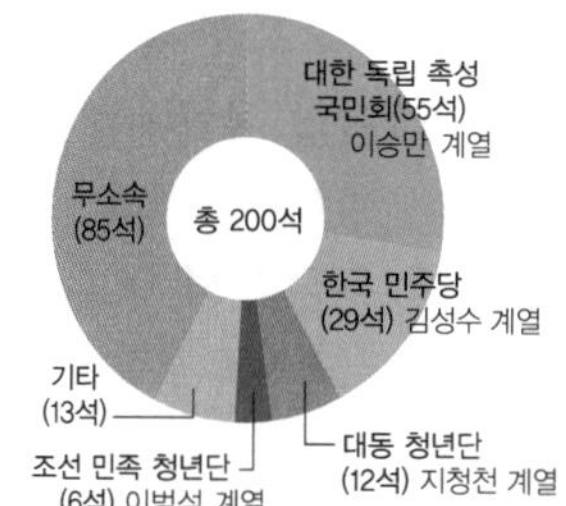

5·10 총선거 당시 전체 의석은 200석이었으나, **제주도 2곳에서 선거가 실시되지 못하여 198명의 국회 의원이 선출**되었다. 제주도 2석은 1년 뒤 선출되었다.

정부 수립 전후의 사건 순서(1948년)

- **1948. 2.** '삼천만 동포에게 읍고함'(김구) 발표, 남한만의 단독 선거 결의(유엔 소총회)
- **1948. 4.** 제주 4·3 사건, 남북 연석 회의 개최
- **1948. 5.** 5·10 총선거 실시
- **1948. 7.** 제헌 헌법 공포
- **1948. 8.** 대한민국 정부 수립
- **1948. 9.** 반민족 행위 처벌법 제정
- **1948. 10.** 여수·순천 사건

제주 4·3 사건

현기영의 『순이삼촌』은 30년 동안이나 묻혀 있었던 제주 4·3 사건을 처음으로 사회에 드러냈다. 이 소설로 사람들은 비로소 제주 4·3 사건에 대해 본격적으로 관심을 가지기 시작하였다. 1999년 12월 16일 '제주 4·3 사건 진상 규명 및 희생자 명예 회복에 관한 특별 법안'이 국회를 통과함으로써, 당시 희생된 제주도민의 명예는 공식적으로 회복되었다.

서북 청년회

평안 청년회, 대한 혁신 청년회, 함북 청년회, 황해도회 청년부 등 **북한에서 내려온 사람들로 구성된 청년 단체들이 모여 1946년 11월 결성한 극우 반공 단체**이다. 이들은 경찰의 지원을 받았으며 제주 4·3 사건으로 악명을 떨쳤다.

② 전개

㉠ **봉기**: 1948년 4월 3일에 미군 철수와 단독 선거 반대를 주장하는 남조선 노동당을 중심으로 한 좌익 세력과 도민들이 봉기하였다.

㉡ **탄압**: 봉기에 대해 경찰과 서북 청년당 등의 우익 단체가 무력으로 제주도민을 강력하게 탄압하였다.

㉢ **무장 투쟁**: 남조선 노동당 등의 봉기 세력은 인민 유격대를 조직하여 한라산 지역을 근거지로 경찰 지서와 우익 단체를 상대로 무장 투쟁을 전개하였으며, 1954년에 와서야 진압이 완료되었다. 이러한 좌·우익의 무장 충돌 과정에서 수많은 무고한 제주도민들이 피해를 입었다.

③ 결과

㉠ **피해 상황**: 2만~3만여 명에 이르는 무고한 제주도민들까지 희생되었고, 엄청난 재산 피해가 발생하였다.

㉡ **선거 연기**: 제주도의 3개 선거구 중 2개 지역에서 5·10 총선거가 실시되지 못하였고, 1년 뒤에야 선거를 실시하였다(1949).

(2) 여수·순천 사건(1948. 10. 19.)

① **배경**: 이승만 정부는 제주 4·3 사건을 진압하기 위해 여수 주둔 부대에 제주도로 출동할 것을 지시하였다.

② 전개

㉠ **배경**: 여수 주둔 군대는 군대 내 좌익 세력을 중심으로 '제주도 출동 반대', '통일 정부 수립'을 내세우며 제주도 출동을 거부하고, 통일 정부 수립을 주장하며 반란을 일으켜 여수와 순천을 점령하였다.

㉡ **정부의 토벌**: 반군이 여수와 순천을 넘어 광양, 벌교 등 전라남도 동부 5개 지방을 차례로 장악하였다. 이에 이승만 정부는 병력을 동원하여 여수와 순천 일대에 계엄령을 선포하고 반군 토벌을 개시하였으며, 미군의 지원도 받았다.

③ **결과**: 진압 과정에서 여수와 순천 지역의 무고한 민간인이 다수 희생되었고, 반란군 일부는 지리산 방면으로 탈출하여 빨치산 활동을 전개하였다.

④ **영향**: 국가 보안법 제정(1948. 12.)의 직접적인 계기가 되었다.

5. 친일파 청산

(1) 미군정의 정책: 해방 이후 미군정이 치안 확보와 행정의 편리 등을 이유로 총독부의 관리와 경찰을 그대로 등용하였기 때문에 친일 세력이 다시 득세하였다.

(2) 반민족 행위 처벌법 제정(1948. 9. 22.)

① **목적**: 반민족 행위자에 대한 단죄를 통해 일제의 잔재를 청산하고, 민족 정기와 사회 정의를 확립하고자 하였다.

② **전개**: 제헌 국회에서 반민족 행위 처벌법 기초 특별 위원회(반민 기초 특위)를 구성하고, 1948년 9월 22일에 반민족 행위 처벌법(반민법)을 제정하였다. 또한 이와 관련하여 반민족 행위 특별 조사 위원회(반민특위, 1948. 10.)와 특별 재판부가 구성되었다.

③ **내용**: 일제 시대에 반민족 행위를 한 사람들을 처벌하고, 공민권(공무원이 되는 자격 및 선거권, 피선거권)을 제한하였다.

국가 보안법 제정

여수·순천 사건을 계기로 국가의 안전을 위태롭게 하는 반국가 활동을 규제함으로써, 국가의 안전과 국민의 생존 및 자유를 확보하기 위하여 제정되었다.

정부 수립 이전의 친일파 청산

광복 직후 우리나라에서는 일제에 협력한 친일파를 처벌하려는 움직임이 거세게 일어났다. 미군정이 설립한 **남조선 과도 입법 의원**은 1947년 7월 2일 **'민족 반역자·부일 협력자·전범·간상배에 대한 특별 조례 법률'을 제정**하여 친일파를 청산하고자 하였다. 그러나 **미군정**은 치안 확보와 행정의 편의를 위해 총독부의 관료와 경찰을 그대로 기용하고 있었기 때문에 **이 법안의 인준을 거부**했다.

반민족 행위 처벌법의 제정 근거

제101조 이 헌법을 제정한 국회는 단기 4278년(1945년) 8월 15일 이전의 악질적인 반민족 행위를 처벌하는 특별법을 제정할 수 있다. - 제헌 헌법

▶ 반민족 행위 처벌법은 제헌 헌법의 제101조에 근거하여 제정되었다.

(3) 반민족 행위 특별 조사 위원회(반민특위) 설치(1948. 10.)

① **조직**: 반민특위는 10명의 국회의원으로 구성되었으며, 위원장 김상덕과 부위원장 김상돈을 중심으로 특별 재판부와 특별 검찰부, 특별 경찰대가 설치되어 독자적인 조사권·사법권·경찰권을 행사하였다.

② **활동**: 1949년 1월부터 본격적인 활동을 시작한 반민특위 특별 재판부는 친일 혐의를 받은 주요 인사들을 조사하였고, 그 결과 박흥식, 노덕술, 이광수, 최린, 최남선 등 12명에 대해 실형을 선고하였다.

③ **방해**

㉠ **정부의 비협조적 태도**: 반공주의를 내세운 이승만 정부는 반민특위 활동에 미온적인 태도를 보였고, 반민법의 공소 시효 기간을 단축(2년 → 약 1년)하였다. 또한, 이승만 대통령은 좌익 반란 분자를 색출하는 경험이 있는 경찰관을 마구 잡아들여서는 안 된다는 특별 담화를 발표하기도 하였다.

㉡ **국회 프락치 사건**: 일부 소장파 국회의원들이 남로당과 내통하였다는 국회 프락치 사건을 조작하였다.

㉢ **반민특위 습격 사건**: 경찰 요직에 자리 잡은 친일 세력의 방해 공작과 일본 경찰 출신 간부의 반민특위 습격 사건이 발생하였다(1949. 6.).

④ **결과**: 총 682건을 조사하여 221건을 기소하고 40여 건의 재판을 마쳤으나, 대부분 무혐의 또는 집행 유예로 풀려나 처벌받은 사람이 거의 없었다. 반민특위는 1949년 8월로 시효가 만료되어 해체되었다(1949. 10.).

기출 사료 읽기

반민족 행위 처벌법(1948. 9.)

제1조 일본 정부와 통모하여 한·일 합병에 적극 협력한 자, 한국의 주권을 침해하는 조약 또는 문서에 조인한 자와 모의한 자는 사형 또는 무기 징역에 처하고 그 재산과 유산의 전부 혹은 2분의 1 이상을 몰수한다.

제2조 일본 정부에서 작위를 받은 자 또는 일본 제국 의회의 의원이 되었던 자는 무기 또는 5년 이상의 징역에 처하고 그 재산과 유산의 전부 또는 2분의 1 이상을 몰수한다.

제3조 일본 치하 독립운동가나 그 가족을 악의로 살상·박해한 자 또는 이를 지휘한 자는 사형, 무기 또는 5년 이상의 징역에 처하고 그 재산의 전부 혹은 일부를 몰수한다.

제4조 다음 각 호 중 하나에 해당하는 자는 10년 이하의 징역에 처하거나 15년 이하의 공민권을 정지하고 그 재산의 전부, 혹은 일부를 몰수할 수 있다.

1. 일제에 작위를 받은 자
2. 중추원 부의장, 고문 또는 참의가 되었던 자
3. 칙임관 이상의 관리가 되었던 자
4. 밀정 행위로 독립운동을 방해한 자
5. 독립을 방해할 목적으로 단체를 조직하거나 그 단체의 수뇌 간부로 활동했던 자
6. 군, 경찰의 관리로서 악질적인 행위로 민족에게 해를 가한 자(고등관 3등관 이상, 훈 5등급 이상)

제5조 일본 치하에 고등관 이상, 훈 5등 이상을 받은 관공리 또는 헌병, 헌병보, 고등경찰의 직에 있던 자는 본법의 공소 시효 경과 전에는 공무원에 임명될 수 없다. 단, 기술관은 제외한다.

사료 해설 | 친일파에 대한 처벌 여론이 거셌지만 미군정 시기에는 제대로 처벌할 수 없었다. 그리하여 정부가 수립된 후 반민족 행위 처벌법이 가결되어 반민족 행위 특별 조사 위원회가 조사에 착수하였으나 이승만 정부의 비협조적인 태도와 친일 세력의 노골적인 방해로 결국 제대로 된 성과를 거둘 수 없었다.

반민특위 활동에 대한 이승만 담화문

우리가 건국 초창에 앉아서 앞으로 세울 사업에 더욱 노력해야 할 것이요. 지난날에 구애되어 앞날에 장해되는 것보다 …… 국가의 기강을 밝히기에 표준을 두어야 할 것이니 …… 또 증거가 불충분한 경우에는 관대한 편이 가혹한 형벌보다 동족을 애호하는 도리가 될 것이다. - 경향신문

▶ 반공을 명분으로 내세운 이승만 정부는 반민특위 활동에 비협조적인 태도를 보였다.

국회 프락치 사건

제헌 국회 내의 일부 **소장파 국회의원**들이 외국군 철수와 평화 통일을 주장하였는데, 이에 대해 정부는 이 국회의원들이 **남조선 노동당과 접촉하여 국회 내 프락치 역할을 했다는 혐의로 대거 구속**하였다.

OX 빈칸 핵심 개념 점검

* 학습한 개념을 OX/빈칸 문제를 통해 점검해보세요.

핵심 개념 1 | 모스크바 3국 외상 회의

01 모스크바 3국 외상 회의는 미국, 영국, 소련 세 나라의 외무 장관이 참석하였다. □ O □ X

02 모스크바 3상 회의에서 미국은 한국의 즉시 독립을, 소련은 4개국 신탁 통치를 제안하였다. □ O □ X

03 모스크바 3국 외상 회의 이후 신탁 통치 실시 문제로 좌·우익이 대립하였다. □ O □ X

04 민주주의 임시 정부 수립을 논의하기 위해 __________가 열렸다.

05 제1차 미·소 공동 위원회가 무기한 휴회에 들어가자 ______은 정읍에서 남쪽만이라도 먼저 정부를 수립하자고 주장하였다.

핵심 개념 2 | 좌·우 합작 운동

06 좌·우 합작 위원회는 모스크바 3국 외상 회의 결정에 반대하였다. □ O □ X

07 남조선 과도 입법 의원의 의장에 김구가 당선되었다. □ O □ X

08 좌·우 합작 위원회는 ______과 ______ 등이 주도하였다.

09 미 군정은 좌·우 합작을 추진하는 한편 __________ 창설을 공포하였다.

핵심 개념 3 | 대한민국 정부의 수립

10 유엔 총회에서 유엔 감시하의 총선거로 정부를 수립한다는 결정을 내렸다. □ O □ X

11 제2차 미·소 공동 위원회가 결렬된 이후에 김구와 김규식이 남북 협상을 제의하였다. □ O □ X

12 여운형은 평양에서 개최된 전 조선 제 정당 사회 단체 연석 회의에 참석하였다. □ O □ X

13 김구와 김규식은 5·10 총선거에 불참하였다. □ O □ X

14 5·10 총선거는 우리나라 최초의 민주적인 보통 선거였다. □ O □ X

15 제주도에서는 __________에 반대한 세력과 경찰이 충돌하면서 많은 민간인이 희생된 제주 4·3 사건이 발생하였다.

핵심 개념 4 | 반민족 행위 처벌

16 반민족 행위를 조사하기 위하여 특별 조사 위원회가 설치되었다. □ O □ X

17 미 군정기에 친일 반민족 행위자 처벌을 위해 만들어졌던 반민특위가 와해·해체되었다. □ O □ X

18 반민족 행위 처벌법의 제정은 ______ 헌법에 명시된 사항이었다.

정답과 해설

01	O 1945년 12월에 개최된 모스크바 3국 외상 회의에는 미국, 영국, 소련 세 나라의 외무 장관이 참석하였다.	**10**	O 유엔 총회에서는 유엔 한국 임시 위원단의 감시하에 인구 비례에 의한 남북한 총선거를 실시하여 정부를 수립할 것을 결정하였다. 그러나 북한과 소련이 유엔 한국 임시 위원단의 입북을 거부하였다.
02	✖ 모스크바 3국 외상 회의에서 신탁 통치안을 먼저 제시한 것은 미국이었고, 이에 대해 소련이 수정안을 제시하였다.	**11**	O 제2차 미·소 공동 위원회가 결렬된 이후 김구와 김규식은 남한만의 단독 정부 수립을 반대하며 통일 정부 수립을 위해 남북 협상을 추진하였다.
03	O 모스크바 3국 외상 회의 이후 신탁 통치안에 대해 찬탁으로 선회한 좌익과, 반탁을 주장하는 우익이 격렬히 대립하였다.	**12**	✖ 평양에서 개최된 전 조선 제 정당 사회 단체 연석 회의(남북 협상)에 참석한 인물은 김구, 김규식, 김일성, 김두봉 등이다. 여운형은 남북 협상이 개최되기 이전인 1947년에 암살 당하였다.
04	미·소 공동 위원회	**13**	O 김구와 김규식 등의 남북 협상파와 좌익 세력은 남한만의 단독 정부 수립에 반대하여 5·10 총선거에 참여하지 않았다.
05	이승만	**14**	O 5·10 총선거는 우리나라 최초의 민주적인 보통 선거였다.
06	✖ 좌·우 합작 위원회는 좌·우 합작 7원칙에서 모스크바 3국 외상 회의 결정에 따른 민주주의 임시 정부의 수립과, 미·소 공동 위원회의 속개를 요청하였다.	**15**	5·10 총선거
07	✖ 남조선 과도 입법 의원의 의장에는 김규식이 당선되었다.	**16**	O 친일 세력의 반민족 행위를 조사하기 위하여 반민족 행위 특별 조사 위원회가 설치되었다.
08	여운형, 김규식	**17**	✖ 반민특위는 1948년 이승만 정부 때 만들어졌다.
09	남조선 과도 입법 의원	**18**	제헌

3 6·25 전쟁

학습 포인트
북한 정부의 수립 과정을 살펴보고, 6·25 전쟁의 경과를 시간의 흐름에 따라 세세하게 파악한다.

빈출 핵심 포인트
애치슨 선언, 인천 상륙 작전, 1·4 후퇴, 휴전 협정, 한·미 상호 방위 조약

1 북한 정부의 수립 과정

1. 평남 건국 준비 위원회(1945. 8.)

광복 직후 평양에서 조만식을 중심으로 하여 민족주의 인사들이 결성한 평안남도 건국 준비 위원회가 신탁 통치에 반대했다는 이유로 소련군에 의해 강제로 해체되고, 인민 위원회로 개편되었다.

2. 소련에 의한 북한의 공산화

(1) **인민 위원회**: 북한에 진주한 소련군은 친일 세력을 제거하고 공산주의자 중심으로 건국 준비 조직을 개편하고, 행정권을 이양하여 간접적으로 통치하였다.

(2) **조선 공산당 북조선 분국**(1945. 10.): 김일성이 조선 공산당 북조선 분국을 설치하고 책임 비서로 선출되었다.

(3) **북조선 임시 인민 위원회**(1946. 2.)

① **구성**: 소련이 북한에 공산주의 정부를 수립하기 위해 김일성을 위원장으로 하여 구성한 것으로, 사실상 정부 역할을 수행하였다.

② **사회 개혁 실시**(공산주의 체제 강화)

㉠ **토지 개혁법**(1946. 3.): 5정보를 상한으로 '무상 몰수·무상 분배'의 원칙에 따라 토지 개혁을 단행하였다.

㉡ **주요 산업 국유화**: 주요 공장·기업소·광산들을 국유화하였다.

㉢ **기타**: 친일파 숙청, 8시간 노동제를 규정한 노동법과 남녀 평등법 등을 제정하였다.

(4) **북조선 노동당**(1946. 8.): 조선 공산당 북조선 분국이 북조선 공산당으로 개칭되고, 북조선 신민당과 통합되면서 북조선 노동당이 결성되었다.

(5) **북조선 인민 위원회**(1947. 2.): 북조선 인민 위원회는 최고 집행 기관으로, 인민 경제 계획을 실행하고 인민군 창건 업무를 수행하였다.

(6) **조선 민주주의 인민 공화국**(1948. 9. 9.): 남한이 대한민국을 건국하자 북한은 최고 주권 기관으로 최고 인민 회의를 창설하고, 북조선 인민 위원회를 조선 민주주의 인민 공화국으로 개편한 뒤 김일성을 수상으로, 남조선 노동당 지도자 박헌영을 부수상으로 하는 정부 수립을 선포하였다. 한편, 북조선 노동당과 남조선 노동당이 조선 노동당으로 통합(1949. 6.)되어 조선 노동당의 일당 독재가 확립되었다.

북한 정부의 수립 과정 기출연표

- **1945. 8.** 평남 건국 준비 위원회 조직, 소련군 진주
- **1945. 10.** 조선 공산당 북조선 분국 설치
- **1946. 2.** 북조선 임시 인민 위원회 수립
- **1946. 3.** 토지 개혁 실시
- **1946. 8.** 북조선 노동당 창당
- **1947. 2.** 북조선 인민 위원회 수립
- **1948. 2.** 조선 인민군 창설
- **1948. 9.** 조선 민주주의 인민 공화국 수립

북조선 임시 인민 위원회의 20개 정강 주요 내용(개혁 방향 제시, 1946. 3.)

- 일제 잔재 숙청
- 정치·경제생활에 있어 모든 사람들의 동등한 권리 보장
- 대기업소, 은행, 산림 등의 국유화
- 친일파, 지주들의 토지를 몰수하고 소작제 철폐 → 농민에게 무상 분배
- 8시간 노동제, 최저 임금 규정 및 소년 노동 금지(13세~16세는 6시간 노동제)

조선 민주주의 인민 공화국 초대 내각

맨 앞줄의 가운데가 김일성이고, 좌우에 박헌영, 홍명희 등이 서 있으며, 뒷줄의 오른쪽 두 번째에는 김원봉이 있다.

2 6·25 전쟁의 배경

1. 남북 대립 심화

(1) **남한 내 공산당 세력**: 남조선 노동당을 추종하는 세력이 지리산, 태백산, 오대산 일대에서 무력 투쟁을 전개하였다.

(2) **북한의 무력 도발**: 북한은 유격 대원을 남파하고, 38도선 일대에서 소규모 무력 도발을 자행하였다.

(3) **북진 통일론과 민주 기지론**: 이승만의 북진 통일론과 김일성의 민주 기지론이 대립하였다.

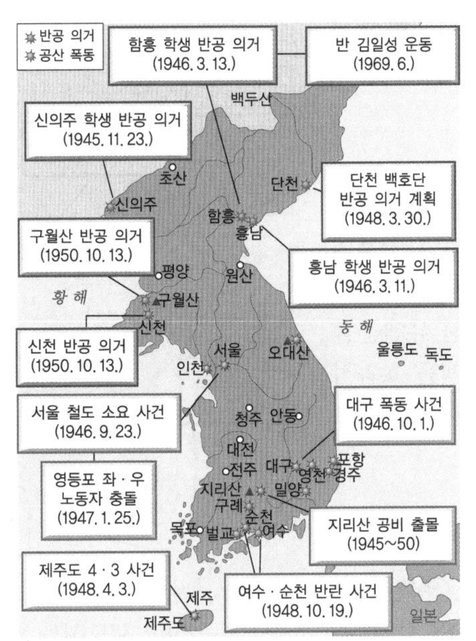

| 반공 의거와 공산 폭동

2. 국내외 상황

(1) **주한 미군 철수**: 군사 고문단을 제외한 주한 미군이 1949년 6월에 철수를 완료하였다.

(2) **중국의 공산화와 북한 지원**: 중국 공산당은 중화 인민 공화국(1949. 10.)을 수립하였으며, 조선 의용군 수만 명을 북한 인민군에 편입시켰다. 또한 북한의 남침 시 미국이 남한을 지원하고자 개입한다면 중국 공산당군도 참전할 것을 약속하였다.

(3) **소련의 북한 지원**(1950): 소련은 북한과 군사 비밀 협정을 체결하여 신무기와 각종 군사적 지원을 하였고, 스탈린은 김일성의 무력 남침 계획을 승인하였다.

(4) **애치슨 선언 발표**(1950. 1.): 미국 국무 장관 애치슨이 미국의 태평양 지역 방위선에서 한국과 타이완을 제외(애치슨 라인)한다고 발표하였다. 이는 북한이 남한을 공격하여도 미국이 개입하지 않을 것이라고 오판하게 되는 계기가 되었다.

교과서 사료 읽기

> **애치슨 선언**
>
> 태평양 지역의 군사 안보 상황은 어떻고, 이 지역에 대한 우리의 정책은 어떤 것인가? …… 미국 극동에 있어서의 '방위선'은 알류샨 열도로부터 일본, 오키나와를 거쳐 필리핀을 통과한다. 방위선 밖의 국가가 제3국의 침략을 받는다면 침략을 받은 국가는 그 국가 자체의 방위력과 국제 연합 헌장의 발동으로 침략에 대응해야 한다.
>
> \- 애치슨, 「아시아의 위기」(1950)
>
> **사료 해설** | 애치슨 선언으로 인해 미국의 태평양 방위선에서 한국이 제외된 것은 6·25 전쟁이 일어나는 결정적 원인 중 하나가 되었다.

(5) **한·미 상호 방위 원조 협정 체결**(1950. 1.): 대한민국 정부와 미국 정부는 경제 및 군사 원조와 관련된 내용의 협정을 체결하였다.

북진 통일론과 민주 기지론

- **북진 통일론**: 무력을 사용해서라도 공산당에 빼긴 북한 지역의 국토를 되찾고 통일을 이룩하겠다.
- **민주 기지론**: 북한을 정치·경제·군사적으로 강화시켜 조선 혁명의 근거지로 만든다.

중화 인민 공화국 수립

마오쩌둥(모택동)이 장제스(장개석)의 국민당을 패퇴시키고 **중화 인민 공화국을 수립**하였다.

애치슨 라인

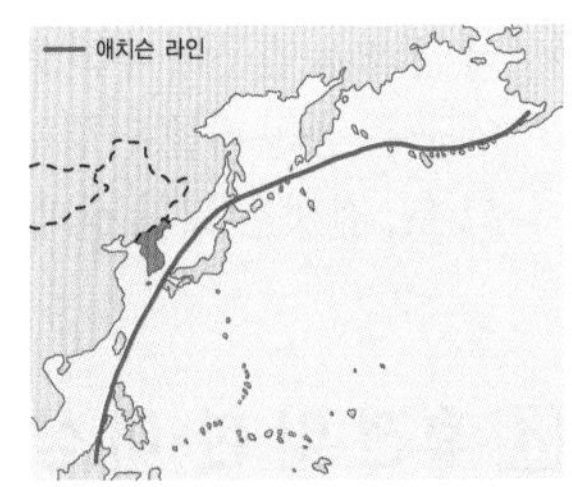

미 국무 장관 애치슨이 선언한 태평양 지역 미국의 극동 방위선이다.

3 6·25 전쟁의 경과

1. 북한군의 기습 남침(1950. 6. 25.)

북한군의 기습 남침으로 전쟁 시작 3일 만에 서울이 함락되고 국군은 낙동강까지 후퇴하였다.

북한군의 기습 남침

1950년 6월 25일에 북한은 38도선을 넘어 기습으로 남침을 감행하였고, **이승만 정부**는 서울을 포기하고 대전, 부산 등으로 이동하였다.

2. 유엔군 참전(1950. 7.)

미국의 요청으로 긴급 소집된 유엔 안전 보장 이사회는 북한을 침략자로 규정하고, 전쟁의 즉각 중지와 대한민국에 대한 군사 지원을 결의하였으며, 16개국 군대로 구성된 유엔군을 파견하였다. 이승만 대통령은 전쟁을 효과적으로 수행하기 위해 국군의 작전 지휘권을 유엔군 사령관에게 넘겼다.

| 6·25 전쟁의 과정

3. 국군과 유엔군의 반격

국군과 유엔군은 맥아더 유엔군 총사령관의 지휘 하에 인천 상륙 작전(1950. 9. 15.)을 감행하여 서울을 수복하고 38도선을 넘어 평양으로 진격하였으며, 압록강까지 도달하였다.

인천 상륙 작전

낙동강 방어선을 지키던 국군과 유엔군은 맥아더의 지휘 아래 **인천 상륙 작전**을 실시하여 전세를 역전시켰다.

4. 중국군(중공군) 개입

유엔군의 만주 진격을 우려한 중국은 대규모 군대를 파견하여 북한군을 지원하였다(1950. 10.). 중국군의 개입으로 전세가 불리해진 국군과 유엔군은 12월에 흥남 철수 작전을 전개하여 남쪽으로 후퇴하였다. 흥남 철수 작전(12. 15.~12. 24.)에는 군 수송선뿐만 아니라 민간 선박까지 동원되어 약 10만 명의 피난민을 수송하였다.

흥남 철수 작전

흥남 철수 작전은 중국군의 참전으로 퇴로가 차단당한 국군과 유엔군이 전개한 해상 철수 작전이다. 흥남 철수 작전(12. 15.~12. 24.)에는 군 수송선뿐만 아니라 민간 선박까지 동원되어 약 10만 명의 피난민을 수송하였다.

5. 1·4후퇴(1951)

국군과 유엔군의 후퇴로 다시 서울을 북한에게 빼앗기게 되었다(1951. 1. 4.). 국군과 유엔군은 총공세를 단행하여 서울을 재탈환(1951. 3.)하고, 38도선 부근까지 진격하였다. 그 뒤, 전쟁은 교착 상태에 빠졌다.

4 휴전 및 한·미 상호 방위 조약

1. 휴전 회담

(1) **휴전 제의**: 38도선 부근에서 전쟁이 교착 상태에 빠지자 전쟁이 확대될 것을 우려한 소련이 유엔에서 휴전을 제의하였고, 미국이 이를 수용하였다.

(2) **휴전 회담**(1951. 7.): 휴전 회담은 개성에서 시작된 후 판문점으로 이동하여 진행되었다. 군사 분계선의 설정, 중립국 감시 기구의 구성, 전쟁 포로 송환 문제 등으로 휴전 회담이 지체되었다.

전쟁 포로 송환 문제

유엔군은 포로의 자유 의사를 존중하는 **자유 송환을 주장**하였지만 **공산군**은 **무조건 송환을 주장**하였다.

(3) **휴전 반대 운동**: 대한민국 정부와 국민은 국토 분단이 영구화될 것을 우려하여 휴전 협정에 격렬히 반대하였다. 이에 이승만 대통령은 회담의 쟁점이던 반공 포로를 석방하였다(1953. 6.).

(4) **휴전 협정 체결**(1953. 7. 27.): 판문점에서 국제 연합군 총사령관 클라크와 북한군 최고 사령관 김일성, 중국 인민 지원군 사령관 펑더화이(팽덕회)가 최종적으로 서명함으로써 휴전 협정(정전 협정)을 체결하였다.

기출 사료 읽기

> 휴전 협정(정전 협정, 1953. 7. 27.)
>
> 1. 한 개의 군사 분계선을 확정하고 쌍방이 이 선으로부터 각기 2km씩 후퇴함으로써 적대 군대 간에 한 개의 비무장 지대를 설정한다.
> 7. 군사 정전 위원회의 특정한 허가 없이는 어떠한 군인이나 민간인이나 군사 분계선을 통과함을 허가하지 않는다.
>
> 사료 해설 | 휴전 협정이 체결된 이후 비무장 지대와 군사 분계선이 설치되고, 중립국 감시 위원단(스웨덴, 스위스, 폴란드, 체코슬로바키아)이 구성되었다.

2. 한·미 상호 방위 조약 체결(1953. 10.)

미국이 휴전에 반대하는 이승만 정부를 안심시키고자 준비한 것으로, 북한의 재침 방지와 한국 문제에 대한 미국의 개입을 정식으로 보장하였다.

교과서 사료 읽기

> 한·미 상호 방위 조약(1953. 10.)
>
> 제2조 당사국 중 어느 일국의 정치적 독립 또는 안전이 외부로부터의 무력 공격에 의하여 위협을 받고 있다고 어느 당사국이든지 인정할 때에는 언제든지 당사국은 서로 협의한다.
>
> 제4조 상호적 합의에 의하여 미합중국의 육군, 해군과 공군을 대한민국의 영토 내와 그 부근에 배치하는 권리를 대한민국은 이를 허락하고 미합중국은 이를 수락한다.
>
> 사료 해설 | 한·미 상호 방위 조약으로 미군의 한반도 주둔과 군사 전략상 필요하다 판단되는 지역에 군사 기지 설치, 한국군의 작전 통제권을 유엔군 사령부에 양도 등을 합의하였다.

5 전쟁의 피해와 영향

1. 전쟁의 피해

(1) **인적·물적 피해**: 수백만 명의 사상자가 발생하였고, 수많은 전쟁 고아와 이산가족이 생겨났다. 또한 도로, 항만, 공장 등 사회 기반 시설이 파괴되었다.

(2) **민족 간 대립 심화**: 전쟁 중 좌익 세력이 우익 인사를 학살하기도 하였고, 국군과 경찰이 좌익으로 생각되는 보도 연맹원 등을 처형하는 등 이념 대립이 심화되었다.

2. 전쟁의 영향

(1) **분단의 고착화**: 남북의 불신과 적대감이 심화되어 무력 대결 태세가 지속되었다.

(2) **제네바 회담**: 한국의 평화적 통일 방안 모색을 위해 제네바 회담이 개최되었다(1954).

반공 포로

6·25 전쟁 중 **북한 인민군의 포로 가운데 공산주의에 반대한 포로**를 뜻한다. 당시 정부는 포로 수용소에 수용되어 있던 포로들을 공산 포로와 반공 포로로 구분하여 분리시켰다. **휴전 협정**에서는 북송을 거부하는 **반공 포로는 중립국 포로 송환 위원회에 넘겨 처리**하기로 하였으나, **이승만은 이들을 일방적으로 석방**하였다.

휴전(정전) 협정 체결

유엔군과 **중국군**, **북한군**은 2년여 동안 협의를 거쳐 **휴전(정전) 협정을 체결**하였다. 한편 이승만 정부는 휴전에 반대한다는 의미에서 협정문 조인에 참여하지 않았다. 휴전(정전) 협정으로 전쟁은 멈췄으나, 이는 종식이 아닌 중지였다.

민족 간 대립 - 국군에 의한 양민 학살

- **보도 연맹 사건(1950)**: 이승만 정부는 좌익 세력을 포섭하기 위해 개선의 여지가 있는 좌익 세력에게 전향의 기회를 주겠다는 명목으로 '보도 연맹'을 만들었다(1949). 그런데 이 '보도 연맹'에는 좌익 세력뿐만 아니라 일반 민중들이 쌀을 받기 위해서 어떤 단체인지 모르고 가입하거나 강제로 가입되기도 했다. 그 후 6·25 전쟁이 일어나자 이승만 정부는 반공을 기치로 그들을 집단 학살했다.
- **거창 양민 학살 사건(1951)**: 6·25 전쟁 중 경남 거창에서 국군이 양민 500여 명을 공산군이라는 혐의로 학살하였다.
- **국민 방위군 사건(1951)**: 국민 방위군은 6·25 전쟁 과정에서 중국군의 참전(1950. 10.)에 대응하여 편성된 군대이다. 미군에서는 국민 방위군을 위해 군사 물자를 공급했는데, 중간 과정에서 일부 군사 간부들이 군 예산을 착복하여 1·4 후퇴 시기에 많은 군사들이 굶어 죽거나 얼어 죽었다.

OX 빈칸 핵심 개념 점검

* 학습한 개념을 OX/빈칸 문제를 통해 점검해보세요.

핵심 개념 1 | 북한 정부의 수립 과정

01 북조선 임시 인민 위원회는 김일성을 위원장으로 하였으며, 사실상 정부 역할을 수행하였다. □ O □ X

02 북한의 토지 개혁은 5정보를 상한으로 하였다. □ O □ X

03 북한은 남한이 대한민국 정부를 수립하기 이전에 조선 민주주의 인민 공화국을 수립하였다. □ O □ X

04 조만식은 8·15 광복 이후 ________를 결성하여 자치 활동을 전개하였다.

05 북한의 토지 개혁은 ________, ________의 원칙에 따라 시행되었다.

핵심 개념 2 | 6·25 전쟁의 경과

06 북한은 38도선 전 지역에 걸쳐 남침을 강행하였다. □ O □ X

07 국군과 유엔군은 인천 상륙 작전을 통해 서울을 탈환하고 압록강까지 진격하였다. □ O □ X

08 미국 국무 장관이 미국의 태평양 지역 방위선에서 한국과 타이완을 제외한 ________을 발표하였는데, 이는 6·25 전쟁 발발의 한 원인이 되었다.

09 ________는 한반도에 미국을 중심으로 한 유엔군 파견을 결정하였다.

10 1950년 12월 국군과 유엔군은 대규모 해상 작전인 ________ 작전을 실시하였다.

핵심 개념 3 | 6·25 전쟁의 휴전 및 한·미 상호 방위 조약

11 소련이 휴전을 제안하였고 유엔군과 공산군이 이를 받아들이면서 휴전 회담이 시작되었다. □ O □ X

12 휴전 협상에서 유엔군은 포로의 무조건 송환을 주장하였고, 공산군은 포로의 자유 의사 존중을 주장하였다. □ O □ X

13 휴전 협정이 체결될 가능성이 높아지자 이승만 정부는 반공 포로를 석방하였다. □ O □ X

14 휴전 협정이 체결되면서 한반도에 비무장 지대와 군사 분계선이 설치되었다. □ O □ X

15 유엔군과 한국군, 중국군과 북한군은 1953년 7월 27일에 휴전 협정을 체결하였다. □ O □ X

16 한·미 상호 방위 조약은 휴전 협정 이후에 체결되었다. □ O □ X

17 휴전 협정이 체결되고 같은 해 미군의 한반도 주둔 등을 내용으로 하는 ______________이 체결되었다.

18 휴전 협정이 체결된 이후 한국의 평화적인 통일 방안을 모색하기 위해 __________이 개최되었다.

정답과 해설

01	**O** 1946년 2월에 조직된 북조선 임시 인민 위원회는 김일성을 위원장으로 하였으며, 사실상 정부 역할을 수행하였다.	**10**	흥남 철수
02	**O** 북한의 토지 개혁은 5정보를 상한으로 하였다.	**11**	**O** 6·25 전쟁이 교착 상태에 빠지자 소련이 정전을 제안하였고, 이를 유엔군과 공산군이 받아들이면서 개성에서 정전(휴전) 회담이 시작되었다(1951. 7.).
03	**✖** 북한의 조선 민주주의 인민 공화국은 대한민국 정부 수립(1948. 8.) 이후에 수립(1948. 9.)되었다.	**12**	**✖** 유엔군은 포로의 의사를 존중하는 자유 송환을, 공산군은 무조건 송환을 주장하였다.
04	평남 건국 준비 위원회	**13**	**O** 휴전(정전) 협정이 체결될 가능성이 높아지자 휴전에 반대한 이승만 정부는 반공 포로들을 석방하였다.
05	무상 몰수, 무상 분배	**14**	**O** 휴전 협정의 체결로 한반도에 비무장 지대와 군사 분계선이 설치되었다.
06	**O** 북한은 38도선 전 지역에 걸쳐 남침을 강행하여 3일 만에 서울을 함락시켰다.	**15**	**✖** 한국군은 휴전 협정 체결에 참여하지 않았다. 휴전 협정은 1953년 7월 27일에 유엔군, 중국군, 북한군에 의해 체결되었다.
07	**O** 국군과 유엔군은 인천 상륙 작전을 통해 서울을 탈환하고 압록강까지 진격하였다.	**16**	**O** 한·미 상호 방위 조약은 휴전 협정(1953. 7.) 이후인 1953년 10월에 체결되었다.
08	애치슨 라인 (선언)	**17**	한·미 상호 방위 조약
09	유엔 안전 보장 이사회	**18**	제네바 회담

민주주의의 시련과 발전

1 4·19 혁명

학습 포인트
이승만 정부의 장기 집권을 위한 개헌 내용과 억압 정책을 파악하고, 4·19 혁명의 전개 과정과 결과를 살펴본다. 아울러 장면 내각의 성립 과정과 주요 정책에 대해서도 정리한다.

빈출 핵심 포인트
발췌 개헌, 사사오입 개헌, 진보당 사건, 3·15 부정 선거, 4·19 혁명

1 이승만 정부(제1공화국, 1948~1960)

1. 장기 집권의 추진

(1) 배경

① **민심 이반**: 이승만 정부가 친일파 청산에 소홀하였고, 농지 개혁에 소극적인 태도를 보이면서 민심이 이반하였다.

② **권력 기반 약화**

㉠ **제2대 총선 참패**: 1950년 제2대 총선(국회의원 선거)에서 남북 협상파들이 무소속으로 진출하여 다수 당선되었고, 이승만 계열 소속 세력은 210석 가운데 30석 정도 밖에 차지하지 못하였다.

㉡ **거듭된 실정**: 6·25 전쟁 중 거창 양민 학살 사건, 국민 방위군 사건 등이 일어났다.

(2) 자유당 창당(1951): 이승만은 반공을 구실로 반대파를 탄압하고, 지지 기반을 형성하기 위해 국민회·대한 청년당·대한 노동 총연맹·대한 농민 총연맹 등 여러 우익 단체를 규합하여, 임시 수도 부산에서 자유당을 창당하였다.

> **이승만의 일민주의**
> 이승만은 반공 체제를 구축하기 위한 이념으로 '하나의 국민(일민)'으로의 통합을 강조한 일민주의를 제시하였다.

(3) 발췌 개헌(1952, 제1차 개헌)

① **발췌 개헌안 제출**: 국회에서 치르는 간선제로는 이승만의 대통령 당선이 어렵게 되자, 이승만의 자유당은 대통령 직선제를 골자로 하는 여당 측의 주장과 내각 책임제를 골자로 하는 야당 측의 주장을 발췌한 개헌안을 국회에 제출하였다.

② **부산 정치 파동**: 이승만 정부는 전쟁 중이던 1952년 임시 수도 부산에 공비 토벌을 명목으로 계엄령을 선포하고, 백골단·땃벌떼 등의 폭력 조직을 동원하여 야당 의원들을 협박하였다. 이승만은 국회 해산을 요구하며 자신의 개헌안에 반대하는 의원들을 국제 공산당의 자금을 받았다는 혐의로 헌병대로 연행하는 정치 파동을 일으켰다.

③ **결과**: 결국 경찰과 군인들이 국회를 포위한 가운데 기립 표결로 헌법 개정(대통령 직선제, 국회 양원제)을 단행한 후 시행된 제2대 대통령 선거에서 국민 투표로 이승만이 당선되었다.

교과서 사료 읽기

발췌 개헌안

제31조 입법권은 국회가 행한다. 국회는 민의원과 참의원으로써 구성한다.
제53조 대통령과 부통령은 국민의 보통, 평등, 직접, 비밀 투표에 의하여 각각 선거한다.
[부칙]
이 헌법은 공포한 날로부터 시행한다. 단, 참의원에 관한 규정과 참의원의 존재를 전제로 한 규정은 참의원이 구성된 날로부터 시행한다. - 헌법 제2호, 1952. 7. 7.

사료 해설 | 발췌 개헌안에서는 대통령과 부통령을 직선제로 선출하고, 국회의 국무위원 불신임제와 양원제를 규정하였다. 그러나 현실적인 이유로 양원제는 실시되지 않았다.

(4) 사사오입 개헌(1954. 11., 제2차 개헌): 발췌 개헌을 통해 재선에 성공한 이승만은 1954년에 치러진 제3대 국회의원 선거에서 자유당이 다수를 차지하자, 기존의 중임 제한 조항을 고쳐 해당 개헌안 공포 시기의 대통령(초대 대통령 이승만)에 한해 중임 제한을 철폐한다는 내용의 개헌안을 통과시켜 영구 집권을 도모하였다. 해당 개혁안은 국회에서 부결되었으나 여당이었던 자유당은 사사오입(반올림)의 논리를 내세워 부결을 번복하고, 야당 의원들이 퇴장한 가운데 제2차 개헌안(사사오입 개헌)을 통과시켰다.

기출 사료 읽기

사사오입 개헌안

제31조 입법권은 국회가 행한다. 국회는 민의원과 참의원으로써 구성한다.
제55조 대통령과 부통령의 임기는 4년으로 한다. 단, 재선에 의하여 1차 중임할 수 있다. 대통령이 궐위된 때에는 부통령이 대통령이 되고 잔임 기간 중 재임한다.
[부칙]
이 헌법 공포 당시의 대통령에 대하여는 제55조 제1항 단서의 제한을 적용하지 아니한다.
- 헌법 제3호, 1954. 11. 29.

사료 해설 | 1954년 이승만은 자신의 지지 세력인 자유당 의원들을 내세워 장기 집권을 가능하게 할 헌법 개정안을 국회에 상정하였다. 당시 국회의원 재적 수는 203명이었으므로 개헌안이 통과되기 위해서는 재적 의원 수의 3분의 2 이상인 136명 이상의 찬성을 얻어야 했는데 투표 결과 135명이 찬성하였으므로 이 개헌안은 부결되었다. 그러나 자유당은 이틀 뒤 203명의 2/3인 "135.3333명은 사사오입(반올림)에 의하여 135명이 되므로 개헌안이 통과되었다."라고 주장하였다.

(5) 제3대 대통령 선거(1956): 대통령 선거 결과, 상대 후보였던 신익희의 급사로 이승만이 무난하게 대통령에 당선되었다. 한편 부통령에는 민주당(야당)의 장면이 자유당의 이기붕을 누르고 당선되었으며, 무소속의 대통령 후보였던 조봉암이 30%를 득표하여 이승만의 강력한 도전자로 떠올랐다.

2. 독재 권력의 강화

(1) 진보당 사건(1958. 1.~2.)

① **배경**: 1956년에 조봉암을 중심으로 창당된 진보당은 평화 통일론 등을 주장하며 국민들에게 많은 지지를 받고 있었다.

② **전개**: 진보당에 위협을 느낀 이승만 정부는 조봉암을 비롯한 진보당 간부들을 북한의 간첩과 내통하고 북한의 통일 방안을 주장하였다는 혐의로 구속하였다(1958. 1.).

③ **결과**: 진보당은 해체(1958. 2.)되고 조봉암은 간첩 혐의로 처형(1959. 7.)당하였다.

이승만 정부의 장기 집권 추진

자유당 창당(1951. 12.)
↓
발췌 개헌(1952. 7.)
↓
제2대 대통령 선거(1952. 8.)
↓
사사오입 개헌(1954. 11.)
↓
제3대 대통령 선거(1956)

제3대 대통령 선거

이승만 정부의 부정부패와 경제적 무능 등으로 빈곤에 시달리던 민중들에게 민주당 후보인 신익희와 장면의 **"못살겠다. 갈아보자!"**라는 구호는 크게 와 닿아 순식간에 국민적인 유행어가 되었다. 하지만 대통령 후보였던 신익희는 1956년 5월 호남 지방에서 선거 유세를 하기 위해 전주로 가던 기차 안에서 사망하고 말았다.

조봉암

조봉암은 1956년 제3대 대통령에 출마하였으나 낙선하였다. 그 해 **진보당을 창당**, 위원장이 되어 정당 활동을 하다가 1958년 1월 **국가 보안법 위반으로 체포되어 대법원에서 사형 선고**를 받아 1959년에 처형되었다. **2011년**에 열린 재심에서 **조봉암은 무죄 판결**을 받았다.

(2) **제4대 국회의원 선거**(1958. 5.): 제4대 국회의원 선거 결과 민주당의 의석 수가 이전보다 대폭 늘어나자, 이승만 정부는 야당을 탄압하는 등 독재화 경향을 표출하였다.

(3) **국가 보안법 개정**(1958. 12.): 국가 보안법(1948)을 개정해 반공 태세 강화, 언론 통제를 내용으로 하는 신국가 보안법을 여당 의원만 출석한 상태에서 통과시켰다(2·4 파동).

2·4 파동(보안법 파동)

1960년에 실시될 정·부통령 선거를 앞둔 이승만 정부는, 1958년에 혁신계의 정치 활동을 억제하고자 **언론과 야당 탄압에 주안점을 두고 언론 규제 조항을 강화한 신국가 보안법을 상정**하였다. 이에 대해 야당과 언론계에서 극렬하게 반대하자, 1958년 12월 24일 경찰을 국회에 투입하여 야당 의원을 감금하고 국회 의사당 정문을 폐쇄시킨 채 자유당 의원들만 출석한 국회에서 국가 보안법, 지방 자치 단체장을 임명제로 하는 지방 자치법 개정안 등 27개 법안을 전격 통과시켰다.

(4) **언론 탄압**: 정부에 비판적인 경향신문을 폐간하였다(1959).

3. 3·15 부정 선거

(1) 후보 선출

① **자유당**: 자유당은 대통령 후보로 이승만을, 부통령 후보로 이기붕을 내세웠다.

② **민주당**: 민주당은 대통령 후보로 조병옥을, 부통령 후보로 장면을 내세웠으나 조병옥이 선거 운동 도중 사망하였다.

(2) 부정 선거(1960. 3. 15.)

① **이승만 당선 유력**: 야당 후보인 조병옥이 사망하면서 이승만의 제4대 대통령 당선이 확실시 되었다.

② **부정 선거 자행**: 노령이었던 이승만이 사망할 경우를 대비하여 대통령 승계권을 갖는 부통령에 자유당 출신 이기붕을 당선시키기 위해 자유당은 4할 사전 투표, 3인조·5인조 공개 투표, 투표함 바꿔치기, 사복 경찰 동원 등 대대적인 부정 선거를 자행하였다.

3·15 부정 선거 당시의 기사

東亞日報
일찌기 없던 恐怖雰圍氣
三人組投票敢行?
公明選擧는 期待困難

3·15 선거에 대한 동아일보의 기사로 '3인조 투표 감행? 공명 선거는 기대 곤란'이라고 적혀있다.

2 4·19 혁명(1960. 4. 19.)

1. 배경

(1) **부정부패 만연**: 이승만과 자유당의 장기 독재로 부정부패가 만연하였다.

(2) **경제난**: 미국의 경제 원조 축소 등에 따른 경기 침체 등으로 국민의 불만이 커졌다.

(3) **3·15 부정 선거**: 3·15 부정 선거는 4·19 혁명의 직접적인 원인이 되었다.

2. 전개

4·19 혁명 전개 과정(1960)

- **3. 15.** 마산 시위 → 김주열 실종
- **4. 11.** 김주열 시신 발견 → 마산 2차 시위
- **4. 18.** 고려대 학생들이 시위 전개, 귀교 도중 폭력배들의 습격을 받음
- **4. 19.** 학생과 시민들이 경무대 진입 시도 → 무차별 총격, 계엄령 선포
- **4. 25.** 대학 교수단의 시국 선언문 발표, 시위 전개
- **4. 26.** 이승만의 하야 성명 발표

(1) 마산 의거

① **1차 시위**: 경찰이 마산 학생과 시민의 3·15 부정 선거 규탄 시위를 무력으로 진압하면서 수많은 사상자가 발생하였다.

② **2차 시위**: 1차 시위 때 실종되었던 김주열 학생의 시신이 눈에 최루탄이 박힌 채 마산 앞바다에서 발견되면서 2차 시위가 전개되었다.

(2) 시위의 전국적 확산

① **이승만의 탄압**: 이승만 정부는 마산 시위의 배후로 공산당을 지목하며 사건을 수습하려 하였으나 시위는 전국적으로 확산되었다.

② **4·19 혁명의 도화선**: 4월 18일 시위 후 학교로 돌아가던 고려대학교 학생들이 정치 폭력배들의 습격을 받았는데, 이는 4·19 혁명의 도화선으로 작용하였다.

(3) **4·19 혁명**

① **시위의 전개**: 서울 시내 각 대학 학생들과 시민들이 대규모 시위를 전개하였다.

② **탄압**: 시위대 일부가 경무대(오늘날 청와대)로 돌진하자, 경찰이 시위대에 무차별 총격을 가하여 많은 사상자가 발생하였다.

(4) **정부의 계엄령 선포**: 이승만 정부는 계속해서 확산되는 시위를 해산하기 위해 계엄령을 선포하고 군대를 동원하였다.

(5) **대학 교수들의 시국 선언문 발표**(4. 25.): 서울 시내 대학 교수들이 이승만 대통령의 퇴진을 요구하는 시국 선언문을 발표하고, 국회 앞까지 시위를 전개하였다.

(6) **이승만의 하야**(4. 26.): 반대 시위가 계속되자 이승만 대통령은 "국민이 원한다면 대통령직을 사임하겠다."라는 성명을 발표하였다.

(7) **허정 과도 정부 수립**: 이승만의 하야와 자유당 정권의 붕괴 이후 외무 장관 허정을 수반으로 하는 과도 정부가 수립되었다. 허정 과도 정부는 3·15 부정 선거를 무효로 하고 재선거의 실시를 결정하였다.

기출 사료 읽기

4·19 혁명

1. 4·19 혁명 선언문(서울대 문리대 학생회)

상아의 진리탑을 박차고 거리에 나선 우리는 질풍과 같은 역사의 조류에 자신을 참여시킴으로써 이성과 진리, 그리고 자유의 대학 정신을 현실의 참담한 박토에 뿌리려 하는 바이다. 무릇 모든 민주주의 정치사는 자유의 투쟁사이나 그것은 또한 여하한 형태의 전제 정치도 민중 앞에 군림하는 종이로 만든 호랑이 같이 어설픈 것임을 알려 준다. …… 나이 어린 학생 김주열의 참혹한 시신을 보라! 그것은 가식 없는 전제주의 전횡의 발가벗은 나상(裸像)밖에 아무것도 아니다. 우리는 백 보를 양보하고라도 인간적으로 부르짖어야 할 같은 학생의 양심을 느낀다. 우리는 기쁨에 넘쳐 자유의 횃불을 올린다. 보라! 우리는 캄캄한 밤의 침묵에 자유의 종을 난타하는 타수(打手)의 일익(一翼)임을 자랑한다.

사료 해설 | 4·19 혁명은 학생과 시민이 합세하여 독재 정권을 타도한 민주주의 혁명이었다.

2. 대학 교수단의 시국 선언문

이번 4·19 의거는 이 나라의 정치적 위기를 극복하기 위한 계기이다. 이 비상시국에 대비하여 전국 대학 교수들의 양심에 호소하여 우리의 소신을 선언한다.

1. 마산, 서울, 기타 각지의 학생 데모는 주권을 빼앗긴 국민의 울분을 대신하여 궐기한 학생들의 순수한 정의감의 발로이며, 불의에는 언제나 항거하는 민족 정기의 표현이다.
2. 이 데모를 공산당의 조종이나 야당의 사주로 보는 것은 고의의 왜곡이며, 학생들의 정의감에 대한 모독이다.
3. 3·15 선거는 부정 선거이다. 공명 선거에 의하여 정·부통령 선거를 다시 실시하라.

사료 해설 | 4·19 혁명 당시 대학 교수들도 시국 선언문을 발표하여 이승만의 퇴진을 요구하였다.

3. 의의

(1) **민주주의 혁명**: 4·19 혁명은 독재 정권을 타도한 민주주의 혁명이었다.

(2) **민중에 의한 혁명**: 4·19 혁명은 민중의 힘에 의한 정권 타도와 교체를 이룩한 혁명으로, 이를 통해 민주주의·민족 통일 운동 등이 고조되었다.

계엄령

국가 비상 시 **국가 안녕과 공공질서 유지를 목적**으로 법률이 정하는 바에 따라 헌법 일부의 효력을 일시 중지하고 **군사권을 발동하여 치안을 유지하는 국가 긴급권**의 하나로, 대통령의 고유 권한이다. 계엄령이 선포되었던 사건으로는, 4·19 혁명, 6·3 항쟁, 10월 유신, 부·마 항쟁, 5·18 민주화 운동이 있다.

3 장면 내각(제2공화국, 1960. 8.~1961. 5.)

1. 총선거 실시

1960년 6월 15일 허정 과도 정부는 제3차 개헌을 추진하여 내각 책임제와 국회 양원제(참의원·민의원)를 골자로 한 헌법을 개정하였다. 이에 따라 1960년 7월 29일 5대 총선거를 실시한 결과 민주당이 압승하였다.

2. 장면 내각의 수립

(1) 장면 내각

① **구성**: 대통령에 윤보선, 국무총리에 장면이 선출되며 장면 내각이 수립되었다.

② **문제점**: 민주당은 내부 분열로 인해 구파와 신파로 분리된 상황이었는데, 내각 책임제에서 상징적 존재에 불과한 대통령에는 구파의 윤보선이 당선되고, 실질적인 권력을 가지는 국무총리에는 신파의 장면이 당선되자 분열이 더욱 극심해지면서 통일된 정책 추진이 곤란하였다.

(2) 당면 과제: 장면 내각은 독재 정권의 유산 청산과 민주주의 실현, 경제 개발, 남북 관계 개선 등을 국정 과제로 안고 출범하였다.

(3) 민주화의 진전: 제2공화국 시기 정부의 각종 규제가 풀리고 언론이 활성화되면서 사회 각계의 민주화 요구가 분출되어 학원 민주화 운동, 노동 운동, 청년 운동 등이 전개되었다. 이 때 3·15 부정 선거 관련자 및 부정 축재자들을 소급하여 처벌할 수 있도록 헌법을 개정한 소급 입법 개헌(제4차 개헌, 1960. 11.)이 통과되기도 하였다.

(4) 국토 개발 사업 착수: 장면 내각은 경제 제일주의를 내걸고, 댐 건설을 비롯한 국토 개발 사업에 착수하였으며, 경제 개발 5개년 계획을 마련하였으나 실행에 옮기지는 못하였다.

(5) 통일 논의의 활성화

① **진보 진영**: 진보적 인사들은 '중립화 통일론'과 '남북 협상론'을 제기하였고, 학생들은 '가자 북으로, 오라 남으로'와 같은 구호를 내세우며 학생 회담을 주장하였다.

② **장면 내각**: 장면 내각은 과거의 북진 통일론을 폐기하고 평화 통일론을 채택하였으나, 남북 대화에는 소극적이었다.

3. 한계

(1) 정국의 분열: 민주당 내의 신파와 구파의 갈등이 격화되었고, 이로 인해 장면 내각이 정국을 제대로 운영하지 못하는 등 국민 기대에 부응하지 못하였다.

(2) 소극적 개혁 추진: 장면 내각이 부정 선거 책임자와 부정 축재자 처벌에 소극적인 모습을 보이는 등 개혁 부진으로 국민들의 불만이 고조되었다.

제2공화국 헌법(제3차 개헌)

제53조 대통령은 양원 합동 회의에서 선거하고 재적 국회의 3분의 2 이상의 투표를 얻어 당선된다.

제70조 국무총리는 국무 회의를 소집하고 의장이 된다. 국무총리는 법률에서 일정한 범위를 정하여 위임을 받은 사항과 법률을 실시하기 위하여 필요한 사항에 관하여 국무 회의의 의결을 거쳐 국무원령을 발할 수 있다. 국무총리는 국무원을 대표하여 의안을 국회에 제출하고 행정 각부를 지휘, 감독한다.

▶ 제2공화국 헌법은 **내각 책임제와 양원제(참의원, 민의원)**의 내용을 담고 있다.

장면 내각의 시정 방침(1960. 8.)

1. 일본과의 국교 정상화 및 유엔 감시하의 남북한 자유 선거에 의한 통일 달성
2. 관료 제도의 합리화와 공무원 재산 등록 및 경찰 중립화를 통한 민주주의의 구현
3. 부정 선거의 원흉과 발포 책임자, 부정, 불법 축재자 처벌
4. 외자 도입과 경제 원조 확대를 통한 경제 개발 계획 추진
5. 군비 축소와 군의 정예화 추진을 통한 국방력 강화 및 군의 정치적 중립성 확보

▶ 장면 내각은 **사회 질서 안정, 국가 안보 체제 확립, 경제·사회 발전을 통한 국력 신장, 평화 통일** 등의 과제를 안고 있었다.

통일 논의의 활성화

4·19 혁명 이후 제2공화국에서는 통일에 대한 논의가 특히 활발하게 진행되어, 혁신계 여러 인사들이 정당을 떠나 개인 자격으로 통일 추진을 위한 **민족 자주 통일 중앙 협의회를 조직**하였다(1960. 9.). 민족 자주 통일 중앙 협의회는 **'자주·민주·평화'의 통일 원칙 아래 남북 통일을 실현하기 위한 국민 운동을 전개할 것을 결의**하였다.

OX 빈칸 핵심 개념 점검

* 학습한 개념을 OX/빈칸 문제를 통해 점검해보세요.

핵심 개념 1 | 발췌 개헌, 사사오입 개헌

01 이승만은 대통령 직선제를 골자로 하는 발췌 개헌안을 국회에 제출하였다. □ O □ X

02 이승만 정권은 1954년 의회에서 부결된 대통령 직선제 개헌안을 사사오입의 논리로 통과시켰다. □ O □ X

03 이승만은 사사오입 개헌안이 통과된 이후에 실시된 선거를 통해 제2대 대통령에 당선되었다. □ O □ X

04 이승만은 ________ 도중 발췌 개헌안을 국회에 제출해 통과시켰다.

05 1952년에 자유당은 대통령 선거를 간선제에서 직선제로, 국회를 단원제에서 양원제로 하는 ________을 제출하여 통과시켰다.

핵심 개념 2 | 3·15 부정 선거

06 이승만 정부는 진보당 사건으로 조봉암을 처형하였다. □ O □ X

07 3·15 부정 선거는 이승만의 대통령 당선 가능성이 높은 상황에서 실시되었다. □ O □ X

08 제4대 정·부통령 선거에서 자유당의 부통령 후보는 ________이었다.

09 이승만 정부는 정부에 비판적인 ________을 폐간하였다.

핵심 개념 3 | 4·19 혁명

10 4·19 혁명 당시 미국의 경제 원조 축소로 경기 침체와 실업이 증가한 상황이었다. □ O □ X

11 4·19 혁명은 마산에서 시위 도중 숨진 김주열 군의 시신이 바다에 떠오르면서 촉발되었다. □ O □ X

12 대학 교수들은 시국 선언을 발표하여 이승만의 퇴진을 요구하였다. □ O □ X

13 4·19 혁명을 계기로 이승만 대통령이 하야하였다. □ O □ X

14 4·19 혁명으로 내각 책임제 정부와 양원제 의회가 출범하였다. □ O □ X

15 제2공화국의 대통령에는 장면이 선출되었다. □ O □ X

16 4·19 혁명은 ________를 규탄하였다.

17 이승만 대통령이 하야한 뒤 ________가 내각 책임제 개헌을 단행하였다.

핵심 개념 4 | 장면 내각

18 장면 내각은 민주당의 분파로 통일된 정책을 추진하기 어려웠다. □ O □ X

19 장면 내각 시기에 민족 자주 통일 중앙 협의회가 조직되었다. □ O □ X

20 장면 내각은 경제 제일주의를 내걸고 ______________을 수립하였다.

정답과 해설

01	O 제2대 총선에서 야당이 대거 당선되자 기존의 대통령 간선제로는 재선이 어려울 것이라고 판단한 이승만은 대통령 직선제, 양원제 등을 골자로 한 발췌 개헌안을 국회에 제출하였다(1952).	**11**	O 4·19 혁명은 마산에서 열린 3·15 부정 선거 규탄 시위 도중 실종된 김주열 군의 시신이 바다에서 발견되면서 촉발되었다.
02	× 1954년에 사사오입의 논리로 통과된 사사오입 개헌안은 초대 대통령의 중임 제한을 철폐한다는 내용을 담고 있다.	**12**	O 대학 교수들은 시국 선언을 발표하여 이승만 대통령의 퇴진과 재선거 실시를 요구하였다.
03	× 이승만은 사사오입 개헌안이 통과된 이후에 실시된 제3대 대통령 선거를 통해 제3대 대통령에 당선되었다.	**13**	O 4·19 혁명을 계기로 이승만 대통령이 하야하고 허정 과도 정부가 수립되었다.
04	6·25 전쟁	**14**	O 4·19 혁명 이후 수립된 허정 과도 정부가 내각 책임제와 양원제 의회를 골자로 한 개헌안을 통과시켰고, 이후 실시된 총선거에서 장면 내각이 출범하였다.
05	발췌 개헌안	**15**	× 제2공화국의 대통령은 윤보선이 선출되었으며, 당시 헌법에 따라 실권을 가지고 있는 국무총리로는 장면이 선출되었다.
06	O 이승만 정부는 제3대 대통령 선거에서 활약한 조봉암과 진보당 간부들에게 북한과 내통했다는 혐의를 씌우고 조봉암을 처형하였다(진보당 사건).	**16**	3·15 부정 선거
07	O 3·15 부정 선거는 상대 후보였던 조병옥의 사망으로 이승만의 대통령 당선 가능성이 높은 상황에서 실시되었다.	**17**	허정 과도 정부
08	이기붕	**18**	O 장면 내각은 민주당 내부가 신파와 구파로 분열하여 파벌 싸움을 벌였기 때문에 통일된 정책을 추진하기 어려웠다.
09	경향신문	**19**	O 장면 내각 시기에 혁신계 인사들을 중심으로 통일 추진을 위한 민족 자주 통일 중앙 협의회가 조직되었다(1960. 9.).
10	O 4·19 혁명 직전인 1950년대 말, 미국의 원조액이 급감하면서 경기 성장률이 급락하고 실업이 증가하였다.	**20**	경제 개발 5개년 계획

2 5·16 군사 정변과 유신 체제

학습 포인트
박정희 정부는 유신 체제를 기준으로 이전과 이후로 나누어서 핵심 내용을 정리한다.

빈출 핵심 포인트
5·16 군사 정변, 6·3 항쟁, 한·일 협정, 베트남 파병, 브라운 각서, 3선 개헌, 10월 유신, 통일 주체 국민회의, YH 무역 사건, 부·마 항쟁, 10·26 사태

1 5·16 군사 정변과 군정의 실시

1. 5·16 군사 정변(1961. 5. 16.)

(1) **발발**: 박정희를 중심으로 한 군부 세력이 사회 혼란과 무질서를 명분으로 정변을 일으켜 국회와 지방 의회 및 정당을 해산하고 지방 자치제를 중단시켰다.

(2) **혁명 공약 발표**: 정권 장악에 성공한 군부 세력이 최고 권력 기구인 군사 혁명 위원회를 조직하여 입법권·사법권·행정권을 장악하고 6개 항의 '혁명 공약'을 발표하였다.

기출 사료 읽기

> **5·16 군사 혁명 위원회의 혁명 공약**
> 1. 반공을 국시의 제일로 삼고 지금까지 형식적이고 구호에만 그친 반공 체제를 재정비·강화한다.
> 3. 이 나라 사회의 모든 부패와 구악을 일소하고 퇴폐한 국민 도의와 민족정기를 다시 바로잡기 위하여 청신한 기풍을 진작시킨다.
> 5. 민족적 숙원인 국토 통일을 위하여 공산주의와 대결할 수 있는 실력 배양에 전력을 집중한다.
> 6. 이와 같은 우리의 과업이 성취되면 참신하고도 양심적인 정치인들에게 언제든지 정권을 이양하고 우리들 본연의 임무에 복귀할 준비를 갖춘다.
>
> 사료 해설 | 혁명 공약은 반공을 국시로 천명하고 경제 재건과 사회 안정을 표방하였다.

(3) **결과**: 장면 내각이 출범 9개월 만에 퇴각하고 군정이 실시되었다.

2. 군사 정부의 정책(1961~1963)

(1) 국가 재건 최고 회의

① **구성**: 군사 정변의 주도 세력은 헌법의 효력을 정지시키고, 군사 혁명 위원회를 국가 재건 최고 회의로 재편하여 군사 정부의 실질적인 최고 통치 기구로 삼았다.

② **중앙정보부**: 군사 정부는 중앙정보부를 창설하여 반대파를 탄압하고 군정을 실시하였다.

(2) **경제 개혁**: 경제 발전을 위해 경제 개발 5개년 계획(1962)을 추진하였다. 또한 경제 개발 자금을 마련하기 위해 화폐 개혁을 실시(1962)하였으나 큰 성과를 거두지 못하였다.

(3) 헌법 개정과 민주 공화당 창당

① **헌법 개정**: 정치인들의 정치 활동을 규제하고 대통령 선거를 직선제로 변경하였으며, 대통령 중심제와 단원제 실시를 주요 내용으로 하는 제5차 개헌을 단행하였다(1962).

② **민주 공화당 창당**: 박정희는 비밀리에 민주 공화당을 창당하였다(1963. 2.).

5·16 군사 정변

왼쪽부터 박종규, 박정희, 차지철이다.

국가 재건 최고 회의
5·16 군사 정변 직후 **군부가 비상 조치로 설치한 국가 최고 통치 기관**이다. 처음에는 군사 혁명 위원회로 발족되었으나, 곧바로 국가 재건 최고 회의로 개칭하였다. 박정희를 의장으로 한 이 기구에서 **대통령 중심제의 제5차 개헌을 단행**하였다(1962).

중앙정보부
5·16 군사 정변 직후 조직된 기관이다. 국가 내외에 걸친 **정보·수집뿐만 아니라 수사 기능까지 포함**한 막강한 권력을 휘두르며 정치인들에 대한 사찰과 정치 공작을 주도하였다.

(4) **제5대 대통령 당선**: 박정희는 정권을 민간에 넘긴다는 민정 이양의 약속을 저버린 채 군복을 벗고 대선에 출마하였다. 제5대 대통령 선거(1963. 10.)에 민주 공화당 후보로 출마한 박정희는 민정당 후보였던 윤보선을 누르고 대통령에 당선되었다(제3공화국).

2 박정희 정부(제3공화국, 1963~1972)

1. 한·일 국교 정상화(1965)

(1) **배경**: 박정희 정부는 경제 개발을 추진하기 위해 자본과 선진 기술이 필요하였다. 한편 미국은 한국에 대한 원조 부담을 일본과 나누고, 일본을 중심으로 동아시아의 안보 질서를 강화하고자 1950년대부터 한국에 일본과의 국교 정상화를 권고하였다.

(2) **한·일 회담**(1962)

① **내용**: 중앙정보부장 김종필과 일본 외상 오히라는 '대일 청구권 자금과 경제 협력 자금 공여'에 합의하였다(김종필·오히라 메모).

② **한계**: 독도 문제 등이 언급되지 않았으며, 식민지 문제는 양국이 자신의 입장에서 해석하였다.

(3) **6·3 항쟁**(1964): 국민들은 한·일 회담에 반대하여 대일 굴욕 외교 반대 범국민 투쟁 위원회를 결성하고, 일본의 사과와 정당한 보상을 요구하였다. 이에 대해 정부는 계엄령을 선포하여 무력으로 시위를 진압하였다.

(4) **한·일 협정 체결**(한·일 기본 조약, 1965): 한·일 협정의 부속 협정으로 체결된 '청구권·경제 협력에 관한 협정'을 통해 일본은 독립 축하금 명목의 무상 자금 3억 달러, 정부 차관 2억 달러, 민간 상업 차관 3억 달러를 공여하기로 하였다. 이와 함께 '재일 교포의 법적 지위 및 대우에 관한 협정', '어업에 관한 협정', '문화재·문화 협력에 관한 협정'이 함께 체결되었다.

(5) **영향**: 한·일 협정의 체결로 한·미·일 공동 안보 체제가 형성되었으나, 한국 경제의 대일 의존도가 심화되었다. 또한 중요 현안이었던 강제 징용 및 위안부 피해자 보상 문제, 독도 문제, 재일 동포 문제 등이 제대로 처리되지 않았다.

기출 사료 읽기

한·일 협정(한·일 기본 조약, 1965)

대한민국과 일본국은 양국 국민 관계의 역사적 배경을 고려하며, 선린 관계 및 주권 상호 존중 원칙에 입각한 양국 관계의 정상화를 상호 의망(意望)함을 고려하고, ……

제1조 양 체약 당사국 간에 외교 및 영사 관계를 수립한다. 양 체약 당사국은 대사급 외교 사절을 지체 없이 교환한다.

제2조 1910년 8월 22일 및 그 이전에 대한 제국과 대 일본 제국 간에 체결된 모든 조약 및 협정이 이미 무효임을 확인한다.

제3조 대한민국 정부가 국제 연합 총회의 결정에서 명시된 바와 같이 한반도에 있어서 유일한 합법 정부임을 확인한다.

사료 해설 | 한·일 협정은 1965년 6월 체결된 '대한민국과 일본국 간의 기본 관계에 대한 조약'과 이에 부속된 4개 협정의 총칭이다.

김종필·오히라 메모

- 일제 35년간의 지배에 대한 보상으로 일본은 3억 달러를 10년간에 걸쳐서 지불하되, 그 명목은 '독립 축하금'으로 한다.
- 경제 협력의 명분으로 정부 간의 차관 2억 달러를 3.5%, 7년 거치 20년 상환이라는 조건으로 10년간 제공하며, 민간 상업 차관으로 1억 달러를 제공한다.

▶ 김종필과 오히라는 비밀 교섭에서 이루어진 합의 사항(일본이 한국에 무상 자금 3억 달러, 정부 차관 2억 달러, 민간 상업 차관 1억 달러 이상의 자금을 제공하기로 함)을 메모로 교환하였는데, 후에 이 메모의 내용이 폭로되어 국민들이 크게 반발하였다.

독도 문제

2차 한·일 회담 때 독도 문제를 국제 사법 재판소에 이관한다는 이야기가 나왔으나 우리나라는 이에 대해 제대로 대처하지 못하였고, 결국 협정 내용에는 독도 문제가 포함되지 않았다.

한·일 회담 반대 - 황소식(式) 민족적 민주주의의 장례식

…… 국제 협력이라는 미명 아래 우리 민족의 치 떨리는 원수 일본 제국주의를 수입, 대미 의존적 반신불수인 한국 경제를 2중 예속의 철쇄로 속박하는 것이 조국 근대화로 가는 첩경이라고 기만하는 반민족적 음모를 획책하고 있다. …… 굴욕적인 한·일 회담의 즉시 중단을 엄숙히 요구한다.
- 한·일 굴욕 회담 반대 학생 총연합회

▶ 우리나라 국민들은 **굴욕적인 한·일 회담에 대해 크게 반대**하였다. 자료에서 '**황소식**'이란 당시 여당인 민주 공화당의 상징이 황소였기 때문에 붙인 것이었다.

2. 베트남 파병(1964~1973)

(1) 배경: 베트남 파병은 아시아의 반공 전선을 확고히 하려는 미국의 의도와 경제 개발에 필요한 자금을 확보하려는 박정희 정부의 이해 관계가 부합된 것이었다.

(2) 전개: 베트남 전쟁이 확대되자 미국이 한국에 베트남 파병을 요청하였다. 이에 정부는 미국과의 정치·군사 동맹을 강화하고, 경제 개발에 도움을 얻기 위해 파병을 결정하였다. 초기에는 비전투 부대를 보냈으나 1965년 이후 전투 부대를 파병하였다.

(3) 브라운 각서(1966): 브라운 각서를 통해 한국군 베트남 추가 파병의 대가로 미국으로부터 한국군의 현대화 및 경제 발전을 위한 원조를 제공받기로 합의하였다.

교과서 사료 읽기

> 브라운 각서
>
> 1. 한국에 있는 한국군의 현대화 계획을 위해 앞으로 수년 동안에 걸쳐 상당량의 장비를 제공한다.
> 3. 주월 한국군에 소요되는 보급 물자, 용역 및 장비를 실시할 수 있는 한도까지 한국에서 구매하며, 주월 미군과 월남군을 위한 물자 가운데 선정된 구매 품목을 한국에서 발주한다.
> 4. 수출을 진흥시키기 위한 모든 분야에서 한국에 대한 기술 원조를 강화한다.
> 5. 1965년 5월에 대한민국에 대하여 이미 약속한 바 있는 1억 5천만 달러 AID 차관에 추가하여 … 대한민국 경제 발전을 지원하기 위하여 추가 AID 차관을 제공한다.
>
> **사료 해설 |** 브라운 각서는 국군 장비 현대화, 차관 제공, 대월남 물자의 한국 조달 등 14개 조항으로 구성되었다.

(4) 영향: 파병의 대가로 받은 거액의 원조는 경제 성장의 발판(베트남 특수)이 되어 박정희의 재선 성공과 국군의 전력 증강에 기여하였다.

베트남 전쟁(1960~1975)

베트남 전쟁은 베트남이 통일 과정에서 미국과 벌인 전쟁으로, 이때 미국은 남베트남 정부를 지원하였다. 처음에는 베트남 내전이라는 성격을 띠었으나 미국과 소련의 냉전 체제하에 여러 국가가 참전한 국제적인 전쟁으로 비화되었다. 이 전쟁은 북베트남이 남베트남의 항복을 받아 끝났는데, 베트남 전쟁 당시 한국은 미국 다음으로 많은 병력을 파병하였다.

3. 한반도의 긴장 고조

1·21 사태	북한 무장 공비들이 청와대를 기습하기 위해 서울에 침투한 사건(1968)
푸에블로호 사건	북한이 영해를 침범했다는 이유로 미국의 첩보함(푸에블로호)을 납치한 사건(1968. 1. 23.) → 향토 예비군 창설(1968. 4.)의 계기가 됨
판문점 도끼 만행 사건	판문점 공동 경비 구역 내 미루나무 가지치기를 작업을 하던 유엔군을 북한군이 도끼로 구타·살해한 사건(1976. 8. 18.)

향토 예비군 창설(1968. 4.)

1·21 사태와 푸에블로호 사건을 계기로 향토 예비군이 창설되었다. 이들은 **평상시에는 사회 생활을 하다가 유사시에 소집되는 대한민국의 예비 전력**으로, 무장 공비의 공세에 대처하고 향토 방위 체제를 확립하기 위한 것이었다.

4. 3선 개헌(제6차 개헌, 1969)

(1) 대통령 3선 개헌안: 경제 발전의 성과를 내세운 박정희가 제6대 대통령에 당선되었다(1967). 이어 여당은 대통령의 3선 연임을 허용하는 헌법 개정을 추진하였다. 야당, 재야 세력, 학생들은 장기 집권 음모라고 비난하며 반대했으나, 정부는 북한의 도발(푸에블로호 사건 등)을 빌미로 반대 여론을 억압하였다. 그 과정에서 무고한 사람들이 간첩으로 몰려 실형을 선고받기도 하였다. 결국 민주 공화당 의원들만 참석한 가운데 대통령의 3선 연임을 허용하는 3선 개헌을 통과시키고 국민 투표를 통해 확정시켰다(1969).

(2) 제7대 대통령 선거(1971): 개정된 헌법 아래 진행된 제7대 대통령 선거에서 민주 공화당의 박정희가 신민당의 김대중을 누르고 당선되었다.

3선 개헌과 관련된 대통령의 담화(1969. 10.)

솔직히 말해서 다사다난할 1970년대를 맞이함에 있어 국민이 허용한다면 70년대 전반기는 정권의 변동 없이 현 체제를 그대로 밀고 나가는 것이 국가 발전에 도움이 되는 일이며 국가 안보와 경제의 기초를 다지는 일이 된다고 믿어 이 개헌안이 발의된 것이다.

▶ 당시 2차까지 연임하였던 박정희는 대통령에 다시 출마할 수 없었다. 그러나 북한의 도발 위협 속에서 경제 개발을 가속화하고 정치적 안정을 유지하기 위해서는 박정희의 강력한 지도력이 필요하다는 미명 아래 **3선 개헌안이 통과**되었다.

3 유신 체제(제4공화국, 1972~1979)

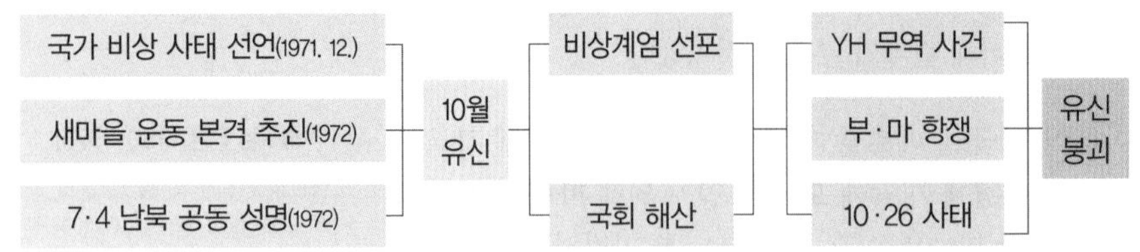

| 유신 체제의 성립과 붕괴

1. 배경

(1) **국외**: 미국 닉슨 독트린에 의한 주한 미군 감축, 미국과 중국의 외교 정상화로 냉전 체제가 이완되는 등 국제 정세가 변화하였다. 이로 인해 그동안 박정희 정부가 내세웠던 반공 정책을 추진할 명분이 약화되었다(반공 이데올로기의 위기).

(2) **국내**: 경제 개발의 결과 경제가 급속도로 성장하기는 하였으나 경제·사회적 갈등이 심화되었다. 또한 박정희 정부는 제7대 대선에서의 고전으로 위기감을 느끼고 장기 집권 방법을 강구하였다.

(3) **7·4 남북 공동 성명**(1972): 7·4 남북 공동 성명을 통해 자주·평화·민족적 대단결이라는 통일의 3대 원칙에 합의하는 등 남북 관계가 일시적으로 안정되었다.

2. 10월 유신(1972. 10. 17.)

(1) **선포**: 박정희 정부는 조국의 평화적 통일과 한국적 민주주의 토착화를 구실로 대통령 특별 선언을 발표하고 10월 유신을 선포하였다.

(2) **유신 헌법 확정**: 전국에 비상계엄령을 선포하여 국회를 해산시키고 모든 정치 활동을 정지시킨 박정희 정부는 비상 국무 회의에서 유신 헌법을 제정한 후 1972년 11월 국민 투표로 확정하였다.

3. 유신 헌법(제7차 개헌, 1972)의 내용

(1) **장기 독재 체제 마련**

① **대통령 간선제**: 박정희는 통일 주체 국민회의에서 간접 선거로 대통령을 선출하도록 하였으며, 대통령의 임기를 6년으로 하고 중임 제한을 폐지하는 등 장기 집권의 발판을 마련하였다.

② **박정희 당선**: 제8대 대통령 선거에 단독 출마한 박정희가 대통령에 당선되었다(1972. 12.).

(2) **대통령의 권한 강화**: 대통령은 국회의원 1/3을 추천할 수 있었고, 이렇게 선출된 국회의원들은 유신 정우회를 구성하여 대통령의 정치적 의지를 입법 활동으로 구현하였다. 또한 대통령은 국회 해산권과 법관 인사권을 가지고 있었고, 긴급 조치를 통해 국민의 기본권을 제한할 수 있었다.

(3) **성격**: 유신 체제는 한국적 민주주의를 표방하였으나 3권 분립의 민주적 헌정 체제를 부정하고, 강력한 통치권을 대통령에게 부여한 권위주의적 통치 체제였다.

10월 유신 선포

나는 국민적 정당성을 대표하는 대통령으로서 나에게 부여된 역사적 사명에 충실하기 위해 부득이 정상적인 방법이 아닌 비상조치로써 남북 대화의 적극적인 전개와 주변 정세의 급변하는 사태에 대처하기 위한 우리 실정에 가장 알맞은 체제 개혁을 단행하여야 하겠다는 결심을 하기에 이르렀습니다. 이에 나는 평화 통일이라는 민족의 염원을 구현하기 위하여 …… 다음과 같은 약 2개월간의 헌법 일부 조항의 효력을 중지시키는 비상조치를 국민 앞에 선포하는 바입니다.

▶ 박정희는 한국적 민주주의의 토착화를 명분으로 삼고 **유신을 단행**하였지만, 이로 인해 민주주의의 기본 원칙이 부정되었고 한국의 **민주주의는 크게 후퇴**하였다.

제8대 대통령 선거

1972년 박정희는 **통일 주체 국민회의에서 뽑는 대통령 선거**에 **단독으로 입후보**하였다. 재적 대의원인 2,359명 전원이 참가하였고 **반대 0표, 무효 2표, 찬성 2,357표로 당선**되었다.

유신 정우회

유신 헌법에 따라 국회의원 정수의 3분의 1에 해당하는 수의 국회의원을 대통령이 추천하면 통일 주체 국민 회의가 승인·선출하였는데, 이렇게 국회의원이 된 의원들이 만든 원내 교섭 단체를 의미한다.

기출 사료 읽기

유신 헌법

제39조 대통령은 통일 주체 국민회의에서 토론 없이 무기명 투표로 선거한다.

제40조 통일 주체 국민회의는 국회의원 정수의 1/3에 해당하는 수의 국회의원을 선거한다. 이 국회의원 후보는 대통령이 일괄 추천한다.

제53조 1. 대통령은 천재지변 또는 중대한 재정·경제상의 위기에 처하거나, 국가의 안전 보장 또는 공공의 안녕질서가 중대한 위협을 받거나 받을 우려가 있어 신속한 조치를 할 필요가 있다고 판단할 때에는 …… 긴급 조치를 할 수 있다.

2. 대통령은 제1항의 경우에 필요하다고 인정할 때에는 …… 국민의 자유와 권리를 잠정적으로 정지하는 긴급 조치를 할 수 있고, 정부나 법원의 권한에 관하여 긴급 조치를 할 수 있다.

제59조 대통령은 국회를 해산할 수 있다.

사료 해설 | 유신 헌법의 기본 성격은 평화적인 통일 지향, 한국적 민주주의의 토착화, 자유 경제 질서 확립, 자유와 평화 수호의 재확인 등이었으나 사실상 박정희의 장기 집권을 위한 개헌이었고, 국민의 기본권 침해, 대통령 독재를 가능하게 한 헌법이었다.

4. 유신 체제에 대한 저항과 탄압

(1) **김대중 납치 사건**(1973): 일본과 미국 각지에서 유신 반대 운동을 벌이던 김대중을 중앙정보부가 납치하였다.

(2) **개헌 청원 1백만인 서명 운동**(1973): 유신 헌법 철폐를 위해 함석헌, 장준하, 계훈제, 백기완 등 재야 인사들이 연합하여 개헌 청원 운동을 전개하였다.

(3) **민주화 운동 단체 조직**: 민주 회복 국민 회의, 천주교 정의구현 전국 사제단, 자유 실천 문인 협의회 등이 결성되어 활동하였다.

(4) **정부의 긴급 조치**(1974~): 재야 인사와 학생을 중심으로 유신 저항 운동이 일어나자, 정부는 긴급 조치를 잇달아 발표하여 유신 반대 세력을 탄압하였다. 대표적으로 민청학련 사건을 조작하였는데, 유신 헌법 철폐와 개헌을 요구하던 전국 민주 청년 학생 총연맹(민청학련)의 배후가 인민 혁명당(인혁당)이라고 날조하여 탄압하였다.

교과서 사료 읽기

긴급 조치 제9호(1975. 5. 13.)

1. 다음 각 호의 행위를 금한다.
가. 유언비어를 날조, 유포하거나 사실을 왜곡하여 전파하는 행위
나. 집회·시위 또는 신문, 방송, 통신 등 공중 전파 수단이나 문서, 도화, 음반 등 표현물에 의하여 대한민국 헌법을 부정·반대·왜곡 또는 비방하거나 그 개정 또는 폐지를 주장·청원·선동 또는 선전하는 행위
다. 학교 당국의 지도, 감독하에 행하는 수업, 연구 또는 학교장의 사전 허가를 받았거나 기타 예외적 비정치적 활동을 제외한 학생의 집회·시위 또는 정치 관여 행위
라. 이 조치를 공연히 비방하는 행위

8. 이 조치 또는 이에 의한 주무부 장관의 조치에 위반한 자는 법관의 영장 없이 체포·구속·압수 또는 수색할 수 있다.

사료 해설 | 유신 헌법에서는 정부가 긴급 조치만으로 국민의 기본권을 제한할 수 있도록 규정하고 있었다.

김대중 납치 사건

1973년 8월 8일 일본 도쿄에서 김대중이 납치되어 한·일 간의 외교 문제로까지 비화된 사건이다. 당시 김대중은 한국 정보 기관 요원 5명에게 납치되었다가 구출되었는데, 이는 김대중의 유신 반대 운동에 대해 박정희 정부가 일으킨 사건이었다.

민청학련 사건

1974년 4월 폭력으로 정부를 전복하기 위해 전국적인 민중 봉기를 획책했다는 혐의로, 전국 민주 청년 학생 총연맹을 중심으로 180명이 구속·기소된 사건이다.

인민 혁명당 사건

반정부 혁신계 인사와 학생 등을 북한의 지시로 인민 혁명당을 조직해 국가 변란을 꾀하였다는 혐의로 체포한 **1차 인혁당 사건**(1964) 이후, 1974년 민청학련 사건을 **인혁당 재건위 사건**으로 조작하여 1차 인혁당 사건 관련자들을 다시 체포하고 8명에게 사형, 7명에게 무기징역, 나머지에 징역 15~20년 형을 선고하였다(**2차 인혁당 사건**). 2007~2008년에 피해자들에게 무죄가 선고되었다.

(5) **3·1 민주 구국 선언**(1976): 윤보선, 김대중, 문익환, 김승훈, 함석헌 등 재야 인사들이 중심이 되어 명동 성당에서 긴급 조치 철폐, 구속 인사 석방, 언론·출판·집회의 자유, 의회 정치의 회복과 사법권의 독립, 민족 통일 추구 등을 요구하는 **3·1 민주 구국 선언**을 발표하였다.

기출 사료 읽기

> **3·1 민주 구국 선언**
>
> 오늘로 3·1절 쉰일곱 돌을 맞으면서 … 삼권 분립은 허울만 남았다. 국가 안보라는 구실 아래 신앙과 양심의 자유는 날로 위축되어 가고 언론의 자유와 학원의 자주성은 압살당하고 말았다. …… 우리의 비원인 민족 통일을 향해서 국내외로 민주 세력을 키우고 규합하여 한 걸음 한 걸음 착실히 전진해야 할 마당에 이 나라는 1인 독재 아래 인권은 유린되고 자유는 박탈당하고 있다. 우리는 이를 보고 있을 수 없어 …… 이 나라의 먼 앞날을 내다보면서 민주 구국 선언을 선포하는 바이다.
>
> 1. 이 나라는 민주주의의 기반 위에 서야 한다.
> 2. 경제 입국 구상과 자세가 근본적으로 검토되어야 한다.
> 3. 민족 통일은 오늘 이 겨레가 짊어진 최대의 과업이다.
>
> \- 3·1 민주 구국 선언, 1976
>
> **사료 해설 |** 명동 성당에서 열린 3·1절 기념 미사 때 재야 정치인들과 가톨릭 신부 등이 3·1 민주 구국 선언을 발표하였고, 이후 정부는 본 선언을 진행한 관련 인사들을 구속하고 실형을 선고하였다.

5. 유신 체제의 붕괴

(1) **민심 이반과 경제 불황**: 1978년 10대 총선에서 야당인 신민당의 득표율이 여당인 민주 공화당을 앞질렀고, **제2차 석유 파동**(1978~1980)과 중화학 공업 과잉 투자에 따른 경제 불황이 지속되었다.

(2) **YH 무역 사건**(1979. 8.): YH 무역의 여성 노동자들이 노동 운동 탄압과 부당한 폐업 조치에 저항하며 신민당사를 점거·농성하는 과정에서, 경찰의 강제 진압으로 여성 근로자가 사망하였다.

(3) **부·마 항쟁**(1979. 10.): 신민당 총재 김영삼이 YH 무역 사건 등을 계기로 박정희 정부에 대한 공세를 강화하자, 여당은 유신 체제에 비판적이었던 김영삼 의원을 국회에서 제명하였다. 이를 계기로 **부산, 마산 등지에서 유신 체제 반대 시위가 확대**되었다. 이에 박정희 정부는 계엄령을 선포하여 진압하였으나 시위는 더욱 확산되었고, 마산과 창원 지역에 위수령이 발동되기도 하였다.

(4) **10·26 사태**: 미국과의 관계 악화, 부·마 항쟁 등에 대한 대응을 두고 정부 세력은 강경한 입장과 온건한 입장(대미 관계 개선 및 국민 요구 수용)으로 나뉘어졌다. 그러한 와중에 부·마 항쟁 진압에 온건한 입장을 보이던 중앙정보부장 **김재규가 박정희를 살해**함으로써 **유신 체제가 붕괴**되었다.

부·마 항쟁

1979년 10월 **부산 및 마산 지역을 중심으로 전개된 유신 독재 반대 시위**이다. 이에 대해 정부는 부산 지역에 계엄령을 선포하였고, 마산 및 창원 일대에 위수령을 발동하여 군대를 출동시켰다. 하지만 26일 박정희가 사망함으로써 이 사건은 유신 체제의 종말을 앞당긴 계기가 되었다.

위수령

육군 부대가 일정한 곳에 주둔하면서 그 지역의 치안과 질서 유지, 시설물의 보호를 하게 하는 대통령령을 뜻한다. 대표적으로 **한·일 협정 반대 시위**(1965)와, **교련 반대 운동**(1971) 등 학생 시위 진압 과정에서 서울 지역에 위수령이 발동되었으며, **부·마 항쟁**(1979) 때 마산·창원 지역에서도 발동되었다. 한편 위수령은 2018년에 폐지되었다.

OX 빈칸 핵심 개념 점검

* 학습한 개념을 OX/빈칸 문제를 통해 점검해보세요.

핵심 개념 1 | 5·16 군사 정변과 군정의 실시

01 박정희 등 일부 군인은 5·16 군사 정변을 일으켜 정권을 장악하였다. □ O □ X

02 군사 정부는 반공을 국시로 내걸고 경제 재건과 사회 안정을 내세웠다. □ O □ X

03 제5차 개헌에서는 대통령 중심제와 단원제 실시를 주요 내용으로 하였다. □ O □ X

04 5·16 군사 정변 주도 세력은 군사 혁명 위원회를 ________로 개편하고 군정을 실시하였다.

05 박정희는 ________을 창당하고 대통령 후보로 출마해 당선되었다.

핵심 개념 2 | 박정희 정부(제3공화국)

06 한·일 기본 조약 협의를 위해 중앙 정보부장 이후락이 특사로 파견되었다. □ O □ X

07 박정희 정부 시기에 한·일 협정 체결을 반대하는 6·3 시위가 있었다. □ O □ X

08 한·일 기본 조약에서는 위안부 문제가 주요한 의제로 논의되었다. □ O □ X

09 박정희 정부는 한국군의 베트남 추가 파병의 대가로 미국과 ________를 체결하였다.

10 박정희는 ________을 단행한 뒤 제7대 대통령 선거에 출마하여 당선되었다.

핵심 개념 3 | 유신 체제(제4공화국)

11 1978년 대통령 선거에는 민주 공화당 후보로 박정희가 단독 출마하였다. □ O □ X

12 박정희 정부는 장기 독재 체제를 마련하기 위해 대통령의 중임 제한을 없애고 간선제를 골자로 하는 헌법을 제정하였다. □ O □ X

13 유신 헌법 하에서 대통령은 국회 해산권과 긴급 조치권, 국회의원 1/3 지명권을 가졌다. □ O □ X

14 박정희는 통일의 3대 원칙에 합의하는 ________ 발표 이후에 유신 체제를 선포하였다.

15 유신 헌법 하에서는 ________에서 대통령을 선출한다.

핵심 개념 4 | 유신 체제에 대한 저항

16 1973년 유신 헌법 철폐를 위해 함석헌, 장준하 등의 민주 인사들이 개헌 청원 운동을 전개하였다. □ O □ X

17 유신 헌법 시행 시기에 부·마 민주 항쟁이 일어났다. □ O □ X

18 윤보선, 김대중 등 재야 인사들은 명동 성당에서 긴급 조치 철폐, 언론·출판의 자유 등을 요구하며 ________을 발표하였다.

정답과 해설

01	**O** 박정희 등 일부 군인은 1961년에 5·16 군사 정변을 일으켜 정권을 장악하였다.	**10**	3선 개헌
02	**O** 5·16 군사 정변 이후 수립된 군사 정부는 반공을 국시로 내걸고 경제 재건과 사회 안정을 내세웠다.	**11**	**O** 1978년 실시된 제9대 대통령 선거에는 민주 공화당 후보로 박정희가 단독 출마하여 대통령에 당선되었다.
03	**O** 군사 정부가 단행한 제5차 개헌에서는 대통령 중심제(직선제, 4년 중임제)와 단원제 실시를 주요 내용으로 하였다.	**12**	**O** 박정희 정부는 장기 독재 체제를 마련하기 위해 유신 헌법을 제정하여 대통령의 임기를 6년으로 하되 중임 제한을 폐지하고, 통일 주체 국민회의에서 대통령을 간접 선거로 선출하도록 하였다.
04	국가 재건 최고 회의	**13**	**O** 유신 헌법 하에서 대통령은 국회의원 1/3 지명권(추천권), 국회 해산권을 비롯하여 국민의 기본권을 제한할 수 있는 긴급 조치권을 부여받았다.
05	민주 공화당	**14**	7·4 남북 공동 성명
06	**×** 한·일 기본 조약 협의를 위해 파견된 중앙 정보부장은 이후락이 아니라 김종필이다. 김종필은 일본 외상 오히라와 비밀 회담을 갖고 한·일 기본 조약에 대한 협의를 하였다.	**15**	통일 주체 국민회의
07	**O** 박정희 정부가 경제 개발에 필요한 자본과 기술을 확보하기 위해 일본과 한·일 회담을 개최하자, 학생들을 중심으로 한 국민들은 굴욕적인 한·일 회담에 반대하는 6·3 시위(1964)를 전개하였다.	**16**	**O** 1973년에 유신 헌법 철폐를 위해 함석헌, 장준하, 계훈제, 백기완 등 각계의 민주 인사들이 연합하여 개헌 청원 운동을 전개하였다.
08	**×** 한·일 기본 조약에서는 위안부 문제와 독도 문제 등이 제대로 논의되지 않았다.	**17**	**O** 유신 헌법 시행 시기인 1979년에 부산과 마산에서는 유신 체제에 반대하는 부·마 민주 항쟁이 일어났다.
09	브라운 각서	**18**	3·1 민주 구국 선언

3 민주주의의 발전

학습 포인트
전두환 정부, 노태우 정부, 김영삼 정부, 김대중 정부 시기의 주요 정책과 활동을 파악한다.

빈출 핵심 포인트
12·12 사태, 5·18 민주화 운동, 3저 호황, 6월 민주 항쟁, 6·29 민주화 선언, 금융 실명제, 외환 위기, 남북 정상 회담

1 민주화 운동의 전개

1. 신군부 세력과 5·18 민주화 운동

(1) **최규하 정부**: 10·26 사태 이후 대통령 권한 대행으로 있던 국무총리 최규하가 통일 주체 국민회의를 통해 제10대 대통령에 당선되었다. 그러나 유신 체제에 대한 반발과 자율화 요구로 불안한 정국이 지속되었다.

(2) **12·12 사태**(1979): 보안 사령관 전두환을 비롯한 신군부 세력이 일부 병력을 동원하여 계엄 사령관 정승화를 체포한 후 군권과 정치적 실권을 장악하였다.

(3) **서울의 봄**(1980. 5.): 학생과 시민들이 유신 헌법 폐지, 전두환 등 신군부 퇴진, 비상계엄 폐지, 민주적인 절차를 통한 민간 정부 수립 등을 요구하면서 대대적인 시위를 전개하였다(5월 15일 서울역 평화 행진).

(4) **5·18 민주화 운동**(1980)

① **배경**: 신군부 세력이 5월 17일 전국에 비상 계엄을 확대하여 국회 폐쇄, 정치 활동 금지, 대학 휴교, 언론 검열 강화 등을 포고하였다. 또한, 김대중 등 주요 정치 인사와 학생 운동 지도부를 체포·구속하였다.

② **전개**: 광주 지역 학생과 시민들이 계엄령 철폐와 김대중 석방을 요구하며 민주화 운동을 전개하자 신군부는 공수 부대를 파견하여 폭력적으로 진압을 시도하였다. 이에 광주 시민들은 무기를 탈취하여 저항하였으나 곧 시민 수습 대책 위원회가 구성되어 정부에 평화적 협상을 요구하였다. 하지만 신군부는 시민군을 무력 진압하였다.

일자	전개 과정
5월 18일	전남 대학교 학생들을 중심으로 계엄 철폐·김대중 석방·신군부 퇴진을 요구하는 시위 전개
5월 20일	시위 군중에 밀린 계엄군이 시위대를 향해 발포, 시위 군중들은 경찰서·파출소에서 탈취한 소총으로 무장하여 시민군 조직
5월 22일	계엄군은 시위의 확산을 막기 위해 광주 외곽 봉쇄, 일부 시민들은 수습 대책 위원회를 결성하여 자발적 무장 해제 및 정부와 협상 시도
5월 27일	계엄군은 전남도청 진압 작전 통해 유혈 진압 강행

③ **의의**: 5·18 민주화 운동은 1980년대 민주화 운동의 토대를 형성하였다.

④ **영향**: 5·18 민주화 운동에 대한 폭력적 진압을 미국이 방조했다는 의혹으로 반미 운동이 전개되었다.

12·12 사태
1979년 12월 12일, **전두환과 노태우를 중심으로 한 신군부 세력**이 군부 내의 사조직인 **하나회를 동원**하여 **계엄 사령관인 정승화 육군 참모 총장 등을 연행한 군사 반란 사건**이다. 이 사건으로 당시 보안 사령관이던 전두환 육군 소장이 군사권을 장악하고 정치적인 실세로 등장하였다.

서울의 봄
1968년 체코슬로바키아에서 일어난 민주 자유화 운동인 '프라하의 봄'에서 비유한 명칭이다.

김대중 내란 음모 사건
1980년에 신군부 세력이 김대중 등을 북한의 사주를 받아 내란을 계획하고 5·18 민주화 운동을 일으켰다며 혐의를 조작해 군사 재판에 회부한 사건이다.

반미 운동의 전개
5·18 민주화 운동 당시에 미국이 신군부의 군대 동원을 용인했다는 정황이 알려지자 부산 고신대 학생들이 부산 미국 문화원을 방화하는 사건(부산 미국 문화원 방화 사건, 1982)이 일어났으며, 이후 서울 지역의 대학생들이 미국 문화원을 점거·농성하는 사건(서울 미국 문화원 점거 사건,1985)도 발생하였다.

기출 사료 읽기

5·18 민주화 운동 당시 광주 시민 궐기문

우리는 왜 총을 들 수밖에 없는가? 그 대답은 너무나 간단합니다. 너무나 무자비한 만행을 더 이상 보고 있을 수만 없어서 너도 나도 총을 들고 나섰던 것입니다. …… 계엄 당국은 18일 오후부터 공수 부대를 대량 투입하여 시내 곳곳에서 학생, 젊은이들에게 무차별 살상을 자행하였으니! …… 우리가 어떻게 해야 되겠습니까? 묻고 싶습니다. 우리는 더 이상 당할 수만은 없었습니다. 그래서 우리는 이 고장을 지키고 우리 부모 형제를 지키고자 손에 손에 총을 들었던 것입니다. 그런데도 정부와 언론에서는 계속 불순배, 폭도로 몰고 있습니다. 여러분! 잔인무도한 만행을 일삼았던 계엄군이 폭도입니까? 이 고장을 지키겠다고 나선 우리들이 폭도입니까?

사료 해설 | 신군부는 시위 진압 과정에서 시민들을 향하여 총을 쏘았고, 이에 맞서 시민들은 경찰서에 있는 무기를 빼앗아 무장하고 시민군을 조직하였다. 5월 27일 새벽 계엄군은 탱크와 헬기를 동원하여 전남 도청을 장악하고 있던 시민군을 진압하면서 5·18 민주화 운동은 막을 내렸다.

2. 전두환 정부(제5공화국, 1981~1988)

(1) 신군부의 정권 장악

① **국가 보위 비상 대책 위원회 설치**(1980. 5.): 신군부 세력은 전두환을 상임 위원장으로 한 대통령의 자문 기구로서 국가 보위 비상 대책 위원회(국보위)를 구성하여 입법·행정·사법계를 장악하였다.

② **국가 보위 비상 대책 위원회의 정책**: 언론 통폐합, 졸업 정원제와 과외 금지, 대학 입시 본고사 폐지 등의 조치를 실행하였다. 또한 폭력배와 사회 문란 사범의 순화를 명목으로 삼청 교육대를 조직하였다.

(2) 정부 수립

① **최규하 퇴진**(1980. 8.): 최규하 대통령이 하야하고 통일 주체 국민회의에서 제11대 대통령으로 전두환을 선출하였다.

② **헌법 개정**(제8차 개헌, 1980): 대통령 선거인단에 의한 간선제와 7년 단임제를 골자로 하는 제8차 개헌을 추진·공포하였다.

③ **권력 장악**: 기존 정당, 국회, 통일 주체 국민회의를 폐지하고 국가 보위 비상 대책 위원회가 개편된 국가 보위 입법 회의가 의회의 기능을 대신하였다.

④ **제12대 대통령 선출**: 신군부 세력을 중심으로 민주 정의당이 창당되었고, 대통령 선거인단이 민주 정의당의 전두환을 제12대 대통령으로 선출하였다(1981. 2.).

(3) 정책

① **권위주의적 강경책**: 전두환 정부는 민주화 운동을 탄압하며 정치인의 활동 규제, 언론 통폐합 등을 실행하였으며, 공무원과 언론인을 해직시켰다.

② **유화 정책** : 해외 여행 자유화, 통행 금지 해제, 3S 정책(프로 야구와 프로 축구 출범) 및 중·고생의 교복과 두발 자율화, 국풍 81 등을 시행하였다.

③ **3저 호황**: 저달러, 저유가, 저금리의 3저 호황 속에서 경제 성장, 물가 안정, 수출 증대가 이루어져 국제 수지 흑자를 기록하였다.

④ **외교**: 전두환 정부는 적극적인 외교 정책을 추진하였고, 이를 바탕으로 한국의 국제적 지위가 상승하였다. 대표적으로 1986년 아시안 게임 개최 및 1988년 올림픽 유치 등이 있다.

전두환 정부의 수립 과정

전두환 당선(제11대)
(1980. 8.)
• 유신 헌법
• 통일 주체 국민회의

⬇

제8차 개헌
(1980. 10.)
• 7년 단임제
• 간선제

⬇

전두환 당선(제12대)
(1981. 2.)
• 개정 헌법
• 대통령 선거인단

국가 보위 비상 대책 위원회

1980년 5월 비상 계엄 하에 전두환을 중심으로 하는 **신군부 강경 세력이 구성한 최고 군사 회의**의 성격을 띤 기구이다. 통일 주체 국민회의에서 전두환이 제11대 대통령으로 선출되고 개정 헌법이 확정된 뒤 국회·정당·통일 주체 국민회의는 해산되었고, 국가 보위 비상 대책 위원회(국보위)는 국가 보위 입법 회의로 개편되었다.

삼청 교육대

1980년 국가 보위 비상 대책 위원회는 **사회악 일소 특별 조치를 발표**하고 **폭력, 사기, 마약 밀수 사범에 대한 일제 검거령**을 내렸다. 그중에서 상당수가 군부대에 넘겨져 사회 정화란 명목 아래 가혹한 군사 훈련을 받았다. 이를 삼청 교육대라고 한다.

국풍 81

국풍 81은 **민족 문화 계승과 대학생들의 국학에 대한 관심 고취**라는 명분 아래 여의도 광장 등지에서 진행된 문화 행사로, 민속 문화를 중심으로 한 각종 공연, 대회, 축제, 장터 등이 운영되었다. 그러나 국풍 81은 정치적 이벤트로, 당시 전두환 정부는 5·18 민주화 운동 1주년을 맞아 광주에 쏠릴 국민의 관심을 돌리기 위해 이 행사를 진행하였다.

3. 6월 민주 항쟁(1987)

(1) 민주화 운동의 전개

① **직선제 개헌 요구**: 야당 정치인들과 재야 세력들이 대통령 직선제 개헌을 위한 1천만 서명 운동을 전개하였다.

② **성 고문 및 고문 치사 사건**: 부천 경찰서에서 행해진 성 고문이 폭로되고, 수사를 받던 대학생 박종철이 고문으로 사망(1987. 1.)한 사건이 발생하였다.

③ **4·13 호헌 조치**: 1987년 4월 13일 전두환 정권이 대통령 간선제를 유지하겠다는 현행 헌법 유지 방침으로 일체의 개헌 논의를 금지시키는 호헌 조치를 발표하였다. 이에 맞서 민주 세력은 '민주 헌법 쟁취 국민 운동 본부'를 구성하였다.

(2) 6월 민주 항쟁

① **6·10 국민 대회**: 민주 헌법 쟁취 국민 운동 본부가 개최하는 국민 대회 하루 전인 6월 9일 연세대 학생 이한열이 출정식을 마치고 시위 중 최루탄에 맞아 의식을 잃은 사건이 일어났다. 이러한 가운데 6월 10일 전국 각지에서 국민 대회가 열렸으며, 시민과 학생들이 호헌 철폐와 독재 타도, 민주 헌법 쟁취 등을 구호로 시위를 전개하였다.

② **6·29 민주화 선언**: 민주 정의당(여당) 대표이자 대통령 후보인 노태우가 대통령 직선제 개헌, 기본권 보장 등을 주요 내용으로 하는 '시국 수습을 위한 특별 선언'을 발표하였다.

③ **의의**: 6월 민주 항쟁은 학생과 시민들이 함께 참여하였으며, 군사 독재를 끝내고 평화적 정권 교체의 길을 열어놓았다는 점에서 큰 의미를 지닌다.

기출 사료 읽기

6월 민주 항쟁(1987)

1. 6·10 국민 대회 선언

오늘 우리는 전 세계 이목이 주시하는 가운데 40년 독재 정치를 청산하고 희망찬 민주 국가를 건설하기 위한 거보를 전국민과 함께 내딛는다. 국가의 미래요 소망인 꽃다운 젊은이를 야만적인 고문으로 죽여 놓고 그것도 모자라 뻔뻔스럽게 국민을 속이려 했던 현 정권에게 국민의 분노가 무엇인지를 분명히 보여 주고, 국민적 여망인 개헌을 일방적으로 파기한 4·13 폭거를 철회시키기 위한 민주 장정을 시작한다.

사료 해설 | 전두환의 4·13 호헌 조치에 대해 비난 여론이 빗발치는 가운데 박종철 고문 치사 사건의 사실이 밝혀지면서 국민의 분노는 극에 달하였다. 여기에 시위 도중 이한열이 최루탄에 맞아 사망하자 시위는 전국 각 도시로 확산되었다.

2. 6·29 민주화 선언

첫째, 여야 합의하에 조속히 대통령 직선제로 개헌하고 새 헌법에 의한 대통령 선거를 통하여 1988년 2월 평화적 정부 이양을 실현하도록 해야겠습니다.

둘째, 직선제 개헌이라는 제도의 변경뿐만 아니라 …… 자유로운 출마와 공정한 경쟁이 보장되어 국민의 올바른 심판을 받을 수 있는 내용으로 대통령 선거법을 개정하여야 한다고 봅니다.

셋째, 자유 민주주의적 기본 질서를 부인한 반국가 사범이나 살상, 방화, 파괴 등으로 국가를 흔들었던 극소수를 제외한 모든 시국 관련 사범들도 석방되어야 합니다.

사료 해설 | 민주화를 요구하는 국민들의 열망에 결국 집권 세력은 직선제 개헌과 기본권 보장, 민주화 조치 시행 등을 약속하는 8개 항의 시국 수습을 위한 특별 선언(6·29 민주화 선언)을 발표하였다.

(3) 헌법 개정: 5년 단임의 대통령 직선제를 골자로 하는 9차 개헌(1987. 10., 현행 헌법)을 실현하였다.

부천 경찰서 성 고문 사건

1986년 경기도 부천 경찰서에서 조사를 받던 대학생 권인숙이 경장 문귀동에게 성 고문과 폭행을 당한 사건이다.

박종철 고문 치사 사건

1987년 1월 14일 서울대생 박종철이 남영동 대공분실에서 조사를 받던 중 고문·폭행으로 사망한 사건이다. 당시 경찰과 검찰의 사건 은폐 조작은 정부의 도덕성에 결정적인 타격을 주었으며, 이 사건과 관련된 추모 집회와 규탄 대회가 개헌 논의와 연결되면서 **6월 민주 항쟁으로 이어져 민주화 운동의 촉발제**가 되었다.

이한열의 사망

1987년 6월 9일, 연세대 정문 앞에서 1,000여 명의 학생들이 대정부 시위를 벌이던 중 연세대생 이한열이 경찰이 쏜 최루탄에 맞아 의식을 잃었고, 결국 사망하였다.

필수 개념 정리하기

집권 연장을 위한 개헌

구분	개정 주체	주요 개정 내용
발췌 개헌(1차, 1952)	이승만 정부	대통령 선거 방법 개정(간접 선거 → 직접 선거), 양원제(실제로는 단원제)
사사오입 개헌(2차, 1954)	이승만 정부	초대 대통령에 한하여 연임 제한 규정 철폐 (이승만의 3선 허용)
대통령제 개헌(5차, 1962)	박정희 군사 정부	대통령 직선제(중임만 가능), 단원제
3선 개헌(6차, 1969)	박정희 정부	대통령의 3선 허용
유신 헌법(7차, 1972)	박정희 정부	· 대통령 지위 및 권한 강화 (긴급 조치권, 국회 해산권, 법관 인사권 등) · 대통령은 통일 주체 국민회의에서 선출 (임기 6년, 무제한 연임 가능)
7년 단임제 개헌 (8차, 1980)	전두환 정부	대통령 간선제, 7년 단임제

독재 정권에 저항하여 쟁취한 민주적 헌법

구분	개정 주체	주요 개정 내용
의원 내각제 (3차, 1960)	허정 과도 정부	· 내각 책임제 · 국회 양원제 · 국민 기본권 강화
대통령 직선제 (9차, 1987)	전두환 정부	· 대통령 직선제 (5년 단임) · 대통령의 권한 축소(최초의 여·야 합의) · 현행 헌법

2 민주주의의 발전

1. 노태우 정부(제6공화국, 1988~1993)

(1) 수립

① **제13대 대통령 당선**(1987. 12.): 민주화 세력이 김영삼 지지파와 김대중 지지파로 분열된 가운데 대통령 선거 결과, 신군부 출신의 민주 정의당 노태우가 제13대 대통령으로 당선되었다.

② **제13대 국회의원 선거**(1988. 4.): 13대 총선 결과 민주 정의당은 소수파 여당으로 전락하였고, 야당이 다수 의석을 차지하는 여소 야대의 정국이 형성되었다.

제13대 국회의원 선거
총 299석 중 여당인 민주 정의당은 125석밖에 얻지 못하였다.

(2) 정책

① **국정 목표**: 민족 자존, 민주 화합, 균형 발전, 통일 번영, 군정 종식을 표방하기 위한 민주 정치를 표방하였다.

② **5공 청문회**: 5공 비리 특별 위원회를 개설하여 제5공화국 정부(전두환 정부)하의 비리와 광주 민주화 운동의 진실을 규명하는 국회 청문회를 개최하였다. 야당은 청문회를 열어 전두환의 정치 자금 문제 등 제5공화국 비리 문제, 5·18 민주화 운동의 진상, 언론사 통폐합 문제 등을 규명하였다.

5공 청문회
1988년 여소 야대 국회의 등장 이후 야당의 요구로 제5공화국의 비리 조사를 위한 특별 위원회가 설치되었다.

③ **서울 올림픽 개최**(1988): 제24회 서울 올림픽을 성공적으로 개최하여 국제 사회에서의 한국의 위상이 높아졌다.

④ **3당 합당**(1990): 1988년 실시된 제13대 국회의원 선거 결과 여소 야대 정국이 형성되자, 노태우 대통령은 통일 민주당의 김영삼, 신민주 공화당의 김종필과 3당 통합을 발표하고 민주 자유당이라는 거대 여당을 창당하였다.

⑤ **북방 정책 추진**: 대외적으로 데탕트(Détente, 미국과 소련 중심의 동·서 진영의 긴장 완화)의 움직임과, 공산 국가에 민주화 운동이 진행되는 상황 속에서 서울 올림픽을 계기로 소련(1990), 중국(1992) 등과 외교 관계를 수립하였다.

⑥ **남북 고위급 회담 개최**(1990~1992): 남북 고위급 회담을 바탕으로 남북은 남북 기본 합의서를 채택하고 나아가 한반도 비핵화 공동 선언을 발표하였다.

⑦ **남북 유엔 동시 가입**(1991): 북방 정책의 추진과 남북 고위급 회담 등을 바탕으로 국제 연합(UN)에 남북한이 동시 가입하였다.

⑧ **지방 자치제 부분 실시**: 5·16 군사 정변으로 중단되었던 지방 자치제가 부분적으로 실시되어 기초 자치 단체 의회와 광역 자치 단체 의회의 의원을 선출하였다.

2. 김영삼 정부(1993~1998)

(1) 수립: 김영삼이 제14대 대통령으로 당선되었으며, 군부 출신이 아닌 일반 국민이 수립한 '문민 정부'를 표방하였다.

기출 사료 읽기

김영삼 대통령 취임사

친애하는 7천만 국내외 동포 여러분, 노태우 대통령을 비롯한 전직 대통령, 그리고 이 자리에 참석하신 내외 귀빈 여러분 오늘 우리는 그렇게도 애타게 바라던 문민 민주주의의 시대를 열기 위하여 이 자리에 모였습니다. 오늘을 맞이하기 위해 30년의 세월을 기다려야 했습니다. 마침내 국민에 의한, 국민의 정부를 이 땅에 세웠습니다. 오늘 탄생되는 정부는 민주주의에 대한 국민의 불타는 열망과 거룩한 희생으로 이루어졌습니다.

사료 해설 | 김영삼 정부는 5·16 군사 정변 이후 33년 만에 세워진 민간인 정부였기 때문에 '문민 정부'라고 불렸다.

(2) 정책

① **금융 개혁**: 고위 공무원의 재산 등록제와 금융 실명제를 법제화하였다(1993).

② **지방 자치제 전면 실시**(1995): 그동안 유보되었던 지방 자치 단체장 선거를 시행하여 지방 자치제를 전면적으로 실시하였다.

금융 실명제
은행 예금이나 증권 투자 등의 금융 거래를 할 때에 실제 명의로 하여야 하며, 가명이나 무기명 거래는 인정하지 않는 제도이다.

필수 개념 정리하기

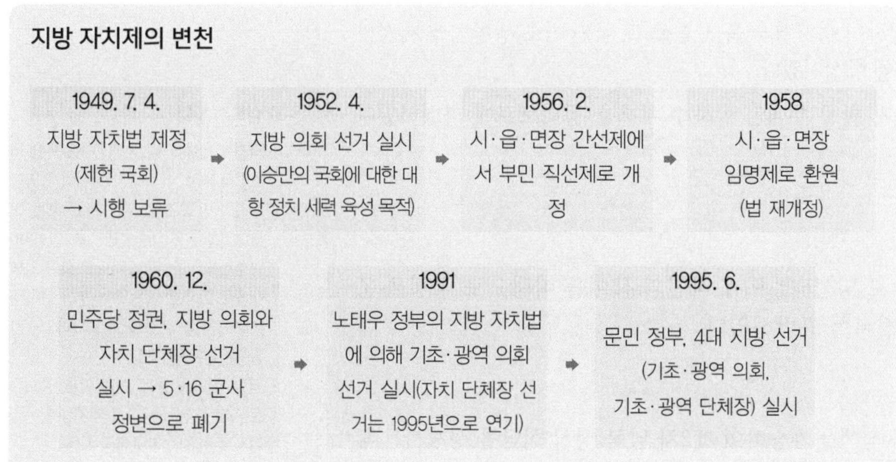

③ **역사 바로 세우기 운동**: 조선 총독부 건물 철거, 국민학교를 초등학교로 개칭, 12·12 사태를 군사 반란으로 규정, 전두환과 노태우 전직 대통령을 반란 및 내란죄로 구속·기소, 제주 4·3 사건 진상 규명 등을 실시하였다.

④ **외교**: 우루과이 라운드 협정(UR) 체결(1994), 세계 무역 기구(WTO) 출범(1995) 등 국제적으로 자유 무역이 확대되는 가운데, 시장 개방 정책을 추진하면서 서방 선진국들의 경제 개발 협력 기구(OECD)에 가입하였다(1996).

조선 총독부 건물 철거

(3) 한계

① **외환 위기**: 국제 경제 여건의 악화와 외환 부족으로 심각한 경제 위기를 맞이하게 되어 국제 통화 기금(IMF)에 구제 금융 자금을 요청하였다(1997).

② **친인척 비리**: 대통령 친인척의 이권 개입 및 권력 남용이 발생하였다.

3. 김대중 정부(1998~2003)

(1) 수립: 김대중이 제15대 대통령으로 당선되었으며, 새 정부의 주권이 국민에게 있다는 뜻을 강조한 '국민의 정부'를 표방하였다.

교과서 사료 읽기

김대중 대통령 취임사

오늘은 이 땅에서 처음으로 민주적 정권 교체가 실현되는 자랑스러운 날입니다. 또한 민주주의와 경제를 동시에 발전시키려는 정부가 마침내 탄생하는 역사적 순간이기도 합니다. …… 민주주의와 시장경제가 조화를 이루면서 함께 발전하게 되면 정경 유착이나 관치 금융, 그리고 부정부패는 일어날 수 없습니다.

사료 해설 | 제15대 대통령 선거에서 야당의 김대중 후보가 대통령에 당선되어 대한민국 정부 수립 이후 처음으로 선거를 통한 평화적 정권 교체가 이루어졌다.

(2) 정책

① **외환 위기 극복**: 노사정 위원회를 설치(1998)하고, 기업과 공공 부문의 구조 개혁을 시도하였으며, 외국인 투자 자율화, 벤처 기업 육성, 금 모으기 운동 등을 시행하였다.

② **남북 관계 개선 노력**: 남북 간의 평화 정착을 위한 햇볕 정책을 추진하여, 최초로 남북 정상 회담을 실현하였으며 6·15 남북 공동 선언(2000)을 발표하였다.

③ **사회 차별 완화**: 여성부를 신설하여 성차별 극복에 힘쓰고, 국민 기초 생활법을 제정하여 저소득층·장애인·노인 복지를 향상시켰다.

④ **평화 유지 활동 전개**: 평화 유지 활동 부대인 상록수 부대를 동티모르에 파병하였다(1999).

노사정 위원회

경제 위기와 국제 통화 기금(IMF) 관리 체제를 극복하기 위해 만든 사회적 협의 기구로, 경제·사회 개혁과 노사 관계 제도 개선을 위해 노력하였다.

상록수 부대

- **파견**: 김영삼 정부 시기인 1993년 7월 소말리아에 잠시 파병된 적이 있었던 우리나라 최초의 유엔 PKO부대. 이 부대 명칭은 김대중 정부 시기인 1999년 10월에 파견된 동티모르 상록수 부대에도 그대로 계승되어 흔히 상록수 부대하면 동티모르에 파견되어 4년 간 활동한 부대를 지칭함
- **역할**: 국경선 통제, 치안 확보, 순회진료, 구호품 전달 등 인도적 지원 활동과 현지 주민들의 복구활동 지원

4. 노무현 정부(2003~2008)

(1) 수립: 노무현이 제16대 대통령으로 당선되었으며, 국민의 참여를 바탕으로 국정을 운영하겠다는 뜻을 강조한 '참여 정부'를 표방하였다.

(2) 정책

① **대북 정책**: 김대중 정부의 대북 정책을 계승하여 제2차 남북 정상 회담을 성사시킨 후 10·4 남북 공동 선언을 발표하였다(2007).

② **FTA 체결**: 2004년에 한·칠레 자유 무역 협정을, 2007년에 한·미 자유 무역 협정(일부 분야 한정, 재협상 후 2012년 이명박 정부 때 발효)을 체결하였다.

③ **기타**: 호주제 폐지, 진실·화해를 위한 과거사 정리 위원회 설치 등이 이루어졌다.

5. 이명박 정부(2008~2013)

(1) 수립: 이명박이 제17대 대통령으로 당선되었다.

(2) 정책: G20 정상 회의 개최, 4대강 사업 등을 실시하였다.

6. 박근혜 정부(2013~2017)

(1) 수립: 박근혜가 제18대 대통령으로 당선되었지만 2017년에 국정 농단 사태 등을 계기로 임기를 다 채우지 못하고 탄핵되었다.

(2) 정책 방향: 일자리 중심의 창조 경제, 안전과 통합의 사회 등을 국정 지표로 제시하였다.

교과서 사료 읽기

박근혜 대통령 탄핵 판결문

대통령은 그 권한을 헌법과 법률에 따라 합법적으로 행사하여야 함은 물론, 그 성질상 보안이 요구되는 직무를 제외한 공무 수행은 투명하게 공개하여 국민의 평가를 받아야 한다. 그런데 피청구인은 최서원(최순실)의 국정 개입을 허용하면서 이 사실을 철저히 비밀에 부쳤다. …… 대의민주제 원리와 법치주의 정신을 훼손한 행위로서 대통령으로서의 공익 실현 의무를 중대하게 위반한 것이다. …… 피청구인의 헌법과 법률 위배 행위는 국민의 신임을 배반한 행위로서 헌법 수호의 관점에서 용납될 수 없는 중대한 법 위배 행위라고 보아야 한다. 피청구인을 대통령직에서 파면한다.

사료 해설 | 박근혜 대통령은 최순실 등 민간인에 의한 국정 농단 의혹 사건 등의 사유로 헌법 재판소에서 탄핵이 결정되었다.

7. 문재인 정부(2017~2022)

(1) 수립: 박근혜 대통령이 탄핵됨에 따라, 문재인이 제19대 대통령으로 당선되었다.

(2) 정책: 한반도의 긴장 완화를 위해 남북 관계를 개선하고자 노력하였고, 2018년에 남북 정상 회담을 개최하여 한반도의 평화와 번영, 통일을 위한 판문점 선언(4·27 선언)을 발표하였다.

진실·화해를 위한 과거사 정리 위원회

- **설립**: 2005년 '진실·화해를 위한 과거사 정리 기본법'이 제정됨에 따라 설립됨
- **목적**: 항일 독립운동, 반민주 반인권적 행위 등을 조사하여 왜곡되거나 은폐된 진실을 밝혀내기 위함
- **활동**: 국민 보도 연맹 사건, 제주 4·3 사건, 5·18 민주화 운동, 언론 통폐합 사건 등에 대한 진상 규명(2010년 12월 해산)

G20

선진 7개국(G7)과 유럽 연합(EU) 의장국 그리고 신흥 시장 12개국 등 세계 주요 20개국을 회원으로 하는 국제 기구이다.

OX 빈칸 핵심 개념 점검

* 학습한 개념을 OX/빈칸 문제를 통해 점검해보세요.

핵심 개념 1 | 신군부 세력과 5·18 광주 민주화 운동

01 10·26 사태 이후 국무총리 최규하가 통일 주체 국민회의를 통해 대통령에 당선되었다. □ O □ X

02 12·12 사태로 인해 신군부가 권력을 장악하게 되었다. □ O □ X

03 신군부 세력이 비상 계엄을 확대하고 주요 정치 인사들을 체포하자 광주에서 ______이 전개되었다.

핵심 개념 2 | 전두환 정부

04 제8차 개헌에서는 대통령 선거인단에 의한 간선제로 대통령을 선출하도록 규정하였다. □ O □ X

05 신군부 세력은 통일 주체 국민회의를 통해 전두환을 제12대 대통령으로 선출하였다. □ O □ X

06 전두환 정부 시기에 해외 여행 자유화, 통행 금지 해제 등이 시행되었다. □ O □ X

07 1980년 대통령 선거에서 11대 대통령으로 ______이 당선되었다.

08 1980년대에 6월 민주 항쟁과 저금리, 저유가, 저달러의 ______이 있었다.

핵심 개념 3 | 6월 민주 항쟁

09 6월 민주 항쟁에서 시위 도중 대학생 이한열이 희생되었다. □ O □ X

10 6월 민주 항쟁의 결과 전두환이 6·29 선언을 발표하여 직선제 개헌을 약속하였다. □ O □ X

11 6월 민주 항쟁은 전두환 정권이 현행 헌법 유지 방침으로 발표한 ______ 등이 원인이 되어 일어났다.

12 ______ 때 학생과 시민들은 호헌 철폐와 독재 타도 등의 구호를 내세웠다.

핵심 개념 4 | 노태우 정부

13 노태우 정부가 수립되고 5년 단임의 대통령 직선제를 골자로 하는 제9차 개헌이 단행되었다. □ O □ X

14 노태우 정부 시기에 서울 올림픽이 개최되었다. □ O □ X

15 노태우의 민주 정의당은 통일 민주당, 신민주 공화당과의 3당 통합을 단행하여 민주 자유당을 창당하였다. □ O □ X

16 노태우 정부 때 치러진 제13대 총선으로 ______의 정국이 형성되었다.

17 노태우 정부는 북방 정책을 실시하여 ______, ______과 교류를 확대하였다.

핵심 개념 5 | 김영삼 정부

18 김영삼 정부 시기에 금융 실명제가 실시되었다. □ O □ X

19 김영삼 정부는 지방 자치제를 전면 실시하였다. □ O □ X

20 김영삼 정부는 역사 바로 세우기 운동의 일환으로 ______ 건물을 철거하였다.

핵심 개념 6 | 김대중~문재인 정부

21 김대중 정부 때 여성부를 신설하였다. □ O □ X

22 노무현 정부 때 4·27 판문점 선언을 발표하였다. □ O □ X

23 이명박 정부는 G20 정상 회의를 개최하고, 4대강 사업을 실시하였다. □ O □ X

24 김대중 정부는 평화 유지 활동 부대인 ______를 동티모르에 파병하였다.

정답과 해설

01	O 10·26 사태 이후 당시 대통령 권한 대행으로 있던 국무총리 최규하가 통일 주체 국민회의를 통해 대통령에 취임하였다.	13	✖ 제9차 개헌은 노태우 정부가 수립되기 이전인 전두환 정부 때 단행되었다(1987).
02	O 전두환을 비롯한 신군부 세력은 12·12 사태를 일으켜 군권과 정치적 실권을 장악하였다.	14	O 노태우 정부 시기인 1988년에 서울 올림픽이 개최되었다.
03	5·18 민주화 운동	15	O 노태우의 민주 정의당은 통일 민주당, 신민주 공화당과 합당(3당 통합)하여 민주 자유당을 창당하였다.
04	O 전두환 정부가 추진한 제8차 개헌안에서는 대통령을 대통령 선거인단에서 간선제로 선출하고 대통령의 임기를 7년 단임제로 하였다.	16	여소 야대
05	✖ 통일 주체 국민회의가 폐지된 후에 전두환은 대통령 선거인단을 통해 제12대 대통령으로 선출되었다.	17	소련, 중국
06	O 전두환 정부 시기에는 해외 여행 자유화, 야간 통행 금지 해제 등의 유화 정책이 실시되었다.	18	O 김영삼 정부는 투명한 금융 거래를 위하여 금융 실명제를 실시하였다.
07	전두환	19	O 김영삼 정부 시기인 1995년에 지방 자치제를 전면 실시하였다.
08	3저 호황	20	조선 총독부
09	O 6월 민주 항쟁에서 시위 도중 대학생 이한열이 최루탄에 맞아 희생되었다.	21	O 김대중 정부 시기에 여성 정책의 기획, 여성의 권익 증진 등을 관장하는 여성부를 신설하였다.
10	✖ 6·29 선언은 당시 여당 대통령 후보였던 노태우가 발표하였다.	22	✖ 문재인 정부 시기인 2018년에 4·27 판문점 선언을 발표하였다.
11	4·13 호헌 조치	23	O 이명박 정부는 2010년에 G20 정상 회의를 개최하였고, 4대강 사업을 실시하였다.
12	6월 민주 항쟁	24	상록수 부대

03 평화 통일의 과제

1 북한 사회의 변화

학습 포인트
북한의 사회주의 체제 형성 과정과 북한의 경제 정책을 정리한다.

빈출 핵심 포인트
사회주의 헌법, 주체사상, 유훈 통치, 천리마 운동, 합영법

1 북한 체제의 확립

1. 김일성의 권력 독점 과정(김일성 유일 체제 강화)

(1) 북한 초기의 권력 체제: 북한은 빨치산파(김일성), 갑산파(박금철), 연안파(김두봉), 남로당(박헌영), 소련파(허가이)의 연립 내각을 이루었다.

(2) 6·25 전쟁 전후 김일성의 반대파 숙청: 김일성은 전쟁 수행과 패전에 관한 책임 등을 빌미로 연안파의 김무정, 남로당 계열의 박헌영 등 반대파 인물들을 숙청하였다.

(3) 8월 종파 사건(1956): 김일성의 독재 체제를 비판한 소련파와 김두봉 중심의 연안파를 숙청하였다.

(4) 국가 주석제 신설: 7·4 남북 공동 성명을 계기로 권력을 주석에게 몰아주는 (조선 민주주의 인민 공화국) 사회주의 헌법을 1972년 12월에 채택하고, 국가 주석제를 신설하였다. 또한, 사회주의적 주체사상을 공식 통치 이데올로기로 규정하였다.

2. 김정일 체제로의 전환

(1) 권력 승계: 김정일이 국방 위원장으로 취임하였으며(1993), 김일성 사망(1994) 이후 권력을 승계하여 유훈 통치를 실시하였다.

(2) 김일성 헌법 개정: 김일성 헌법(1998)을 통해 국가 주석제를 폐지하여 김일성을 '영원한 주석'으로 추대하고, 국방 위원회 위원장을 사실상의 국가 수반으로하는 권력 승계 작업이 마무리 되었다.

3. 김정은 체제로의 권력 승계

김정일의 건강이 악화되자 김정은이 후계자로 내정되었고, 인민군 대장 칭호 등을 받으며 후계 구도를 구축하였다. 이후 2011년 12월 김정일의 급작스런 사망으로 김정은이 북한 국방 위원회 제1위원장으로 추대되면서 권력을 승계하였다.

김일성의 반대파 제거
- **김무정**: **연안파**의 대표적 인물로, 6·25 전쟁 당시 평양을 사수하지 못했다는 구실로 숙청(1951)
- **허가이**: **소련파**의 대표적 인물로, 6·25 전쟁 당시 당 조직 운영의 실패를 이유로 숙청 대상이 되자 자살함(1953)
- **박헌영**: **남로당 출신**의 핵심 간부, 미국의 간첩이라는 혐의로 숙청(1955)

8월 종파 사건
전후 복구 노선과 **김일성 개인 숭배를 둘러싸고 김일성파와 반김일성파(연안파와 일부 소련파)가 대립**하여 권력 투쟁으로 비화된 사건이다. 결과적으로 반김일성파는 당직을 박탈당했으며, 이들 중 상당수가 소련과 중국으로 망명하였다.

주체사상
사람이 모든 것의 주인이라는 것은 사람이 세계와 자기 운명의 주인이라는 것이며, 사람이 모든 것을 결정한다는 것은 사람이 세계를 개조하고 자기 운명을 개척하는 데서 결정적 역할을 한다는 것입니다.
- 김정일, 「주체사상에 대하여」

▶ 북한의 정치·경제·사회·문화 등 모든 분야의 기초가 되는 지도 사상이다.

유훈 통치
유훈 통치란 **한나라의 지도자가 이전 지도자(죽은 자)의 유훈(남긴 뜻)에 따라 나라를 다스리는 것**을 의미한다. 김정일은 **김일성 사후 3년간 유훈 통치를 실시**하였다.

2 북한의 경제적 위기와 개방 정책

1. 사회주의 경제 건설(1950~1960년대)

(1) 경제 개발 5개년 계획(1957~1961): 북한은 경제 개발 5개년 계획을 통해 모든 농토를 협동 농장으로 전환하고, 개인 상공업을 국유화하여 사회주의 경제 체제를 확립하였다. 이를 바탕으로 중공업을 우선시하여 경공업과 농업을 동시에 발전시킨다는 발전 전략을 수립하였다.

(2) 천리마 운동(1958): 천리마 운동은 대중의 생산 경쟁을 유도한 노동 강화 운동으로, 이를 통해 5개년 계획의 목표가 예정보다 1년 빠른 4년 만에 달성되었다.

천리마 운동

'하루에 천리를 달리는 천리마와 같은 속도로 사회주의 경제를 건설하자.'를 기치로 내건 **노동 강화 운동**이다.

2. 경제 개혁을 위한 노력

(1) 경제의 침체: 사회주의 국가 붕괴로 인한 외교적 고립, 자연재해와 자본 부족, 기술 낙후 등으로 인한 북한의 식량난과 경제 위기는 더욱 가중되었다.

(2) 대외 개방 정책 시도

① **합영법과 합작법 제정**: 북한은 외국인 투자 유치를 위한 합영법(합작 회사 경영법, 1984)과 합작법(1992)을 제정하고 외국 기업과의 합작과 자본 도입을 적극적으로 추진하였으나 실패하였다.

② **나진·선봉 자유 무역 지대 설치**(1991): 북한은 중국의 경제 특구를 모방하여 서방의 자본과 기술을 끌어들이기 위한 제한적 경제 개방 정책을 실시(두만강 경제 특구)하였다.

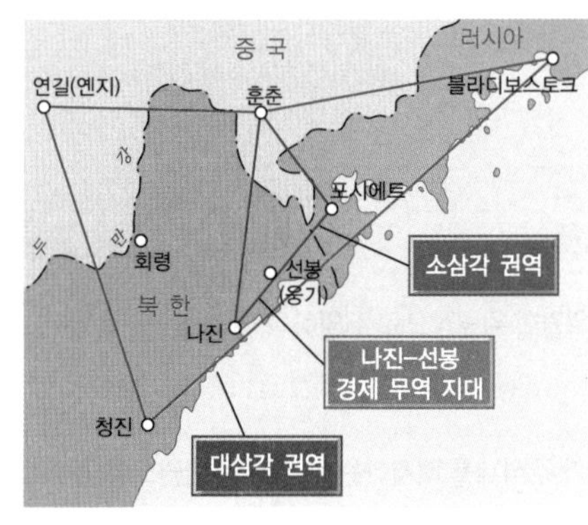

| 두만강 경제 특구

③ **남한과의 경제 협력**: 북한은 남한과 금강산 관광 사업(1998, 해로), 개성 공단 착공(2003), 경의선과 동해선 연결 사업(2003)을 진행하였다.

북한의 개방 정책

1980년대	합영법 제정(1984) → 개정: 신합영법(1994)
1990년대	· 제한적 경제 개방 정책 · 나진·선봉 무역 지대 (1991) · 금강산 관광 사업(1998)
2000년대	· 신의주 경제 특구(2002) · 개성 공단 설치 및 경의선 복구 사업 · 금강산 육로 관광 사업 (2003)

두만강 경제 특구

북한은 두만강 개발 계획의 일부로 나진과 선봉 일대를 경제 무역 지대로 지정하였다.

교과서 분석하기

시기별 북한의 대남 도발

박정희 정부	· 1·21 사태(1968): 북한 무장 공비의 청와대 기습, 박정희 암살 시도 · 푸에블로호 사건(1968): 동해 상에서 미국의 정보 수집함 푸에블로호가 북한군에 의해 납치됨 · 울진·삼척 지구 무장 공비 침투 사건(1968) · 판문점 도끼 만행 사건(1976): 북한군이 판문점에서 유엔군 습격
전두환 정부	· 아웅산 폭탄 테러(1983): 버마(미얀마) 아웅산 묘소에서 전두환 대통령 암살 시도 · 대한항공(KAL) 858편 폭파 사건(1987): 미얀마 상공에서 대한항공 여객기 폭파
김대중 정부	서해 연평 해전(1차: 1999, 2차: 2002)
이명박 정부	천안함 사건, 연평도 포격 사건(2010)

OX 빈칸 핵심 개념 점검

* 학습한 개념을 OX/빈칸 문제를 통해 점검해보세요.

핵심 개념 1 | 김일성 유일 체제 구축

01 김일성에 의해 1950년대 박헌영 등 남로당계 간부들이 숙청되었다. □ O □ X

02 8월 종파 사건으로 김일성 독재 체제를 비판한 소련파와 연안파가 숙청되었다. □ O □ X

03 1950년대 북한은 '주체사상'을 노동당의 유일 사상으로 규정하였다. □ O □ X

04 1972년 북한은 ________을 공포하여 수령 유일 지도 체제를 확립했다.

핵심 개념 2 | 김정일 체제로의 전환

05 김일성 사망 이후 김정일이 국방 위원회 위원장으로 취임하여 권력을 승계하였다. □ O □ X

06 1998년 김일성 헌법을 제정해 국가 주석제를 폐지하는 대신 국방 위원회 위원장을 사실상 국가 최고 직책으로 하였다. □ O □ X

07 김정일은 김일성 사망 이후 3년간 ________를 실시함으로써 북한을 지배하며 체제를 구축하였다.

핵심 개념 3 | 북한의 사회주의 경제 건설

08 북한은 경제 개발 5개년 계획을 통해 개인 상공업을 국유화하여 사회주의 경제 체제를 확립하였다. □ O □ X

09 1970년대에 북한에서는 노동 협동화에 의한 협동 농장 건설이 추진되었다. □ O □ X

10 북한은 주민들의 생산 노동 참여를 경쟁시키기 위해 ________을 전개하였다.

핵심 개념 4 | 북한의 개방 정책

11 북한은 외국인 투자 유치를 위한 합영법을 제정하고 외국 기업과의 합작과 자본 도입을 추진하였다. □ O □ X

12 북한은 제1차 남북 정상 회담 이후 처음 금강산 관광 사업을 시행하였다. □ O □ X

13 북한은 6·15 남북 공동 선언 이후 개성 공단 착공을 진행하는 등 남한과 경제 협력을 시도하였다. □ O □ X

14 북한은 제한적 경제 개방 정책을 실시하며 ____과 ____에 자유 무역 지대를 설치하였다.

정답과 해설

01	O 1950년대에 김일성은 박헌영을 비롯한 남로당 간부에게 6·25 전쟁 패전의 책임을 물어 대대적으로 숙청하였다.	**08**	O 북한은 경제 개발 5개년 계획을 통해 모든 농토를 협동 농장으로 전환하고, 개인 상공업을 국유화하여 사회주의 경제 체제를 확립하였다.
02	O 1956년 8월 종파 사건으로 김일성의 독재 체제를 비판한 소련파와 김두봉 중심의 연안파가 숙청되었다.	**09**	✖ 1950년대의 북한 상황이다.
03	✖ 주체사상을 조선 노동당의 유일 사상으로 공식적으로 규정한 것은 1980년 조선 노동당 제6차 대회를 통해서이다.	**10**	천리마 운동
04	사회주의 헌법	**11**	O 북한은 외국인 투자 유치를 위해 합영법(1984)을 제정·공포하여 외국 기업과의 합작과 자본 도입을 추진하였으나 실패하였다.
05	✖ 김정일은 김일성 사망(1994) 이전인 1993년에 국방 위원회 위원장으로 취임하였다.	**12**	✖ 금강산 관광 사업(1998, 해로)은 제1차 남북 정상 회담(2000) 이전부터 시작되었다.
06	O 김정일은 김일성 헌법(1998)을 통해 국가 주석제를 폐지하는 대신 국방 위원회 위원장을 사실상의 국가 수반으로 하여 권력 승계 작업을 마무리였다.	**13**	O 북한은 6·15 남북 공동 선언 이후 개성 공단 건설(2003), 경의선과 동해선 연결 사업(2003)을 진행하는 등 남한과 경제 협력을 시도하였다.
07	유훈 통치	**14**	나진, 선봉

2 평화 통일을 위한 노력

학습 포인트
각 정부의 주요 통일 정책과 남북의 통일 합의 내용을 주요 키워드 중심으로 파악한다.

빈출 핵심 포인트
7·4 남북 공동 성명, 남북 유엔 동시 가입, 남북 기본 합의서, 6·15 남북 공동 선언, 10·4 남북 공동 선언

1 남북한의 대치

1. 이승만 정부

(1) **정부 수립 초기**: 남북 모두 무력에 의한 한반도 통일을 내세웠고, 북한이 6·25 전쟁을 일으켰다.

(2) **제네바 회담(1954)**: 휴전 협정에 따라 유엔 참전국을 비롯한 19개국 외상들이 제네바에서 한국의 평화 통일 방안을 모색하였으나 성과 없이 종결되었다.

(3) **이승만 정부의 통일 정책**: 이승만 정부는 반공을 우선하여 북진 통일론을 주장하였으며, 평화 통일을 주장한 진보당의 간부들을 탄압(진보당 사건, 1958)하고, 조봉암을 처형하였다(1959).

(4) **북한의 통일 정책**: 1950년대 중반, 전후 복구와 경제 개발이 궤도에 오르자 북한은 남북 적십자 회담과 경제 원조 등을 제안하면서 평화 통일을 위한 공세를 강화하였다.

2. 장면 내각

4·19 혁명 직후 학생들과 일부 정치인들을 중심으로 통일 논의가 활발하게 전개되었다.

(1) 장면 내각의 통일 정책

① **평화 통일론**: 장면 내각은 북진 통일론을 폐기하고 평화 통일론을 채택하였다. 그러나 북한 정부를 인정하지는 않았고, 반공 통일 원칙을 고수하였다.

② **남북 총선거 주장**: 장면 내각은 공식적인 통일 방안으로 '유엔 감시 아래 인구 비례에 의한 남북한 총선거'를 주장하였다.

③ **소극적인 추진**: 실제로 장면 내각은 남북 대화에는 소극적인 태도를 견지하였다.

(2) 혁신 세력과 학생들의 통일 논의

① **혁신 세력**: 혁신 세력은 한반도 중립화 통일론과 남북 협상론을 제기하였다.

② **학생**: 학생들은 '가자 북으로, 오라 남으로!'라는 구호 아래 통일을 위한 모임을 조직하고, 남북 학생 회담을 추진하였다(1961).

③ **중단**: 이러한 통일 논의는 5·16 군사 정변으로 중단되었다.

중립화 통일론

선 통일·후 중립화론, 선 중립화·후 통일론, 국제 사회가 보장하는 **영세 중립국화 방안** 등의 입장이 있다. 모두 **한반도의 중립화를 통하여 통일**을 이루자는 주장이다.

남북 협상론

외세의 간섭을 배제하고 **남북한 당사자들이 협상**하여 **'자주·민주·평화' 통일 원칙**을 중심으로 **평화 통일을 달성**하자는 주장이다.

남북 학생 회담 환영 및 통일 촉진 궐기 대회

3. 박정희 정부

(1) **반공 정책 고수**: 박정희 정부는 반공을 국시로 내걸고, 강한 반공 정책을 고수하였다.

(2) **선 건설 후 통일론**: 선 건설 후 통일론은 체제 우위, 경제력 우위를 바탕으로 북한을 유인하여 흡수한다는 이론으로, 박정희 정부는 국력이 뒷받침되지 않는 통일 논의는 무의미하므로 경제 건설로 실력을 기른 다음에 통일을 추진하겠다고 주장하였다.

(3) **북한의 대남 도발**: 북한은 남조선 혁명론을 주장하면서 김신조 등의 무장 공비를 파견하여 청와대를 습격하게 하는 등의 군사 도발을 일으켰고, 이로 인하여 남북 간의 갈등이 더욱 커졌다.

2 통일 정책과 남북 대화

1. 배경

냉전 체제의 완화, 닉슨 독트린(1969) 등 미국의 정책 변화, 평화 공존의 분위기가 형성되면서 남북한은 상대방의 실체를 인정하고 대화를 시작하였다.

2. 박정희 정부

(1) **8·15 선언**(평화 통일 구상 선언, 1970): 박정희 대통령이 제25주년 광복절 경축사에서 남북한의 평화 공존과 평화적인 선의의 체제 경쟁을 제안하였다.

(2) **남북 적십자 회담 제의**(1971): 대한 적십자사가 이산가족 찾기를 위한 남북 적십자 회담을 제안(1971)하였고, 북한이 이를 수용함으로써 **남북 적십자 회담**이 이루어져(1971, 1차 예비 회담/1972, 1차 본 회담) 분단 이후 최초로 남북 대화가 시작되었다.

(3) **7·4 남북 공동 성명**(1972)

① **내용**: 남북은 한반도의 통일이 **자주·평화·민족 대단결의 원칙**에 입각하여 이루어져야 함을 천명하였다. 또한 통일 문제를 협의하기 위한 서울·평양 간 상설 직통 전화 개설과 남북 조절 위원회 설치에 합의하였다.

② **의의**: 통일에 관해 분단 이후 최초로 남북이 기본 원칙에 합의한 내용을 공동 성명 형식으로 서울과 평양에서 동시 발표한 것이다.

③ **한계**: 공동 성명 직후 남측은 10월 유신을 단행하고, 북측은 사회주의 헌법(국가 주석제)을 제정하여 남북 대화를 독재 체제 강화에 이용하였다.

기출 사료 읽기

7·4 남북 공동 성명(1972)

1. 쌍방은 다음과 같은 조국 통일 원칙들에 합의를 보았다.
   첫째, 통일은 외세에 의존하거나 외세의 간섭을 받음이 없이 자주적으로 해결한다.
   둘째, 통일은 서로 상대방을 반대하는 무력행사에 따르지 않고 평화적으로 실현한다.
   셋째, 사상과 이념·제도의 차이를 초월하여 하나의 민족으로서 민족적 대단결을 도모한다.
4. 쌍방은 …… 서울과 평양 사이에 상설 직통 전화를 놓기로 합의하였다.
5. 쌍방은 …… 남북 조절 위원회를 구성·운영하기로 합의하였다.

사료 해설 | 남북은 7·4 남북 공동 성명을 통해 자주·평화·민족적 대단결의 3대 통일 원칙에 합의하였다.

제25주년 광복절 경축사

북괴에 대하여 더 이상 무고한 북한 동포들의 민생을 희생시키면서 전쟁 준비에 광분하는 죄악을 범하지 말고, 보다 선의의 경쟁, 즉 다시 말하자면 민주주의와 공산 독재의 그 어느 체제가 국민을 더 잘 살게 할 수 있으며, 더 잘 살 수 있는 여건을 가진 사회인가를 입증하는 개발과 건설과 창조의 경쟁에 나설 용의는 없는가 하는 것을 묻고 싶은 것입니다.

▶ 남한은 북한에 대해 무력 대결을 지양하고 평화적으로 **선의의 체제 경쟁을 시행할 것을 제의**하였다.

남북 조절 위원회

7·4 남북 공동 성명의 합의 사항 추진과 남북 관계 개선을 위해 설치된 협의 기구이나, 큰 성과 없이 중단되었다.

(4) 6·23 평화 통일 외교 정책 선언(1973)

① **내용**: 남한은 남북 유엔 동시 가입을 제안하고 호혜 평등의 원칙에 입각하여 모든 국가에 대한 문호 개방 및 남북 대화에 반대하지 않는다는 내용이었다.

② **중단**: 북한은 6·23 선언이 한반도에 남·북을 서로 다른 두 개의 정부로 인정함으로써 7·4 남북 공동 성명의 통일 원칙에 위배되는 행위라 주장하며 남북 대화 중단을 선언하였다.

(5) 평화 통일 3대 기본 원칙(1974)

① **제의**: 남한은 남북 대화가 중단되었음에도 남북이 정전이 아닌 휴전 상태임을 고려하여 남북 상호 불가침 협정 체결을 제의하였다.

② **내용**: 평화 정착·상호 신뢰 조성·토착 인구 비례에 의한 남북한 총선거를 실시하여 통일을 이룩해야 한다는 내용의 평화 통일 3대 기본 원칙을 발표하였다.

3. 전두환 정부

(1) 민족 화합 민주 통일 방안(1982): 전두환 정부는 남북 대표로 민족 통일 협의회를 구성하여 통일 헌법을 제정하고, 민주적 절차와 평화적 방법으로 통일 국회와 통일 정부를 구성할 것을 제안하였다.

(2) 남북 이산가족 고향 방문(1985): 1984년 남측의 홍수로 북측이 수재 물자 지원을 제안하자 남측이 이를 수락하면서 남북 대화가 재개되었고, 그 결과 최초의 이산가족 상봉과 남북 예술단 교환 공연이 성사되었다(1985).

3 남북 관계의 새로운 진전

1. 노태우 정부

(1) 7·7 특별 선언(민족 자존과 통일 번영을 위한 특별 선언, 1988): 노태우 정부는 7·7 특별 선언을 통해 남북 관계를 선의의 동반자이며 함께 번영해야 할 민족 공동체 관계로 규정하고, 모든 부분에서의 교류를 표방하였다.

(2) 한민족 공동체 통일 방안(1989)

① **3대 원칙 제시**: 자주·평화·민주의 3대 원칙 아래 한민족 공동체 헌장을 채택하였다.

② **통일 방안**: 한민족 공동체 통일 방안은 '남북 연합을 구성하여 남북 평의회를 통해 통일 헌법을 제정하고, 총선거를 실시하여 통일 민주 공화국을 구성'하자는 방안이었다.

(3) 남북 기본 합의서(남북 사이의 화해와 불가침 및 교류·협력에 관한 합의서, 1991)

① **배경**: 국제 정세의 급격한 변화 속에서 남한이 적극적인 북방 외교 정책을 추진하여 남북 고위급 회담(1990)이 시작되었고, 남북이 유엔에 동시 가입(1991. 9.)하였다.

② **남북 기본 합의서 채택**(1991. 12. 13.): 남북은 상대방의 체제를 존중하고 쌍방의 관계가 서로 다른 국가가 아닌 통일을 지향하는 과정에서 형성되는 잠정적 특수 관계임을 인정하면서, 상호 화해와 불가침 및 교류·협력 확대에 관한 합의서를 채택하였다.

③ **의의**: 남북한 정부 당사자 간에 공통으로 공식 합의한 최초의 문서라는 데 의의가 있다.

6·23 평화 통일 외교 정책 선언(1973)

· 국제 연합의 다수 회원국의 뜻이라면 통일에 장애가 되지 않는다는 전제하에 우리는 남북이 함께 국제 연합에 가입하는 것을 반대하지 않는다.

· 대한민국은 호혜 평등의 원칙하에 모든 국가에 문호를 개방할 것이며, 우리와 이념과 체제를 달리하는 국가들도 우리에게 문호를 개방할 것을 촉구한다.

▶ 6·23 선언을 통해 **남한은 모든 국가에 문호를 개방할 것을 선언**하였는데, 이에 대해 북한은 7·4 남북 공동 성명의 **통일 원칙에 위배**된다며 **남북 대화 중단을 선언**하였다.

호혜 평등의 원칙

평등한 관계로서 공평한 외교를 한다는 외교 원칙이다.

민족 화합 민주 통일 방안

평화 통일을 성취하는 가장 합리적인 길은 남북한 간에 민족적 화합을 이룩하여 민족 전체의 통일 의지를 한데 모아 통일 헌법을 채택하고, 그 헌법에 따라 통일 국가를 완성시키는 것이라고 본인은 확신하는 바입니다. …… 북한 측이 진정 조국의 자주적 평화 통일을 바란다면 그들도 우리와 마찬가지로 민족 통일 협의 회의에서 그들이 구상하는 통일 헌법 초안을 정정당당하게 내놓고 ……

▶ 남한은 민족 자결의 원칙에 의거하여 민주적인 절차와 평화적인 방법으로 통일 국가를 수립할 것을 제시하였다.

한민족 공동체 통일 방안

노태우 정부가 각계각층의 의견을 수렴하여 제시한 3기조·3단계의 통일 방안이다. 이후 김영삼 정부에서 한민족 공동체 통일 방안을 보완·발전시킨 '민족 공동체 통일 방안'을 제시(1994)하였으며, 이는 이후 마련된 우리나라 정부의 통일 방안들의 토대가 되었다.

북방 외교

노태우 정부의 외교 정책으로, **소련 및 공산주의 국가와의 관계 개선을 통해 북한의 개방과 개혁을 유도**하여 평화 통일의 길로 접근시키는 것을 목표로 하였다.

기출 사료 읽기

남북 기본 합의서(1991)

남과 북은 … 7·4 남북 공동 성명에서 천명된 조국 통일 3대 원칙을 재확인하고, 정치 군사적 대결 상태를 해소하여 민족적 화해를 이룩하고, 무력에 의한 침략과 충돌을 막고 긴장 완화와 평화를 보장하며 …… (남북) 쌍방의 관계가 나라와 나라 사이의 관계가 아닌 통일을 지향하는 과정에서 잠정적으로 형성되는 특수 관계라는 것을 인정하고 평화 통일을 성취하기 위한 공동의 노력을 경주할 것을 다짐하면서 다음과 같이 합의하였다.
제1조 남과 북은 서로 상대방의 체제를 인정하고 존중한다.
제7조 …… 3개월 안에 판문점에 남북 연락 사무소를 설치 · 운영한다.
제9조 남과 북은 상대방에 대하여 무력을 사용하지 않으며, 상대방을 무력으로 침략하지 아니한다.
제12조 불가침의 이행과 보장을 위하여 …… 남북 군사 공동 위원회를 구성 · 운영한다.

사료 해설 | 남북 기본 합의서는 1991년 12월 제5차 남북 고위급 회담에서 채택된 것으로, 남북한 정부 당사자가 공식 합의한 최초의 문서이다.

(4) **한반도 비핵화 공동 선언**(1991): 남북은 남북 기본 합의서 채택 직후인 1991년 12월 31일에는 한반도 비핵화 공식 선언문을 채택하였다.

2. 김영삼 정부

(1) **3단계 3기조 통일 방안**(1993): 남한은 '화해·협력-남북 연합-통일 국가'의 3단계 통일 방안과 이를 실천하기 위한 '민주적 국민 합의·공존공영·민족 복리'의 3대 기조를 바탕으로 통일 정책을 마련하였다.

(2) **민족 공동체 통일 방안**(1994): 민족 공동체 통일 방안은 한민족 공동체 통일 방안(1989)과 3단계 3기조 통일 방안(1993)을 종합한 것으로, '화해·협력-남북 연합-통일 국가 완성'의 3단계 통일 방안과 '자주·평화·민주'의 3대 원칙을 제시하였다.

(3) **남북 관계의 냉각**: 남북 정상 회담을 위한 예비 접촉이 이루어졌지만 김일성의 사망(1994)으로 무산되고, 김일성 조문 파동으로 남북 관계가 냉각되었다.

필수 개념 정리하기

남북한 통일 방안 비교

구분	남한	북한
명칭	민족 공동체 통일 방안(1994)	고려 민주 연방 공화국 창립 방안(1980)
통일 과정	화해·협력 단계 → 남북 연합 단계 → 통일 국가 완성 단계	남한의 국가 보안법 폐지, 주한 미군 철수 → 고려 민주 연방 공화국 수립
외교·군사권	남북 연합 단계에서는 남과 북의 각 지역 정부가 보유	연방 정부가 보유
최종 국가 형태	1민족 1국가 1체제 1정부	1민족 1국가 2체제 2정부
특징	민족 사회 우선 건설(민족 통일 → 국가 통일)	국가 체제 존립 우선(국가 통일 → 민족 통일)

한반도 비핵화 공동 선언 기출사료

- 남과 북은 핵 에너지를 오직 평화적 목적에만 이용한다.
- 남과 북은 핵 재처리 시설과 우라늄 농축 시설을 보유하지 아니한다.
- 남과 북은 한반도의 비핵화를 검증하기 위하여 상대 측이 선정하고 쌍방이 합의하는 대상들에 대하여 남북핵 통제 공동 위원회가 규정하는 절차와 방법으로 사찰을 실시한다.

▶ 한반도 비핵화 공동 선언은 **한반도를 비핵화하여 핵 전쟁의 위험을 제거하고 평화 통일의 기반을 다지는 것**은 물론 세계의 평화와 안전에 이바지하기 위해 남북이 공동으로 채택하였다.

민족 공동체 통일 방안

통일은 우리 민족의 뜻에 따라 우리 민족의 역량에 의해 자주적으로 이루어져야 합니다. 통일은 오직 평화적으로 이루어져야 합니다. …… 통일은 민족 구성원 모두의 자유와 권리를 바탕으로 이루어지는 민주적 통일이어야 합니다. …… 남과 북은 화해와 협력을 바탕으로 공존공영하면서 평화를 정착시키는 남북 연합 단계로 나아가야 합니다. 남북 연합 단계에서는 남과 북이 경제, 사회 공동체를 형성해 발전시킴으로써 정치적 통합을 위한 여건을 성숙시켜 나가야 합니다.

▶ 민족 공동체 통일 방안은 민족 모두의 **자유, 인권, 복지가 보장되는 민주주의 민족 국가 건설**을 목표로 하고 있다.

3. 김대중 정부

(1) 남북 관계 급진전: 김대중 정부는 이른바 대북 화해 협력 정책(햇볕 정책)을 추진하여 민간 차원의 남북 교류를 크게 확대하였다.

(2) 정주영 회장의 소떼 방북(1998): 민간 차원의 남북 교류와 협력 사업이 점차 확대되면서 현대 정주영 명예 회장이 소떼를 몰고 판문점을 통해 군사 분계선을 넘었다.

(3) 금강산 해로 관광(1998): 남북한 간의 화해 분위기 속에 금강산 해로 관광이 시작되었다.

(4) 6·15 남북 공동 선언(2000. 6. 15.)

① **의의**: 평양에서 처음으로 남북 정상 회담이 이루어졌고, 그 결과 남북 정상이 남북 공동 선언이 채택되면서 남북 간의 긴장 완화와 화해 협력이 진전되었다.

② **내용**: 6·15 남북 공동 선언에서 남북은 남북한 통일 방안의 유사성을 인정하고 통일 문제의 자주적 해결, 남북 교류, 경제 협력 활성화 등에 대해 합의하였다.

③ **결과**: 개성 공단 설치(노무현 정부 때 착공), 경의선 복원 사업, 이산가족 상봉 재개, 금강산 육로 관광(노무현 정부 때 실시), 남북 장관급 회담, 남북 적십자 회담, 남북 경협실무자 회담 등을 진행하기로 합의하였다.

기출 사료 읽기

> **6·15 남북 공동 선언**(2000)
>
> 1. 남과 북은 나라의 통일 문제를 그 주인인 우리 민족끼리 서로 힘을 합쳐 자주적으로 해결해 나가기로 하였다.
> 2. 남과 북은 나라의 통일을 위한 남측의 연합제 안과 북측의 낮은 단계의 연방제 안이 서로 공통성이 있다고 인정하고 앞으로 이 방향에서 통일을 지향시켜 나가기로 하였다.
> 3. 남과 북은 올해 8·15에 즈음하여 흩어진 가족, 친척 방문단을 교환하며, 비전향 장기수 문제를 해결하는 등 인도적 문제를 조속히 풀어 나가기로 하였다.
> 4. 남과 북은 경제 협력을 통하여 민족 경제를 균형적으로 발전시키고 사회, 문화, 체육, 보건, 환경 등 제반 분야의 협력과 교류를 활성화하여 서로의 신뢰를 다져 나가기로 하였다.
>
> **사료 해설 |** 6·15 남북 공동 선언으로 평화 분위기가 고조되었고, 남북의 교류와 협력이 더욱 활성화되었다.

4. 노무현 정부

(1) 평화 번영 정책: 노무현 정부는 김대중 정부의 대북 정책을 계승·발전하여 한반도의 평화를 증진하고 남북한의 공동 번영을 추구하였다.

(2) 10·4 남북 공동 선언(남북 관계 발전과 평화 번영을 위한 선언, 2007. 10. 4.)

① **내용**: 제2차 남북 정상 회담(2007)에서 남북은 평화 정착, 공동 번영, 화해·통일에 관한 제반 현안에 대하여 협의하고 '종전 선언 추진' 등 8개 항에 합의하여 공동 선언을 발표하였다.

② **결과**: 6·15 남북 공동 선언의 적극 구현, 한반도의 평화 및 핵 문제 해결, 남북 경제 협력 사업의 활성화 등의 내용을 담은 '2007 남북 정상 선언문'을 채택하였다.

정주영 회장의 소떼 방북

| 북으로 가는 소

제1차 남북 정상 회담 합의 사항의 이행

- 개성 공단 건설: 2003년 착공 → 2004년 가동 → 2016년 중단
- 경의선 복구 사업: 2000년 9월 기공 → 2003년 연결식 개최
- 이산가족 상봉: 2000년 8월부터 2018년 8월까지 21차례 실시
- 금강산 관광: 2003년 육로 관광 시작 → 2008년 관광객 피살 사건으로 중단

10·4 남북 공동 선언 교과서 사료

제1조 남과 북은 6·15 공동 선언을 고수하고 적극 구현해 나간다.

제2조 남과 북은 사상과 제도의 차이를 초월하여 남북 관계를 상호 존중과 신뢰 관계로 확고히 전화시켜 나가기로 하였다.

제4조 남과 북은 군사적 적대 관계를 종식시키고 한반도에서 긴장 완화와 평화를 보장하기 위해 긴밀히 협력하기로 하였다.

▶ 10·4 남북 공동 선언(2007)은 **6·15 남북 공동 선언을 이행**할 것을 표명하였다.

5. 문재인 정부

(1) **남북 관계 개선**: 문재인 정부는 한반도의 평화 정착을 위한 남북 대화의 의지를 표명하였고, 북한도 이에 호응하여 남북 관계가 개선되었다. 2018년에는 판문점과 평양에서 세 차례의 남북 정상 회담이 개최되었다.

(2) **4·27 판문점 선언**(한반도의 평화와 번영, 통일을 위한 판문점 선언, 2018. 4. 27.)

① **내용**: 남북은 핵 없는 한반도 실현, 연내 종전 선언, 남북 공동 연락 사무소의 개성 설치 등에 대해 합의하였다.

교과서 사료 읽기

4·27 판문점 선언

1. 남과 북은 남북 관계의 전면적이며 획기적인 개선과 발전을 이룩함으로써 끊어진 민족의 혈맥을 잇고 공동 번영과 자주 통일의 미래를 앞당겨 나갈 것이다.
2. 남과 북은 한반도에서 첨예한 군사적 긴장 상태를 완화하고 전쟁 위험을 실질적으로 해소하기 위하여 공동으로 노력해 나갈 것이다.

사료 해설 | 문재인 정부 시기인 2018년에 남북 정상 회담이 개최되어 '한반도의 평화와 번영, 통일을 위한 판문점 선언'이 발표되었다.

OX 빈칸 핵심 개념 점검

* 학습한 개념을 OX/빈칸 문제를 통해 점검해보세요.

핵심 개념 1 | 남북한의 대치

01 이승만 정부는 북진 통일을 주장하였으며, 평화 통일을 주장한 세력을 탄압하였다. □ O □ X

02 장면 내각은 북진 통일론 대신 평화 통일론을 채택하였다. □ O □ X

03 이승만 정부 시기에 평화 통일을 주장한 진보당의 ______을 처형하였다.

04 4·19 혁명 이후 학생들은 통일을 위한 모임을 조직하고 ______을 추진하였다.

05 박정희 정부는 먼저 경제 발전을 바탕으로 국력을 키운 후 통일 문제는 나중에 논의하자는 ______을 제시하였다.

핵심 개념 2 | 7·4 남북 공동 성명

06 박정희 정부는 자주, 평화, 민족 대단결의 통일 원칙을 내세운 공동 성명을 발표하였다. □ O □ X

07 7·4 남북 공동 성명은 남북한이 유엔에 동시 가입한 직후 발표되었다. □ O □ X

08 박정희 정부 시기에 최초로 이산가족 상봉을 위한 남북 적십자 회담이 열렸다. □ O □ X

09 7·4 남북 공동 성명에는 ______를 구성하기로 합의한 내용이 담겨 있다.

10 7·4 남북 공동 성명 이후 남한은 ______을 단행하고, 북측은 ______을 제정하여 남북 대화를 독재 체제 강화에 이용하였다.

핵심 개념 3 | 1980년대의 남북 관계

11 1980년대에는 남과 북이 동시에 유엔에 가입하였다. □ O □ X

12 ______ 정부 때 최초로 남북 이산가족이 상봉하였다.

핵심 개념 4 | 1990년대의 남북 교류

13 남북 간의 화해와 불가침 및 교류 협력에 관한 합의서는 남북 정상 회담의 성과였다. □ O □ X

14 노태우 정부 때 남북한이 비핵화 공동 선언을 체결하였다. □ O □ X

15 김대중 정부 때 최초로 금강산 관광이 시작되었다. □ O □ X

16 ______는 분단 이후 남북한 정부 당사자 간에 합의된 최초의 공식 문서이다.

핵심 개념 5 | 2000년대의 남북 교류

17 6·15 남북 공동 선언은 분단 후 최초로 열린 남북 정상 회담의 결과로 발표된 성명서이다. □ O □ X

18 6·15 남북 공동 선언 이후 개성 공단 건설 사업이 시작되었다. □ O □ X

19 6·15 남북 공동 선언 이후 경의선 철로 복원 사업이 착공되었다. □ O □ X

20 10·4 남북 공동 선언은 ____________을 적극 구현해 나갈 것을 표명하였다.

정답과 해설

01	O 이승만 정부는 북진 통일을 주장하며 반공 정책을 고수하였으며, 평화 통일을 주장한 조봉암 등의 진보당 세력을 탄압하였다.	**11**	✖ 남과 북이 동시에 유엔에 가입한 것은 1980년대가 아니라 노태우 정부 때인 1991년이다.
02	O 장면 내각은 무력 통일 대신 평화 통일론을 채택하였다.	**12**	전두환
03	조봉암	**13**	✖ 화해와 불가침 및 교류·협력에 관한 남북 기본 합의서를 채택(1991)한 것은 노태우 정부 시기의 일이다. 최초의 남북 정상 회담은 김대중 정부 시기(2000)에 이루어졌다.
04	남북 학생 회담	**14**	O 노태우 정부 시기인 1991년 남북한은 한반도 비핵화 공동 선언을 체결하였다.
05	선 건설 후 통일론	**15**	O 1998년에 김대중 정부의 햇볕 정책으로 남북한의 교류와 협력 사업이 확대되어 금강산 해로 관광이 처음으로 시작되었다. 금강산 육로 관광(2003)이 시작된 것은 노무현 정부 시기이다.
06	O 박정희 정부는 자주·평화·민족 대단결의 통일 원칙을 내세운 7·4 남북 공동 성명을 발표하였다.	**16**	남북 기본 합의서
07	✖ 7·4 남북 공동 성명(1972)은 남북 유엔 동시 가입(1991. 9.) 이전에 발표되었다.	**17**	O 6·15 남북 공동 선언은 김대중 정부 때 분단 이후 최초로 열린 남북 정상 회담(2000)의 결과로 발표되었다.
08	O 박정희 정부 시기인 1971년에 최초로 이산가족 상봉을 위한 남북 적십자 예비 회담이 열렸으며, 1972년 8월에 1차 본 회담이 열렸다.	**18**	O 6·15 남북 공동 선언에서 남북은 개성 공단 건설에 합의하였고, 이후 노무현 정부 때인 2003년에 개성 공단의 본격적인 건설이 시작되었다.
09	남북 조절 위원회	**19**	O 6·15 남북 공동 선언으로 남북간의 교류가 더욱 확대되어 경의선 철로 복원 사업이 추진되었고, 이후 2000년 9월에는 경의선 복구 기공식이 열렸다.
10	10월 유신, 사회주의 헌법	**20**	6·15 남북 공동 선언

경제 발전과 사회·문화의 변화

1 현대의 경제 발전

학습 포인트
경제 발전 내용을 각 정부 시기로 구분하여 파악한다.

빈출 핵심 포인트
농지 개혁, 삼백 산업, 경제 개발 5개년 계획, 석유 파동, 3저 호황, 외환 위기

1 광복 이후의 경제 혼란

1. 광복 직후와 미군정기의 경제 상황

(1) 산업 활동 위축

① **자본과 기술 부족**: 광복 직후 자본과 원료 부족, 일본 기술자 철수 등으로 인해 식료품 공업을 비롯하여 대부분의 공업 생산이 위축되었으며 상당수의 공장이 문을 닫았다.

② **전기 공급 중단**: 북한이 남한에 대한 전기 공급을 중단하였다.

(2) **인구 증가**: 해외 동포들의 귀국과 북한 주민의 월남으로 인구가 증가하였으며, 이에 따라 실업자 급증·식량 부족 등의 현상이 일어났다.

(3) **물가 폭등**: 일제 패망 직전 일제는 한국에 있던 일본인에게 배포하기 위해 화폐를 남발하였으며, 광복 이후 미 군정도 재정 적자를 메우기 위해 화폐를 과도하게 발행하였다. 그 여파로 인플레이션이 지속되었다.

(4) **식량 부족**: 광복 직후 인구 증가, 매점매석 등의 원인으로 대규모 식량 부족 사태가 벌어졌다.

2. 미군정의 경제 정책

(1) **미국의 원조**: 미국은 체제 안정을 위한 단순 구호적 성격의 원조를 전개하였다.

(2) 농업 정책

① **배경**: 농민들의 불만을 해소하고, 북한의 토지 개혁(1946)에 대응하여 공산주의로부터 농민을 분리시키기 위해 농업 정책을 실시하였다.

② **전개**: 본격적인 토지 개혁은 정부 수립 이후 실시되었다(미 군정의 소극적인 개혁).

㉠ **최고 소작료 결정의 건 공포**(1945): 미군정은 소작료가 총 수확량의 3분의 1을 초과하지 못하도록 하고, 지주의 일방적인 소작 계약 해지를 방지하는 규정을 마련하는 등 소작 조건의 개선을 위해 노력하였다.

㉡ **신한 공사 설립**(1946. 3.): 미군정 법령에 의해 설립된 신한 공사는 동양 척식 주식회사와 일본인 및 일본 법인이 소유한 재산과 농지를 관리하였으며, 귀속 재산의 일부를 개인에게 불하하였다.

㉢ **미곡 수집제 실시**: 미군정은 광복 후 쌀값이 폭등하고 굶어 죽거나 굶주리는 사람이 급증하자 1946년 여름부터 미곡 수집제를 실시하였다. 농민·노동자들은 이러한 미군정의 강압적인 식량 정책에 항의하여 9월 총파업, 대구 10·1사건 등을 일으켰다.

㉣ **중앙 토지 행정처**(1948. 3.): 귀속 농지 매각령 및 신한 공사 해산령에 의해 신한 공사가 중앙 토지 행정처로 개편되었고, 신한 공사가 관리하던 일본인 소유 농지의 대부분을 원래의 소작 농민에게 매각하였다.

2 이승만 정부의 경제 정책

1. 농지 개혁

(1) 배경: 농지 및 토지 제도의 개혁에 대한 요구가 커졌으며, 앞서 북한의 무상 몰수·무상 분배의 토지 개혁(1946)이 실시되자 늦은 토지 개혁에 대한 국민들의 불만이 고조되었다.

(2) 농지 개혁법 제정(1949. 6. 21.)

① **목적**: 농사를 짓는 사람이 땅을 가져야 한다는 경자유전(耕者有田)의 원칙에 입각하여 농지를 농민에게 적절히 분배함으로써 농가 경제의 자립, 농업 생산력의 증진, 농민 생활의 향상과 국민 경제의 균형 발전을 도모하였다.

② **내용**: 3정보를 초과하는 농지 소유를 금지하였으며, 농지를 제외한 산림·임야·주택 등은 매수 대상에서 제외되었다(농지만을 대상으로 함). 3정보를 초과하는 농지를 소유한 지주에게 매수한 농지의 가격에 해당하는 지가 증권을 발급하여 유상으로 매입하고, 농민에게 3정보 한도로 농지를 유상 분배하였다. 이때 농민에게는 농지의 연평균 수확량의 150%를 30%씩, 5년에 걸쳐 국가에 상환하게 하였다.

③ **적용**: 농지 개혁법이 제정된 이듬해 3월에 개혁을 시행하였다(1950). 그러나 곧이어 발발한 6·25 전쟁으로 잠시 중단되었으며, 휴전 이후 재개되었다.

④ **결과**: 농민 중심의 토지 제도가 확립되어 자영농이 육성되었고, 중소 지주의 몰락(대지주 제외)을 초래하여 지주제가 점차 소멸하였다.

⑤ **한계**

㉠ **농지 개혁의 토지 축소**: 농지 개혁법이 제정되고 시행되기까지 긴 시간이 소요되었다. 이에 농지 개혁법이 시행되기 전에 지주들이 미리 땅을 팔거나, 농지를 개혁 대상에서 제외된 비농지로 전환하였기 때문에 농지 개혁의 대상이 되는 토지가 축소되었다.

㉡ **산업 자본으로의 전환 미흡**: 정부는 지주층의 토지 자본을 산업 자본으로 전환하려 하였으나, 대부분의 지주들이 지가 증권을 헐값에 처분하면서 일부 대지주만이 산업 자본가로 성장하였다.

⑥ **의의**: 전 농가의 70%가 자작농이 되어 지주제가 폐지되고 경자유전의 원칙이 관철되었다. 이로써 지주 계급이 몰락하고 신흥 자본가 계급이 생겨남으로써 한국 자본주의 발전의 기반을 조성하였다.

신한 공사

미군정의 기관으로, 토지 및 재산을 관리하던 기관이다.

미곡 수집제 실시 배경

광복 이후 미군정은 식량 부족 사태를 해결하기 위해 **쌀값을 자유 시장 체제**에 맡겼으나, 일부 상인과 지주들의 매점매석으로 **쌀값이 오히려 폭등**하고, 덩달아 다른 물가도 크게 올랐다. 이에 미군정은 보리와 쌀을 수집·배급하는 통제 정책인 **미곡 수집제를 실시**하였다.

대구 10·1사건

1946년 10월 1일 미곡 수집제 등 미군정의 정책에 반대하여 일어난 대구 시위에서 경찰이 시위대에게 총격을 가하자 시위가 확대되었으며, 미군정은 계엄령을 선포하여 이를 진압하였지만 시위는 전국으로 확산되었다(대구 10·1사건).

지가 증권

이승만 정부는 재정 부족으로 당장 지가를 현금으로 보상할 수 없던 상황이었기 때문에 '매입한 농지의 연평균 생산량의 150%를 5년에 걸쳐 보상한다'는 내용의 지가 증권을 지주에게 발행하였다. 그러나 보상의 지연과 6·25 전쟁에 따른 지가 증권의 가치 하락 등으로 경제적 손실을 겪은 지주들이 많았다.

결과 - 농지 개혁 실시 전후의 경작 형태 변화

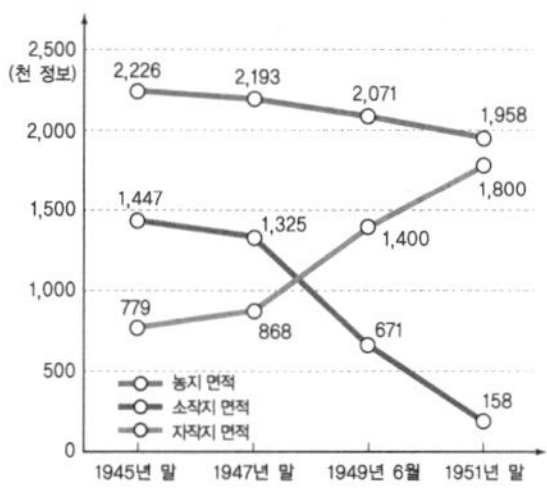

- 『농지 개혁사 연구』(1989)

▶ 농지 개혁의 실시 결과로 소작지가 줄고 자작지가 늘어나, **지주 전호제가 점차 소멸**하였다.

기출 사료 읽기

농지 개혁법

제5조 정부는 다음에 의하여 농지를 취득한다.

1. 다음의 농지는 정부에 귀속한다.
   (가) 법령 및 조약에 의하여 몰수 또는 국유로 된 농지
   (나) 소유권의 명의가 분명하지 않은 농지
2. 다음의 농지는 본문의 규정에 의하여 정부가 매수한다.
   (가) 농가 아닌 자의 농지
   (나) 자경하지 않는 자의 농지. 단, 질병, 공무, 취학 및 기타 부득이한 사유로 일시 이농한 자의 농지는 소유지 위원회의 동의로써 시장, 군수가 일정 기한까지 보류를 인허한다.
   (다) 본 법 규정의 한도를 초과하는 부분의 농지
   (라) 과수원, 종묘포, 상전 등 다년성 식물 재배 토지를 3정보 이상 자영하는 자의 소유인 다년성 식물 재배 이외의 농지

제6조 다음의 농지는 본법으로 매수하지 않는다.

1. 농가로서 자경 또는 자영하는 1가당 총면적 3정보 이내의 소유 농지. 단, 정부가 인정하는 고원, 산간 등 특수 지구에는 예외로 한다.

제12조 농지의 분배는 1가당 총경영 면적 3정보를 초과하지 못한다.

사료 해설 | 경작한 사람이 밭을 소유한다는 경자유전의 원칙에 따라 실시된 농지 개혁으로 소작을 둘러싼 마찰이 어느 정도 해소되었고, 사회적 안정과 농촌의 민주화가 나타났다.

필수 개념 정리하기

남한의 농지 개혁과 북한의 토지 개혁 비교

구분	남한	북한
개혁안	농지 개혁법	토지 개혁법
대상	산림이나 임야를 제외한 토지	모든 토지
농지 개혁법 공포	1949년 6월 제정(1950년 시행)	1946년 3월 제정
원칙	유상 매입, 유상 분배	무상 몰수, 무상 분배
토지 상한	3정보	5정보
특징	6·25 전쟁으로 중단, 1953년 완성	농촌 위원회가 주체

2. 귀속 재산의 처리와 은행법 제정

(1) 귀속 재산 처리법 제정(1949. 12.)

① **내용**: 정부는 국·공유 재산으로 지정된 것을 제외한 귀속 재산의 불하 사업을 추진하여, 6·25 전쟁기와 휴전 직후에 민간인에게 귀속 재산의 대부분을 매각하였다.

② **결과**

㉠ **저렴한 불하 가격과 특혜**: 불하 가격이 매우 저렴하게 책정된 데다가 정부가 재정·금융상의 지원을 해준 점, 급격한 물가 상승으로 인해 귀속 재산이 거의 무상에 가깝게 제공되어 실질적으로 엄청난 정책적 특혜로 작용하였다.

㉡ **재벌 탄생**: 불하 과정에서 일어난 부정뿐만 아니라 정경 유착과 같은 부조리를 초래하여 재벌이 탄생하였다.

귀속 재산 처리법 기출사료

제2조 본 법에서 귀속 재산이라 함은 …… 대한민국 정부에 이양된 일체의 재산을 지칭한다. 단, 농경지는 따로 농지 개혁법에 의하여 처리한다.

제3조 귀속 재산은 본 법과 본 법의 규정에 의하여 발하는 명령의 정하는 바에 의하여 국용 또는 공유 재산, 국영 또는 공영 기업체로 지정되는 것을 제한 외에는 대한민국의 국민 또는 법인에게 매각한다.

- 귀속 재산 처리법(1949)

▶ 귀속 재산이란 미군정기에 몰수된 일본인 소유의 재산을 말한다. 이승만 정부는 1949년에 귀속 재산 처리법을 제정하여 대부분의 귀속 재산을 매각하였다.

(2) **은행법 제정**(1950. 5.): 이승만 정부는 한국은행의 설립과 운영에 관한 법률인 한국은행법과 금융 기관에 관한 법률인 은행법을 1950년 5월에 제정하여 금융 기관의 공공성 유지와 건전한 운영 등을 도모하였다.

3. 6·25 전쟁의 피해와 경제 원조

(1) **6·25 전쟁의 피해**: 6·25 전쟁으로 생산 시설의 42%가 파괴되어 생필품 부족 현상이 발생하였고, 전쟁 비용 마련을 위한 정부의 재정 지출로 물가 상승이 가속화되었다. 이에 전쟁 중에 물가 안정을 위한 두 차례의 화폐 개혁이 실시되었다.

(2) **원조 경제 체제**

① **삼백 산업의 발달**: 이승만 정부 시기에는 미국으로부터 원조 받은 밀, 목화, 원당을 원료로 한 제분·면방직·제당 공업 등의 이른바 '삼백 산업'이 발달하였다.

② **원조 방식의 전환**: 미국은 기존의 무상 원조 방식을 1950년대 후반부터 점차 유상 차관으로 전환하였고, 이를 계기로 국내의 경기 불황이 심화되었다. 이로 인한 경기 불황은 4·19 혁명이 일어나는 경제적 배경으로도 작용하였다.

교과서 분석하기

미국의 농산물 도입과 대충 자금

한·미 잉여 농산물 협정	· 미국의 잉여 농산물을 한국 통화로 구매하는 방식으로 한국 측에 인수하는 내용을 규정한 협정 · 미국이 1953년 이후 증가한 자국의 농산물 재고를 해소하기 위한 방책으로 제정한 농산물 교역 발전 및 원조법(미국 공법 제480호, PL 480, 1954)에 의거해 체결 · 한·미 잉여 농산물 협정은 1955년 체결된 이래 해마다 갱신됨
대충 자금	· 미국에서 원조받은 농산물을 판매한 돈은 미국 공법 제480호에 따라 대충 자금으로 적립됨 · 대충 자금은 한·미 합동 경제 위원회를 통해 협의 하에 사용되었으며, 주한 미군의 유지비나, 미국의 무기를 사들이는 비용으로도 사용됨

3 경제 성장과 자본주의의 발전

1. 경제 개발 5개년 계획의 추진(1962~1981, 한강의 기적)

(1) 배경

① **미국의 원조 감소**: 미국의 원조 감소로 위기를 느낀 이승만 정부가 경제 개발 7개년 계획을 마련하였으나, 4·19 혁명으로 시행하지는 못하였다.

② **장면 내각의 개혁 좌절**: 장면 내각도 경제 제일주의를 내세워 경제 개발 5개년 계획을 수립하였으나, 5·16 군사 정변으로 좌절되었다.

③ **박정희 정부의 경제 정책**: 군사 정변으로 권력을 장악한 박정희 정부는 정권의 정통성을 보완하고자 경제 개발 정책에 전념하였다.

한국은행법

한국은행법은 1950년 5월 5일에 제정되어 공포되었다. 이를 통해 한국은행은 중앙은행으로서 통화 신용 정책, 외환 정책의 수립과 집행, 금융 기관의 감독 등 다양한 기능과 권한을 부여받았다.

이승만 정부 시기의 화폐 개혁

- 1차 개혁(1950): 북한 화폐의 유통으로 인한 화폐 교란 문제를 해결하기 위해 실시함. 북한 화폐의 유통을 금지하고, 북한 화폐를 한국은행권으로 등가 교환.
- 2차 개혁(1953): 화폐 남발로 인해 폭등한 물가를 안정시키기 위해 실시함. 화폐 단위를 기존의 원(圓)에서 환(圜)으로 변경(100원 → 1환).

한·미 원조 협정(1948. 12.)

미군정 시기에는 '점령지를 대상으로 한 행정 구호 원조(GARIOA)'가 실시되었으나, 대한민국 정부 수립 이후 한·미 원조 협정이 체결되며 국가 대(對) 국가의 원조 형태로 전환(1948)되고, 이 협정에 따라 설치된 주한 경제협조처(ECA)가 원조 업무를 주관하였다. 이러한 원조 정책을 통해 미국은 한반도의 공산화를 막고, 한국 경제에 대한 더욱 막강한 권한을 행사하고자 하였다. 이 협정은 이후 1961년에 체결된 한·미 경제 기술 원조 협정으로 대체되었다.

(2) 특징

① **정부 주도**: 정부 주도하에 성장 위주의 경제 정책과 수출 주도형의 성장 전략을 실행하였다.

② **공업 육성**: 공업 분야를 중점적으로 육성하여 불균형 성장을 초래하였다.

③ **화폐 개혁**(3차, 1962): 군사 정부는 부정 축재자가 은닉하고 있을 것으로 예상되는 자금을 양성화하여 경제 개발 계획에 필요한 산업 자금으로 활용하기 위해 통화 단위 명칭을 '환'에서 '원'으로 바꾸었다.

(3) 제1·2차 경제 개발 5개년 계획(1962~1971)

① **특징**: 사회 간접 자본 확충과 노동 집약적 경공업에 집중하였다. 이 기간에는 경제 성장률이 매년 10% 안팎에 이를 정도로 고도 성장이 이루어지고, 광업과 공업의 비중이 높아지는 등 경제 산업 구조의 변화도 뚜렷해졌다.

② **제1차**(1962~1966): 의류·신발·합판 등 경공업 중심의 노동 집약적 산업을 중점적으로 육성하여 수출을 늘리려고 하였다.

③ **제2차**(1967~1971): 비료·시멘트·정유 산업 등을 육성하여 사회 간접 자본을 확충하고 산업 구조를 개편하는데 주력하였다. 또한 베트남 파병에 따른 베트남 특수에 힘입어 빠르게 고도 성장하였으며, 경부 고속도로가 완공·개통(1970)되었다.

기출 사료 읽기

제1회 수출의 날 치사(1964)

우리나라의 수출업 또는 생산업에 종사하고 있는 여러분들은 경영을 보다 합리화하고 기술을 개선함으로써 품질과 가격면에서 국제간의 경쟁에 뒤지지 말아야 할 것입니다. …… 나는 우리 국민이 선천적으로 타고난 재질을 최대한으로 활용하여 다각적인 생산 활동을 더욱 활발하게 하고, …… 공산품 수출을 진흥시키는 데 가일층 노력할 것을 요망합니다. 끝으로 나는 오늘 제1회 수출의 날 기념식에 즈음하여 …… 이 뜻깊은 날이 자립경제를 앞당기는 또 하나의 계기가 될 것을 기원합니다.

사료 해설 | 박정희 정부 때인 1964년에 우리나라의 수출이 1억 달러를 돌파하자 이를 기념하기 위하여 제1회 수출의 날 기념식이 개최되었다.

(4) 제3·4차 경제 개발 5개년 계획(1972~1981)

① **특징**: 1970년 무렵에는 갚아야 할 차관의 원금과 이자가 늘어나고 경공업 제품의 수출이 차츰 벽에 부딪히자, 정부는 외국인의 직접 투자 유치, 기업에 대한 각종 특혜 제공, 중화학 공업 육성 정책의 추진 등으로 문제를 해결하였다. 이에 따라 마산 자유 무역 지역(1970), 익산(이리) 자유 무역 지역(1973)을 지정하여 많은 외국인 기업을 유치하였다. 또한, 울산, 포항, 창원, 여천(여수), 구미 등에 새로운 공업 단지가 조성되었다.

② **제3차**(1972~1976): 철강·비철금속·기계·조선·전자·조선·석유화학의 수출 주도형 중화학 공업 육성 정책을 실행하였다. 이에 따라 포항·광양 제철소, 여천(여수) 석유 화학 단지, 울산·거제 조선소 등이 건설되었다. 또한 이 시기에는 **제1차 석유 파동**(1973~1974)으로 인한 위기가 있었으나, 중동 건설 사업 진출로 오일 달러를 벌어들여 극복하였다.

③ **제4차**(1977~1981): 중화학 공업의 생산이 경공업을 앞서면서 고도 성장을 이루었으며, 1977년에는 수출 100억 달러를 돌파하였다. 그러나 중화학 공업에 대한 과잉 투자 문제와 제2차 석유 파동(1978~1980)으로 경제적 위기에 직면하였다.

산업 구조의 변화

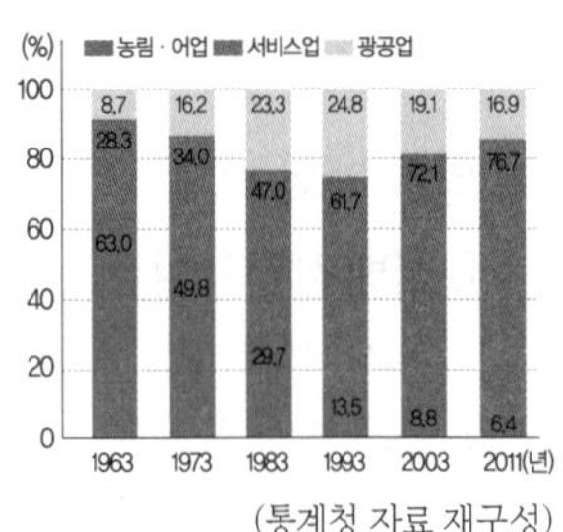

(통계청 자료 재구성)

베트남 특수(特需, 특별한 수요)

한국군의 베트남 참전으로 한국 건설업체의 베트남 진출과 인력 수출, 그리고 참전 군인들이 보내오는 송금으로 얻은 경제적 이득을 의미한다.

울산 공업 단지

울산 공업 단지는 울산광역시 남구에 위치한 국가 산업 단지로, 1962년 울산 공업 센터의 기공식을 계기로 1966년까지 공장 부지 등 지원 시설의 착수가 이루어졌다. 이후 1967년 지역 확장 공고를 통하여 **울산 정유 공장**(1964)이 확장되어 석유 화학 공업 단지로 선정되었다.

석유 파동

- 국제 석유 가격의 상승으로 발생한 세계적인 혼란
- **제1차 석유 파동**(1973~1974): 중동 건설 사업에 진출하여 극복
- **제2차 석유 파동**(1978~1980): 국내 경기 불황, 국제 수지 악화로 극복하지 못함, 마이너스 경제 성장률 기록, 유신 체제 몰락에도 영향을 끼침

100억불 수출의 날 기념 아치

(5) 평가

① **성과**: '한강의 기적'이라 불릴 정도로 고도의 경제 성장을 이룩하였다.

② **문제점**: 빈부 격차와 도·농 격차의 심화, 경제의 대외 의존도 심화, 산업 간 불균형 심화, 재벌 중심의 경제 구조, 정경 유착으로 인한 부패 심화 등이 나타났다.

2. 1980년대의 경제 성장

(1) 경제 상황: 중화학 공업에 대한 중복·과잉 투자와 제2차 석유 파동, 국내 정치의 불안 등으로 1980년을 전후하여 경제적 위기에 직면하였다.

(2) 전두환 정부의 경제 정책

① **3저 호황**: 1980년대 중반에 3저 호황(저유가·저금리·저달러)을 맞아 어려움을 극복하고 고도의 경제 성장을 계속해 나갈 수 있었다.

② **성과**: 연평균 약 8% 정도씩 성장하였고, GNP(국민 총생산)도 초과 달성되었으며, 지속적인 수출 증가로 국제 무역 수지가 흑자로 전환되고 외채도 감소하였다.

3. 1990년대의 경제 위기와 극복

(1) 김영삼 정부의 경제 정책

① **금융 개혁**: 고위 공직자 재산 등록제와 금융 실명제를 실시하였다(1993).

② **시장 개방 정책**: 김영삼 정부 시기에 우루과이 라운드(UR)가 타결(1994)되고, 세계 무역 기구(WTO)가 출범(1995)하였다. 이러한 흐름 속에서 김영삼 정부는 경제 협력 개발 기구(OECD) 가입(1996) 등을 추진하였다.

(2) 외환 위기 발생(1997)

① **경제난**: 무역 적자의 지속, 금융 기관의 부실, 대비 없는 외환 시장 개방 등으로 외환 위기가 발생하였다.

② **IMF 관리 체제**: 국제 통화 기금(IMF)의 지원과 경제적 간섭이 시작되었다. 또한 재무 구조가 불안정했던 상당수 기업들이 도산하였다.

(3) 김대중 정부의 외환 위기 극복 노력

① **금 모으기 운동 전개**: 국민들은 제2의 국채 보상 운동이라 불린 금 모으기 운동을 벌여 외환 위기 극복에 기여하였다.

② **외환 위기 극복 정책**: 4대 부문 구조 조정(기업, 금융, 노동, 공공)과 벤처 기업 육성 등을 추진하였으며, 정리 해고제와 파견 근로제를 도입하였다.

③ **결과**: IMF 관리 체제에서 벗어났으나(2001), 대량 해고로 인해 실업자와 비정규직 노동자가 증가하였고, 일부 은행과 대기업이 외국 자본에 매각되었다. 또한 부실한 기업과 금융 기관에 과도하게 공적 자금을 투여하였으며, 재벌에 경제력이 집중되어 양극화 현상이 초래되었다.

도시 근로자와 농가 소득 비교

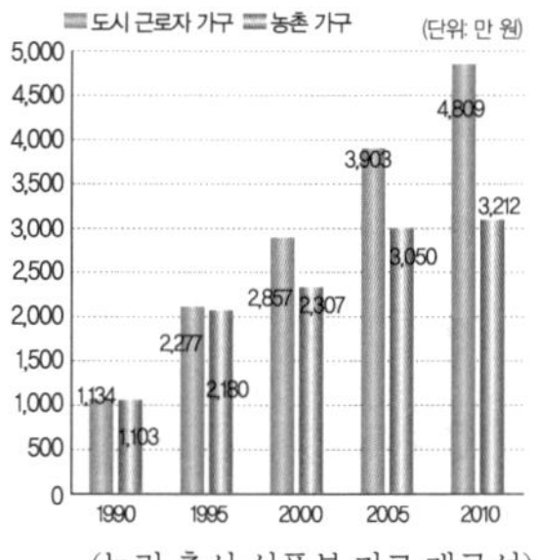

(농림 축산 식품부 자료 재구성)

금융 실명제 실시 관련 담화문 (1993. 8.)

금융 실명제가 실시되지 않고는 이 땅의 부정부패를 원천적으로 봉쇄할 수가 없습니다. …… 금융 실명제 없이는 건강한 민주주의도, 활력이 넘치는 자본주의도 꽃 피울 수가 없습니다.

▶ **김영삼 정부는** 금융 거래 시 가명이나 차명이 아닌 본인의 실명으로 거래하도록 하는 **금융 실명제를 도입하였다.**

우루과이 라운드 최종 의정서

기출사료

이 협정의 당사자들은, 서로 다른 경제 발전 단계에서 각각의 필요와 관심에 일치하는 방법으로 환경을 보호하고 보존한다. …… 관세 및 그 밖의 무역 장벽의 실질적인 삭감과 국제 무역 관계에 있어서 차별 대우의 폐지를 지향하는 상호 호혜적인 약정의 체결을 통하여 이러한 목적에 기여하기를 희망한다.

- 마라케시 협정(1994. 4.)

▶ **우루과이 라운드 타결**로 우리나라는 **공산품 수출 시장이 확대**된 반면, **쌀과 서비스 시장을 개방**해야 했다.

세계 무역 기구(WTO, 1995)

1995년 **가입국 간의 무역과 투자의 자유를 확산시키기 위해 설립된 기구**이다. 이 기구는 무역 분쟁 조정, 관세 인하 요구, 반덤핑 규제 등 법적 권한과 구속력을 보유하였다. 한국도 세계 무역 기구에 가입하게 되면서 한국 경제에 시장 개방과 시장 자율화 조치가 취해졌다.

OX 빈칸 핵심 개념 점검

* 학습한 개념을 OX/빈칸 문제를 통해 점검해보세요.

핵심 개념 1 | 미군정의 경제 정책

01 광복 직후 남한은 해외로부터 귀환인이 급증하여 식량이 부족했다. □ O □ X

02 미군정은 소작료를 1/3제로 제한하였다. □ O □ X

03 미군정은 ______를 설립하여 동양 척식 주식회사에서 넘겨 받은 토지를 관리하게 하였다.

핵심 개념 2 | 이승만 정부의 경제 정책

04 이승만 정부는 농지 개혁에 따른 지가 증권을 발행하였다. □ O □ X

05 농지 개혁법이 실시되어 자작농이 크게 증가하였다. □ O □ X

06 농지 개혁법의 대상에는 농지 이외 임야도 포함되었다. □ O □ X

07 이승만 정부 시기에는 귀속 재산의 불하 과정에서 부정이 발생하여 정경 유착 등의 부조리를 초래하였다. □ O □ X

08 농지 개혁에서 가구당 농지 소유를 ______이내로 제한하였다.

09 이승만 정부는 제분, 제당, 면방직 등 ______을 적극 지원하였다.

10 이승만 정부는 시기에 귀속 재산 처리를 위한 ______이 제정되었다.

핵심 개념 3 | 1960~1970년대의 경제

11 제1·2차 경제 개발 5개년 계획 시기에는 베트남 특수 등에 힘입어 경제가 빠르게 성장하였다. □ O □ X

12 박정희 정부 시기에 중화학 공업을 적극 육성하였다. □ O □ X

13 박정희 정부 때 3저 호황을 통해 무역 수지 흑자를 달성하였다. □ O □ X

14 1960년대 자립 경제의 기반 구축에 역점을 둔 제1차 경제 개발 계획이 추진되었으며 이에 따라 노동 집약적인 ______을 집중 육성하였다.

15 제1·2차 경제 개발 5개년 계획 시기에 ______ 고속 국도가 건설되었다.

16 제3·4차 경제 개발 5개년 계획 시기에는 수출 ______ 달러를 달성하였다.

핵심 개념 4 | 1980년대 이후의 경제

17 전두환 정부 시기에 우루과이 라운드의 타결로 쌀 시장과 서비스 시장을 개방하였다. □ O □ X

18 노태우 정부 시기에 OECD 회원국으로 가입하였다. □ O □ X

19 자유 무역이 확대되는 가운데 김영삼 정부 시기에 외환 보유고 부족으로 위기를 맞았다. □ O □ X

20 김영삼 정부 시기에 탈세와 부정부패를 막기 위해 ______를 실시하였다.

21 ______ 정부 시기에 국제 통화 기금(IMF)의 지원금을 앞당겨 상환하여 위기를 극복하였다.

정답과 해설

01	O 광복 직후 남한에서는 해외 동포들의 귀국과 북한 주민의 월남 등으로 인한 인구 증가로 식량이 부족해지는 사태가 발생하였다.	**12**	O 박정희 정부는 제3·4차 경제 개발 5개년 계획을 추진하여 수출 주도형 중화학 공업을 적극 육성하였다.
02	O 미군정은 최고 소작료 결정의 건을 공포하여 소작료가 총 수확량의 1/3을 초과하지 못하도록 규정하였다.	**13**	× 3저 호황(저금리·저유가·저달러)을 통해 무역 수지 흑자를 달성한 것은 전두환 정부 때이다.
03	신한 공사	**14**	경공업
04	O 이승만 정부는 농지 개혁을 실시하고 정부가 토지를 매입하는 대가로 지주에게 연평균 생산량의 1.5배(150%)를 보장하는 지가 증권을 발급하고, 5년간 분할 보상할 것을 규정하였다.	**15**	경부
05	O 농지 개혁법의 시행으로 농민 중심의 토지 제도가 확립되어 자작농이 크게 증가하였으며, 지주제는 점차 소멸되었다.	**16**	100억
06	× 농지 개혁법에서는 산림이나 임야를 제외한 농지만을 대상으로 하였다.	**17**	× 우루과이 라운드는 김영삼 정부 시기인 1994년에 타결되었다.
07	O 이승만 정부 시기에는 귀속 재산의 불하 과정에서 부정이 발생하였고, 정경 유착과 같은 부조리를 초래하였다.	**18**	× 우리나라가 경제 협력 개발 기구(OECD)에 가입한 것(1996)은 김영삼 정부 시기의 사실이다.
08	3정보	**19**	O 급격한 시장 자율화와 대비 없는 시장 개방 등으로 김영삼 정부 시기인 1997년에 외환 위기가 발생하였다.
09	삼백 산업	**20**	금융 실명제
10	귀속 재산 처리법	**21**	김대중
11	O 제1·2차 경제 개발 5개년 계획 시기에는 베트남 파병에 따른 베트남 특수 등에 힘입어 경제가 빠르게 성장하였다.		

2 현대 사회와 문화의 변화

학습 포인트
많이 출제되는 부분은 아니지만 농민 운동, 노동 운동은 살펴보는 것이 좋다.

빈출 핵심 포인트
새마을 운동, 전태일 분신 사건, YH 무역 사건, 민주 노총

1 사회의 변화와 사회 운동

1. 현대 사회의 변화

(1) 인구의 변화

전쟁 직후	전쟁으로 인구가 크게 감소하였으나, 전쟁 직후 베이비 붐으로 출산율이 크게 높아짐
1960년대 ~1980년대	· 1960년대 이후 정부의 가족 계획 사업으로 출산율이 점차 낮아짐 · 출산율의 감소의 영향으로 핵가족화가 급격히 진전되고, 남녀 성차별이 둔화됨
1990년대	낮은 출산과 낮은 사망으로 인구 비율이 안정화
2000년대	다시 낮은 출산 추세가 이어지고 인구의 고령화가 빠르게 진전되면서 고령 사회와 출산율 감소가 사회 문제로 대두되고 있음

(2) 산업화·도시화

① **산업 사회로의 변화**: 1960년대에 공업 위주의 경제 개발 정책이 본격적으로 추진되면서 농업 사회에서 산업 사회로 변화되었다. 이러한 영향으로 농업 인구가 감소하였고 공업·서비스업 종사자가 증가하면서 도시의 인구가 급팽창하였다.

② **문제점**: 도시로 이주한 가족은 대부분 핵가족 형태로 이루어져 공동체 의식이 약화되었고, 개인주의와 물질적 가치가 정신적 가치보다 우선시되는 물질 만능주의가 팽배해졌다. 또한, 인구 급증으로 주택난과 실업 문제 등 도시 문제가 발생하였다.

(3) 농촌 사회의 변화와 농업 정책

① **농촌 사회의 변화**: 농업 인구의 감소와 산업화의 진전 등으로 인해 도시와 농촌 간의 소득 격차가 커졌고, 이로 인해 청장년층의 도시 이주가 증가하였다(이농 현상).

② **농업 정책**

1960년대	정부는 사회 문제를 해결하고자 4H 운동을 확대하였음
1970년대	· 1970년 초 새마을 운동으로 농민은 원예, 축산 등 영농의 다각화를 시도 · 1970년대 중반에 유신벼와 통일벼 등 다수확 품종의 개발로 쌀의 자급자족이 가능해졌음
1980년대	대외 경제 개방 정책으로 대부분의 농산물 수입이 개방됨에 따라 농촌 경제가 큰 타격을 받게 되었음
1990년대	· 농산물 시장 개방에 이어 쌀 시장이 개방되었음 · 정부의 농촌 지원 대책에도 농촌의 상황은 더욱 악화되었음

인구 변화에 따른 시기별 표어

1950년대	3남 2녀로 5명은 낳아야죠, 건강한 어머니에 되어 나온 옥동자
1960년대	많이 낳아 고생 말고 적게 낳아 잘 키우자, 덮어놓고 낳다 보면 거지꼴을 못 면한다.
1970년대	딸 아들 구별 말고 둘만 낳아 잘 기르자.
1980년대	둘도 많다!, 잘 키운 딸 하나 열 아들 안 부럽다.
1990년대	선생님! 착한 일 하면 여자 짝꿍 시켜주나요.
2000년대	아빠, 혼자는 싫어요. 엄마, 저도 동생을 갖고 싶어요.

도시 문제 - 광주 대단지 사건

서울시의 광주 대단지(지금의 성남시) 조성 계획으로 정부의 선전만 믿고 광주 대단지에 이주한 주민들에게 서울시가 보상 약속을 제대로 시행하지 않고, 오히려 각종 세금을 부과하였다. 이에 이주민들이 반발하여 광주 대단지 전역을 일시 점거하였다(1971).

4H 운동

4H는 지성(head)·덕성(heart)·근로(hand)·건강(health)을 뜻한다.

1990년대 이후 농민 운동의 전개

1990년대 이후 농민은 각지에서 농민회를 조직하고 **농산물 수입 개방 반대, 농가 부채 해결 등을 요구**하는 농민 운동을 전개하였다.

2. 사회 문제 해결을 위한 노력

(1) 노동 운동

① **배경**: 산업화 초기의 저임금과 열악한 노동 환경, 그리고 노동 3권의 유명무실화 등으로 노동자들의 고통이 심화되었다.

② **1970년대**: 전태일 분신 사건(1970)을 계기로 노동 운동이 본격화되었으며, 유신 체제 몰락의 계기가 된 YH 무역 사건(1979)이 발생하였다.

③ 1980년대

㉠ **노동 운동 제약**: 1980년대 노동 운동은 민주화 운동의 일환으로 전개되었다.

㉡ **노동 운동 확대 계기**: 1987년 6월 민주 항쟁 이후 전국적으로 수많은 노동 조합이 새로이 결성되는 등 노동 운동이 활발해졌다.

④ **1990년대**: 정부는 국제 노동 기구(ILO)에 가입(1991)하여 국제 수준의 노동 규칙을 따르고자 하였으며, 민주 노총이 결성(1995)되었고, 외환 위기를 극복하는 과정에서 노사정 위원회가 설립(1998)되었다.

기출 사료 읽기

현대의 노동 운동

1. 전태일

· 존경하는 대통령 각하! 저는 서울특별시 성북구 쌍문동 208번지 2통 5반에 거주하는 22살의 청년입니다. …… 또한, 3만여 명 가운데 40%를 차지하는 보조공들은 평균 연령 15세의 어린이들로서 …… 저희들의 요구는 1일 15시간의 작업 시간을 1일 10시간~12시간으로 단축해 주십시오. 1개월 휴일 2일을 늘려서 일요일마다 휴일로 쉬기 원합니다. 절대로 무리한 요구가 아님을 맹세합니다. 인간으로서 최소한의 요구입니다. - 조영래, 「전태일평전」

· 지난 13일 하오 서울 시내 중구 청계천 6가에 있는 평화 시장, 동대문 시장, 통일상가 등의 종업원 5백여 명이 근로 조건의 개선을 요구하는 데모를 벌이려다 경찰의 제지를 받자 재단사 친목회 대표가 몸에 휘발유를 뿌리고 분신 자살 하였다. …… 이곳에서 일하고 있는 2만 7천여 명의 종업원들은 작업 환경이 나빠 대부분 안질환, 신경성 위장병 등에 걸려있을 뿐 아니라 낮은 임금에 혹사당하고 있다. - 중앙일보, 1970. 11.

사료 해설 | 전태일은 1970년 근로 기준법 준수를 요구하며 분신 자살하였다. 그의 죽음은 노동자의 삶이 사회 문제로 부각되는 계기가 되었고, 이후 노동 운동, 민주화 운동, 학생 운동에 큰 영향을 미쳤다.

2. YH 무역 근로자의 호소문

저희 근로자들이 신민당에 올 수밖에 없었던 것은 회사, 노동청, 은행이 모두 문제를 해결할 수 없다기에 오갈 데 없었기 때문입니다. 악덕한 기업주가 기숙사를 철폐하여 밥은 물론 전기, 수돗물마저 먹을 수 없었을 뿐 아니라, 6일 새벽 4시경 여자들만 잠자고 있는 기숙사 문을 부수고 우리 근로자들을 끌어내려 하였습니다.

사료 해설 | YH 무역 사건은 가발 제조업체인 YH 무역이 부당한 폐업을 공고하자 이 회사 노동 조합원들이 회사 정상화와 노동자의 생존권 보장을 요구하며 1979년 8월 신민당 당사에서 농성을 벌인 사건으로, 농성 진압 과정에서 여성 노동자 한 명이 숨지기도 하였다.

(2) 시민 운동

① **배경**: 1980년대 후반 민주화의 진전과 경제 발전으로 중산층이 형성되었고, 6월 민주 항쟁(1987) 이후 시민 운동 단체(NGO)가 많이 늘어났다.

② **활동**: 중산층의 주도로 여러 시민 단체가 조직되어 사회 개혁, 복지, 환경, 여성 문제 등 다양한 분야의 사회 문제가 제기되었다. 대표적인 시민 단체로는 경제 정의 실천 연합(경실련), 참여 연대, 환경 운동 연합 등이 있다.

노동 운동의 전개

1970년	전태일이 노동 환경 개선을 요구하며 분신
1979년	YH 무역 여성 노동자들이 신민당사에서 농성
1987년	임금 인상과 노동 조건 개선을 내세운 전국적 노동 운동 전개
1991년	ILO(국제 노동 기구) 기본 조약 비준
1995년	전국 민주 노동 조합 총연맹(민주 노총) 결성
1998년	노사정 위원회 발족

(3) 여성 운동

① **여성의 지위 향상**: 여성의 취업 인구가 늘어났고, 농촌에서도 여성의 경제 활동 참여가 증가하면서 사회적 위상도 높아졌다.

② **1980년대 이후**: 남녀 고용 평등법(1987)이 제정되어 고용에 있어 남녀가 평등한 기회를 갖게 되었다. 한편 여성부가 신설(2001)되었으며, **호주제가 폐지(2005)**되었다.

(4) 사회 보장 정책

(4) 사회 보장 정책: 경제 발전 이후 사회 양극화가 심화되자 노약자, 빈민층, 실업자, 장애인 등 사회적 약자에 대한 국가의 보호 의무를 강화하여 국민 연금 제도(1988), 의료 보험, 산재 보험, 고용 보험(1995), 국민 기초 생활 보장법(2000) 등을 시행하였다.

국민 연금 제도

국민 연금 제도는 적용 대상에 따라 단계적으로 확대, 실시되어 왔다. 1988년에는 상시 근로자가 10인 이상인 직장부터 처음 시행하였고, 1992년부터는 5인 이상인 사업장까지 확대·시행되었으며, 1995년에는 농·어민 및 농·어촌 지역에 거주하는 지역 주민에게까지 확대·시행되었다. 1999년에는 도시 지역 주민까지 확대하여 전국민을 대상으로 국민 연금 제도가 실시되었다.

2 문화의 변화

1. 교육 정책의 변화

미군정기	· 6·3·3 학제(초등 6년, 중등 3년, 고등 3년) · 일제 군국주의 교육을 청산, 민주주의 교육 원리 채택
이승만 정부	헌법에 초등학교(당시는 국민학교) 의무 교육을 규정
장면 내각	학도 호국단 폐지, 교육 자치제 실시
박정희 정부	· 국민 교육 헌장 선포(1968) · 중학교 무시험 진학 제도 시행: 1968년에 무시험 추첨에 의한 중학교 진학 제도 실시가 결정됨 → 1969학년도부터 서울에서 시작되어 1971년도에는 전국적으로 실시됨 · 교련 부활(1969): 군사 훈련 과목인 교련을 부활시킴 → 1971년부터 대학가를 중심으로 교련 반대 시위가 시작됨 · 대학 입학 예비고사 실시(1969학년도), 고교 평준화 정책 실시(1974)
1980년대 이후	· 7·30 교육 개혁(전두환 신군부, 1980): 대입 본고사 폐지, 과외 금지 조치, 졸업 정원제 실시 · 대학교, 전문 대학 등 고등 교육 기관의 숫자가 많이 늘어났으며, 대학 진학률도 크게 높아짐
1990년대 이후	· 김영삼 정부: 대학 수학 능력 시험 실시(1994학년도), 국민학교를 초등학교로 개칭함 · 김대중 정부: 학교 정보화 산업을 추진, 중학교 무상 의무 교육 전면 실시

학도 호국단

중등학교 이상의 학생들의 사상 통일과 단체적 훈련을 강화하기 위해 조직된 학생 자치 훈련 단체이다.

졸업 정원제

대학 입학 시에는 선별을 하지 않고, 졸업 시 정원을 설정하여 학생을 선별하는 제도이다.

교과서 사료 읽기

국민 교육 헌장

우리는 민족 중흥의 역사적 사명을 띠고 이 땅에 태어났다. 조상의 빛난 얼을 오늘에 되살려 안으로 자주 독립의 자세를 확립하고, 밖으로 인류 공영에 이바지할 때다. 이에 우리의 나아갈 바를 밝혀 교육의 지표로 삼는다.

사료 해설 | 국민 교육 헌장은 국가주의 교육 차원에서 발표한 것으로, 민족 주체성 확립, 새로운 민족 문화 창조, 민주주의 발전 등의 내용을 담고 있다.

2. 언론의 발전

(1) 이승만 정부: 경향신문을 폐간(1959)하는 등 독재 정치의 규탄과 민주화 운동에 앞장선 언론 기관을 탄압하였다.

(2) 4·19 혁명 이후: 민주적 분위기 확산으로 언론 매체가 증가하였다.

(3) 박정희 정부

① **언론 탄압**: 강제로 언론을 통폐합하고, 모든 언론인에게 프레스 카드를 소지하도록 하는 프레스 카드제를 실시하였다.

② **언론 자유 수호 운동 전개**: 언론을 수호하려는 투쟁이 계속되어 조선·동아일보 일부 기자들이 해직되고, 동아일보 백지 광고 사태 등이 발생하였다.

(4) 전두환 정부: 보도 지침을 각 언론사에 보내 신문과 방송 기사에 대한 통제와 검열을 강화하였다.

(5) 6월 민주 항쟁 이후: 프레스 카드제가 폐지되는 등 언론의 자유가 확대되었다.

3. 대중 문화의 발전

6·25 전쟁 이후	정비석의 소설 『자유부인』이 사회적 논쟁을 일으킴
1960년대	대중 문화가 본격적으로 성장함
1970년대	20대의 젊은 층을 중심으로 장발, 청바지, 통기타 등으로 대표되는 '청년 문화'가 형성됨
1980년대	컬러 텔레비전 방송이 시작되어 영상 문화가 발전함
1990년대 이후	한국적 특성이 담긴 영화를 제작하여 세계 영화계에서 각광 받음

프레스 카드제(기자 등록제)

유신 정권은 모든 언론인에게 정부가 발행하는 보도증(프레스 카드)을 소지하도록 하였는데, 이는 **정부에 비판적인 기자들이 행정 부처 출입을 못하도록 통제하기 위한 것**이었다.

동아일보 백지 광고 사태(1974)

박정희 유신 정권의 언론 탄압으로 동아일보에 광고를 내기로 했었던 회사들이 무더기로 해약함에 따라, 동아일보는 광고를 채우지 못한 부분을 백지로 내보내거나 아예 전 지면을 기사로 채워버렸다.

OX 빈칸 핵심 개념 점검

* 학습한 개념을 OX/빈칸 문제를 통해 점검해보세요.

핵심 개념 1 | 사회의 변화와 사회 운동

01 인구 정책의 표어로 '잘 키운 딸 하나 열 아들 안 부럽다.'를 사용한 연대에는 6월 민주 항쟁과 저금리, 저유가, 저달러의 3저 호황이 있었다. □ O □ X

02 1960년대 이후 ______이 대규모로 진행되면서 도시 빈민들의 문제가 커지고 있었다.

03 박정희 정부 시기인 1970년대 ______ 운동이 전개되었다.

핵심 개념 2 | 노동 운동

04 1960년대 대부분의 노동자들이 낮은 임금과 열악한 노동 조건 속에서 일을 하였다. □ O □ X

05 1960년대에 임금은 낮았지만 낮은 물가 덕분으로 노동자들이 고통을 겪지는 않았다. □ O □ X

06 1980년대 초부터는 노동 조합을 자유롭게 설립할 수 있게 되었다. □ O □ X

07 노태우 정부 때인 1991년에 국제 노동 기구(ILO)에 가입하였다. □ O □ X

08 1970년대에는 근로 기준법의 준수를 요구하며 ______이 분신하는 사건이 발생하였다.

09 김대중 정부 시기 외환 위기 극복 과정에서 노동자의 고용 안정과 근로 조건 등을 협의하기 위해 ______가 설립되었다.

핵심 개념 3 | 교육 정책의 변화와 언론의 발전

10 박정희 정부 시기에 중학교 무시험 진학 제도가 처음 실시되었다. □ O □ X

11 1970년대 이후 무비판적으로 수용하였던 서구 문화에 대한 반성이 일어나면서 전통 문화를 되살리는 노력이 펼쳐졌다. □ O □ X

12 김영삼 정부 때 대학 수학 능력 시험이 실시되었다. □ O □ X

13 전두환 정부는 프레스 카드제를 처음 시행하여 정부에 비판적인 기자들의 행정 부처 출입을 통제하였다. □ O □ X

14 이승만 정부 시기에는 ______을 폐간하는 등 언론 기관을 탄압하였다.

15 박정희 정부 시기인 1968년에 국가주의 이념을 강조한 [　　　　　]이 제정되었다.

16 1987년 [　　　　　]을 거치면서 언론에 대한 정부의 통제와 간섭이 줄어 들었고, 언론의 자유는 확대되었다.

정답과 해설

01	O 1980년대 인구 정책 표어로, 1980년대에 6월 민주 항쟁(1987)이 일어났으며, 3저 호황에 따라 높은 경제 성장률을 보였다.	**09**	노사정 위원회
02	이농	**10**	O 박정희 정부 때인 1969학년도부터 중학교 무시험 진학 제도가 실시되었다.
03	새마을	**11**	O 1970년대 이후에는 무분별하게 수용하였던 서구 문화에 대한 반성과 함께 전통 문화를 되살리기 위한 노력들이 이루어졌다.
04	O 1960년대 저임금과 열악한 노동 환경 등으로 노동자들의 고통이 심화되었다.	**12**	O 김영삼 정부 때 1994학년도 대입 수험생들을 대상으로 대학 수학 능력 시험이 처음 실시되었다(1993).
05	× 산업화 초기인 1960년대에는 낮은 임금과 높은 물가로 많은 노동자들이 고통받았다.	**13**	× 프레스 카드제는 박정희 정부 시기인 1972년에 처음 시행되었다.
06	× 노동 조합을 자유롭게 설립할 수 있게 된 것은 1987년 6월 민주 항쟁 이후부터이다.	**14**	경향신문
07	O 6월 민주 항쟁 이후 노동 운동이 급속히 활성화되었으며, 이러한 흐름에 맞춰 노태우 정부 때인 1991년에 국제 노동 기구(ILO)에 가입하였다.	**15**	국민 교육 헌장
08	전태일	**16**	6월 민주 항쟁

핵심 키워드로 현대 마무리

시기	구분		정치	경제
1945 ~ 1948	정부 수립 시기		• 모스크바 3국 외상 회의 → 신탁 통치 문제 → 친탁(좌익) vs 반탁(우익) • 이승만의 정읍 발언(남한 단독 정부 수립) → 좌·우 합작 운동 → 실패 • 유엔 소총회의 남한 단독 선거 결정 → 남북 협상 → 실패 • 5·10 총선거 → 대한민국 정부 수립	• 미국의 원조 • 소극적인 토지 개혁 • 신한 공사 설립
1948 ~ 1960	이승만 정부		• 반민족 행위 처벌법 제정, 반민특위 설치 • 6·25 전쟁 → 휴전 협정, 한·미 상호 방위 조약 체결 • 발췌 개헌(직선제 개헌), 사사오입 개헌(중임 제한 철폐) → 장기 집권 도모 • 3·15 부정 선거 → 4·19 혁명 → 이승만 하야 → 허정 과도 국무정부 수립	• 귀속 재산 처분 → 정경 유착 • 농지 개혁: 유상 몰수, 유상 분배 • 원조 경제 체제: 삼백 산업 발달 • 농촌 경제 파탄, 대미 의존도 심화
1960	장면 내각		• 제3차 개헌(내각 책임제와 양원제) • 민주당이 구파와 신파로 분리(대통령: 윤보선, 국무총리: 장면)	경제 개발 5개년 계획 추진 시도
1961 ~ 1979	박정희 정부	군정	5·16 군사 정변 → 국가 재건 최고 회의, 중앙정보부 창설	• 제1·2차 경제 개발 계획: 경공업 육성, 사회 간접 자본 확충, 베트남 특수 • 제3·4차 경제 개발 계획: 중화학 공업 육성, 중동 건설 • 수출 100억 달러 달성
		제3 공화국	• 한·일 국교 정상화 → 6·3 항쟁 → 한·일 기본 조약과 부속 협정 체결 • 베트남 파병 → 브라운 각서 체결	
		유신 체제	• 10월 유신 선언 → 유신 헌법(대통령 권한 강화) • YH 무역 사건, 부·마 항쟁, 10·26 사태 → 유신 체제 붕괴	
1980 ~ 1988	전두환 정부		• 12·12 사태 → 서울의 봄, 5·18 광주 민주화 운동 • 7년 단임제를 골자로 하는 제8차 개헌 공포 • 4·13 호헌 조치 → 6월 민주 항쟁 → 6·29 선언(직선제 개헌)	• 3저 호황: 저유가, 저금리, 저달러 • 무역 수지 흑자 전환
1988 ~ 1993	노태우 정부		• 북방 외교 정책 추진 • 지방 자치제 부분 실시	
1993 ~ 1998	김영삼 정부		• 지방 자치제 전면 실시 • 역사 바로 세우기 운동: 조선 총독부 건물 철폐, 국민학교를 초등학교로 개칭	• 금융 실명제 실시 • 우루과이 라운드(UR) 타결, 세계 무역 기구(WTO) 출범, 경제 협력 개발 기구(OECD) 가입
1998 ~ 2003	김대중 정부		• 평화적인 여야 정권 교체 • 대북 화해 협력 정책 실시	외환 위기 극복: 금모으기 운동
2003 ~ 2008	노무현 정부		김대중 정부의 대북 정책 계승	한·미 자유 무역 협정(FTA) 타결
2008 ~ 2013	이명박 정부		G20 정상 회의 개최	–
2013 ~ 2017	박근혜 정부		–	–
2017 ~ 2022	문재인 정부		–	–

통일 논의	사회 · 문화
남북 모두 무력에 의한 한반도 통일 주장	6·3·3 학제 도입
• 북진 통일론, 반공 통일론 • 진보당 사건: 평화 통일을 주장한 진보당 탄압	• 초등학교 의무 교육 • 경향신문 폐간
• 진보 진영: 중립화 통일론과 남북 협상론 제기 • 장면 내각: 북진 통일론 폐기, 평화 통일론 채택 → 소극적	–
• 완강한 반공 정책 고수 • 선 건설 후 통일론 • 남북 적십자 회담 제의 → 북한의 수용 • 7·4 남북 공동 성명: 자주·평화·민족 대단결 • 남북 조절 위원회 설치 • 6·23 평화 통일 외교 정책 선언: 남북 유엔 동시 가입 제안, 공산권에 문호 개방	• 국민 교육 헌장 선포 • 새마을 운동 • 전태일 분신, YH 무역 사건 • 프레스 카드제 실시(언론 탄압)
최초의 남북 이산가족 고향 방문	• 해외 여행 자유화, 3S 정책 • 보도 지침을 통해 검열 강화
• 남북 유엔 동시 가입 • 남북 기본 합의서, 한반도 비핵화에 관한 공동 선언 채택	• 서울 올림픽 개최 • 국제 노동 기구(ILO) 가입
• 민족 공동체 통일 방안: 3단계 통일 방안, 3대 원칙 제시 • 김일성 사망으로 남북 관계 후퇴	전국 민주 노동 조합 총연맹(민주 노총) 결성
• 금강산 해로 관광 실시 • 최초의 남북 정상 회담 개최 → 6·15 남북 공동 선언	여성부 신설
제2차 남북 정상 회담 개최 → 10·4 남북 공동 선언	호주제 폐지
남북 관계 악화	–
남북 관계 악화	–
4·27 판문점 선언 발표	–

해커스공무원 한국사 기본서 **2권 근현대사**

부록

근현대 빈출 인물 총정리

근현대 빈출 인물 총정리

(* 근현대 빈출 인물은 ㄱ, ㄴ, ㄷ 순으로 정렬되어 있습니다.)

김구 (1876~1949)	• 1909년 신민회 회원으로 활동 • 1911년 안명근 군자금 모금 사건의 관련자로 체포됨 • 1919년 3·1 운동 직후 상하이로 망명하여 **대한민국 임시 정부의 초대 경무국장**이 된 후 내무총장, 국무총리 대리, 국무령을 차례로 역임 • 1930년 이동녕, 이시영 등과 함께 **한국 독립당 창당** • 1931년 **한인 애국단 조직**, 1932년에 상하이 대한 교민단 의경대장으로 임명됨 • 1940년 **대한민국 임시 정부 주석**에 취임, **한국광복군 조직** • 광복 이후 **신탁 통치 반대 운동** 전개 • 1948년 **남북 협상** 주도 • 1949년 민족 통일 운동을 전개하던 중 육군 소위 안두희에게 암살 당함
김규식 (1881~1950)	• 1919년 **파리 강화 회의에 한국 대표로 참석**(신한청년당), 파리 강화 회의에 대한민국 임시 정부 대표 명의로 된 탄원서 제출 • 1935년 **민족 혁명당 창당** • 1942년 대한민국 임시 정부 국무위원을 역임 • 1944년 대한민국 임시 정부 부주석에 취임 • 1946년 여운형과 함께 **좌·우 합작 운동 전개**, 1948년 **남북 협상에 참여**
김옥균 (1851~1894)	• 1881년 일본에 건너가 메이지 유신의 과정을 보고 일본의 정치가들과 접촉하여 동향 파악 • 1882년 임오군란 이후 수신사 박영효의 고문이 되어 일본에 건너감, 당시 일본 동경에 체류하는 동안 『치도약론』을 저술 • 1883년 6월 일본으로부터 차관을 받고자 하였으나 실패하고, 1884년 **갑신정변을 일으킴** • 갑신정변 실패 이후 일본으로 망명, 1894년 상하이로 망명하였다가 자객에게 암살 당함
김원봉 (1898~1958)	• 1919년 만주 지린(길림)에서 **의열단 조직** • 1926년 황푸 군관 학교 훈련생으로 입교 • 1932년 난징에서 조선 혁명 간부 학교 창설 • 1935년 중국 관내에서 신한 독립당, 조선 혁명당, 의열단 등 5개 단체를 규합하여 **민족 혁명당 조직** • 1938년 **조선 의용대 창설** • 1942년 **한국광복군에 합류**, 1944년 광복군 제1지대장 및 부사령관 역임 • 남한 단독 정부 수립이 본격화되자 월북함
김윤식 (1835~1922)	• 1881년 청에 **영선사로 파견**됨 → 1882년 임오군란이 일어나자 청군과 함께 귀국 • 1884년 갑신정변 때 김홍집과 함께 청의 위안스카이에게 구원 요청 • 1894년 김홍집 내각에 참여하여 갑오개혁에 간여함 • 아관 파천 이후 외무대신에서 면직됨, 을미사변과 관련하여 탄핵되어 제주도에 유배됨 → 1907년 석방된 이후 기호학회 회장, 흥사단 단장, 교육구락부 부장으로 활약
김좌진 (1889~1930)	• 1916년 **대한 광복단에 가담**하여 항일 투쟁 활동 전개 • 1918년 일본의 감시를 피해 만주로 건너가 대종교에 입교 • 1919년 **대한 독립 선언서**에 39명 민족 지도자의 한 사람으로 서명, **북로 군정서의 총사령관**에 취임 • 1920년 **청산리 전투에서 일본군 격파**, 대한 독립 군단의 부총재로 취임 • 1925년 신민부 창설, 신민부의 군사 부위원장 및 총사령관 역임 • 1929년 신민부의 후신으로 한족 총연합회가 창설되자, 주석으로 선임됨

인물	주요 활동
김홍집 (1842~1896)	• 1880년 제2차 수신사로 일본에 다녀오면서 황쭌셴의 **『조선책략』**을 가지고 들어옴 • 1894년 **군국기무처 총재관**에 임명되어 **제1차 갑오개혁 주도**, 이후 박영효와 연립 내각을 이루어 **홍범 14조**를 발표하고 제2차 갑오개혁 실시 → 박영효가 실각한 후 제3차 갑오개혁(을미개혁) 추진 • 1896년 아관 파천으로 김홍집 내각 붕괴 → 광화문 앞에서 군중들에 의해 타살됨
나석주 (1892~1926)	• 1920년 항일 비밀 결사를 조직하고 군자금 모금, 친일파 숙청 등의 활동 전개 • 1923년 중국 육군 군관단 강습소에 입교하여 사관 훈련 수료 • 1926년 의열단에 입단, **조선식산은행과 동양 척식 주식회사에 폭탄 투척**
박규수 (1807~1876)	• 1807년 연암 박지원의 손자로 출생 • 1861년 연행사절의 부사로 중국에 다녀옴 • 1862년 임술 농민 봉기 당시 사태 수습을 위해 **안핵사로 파견**됨 • 1866년 평안도 관찰사 재직 당시 **제너럴셔먼호를 대동강에서 격퇴** • 1872년 청에 사신으로 양무 운동을 보고온 후 서양 문물을 수용해야 한다고 주장하며 흥선 대원군에게 문호 개방의 필요성을 여러 차례 건의 • 1875년 운요호 사건이 발발하자 강화도 조약 체결에 적극 찬성
박영효 (1861~1939)	• 1872년 철종의 부마가 되었으며, 박규수의 문하에서 개화 사상의 영향을 받음 • 1882년 9월 임오군란의 사후 수습을 위해 **제3차 수신사로 일본에 파견됨** • 1884년 **갑신정변에 참여**하였다가 실패 후 일본으로 망명 • 1894년 제2차 김홍집 내각의 내부 대신에 임명되어 활동 • 3·1 운동 이후 **동아일보사 초대 사장**, 중추원 의장·부의장, 일본 귀족원 의원 역임
박용만 (1881~1928)	• 1909년 미국 네브라스카에 **한인 소년병 학교 설립** • 1911년 대한인 국민회 기관지인 신한민보의 주필로 활동 • 1912년 하와이로 건너가 대한인 국민회 하와이 지방 총회의 기관지인 신한국보의 주필로 활동 • 1914년 **대조선 국민 군단을 조직**하여 군사 훈련 실시 • 1917년 상하이의 신규식, 조소앙 등과 **대동 단결 선언을 발표**하여 임시 정부 수립을 계획 • 1919년 상하이에서 통합된 임시 정부의 외무총장에 선출됨
박은식 (1859~1925)	• 1898년 독립 협회에 가입하여 활동하였고, **황성신문의 주필 담당** • 1904년 대한매일신보가 창간되자 양기탁의 추천으로 **대한매일신보의 주필 담당** • 1906년 대한 자강회에 가입해 활동, 기관지 대한 자강회 월보에 애국 계몽 논설 발표, 서우학회 조직 • 1907년 신민회에 가입하여 교육과 출판 부문에서 활동 • 1908년 서북학회가 창립되자 이 학회를 지도하고, 기관지 서북학회 월보의 주필로 활동 • 1911년 대종교 입교, 동창 학교 재직 • 1912년 신규식 등과 함께 **동제사 조직** • 1925년 **대한민국 임시 정부 제2대 대통령 취임** • 주요 저술: 「유교구신론」, 『천개소문전』, 『안중근전』, 『한국통사』, 『한국독립운동지혈사』

근현대 빈출 인물 총정리

서상돈 (1850~1913)	• 독립 협회의 주요 회원으로 활약 • 1907년 2월 16일 대구 광문사를 대동광문회로 개칭하기 위한 특별회를 마친 뒤, 광문사 부사장으로서 담배를 끊어 당시의 국채 1300만환을 보상할 것을 제의 → 이때 참석한 회원들은 **국채 보상 운동을 전국적으로 전개**하기로 하고 **'국채보상취지서'**를 **작성·발표**함 • 국채 보상 운동은 대구 광문사 사장 김광제 등과 함께 전개 → 황성신문, 대한매일신보 등을 비롯한 민족 언론 기관들의 적극적인 호응을 얻어 전국적인 운동으로 발전 → 이에 불안을 느낀 일제의 탄압으로 실패
서재필 (1864~1951)	• 일본에서 유학한 후 1884년에 귀국하여 사관 학교 설립 건의 • 갑신정변에 참여하였다가 3일 만에 실패하고, 일본으로 망명 • 다시 미국으로 망명하여 시민권을 획득하고 의사 면허 취득 • 갑오개혁 이후 귀국하여 1896년 **독립신문을 창간**하고, **독립 협회 창설** • 수구파 관료와 열강의 이권 침탈을 비판하다가 미국으로 추방됨 • 3·1 운동 이후 세계 여론에 독립을 호소, 독립운동 후원회를 만들고 **임시 정부 구미 위원회 위원장으로 활동**
손병희 (1861~1922)	• 1892년 최시형 등과 교조 최제우의 신원 운동 전개 • 1894년 동학 농민 운동 전개 과정에서 북접 농민군을 지휘·통솔 • 1905년 **동학을 천도교로 개칭** • 1919년 천도교측 대표로 3·1 운동에 참여, **대한 국민 의회 대통령**에 추대됨
신돌석 (1878~1908)	• 본관은 평산, 본명은 태호 • 명성 황후 시해 사건과 단발령을 계기로 1896년 100여 명의 의병을 이끌고 영해에서 의병 운동 전개 • 1905년 을사늑약을 계기로 각지에서 의병 운동이 재개되자 1906년 영릉 의병장이라는 이름으로 **의병 운동 전개** • 1907년 청송에서 일본군 격파 → 그해 이인영을 중심으로 13도 의병이 양주에 집결하자 신돌석도 경상도 의병을 대표하여 양주에 참여하였으나 의병 재편 과정에서 평민 출신이라는 이유로 제외됨 • 1908년 경상도 영해로 돌아와 평해의 독곡에서 일본군을 격파, 안동·울진·삼척·강릉 등지에서 활약
신채호 (1880~1936)	• 1906년 **대한매일신보 주필로 활동**, 1907년 신민회 조직 • 1910년 블라디보스토크로 가서 이동휘 등과 광복회를 조직하여 부회장으로 활약, 1912년 권업회의 기관지 **권업신문 주필로 활약** • 1913년 상하이로 가서 동제사에 참여, 1914년 동창 학교 재직 • 1919년 북경에서 대한 독립 청년단 조직, 대한민국 임시 정부에서 활동하며 임시 의정원 의원이 됨 • 1923년 의열단 선언인 **「조선혁명선언」 집필** • 1928년 타이완에서 체포되어 여순 감옥에서 복역하던 중 순국 • 주요 저술: 「독사신론」, 『이순신전』, 『을지문덕전』, 『조선사연구초』, 『조선상고사』
안재홍 (1891~1965)	• 1916년 상하이로 망명하여 이회영·신채호 등이 조직한 동제사에서 활약 • 1919년 대한민국 임시 정부의 연통부 역할 수행하다가 투옥 • 1924년 **조선일보의 주필로 활동**, 1927년 **신간회** 총무 간사로 활약, 1929년 생활 개선 운동, 문자 보급 운동 전개 • 1942년 **조선어 학회 사건으로 투옥** • 1945년 조선 건국 준비 위원회 부위원장 역임, **신탁 통치 반대 운동**에 참여, **좌·우 합작 위원회** 결성(1946) • 1947년 미 군정이 설립한 남조선 과도 정부의 입법 의원, 미군정청의 민정 장관 역임

안중근 (1879~1910)	• 1904년 러·일 전쟁이 일어나자 상하이에 망명하였다가 교육 등 실력 양성이 급선무라 생각하고 다음 해 귀국 • 1906년 삼흥 학교를 설립하고, 돈의 학교를 인수하여 경영 • 1907년 국채 보상 운동에 참가, 한·일 신협약이 체결되자 연해주로 가서 의병 부대에 가담 • 1909년 **만주 하얼빈에서 초대 통감 이토 히로부미 사살** • 1910년 **『동양평화론』 저술**, 뤼순 감옥에서 순국
안창호 (1878~1938)	• 1897년 **독립 협회 가입**, 1898년 종로에서 이상재, 윤치호 등과 **만민 공동회 개최** • 1899년 점진 학교 설립, 1902년 미국으로 건너가 샌프란시스코에서 대한인 공립 협회 설립(1905) • 을사늑약 체결 후 귀국, 1907년 양기탁, 신채호 등과 비밀 결사 조직인 **신민회 조직**, 1908년 평양에 **대성 학교 설립** • 1912년 샌프란시스코에서 대한인 국민회 중앙 총회 조직, 1913년 샌프란시스코에서 **흥사단 조직** • 1919년 대한민국 임시 정부 내무총장 겸 국무총리 대리직 수행 • 1926년 한국 독립 유일당 북경 촉성회 선언 발표 • 1937년 수양 동우회 사건으로 수감
양기탁 (1871~1938)	• 1898년 만민 공동회의 간부로 활약 • 1902년 이상재·민영환·이준·이상설·이동휘 등과 개혁당 조직 운동에 가담 • 1904년 러·일 전쟁 기간에 일제가 조선에게 삼림·황무지 개척권을 요구하자 이에 반대하는 보안회 운동에 참가, 영국인 베델과 함께 **대한매일신보 창간** • 1907년 **국채 보상 운동 주도**, 신민회 조직 • 1911년 일제가 날조한 105인 사건으로 체포되어 실형을 선고받음 • 1920년 동아일보 창간될 때 고문으로 추대됨 • 1926년 고려 혁명당을 조직하고 위원장 역임 • 1930년 상하이로 가서 대한민국 임시 정부에서 활동
양세봉 (1896~1934)	• 1919년 3·1 운동 직후 천마산대 독립군에 입대해 일제의 통치 기관 파괴, 친일파 숙청 활동 전개 • 1920년 만주로 건너가 광복군 총영에서 활동 • 1923년 육군 주만 참의부가 결성되자 소대장으로 활동 • 1929년 **조선 혁명군 총사령관**에 취임 → 1932년 **영릉가 전투**, 1933년 **흥경성 전투**에서 일본군 격파 • 1934년 일본군과의 치열한 전투 끝에 전사
여운형 (1886~1947)	• 1918년 상하이에서 청년 동포들을 규합, **신한청년당 조직** • 1919년 대한민국 임시 정부 수립에 가담하여 임시 의정원 의원 역임 • 1920년 소련 공산당에 가입, 1925년 중국 국민당에 가입 • 1944년 **조선 건국 동맹** 조직 → 1945년 광복 이후 **조선 건국 준비 위원회 결성** • 1946년 김규식과 **좌·우 합작 위원회 조직**
유관순 (1902~1920)	• 1918년 이화학당 보통과 졸업, 고등과 진학 • 1919년 3·1 운동에 직접 참여, 고향 **병천 아우내 장터**에서 수천 명이 참여한 **만세 시위 주도**, 시위 주도자로 체포되어 수감 • 1920년 옥중 만세 운동 전개, 오랜 고문과 영양 실조로 18세의 나이로 순국

근현대 빈출 인물 총정리

유길준 (1856~1914)	• 1870년 박규수 문하에서 김옥균, 박영효 등과 실학 사상을 배우고 『해국도지』 등 서적을 통해 해외 문물 습득 • 1881년 **조사 시찰단**으로 일본에 가서 우리나라 최초의 일본 유학생이 됨 • 1882년 임오군란이 일어나자 귀국하여 통리교섭통상사무아문의 주사에 임명됨 → 박영효가 계획한 한성순보 발간 사업의 실무 책임을 맡음 • 1883년 7월 보빙사 민영익의 수행원으로 미국에 건너가 **우리나라 최초의 미국 유학생**이 됨, 이후 유럽 각국을 순방한 뒤 1885년 12월 귀국 • 갑신정변의 주모자인 김옥균·박영효 등과 친분 관계가 있었다하여 개화파의 일당으로 간주되어 체포됨 • 1889년 **『서유견문』 집필**, 1895년에 출판됨
윤봉길 (1908~1932)	• 1926년 농촌 계몽 활동 전개 • 1930년 만주로 망명하던 중 미행하던 일본 경찰에 발각되어 옥고를 치르다가 만주로 탈출하여 독립운동 준비 • 1931년 상하이로 이동, **한인 애국단**에 가입 • 1932년 상하이 훙커우 공원에서 열린 일본군 상하이 사변 전승 기념식에서 폭탄을 투척, 거사 직후 사형을 선고받아 총살형으로 순국
윤치호 (1866~1945)	• 1879년 어윤중의 문하에서 수학하기 시작 • 1881년 4월 조사 시찰단의 일원이었던 어윤중의 수행원으로 일본에 건너감 • 1884년 12월 갑신정변에 직접 가담하지 않았으나 김옥균·박영효 등과 각별히 친밀했기 때문에 신변의 위협을 느끼고 1885년 1월 상하이로 망명, 이후 1888년 9월 미국으로 건너감 • 1895년 2월 귀국한 후 의정부 참의에 임명되어 **갑오개혁에 동참** • 1897년 7월부터 **독립 협회에 가담**해 서재필, 이상재 등과 독립 협회를 이끌었음 • 1905년 을사늑약이 체결되자 관직 사퇴, 1906년 **대한 자강회를 조직**, 고종 퇴위 반대 운동 전개 • 1908년 9월 안창호 등이 주도하는 평양의 대성 학교에 교장으로 취임 • 1920년대 이후 각종 친일 단체에 참가하고, 중·일 전쟁이 발발한 이후에는 조선 지원병 제도 제정 축하회 발기인 겸 실행 위원으로 참여해 회장에 추대되었고, 조선 총독부 기관지 매일신보가 주식 회사로 전환할 때 발기인으로 참여하는 등 친일 활동 전개
이동녕 (1869~1940)	• 1896년 독립 협회에 가담하여 구국 운동을 전개 • 1898년 제국신문의 논설위원으로 활동하며 개화 논설 집필 • 1905년 을사늑약이 체결되자 결사대 조직, 덕수궁 대한문 앞에서 조약의 무효와 파기를 선언하는 시위 전개 • 1906년 만주 북간도 용정촌으로 망명, 이상설 등과 **서전서숙 설립** • 1907년 안창호·양기탁·이동휘 등과 **신민회 조직에 참여**, 상동 학교 설립 • 국권 피탈 후 만주 서간도 삼원보에 망명, 이회영·이시영 등과 함께 **경학사와 신흥 학교를 설립**, 초대 소장으로 취임 • 1914년 이상설·이동휘 등과 함께 **대한 광복군 정부 수립** • 1919년 지린(길림)성에서 민족 대표 39명이 대한 독립 선언서를 작성할 때 참여 • 1919년 임시 의정원의 초대 의장으로 선임 • 1930년 김구 등과 **한국 독립당 조직**, 이사장에 추대됨 • 1935년 **한국 국민당 조직**

이동휘 (1873~1935)	• 1906년 오상규·유진호 등을 중심으로 한북 흥학회 조직 → 1908년 서우학회와 합하여 **서북학회로 발전**시킴 • 1907년 한·일 신협약에 의해 한국군이 강제로 해산될 당시까지 참령으로서 **강화 진위대를 이끔**, 일제의 의해 군대가 해산되자 1909년 강화도 전등사에서 의병을 조직할 계획을 세우다가 잡혀 유배됨 • 안창호 등과 **신민회를 조직**하여 항일 투쟁을 전개, 1911년에 **105인 사건에 연루·투옥**되었다가 무혐의로 석방 • 1918년경 러시아 하바로프스크에서에서 **한인 사회당 조직** • 1919년 **대한민국 임시 정부의 국무총리에 취임** • 1921년 종래의 한인 사회당을 고려 공산당으로 개칭
이범석 (1900~1972)	• 1919년 신흥 무관 학교 교관, 북로 군정서 교관 역임 • 1920년 **청산리 대첩에서 제2제대 지휘관으로 활약**, 1923년 김규식 등과 고려 혁명군 창설 • 1934년 뤄양 군관 학교 한적 군관 대장 역임 • 1940년 대한민국 임시 정부가 광복군 총사령부를 창설한 뒤 제2지대장으로 미국군과 합동 작전에 참가 • 1945년 **한국광복군 참모장 역임** • 1948년 대한민국 정부 초대 국무 총리, 국방부 장관 역임, 1951년 이기붕 등과 자유당 창당
이상설 (1870~1917)	• 1906년 북간도 용정으로 망명, 북간도에 **서전서숙 설립** • 1907년 네덜란드 헤이그에서 개최된 만국 평화 회의에 이준, 이위종과 함께 **고종의 특사로 파견됨** • 1909년 블라디보스토크에서 한국 교포들을 이주시키고, 독립 운동 기지인 **한흥동 건설** • 1910년 연해주에서 **13도 의군 편성**, **성명회 조직** • 1911년 **권업회를 조직**해 회장으로 선출됨, 권업신문의 주간을 맡음 • 1914년 **대한 광복군 정부**를 세워 정통령으로 취임
이상재 (1850~1927)	• 1881년 박정양·어윤중·홍영식 등과 함께 **조사 시찰단으로 일본에 파견** • 1896년 서재필·윤치호 등과 **독립 협회 조직**, 독립 협회가 주최한 만민 공동회 의장 또는 사회를 맡음 • 1923년 **조선 민립 대학 기성회를 조직**하여 회장에 취임 • 1927년 신간회를 조직하고, 창립 회장으로 추대되었으나, 얼마 지나지 않아 사망
이승만 (1875~1965)	• 1898년 러시아의 이권 침탈을 규탄하기 위해 열린 **만민 공동회에 참여**하면서 **독립 협회에 적극적으로 참여**, 일간지인 **매일신문을 창간**해 주필로 활동 • 1905년 8월 미국 대통령 루즈벨트를 만나 한국의 독립 보존을 청원 • 1919년 2월 미국 대통령 윌슨에게 한국을 국제 연맹의 위임 통치 하에 둘 것을 요청하는 청원서 제출, 워싱턴에 구미 위원부 설치, 1919년 9월에 통합된 **대한민국 임시 정부의 초대 대통령** 역임 → 1925년 **위임 통치 청원 건으로 탄핵** 당함 • 1933년 국제 연맹에서의 활동을 인정받아 임시 정부 국무위원에 선출됨 • 1940년 주미 외교 위원부 위원장으로 임명됨 • 광복 후 귀국하여 **독립 촉성 중앙 협의회를 조직**해 회장에 추대됨 • 1946년 정읍에서 '남쪽만의 임시 정부 혹은 위원회 조직이 필요하다'고 발언 • 1948년 **대한민국 초대 대통령 취임**(1960년 4·19 혁명으로 하야)
이승훈 (1864~1930)	• 1907년 신민회에 가입 후 **자기 회사 설립**, **태극 서관 운영**, **오산 학교 설립** • 1919년 3·1 운동 때 민족 대표 33인 중 기독교 대표로 참가 • 1924년 동아일보 사장에 취임, **민립 대학 설립 운동 전개**

근현대 빈출 인물 총정리

이시영 (1869~1953)	• 1906년 평안남도 관찰사에 등용되어 근대 학교 설립 및 애국 계몽 운동 전개 • 1907년 이동녕, 안창호, 이회영 등과 함께 **신민회 조직** • 국권 피탈 후 서간도 삼원보로 망명하여 **경학사와 신흥 강습소 설립을 주도** • 1919년 상하이로 가서 임시 정부 수립에 참여하여 초대 법무총장에 선임 • 1930년 **한국 독립당 창당에 참여** • 1935년 김구 등과 함께 **한국 국민당 창당** • 1948년 제헌 국회에서 실시된 정·부통령 선거에서 대한민국 초대 부통령에 당선
이회영 (1867~1932)	• 1907년 안창호·양기탁·이동녕·신채호 등과 **신민회 조직** • 1910년 한·일 병합 이후 전 재산을 정리해 만주로 이동 • 1911년 **경학사 조직**, 1912년 **신흥 강습소 설립** • 1918년 오세창·한용운·이상재 등과 밀의하여 고종의 국외 망명을 계획하였으나 고종의 죽음으로 뜻을 이루지 못함 • 1931년 만주 사변이 발발하자 중국에 있던 동지들이 상해로 집결하여 조직한 항일 구국 연맹의 의장에 추대됨
임병찬 (1851~1916)	• 1906년 최익현과 태인에서 의병을 일으킴, 최익현과 함께 붙잡혀 대마도로 유배됨 • 1912년 고종의 밀명으로 **독립 의군부 조직**, 독립 의군부를 전국 조직으로 확대하여 1914년에 대한 독립 의군부 조직 • 독립 의군부 조직이 일제에 발각되어 거문도로 유배됨
장인환 (1876~1930)	• 1905년 을사늑약이 강제 체결되자 대동보국회에 가입 • 1908년 샌프란시스코에 와서 친일 성명을 발표한 통감부의 외교 고문 **스티븐스를 권총으로 저격·사살**
장준하 (1918~1975)	• 1944년 도쿄의 일본 신학교 재학 중 일본군 학도병에 강제 징집됨 • 1953년 피난지에서 **사상계 창간** 주도, 1962년 막사이사이상(賞) 수상 • 1967년 옥중에서 제7대 총선에 출마하여 국회의원에 당선됨 • 1973년 민주 회복을 위한 **개헌 청원 백만인 서명 운동 주도**
전봉준 (1855~1895)	• 동학의 2대 교주 최시형으로부터 고부 지방의 접주로 임명됨 • 1894년 1월 고부 군수 조병갑의 탐학이 심해지자 **고부 민란을 일으킴** → 이후 사태를 수습하러 온 안핵사 이용태가 동학 교도에게 책임을 돌리고 농민들 탄압하자 1894년 3월 통문을 돌리고 봉기 • 1894년 4월 전주성을 점령하고 정부와 전주 화약을 맺음 → 일본군이 경복궁을 점령하자 1894년 9월 다시 봉기, 남접 농민군을 이끌고 북접 농민군과 합세 → **우금치 전투에서 대패**하고 순창에서 체포
조만식 (1883~1950)	• 1913년 오산 학교 재직, 1919년 3·1 운동에 참여하였다가 잡혀 1년간 옥고를 치름 • 1922년 **조선 물산 장려회 조직**, 국산품 애용 운동 전개 • 1923년 **민립 대학 기성회 조직** • 1927년 **신간회에 참여** • 1932년 조선일보사 사장에 추대됨 • 광복 직후 평안 남도 건국 준비 위원회를 구성하여 위원장에 취임

인물	주요 활동
조소앙 (1887~1958)	• 1909년 대한흥학회를 창립하여 대한흥학보의 주필이 됨 • 1913년 중국에 망명하여 신규식·박은식·신채호 등과 **동제사를 박달 학원으로 개편** • 1919년 만주 길림에서 무장 항쟁 노선이 집약된 대한 독립 선언서를 기초하여 공동 성명을 발표 • 1930년 이동녕·이시영·김구 등과 한국 독립당 창당, **삼균주의에 입각한 정강을 제창** • 1940년 김구와 한국 독립당을 창당, 창당 선언에서 삼균주의를 다시 확립 • 광복 후 **신탁 통치 반대 운동을 추진**, 1948년 **남북 협상에 참가**
주시경 (1876~1914)	• 1896년 4월 독립신문을 창간한 서재필에게 발탁되어 독립신문사의 회계 사무 겸 교보원이 됨 • 순한글 신문인 독립신문 제작에 종사하게 되자, 그 표기 통일을 해결하기 위한 국문 동식회를 조직하여 연구에 힘씀 • 1910년 국어의 문법 및 특징을 서술한 『국어문법』 저술 • 1914년 자음, 모음의 분류와 음절 등을 서술한 『말의 소리』 저술 • 국문 동식회를 비롯한 의학교 내 국어 연구회 연구원 및 제술원, 학부 국문 연구소 주임위원, 국문 연구회, 조선 광문회 사전 편찬 등의 국어 연구 활동 전개
지청천 (1888~1957)	• 1919년 신흥 무관 학교에서 독립군 양성 • 1920년 상하이 임시 정부 산하의 만주 군정부·서로 군정서의 간부 역임, 대한 독립 군단에 참여 • 1930년 한국 독립군을 조직하고 총사령관에 취임, **쌍성보 전투**(1932)에서, **사도하자·대전자령 전투**(1933)에서 일본군 격파 • 1940년 **한국광복군 총사령관에 취임**
최익현 (1833~1906)	• 1873년 흥선 대원군의 내정 개혁(만동묘 및 서원 철폐 등)에 반대하는 상소(계유상소)를 올림 • 1876년 개항을 반대하며 **왜양 일체론 주장** • 1905년 을사늑약 체결에 참여한 **을사 5적의 처벌을 청원하는 상소**를 올림 • 1906년 74세 고령의 나이로 전북 태인에서 의병을 일으킴 → 체포된 이후 쓰시마 섬에서 순국
홍명희 (1888~1968)	• 1919년 괴산에서 3·1 운동 주도 • 1927년 신간회 결성에 참여 • 조선일보에 소설 「임꺽정」 연재 시작 • 1948년 조선 민주주의 인민 공화국 부수상에 임명
홍범도 (1868~1943)	• 1907년 **산포대를 조직하고 의병을 일으켜 갑산·삼수 등지에서 유격전으로 일본 수비대를 격파** • 1919년 대한 독립군 창설 • 1920년 **봉오동 전투와 청산리 전투에서 일본군 격파**, 일본군이 추격해 오자 대한 독립 군단 조직, 부총재에 선임 • 1921년 **자유시로 이동**하였으나 소련 적색군의 배반으로 자유시 참변을 겪음 • 1937년 소련의 스탈린에 의해 **중앙아시아로 강제 이주**

2025 대비 최신개정판

해커스공무원 한국사 기본서 2권 | 근현대사

개정 11판 1쇄 발행 2024년 5월 2일

지은이	해커스 공무원시험연구소
펴낸곳	해커스패스
펴낸이	해커스공무원 출판팀
주소	서울특별시 강남구 강남대로 428 해커스공무원
고객센터	1588-4055
교재 관련 문의	gosi@hackerspass.com 해커스공무원 사이트(gosi.Hackers.com) 교재 Q&A 게시판 카카오톡 플러스 친구 [해커스공무원 노량진캠퍼스]
학원 강의 및 동영상강의	gosi.Hackers.com
ISBN	2권: 979-11-6999-997-7 (14910) 세트: 979-11-6999-995-3 (14910)
Serial Number	11-01-01